Directeur de collection
Philippe GLOAGUEN

Cofondateurs
Philippe GLOAGUEN et Michel DUVAL

Rédacteur en chef
Pierre JOSSE

Rédaction
Florence CHARMETANT, Benoît LUCCHINI,
Yves COUPRIE, Olivier PAGE,
Véronique de CHARDON, Amanda KERAVEL,
Isabelle AL SUBAIHI, Anne-Caroline DUMAS,
Carole FOUCAULT et Bénédicte SOLLE

LE GUIDE
DU
ROUTARD

1999/2000

QUÉBEC
ET PROVINCES
MARITIMES

Hachette

Hors-d'œuvre

Le G.D.R., ce n'est pas comme le bon vin, il vieillit mal. On ne veut pas pousser à la consommation, mais évitez de partir avec une édition ancienne. D'une année sur l'autre, les modifications atteignent et dépassent souvent les 40 %.

Chaque année, en juin ou juillet, de nombreux lecteurs se plaignent de voir certains de nos titres épuisés. À cette époque, en effet, nous n'effectuons aucune réimpression. Ces ouvrages risqueraient d'être encore en vente au moment de la publication de la nouvelle édition. Donc, si vous voulez nos guides, achetez-les dès leur parution. Voilà.

Nos ouvrages sont les guides touristiques de langue française les plus souvent révisés. Malgré notre souci de présenter des livres très réactualisés, nous ne pouvons être tenus pour responsables des adresses qui disparaissent accidentellement ou qui changent tout à coup de nature (nouveaux propriétaires, rénovations immobilières brutales, faillites, incendies...). Lorsque ce type d'incidents intervient en cours d'année, nous sollicitons bien sûr votre indulgence. En outre, un certain nombre de nos adresses se révèlent plus « fragiles » parce que justement plus sympa ! Elles réservent plus de surprises qu'un patron traditionnel dans une affaire sans saveur qui ronronne sans histoire.

Spécial copinage

– *Restaurant Perraudin* : 157, rue Saint-Jacques, 75005 Paris. ☎ 01-46-33-15-75. Fermé le samedi midi, le dimanche, le lundi midi et la 2ᵉ quinzaine d'août. À deux pas du Panthéon et du jardin du Luxembourg, il existe un petit restaurant de cuisine traditionnelle. Lieu de rencontre des éditeurs et des étudiants de la Sorbonne, où les recettes d'autrefois sont remises à l'honneur : gigot au gratin dauphinois, pintade aux lardons, pruneaux à l'armagnac. Sans prétention ni coup de bâton. D'ailleurs, c'est notre cantine, à midi.

– Un grand merci à *Hertz*, notre partenaire, qui facilite le travail de nos enquêteurs, en France et à l'étranger. Centrale de réservations : ☎ 01-39-38-38-38.

**IMPORTANT : le 36-15, code ROUTARD, a fait peau neuve ! Pour vous aider à préparer votre voyage : présentation des nouveaux guides ; « Du côté de Celsius » pour savoir où partir, à quelle saison ; une boîte à idées pour toutes vos remarques et suggestions ; une messagerie pour échanger de bons plans entre routards. Nouveau : notre rubrique « Bourse des vols » permet désormais d'obtenir en un coup d'œil tous les tarifs aériens (charters et vols réguliers). On y recense tous les tarifs de 80 voyagistes et 40 compagnies pour 400 destinations. Fini le parcours du combattant pour trouver son billet au meilleur prix ! Et notre rubrique « Docteur Routard » ! Vaccinations, protection contre le paludisme, adresses des centres de vaccination, conseils de santé, pays par pays.
Et toujours les promos de dernière minute, les voyages sur mesure, les dates de parution des G.D.R... et une information détaillée sur Routard Assistance.**

Hôtels, pensions, restos... mode d'emploi

En raison de l'inflation galopante dans une majorité de pays, il n'est plus possible d'indiquer les prix des hôtels et des restos. Souvent, en moins d'un an, la différence entre les prix relevés et ceux en vigueur au moment de la première diffusion du guide peut être très importante. Aussi avons-nous adopté le système des fourchettes de prix en instituant des catégories : bon marché, prix moyens, plus chic. Ces catégories varient selon les pays. Si les hôtels pas chers d'un pays se situent autour de 15 F, ceux qui s'affichent à 50 F appartiendront bien sûr à la rubrique « Prix moyens », et ceux qui coûtent 100 F et au-delà à celle « Plus chic ». Il est évident que pour un pays débutant à 100 F pour ses hôtels les moins chers, les autres rubriques seront décalées d'autant.

Avantage : l'inflation étant la même pour tout le monde, s'il y a élévation globale du coût de la vie, les prix augmentent simultanément. La seule chose imprévisible, c'est qu'un hôtel ou un restaurant change de standing (en bien ou en mal) et passe donc dans une autre catégorie. Dans ce cas de figure, assez rare il faut le dire, nous sollicitons bien sûr l'indulgence légendaire de nos lecteurs.

Le contenu des annonces publicitaires insérées dans ce guide n'engage en rien la responsabilité de l'éditeur.

TABLE DES MATIÈRES

LE QUÉBEC

des-Lacs • Notre-Dame-des-Monts • Saint-Urbain

LE NOUVEAU-BRUNSWICK

LA NOUVELLE-ÉCOSSE (NOVA SCOTIA)

LE GUIDE DU ROUTARD ALPES (avril 99)

Malgré le massacre des bétonnières et des planteurs de pylônes, les Alpes françaises continuent de culminer par-dessus les petits soucis de notre quotidien. La Nature y joue de son charme, déchaînant la sauvagerie des aiguilles, des chaos et des éboulis pour mieux s'apaiser dans les alpages immaculés et les neiges éternelles. Sur ces abrupts, aux couleurs du Grand Nord, la vie se lit en vertical, au fil de balcons successifs surplombant les abîmes où l'homme, qui s'échine sur ses prés pentus, reste en contact avec la vie sauvage. La mystique des cimes, l'amour de l'oxygène se vivent aussi l'hiver avec les sports de glisse, où l'effort ne se vit plus dans l'ascension, mais dans la descente souvent sublime.

LES GUIDES DU ROUTARD
1999-2000

(dates de parution sur le 36-15, code ROUTARD)

France

- Alpes **(avril 99)**
- Alsace, Vosges
- Auvergne, Limousin
- Banlieues de Paris **(nouveauté)**
- Bourgogne, Franche-Comté
- Bretagne
- Châteaux de la Loire
- Corse
- Côte d'Azur **(nouveauté)**
- Hôtels et restos de France
- Junior à Paris et ses environs **(nouveauté)**
- Languedoc-Roussillon
- Lyon et ses environs **(sept. 99)**
- Le Marché du routard à Paris **(nouveauté)**
- Midi-Pyrénées
- Normandie
- Paris
- Paris exotique **(nouveauté)**
- Pays de la Loire
- Poitou-Charentes
- Provence **(nouveauté)**
- Restos et bistrots de Paris
- Sud-Ouest
- Tables et chambres
  à la campagne
- Week-ends autour de Paris

Amériques

- Brésil
- Canada Ouest et Ontario
- Chili, Argentine et île de Pâques
- Cuba
- États-Unis, côte Est
- États-Unis
  (côte Ouest et Rocheuses)
- Floride, Louisiane
- Guadeloupe
- Martinique, Dominique, Sainte-Lucie,
  Grenadines
- Mexique, Belize, Guatemala
- New York
- Pérou, Equateur, Bolivie
- Québec et Provinces maritimes

Asie

- Birmanie **(printemps 99)**
- Inde du Nord, Népal, Tibet
- Inde du Sud, Ceylan
- Indonésie
- Israël
- Istanbul **(printemps 99)**
- Jordanie, Syrie, Yémen

- Laos, Cambodge **(printemps 99)**
- Malaisie, Singapour
- Thaïlande, Hong Kong, Macao
- Turquie
- Vietnam

Europe

- Allemagne
- Amsterdam
- Angleterre, pays de Galles
- Athènes et les îles grecques
  (nouveauté)
- Autriche
- Belgique
- Ecosse
- Espagne du Nord et du Centre
- Espagne du Sud, Andalousie
- Finlande, Islande
- Grèce continentale **(nouveauté)**
- Hongrie, Roumanie, Bulgarie
- Irlande
- Italie du Nord
- Italie du Sud, Rome, Sicile
- Londres
- Norvège, Suède, Danemark
- Pologne, République tchèque, Slovaquie
- Portugal
- Prague
- Suisse
- Toscane, Ombrie
- Venise

Afrique

- Afrique noire
  Sénégal
  Gambie
  Mali
  Mauritanie
  Burkina Faso
  Niger
  Côte-d'Ivoire
  Togo
  Bénin
  Cameroun
- Egypte
- Ile Maurice, Rodrigues
- Kenya, Tanzanie et Zanzibar
- Maroc
- Réunion
- Tunisie

et bien sûr...

- Le Guide de l'expat
- Humanitaire
- Internet
- Des Métiers pour globe-trotters

LE CANADA

LES GRANDES RICHESSES TOURISTIQUES

NOS NOUVEAUTÉS

GUIDE DE L'EXPAT (mai 99)

Pas un jour où la mondialisation n'est pas sur le devant de la scène. Et si on s'arrachait aux jérémiades quotidiennes pour enfin se servir de cette mondialisation dans le bon sens? Partir vers des taux de croissance plus prometteurs n'est pas si difficile mais encore faut-il s'affranchir des clichés touristiques. En Europe, rien ne vous retient. De Dublin à Athènes, de Lisbonne à Oslo il ne faut plus être bardé de diplômes pour pouvoir gagner le pari de l'adaptation et de la réussite. En revanche, le chemin n'est pas aussi aisé lorsqu'il s'agit de partir à Buenos Aires, Abidjan ou Chicago. Soit vous avez suffisamment de cran pour gravir à la force du poignet les barreaux de l'échelle sociale, soit vous peaufinez, mûrissez votre projet de départ à l'aide des multiples conseils du *Guide de l'Expat*. Pour se mettre dans le bain, rien ne vaut une bonne expérience scolaire « sponsorisée » par l'Union européenne. Mais pour les autres, une foule d'institutions, de fondations et d'associations peuvent vous informer. À celles-ci on a ajouté les contacts de quelques-uns des 2 millions de Français (quitte à bousculer quelques vieilles habitudes) qui sont aptes à vous informer quand ce n'est pas à vous aider. Histoire de se rendre compte que la solidarité aux antipodes est encore une valeur sûre...

BANLIEUES DE PARIS (paru)

Enfin, ça y est! Le *Routard* est allé flécher les banlieues parisiennes. Comment avons-nous pu ignorer si longtemps ce vaste paradis des Doisneau, des Céline et des meilleurs metteurs en scène du Grand Paris? Ces anciens villages qu'on appelle aujourd'hui banlieues déploient une incroyable floraison culturelle, qui ne se limite pas aux cours de rap des MJC: partout, ce ne sont qu'abbayes, châteaux, ports fluviaux, musées passionnants, réunis par des bois et des parcs, au fil d'inattendus chemins de Grande Randonnée. C'est aussi une mosaïque de peuples et de races, venus avec leurs traditions et leurs croyances, qui travaillent en permanence le tissu urbain pour forger de nouvelles cultures et réinventer l'art de vivre ensemble.

Ce guide voudrait leur révéler ce qu'ils ont sous les yeux, sans peut-être toujours l'apprécier ou le connaître. Casser l'esprit de clocher pour leur ouvrir des chemins vers les banlieues voisines. Sans oublier les gourmands... les dizaines de tables décrites ici nous ont surpris tant par leur qualité que par leur atmosphère conviviale. Et si les Parisiens, à leur tour, partaient explorer les banlieues?

Retrouvez
Le Web du Routard
sur Club-Internet
www.club-internet.fr/routard

POUR SEULEMENT 77 Frs* par mois,
vous aurez accès...

A Club-Internet :

- Tout l'Internet pour 77 Frs par mois*
- Accès en tarification locale sur toute la France métropolitaine
- Une des meilleures bandes passantes du marché, dont une liaison satellite
- Assistance technique gratuite* 7 jours sur 7
- 10 Mo gratuits pour héberger votre page personnelle
- 5 adresses e-mail

Au Web du Routard**,
le site officiel du Guide du Routard.

Retrouvez gratuitement :

Le quizz piégé des 4 familles du Routard, les bonnes adresses par type de voyage, des galeries de photos, une sono mondiale, les anecdotes des baroudeurs du Routard, des forums pour partager vos coups de cœur et préparer vos voyages, une boutique pour acheter les produits du Routard, des bons plans, etc.

Profitez des meilleures adresses et des bons plans avant parution dans les guides (informations inédites mises à jour en permanence), des offres spéciales sur les voyages, des réductions sur les produits du Routard... en vous abonnant au Cyber Club du Routard pour seulement 22 Frs*/mois (en plus de votre abonnement à Club-Internet). Vous pourrez également acheter ces exclusivités au coup par coup très prochainement.

Club-Internet
11, rue de Cambrai
75927 PARIS Cedex 19
Tél. : N°Azur 0 801 800 900
ou 01 55 45 46 47
Fax : 01 55 45 46 70

Pour vous abonner, tournez la page !

GROLIER INTERACTIVE

* TTC - hors coût téléphonique.
** une co-édition Routard / Moderne Multimédias.

BULLETIN D'ABONNEMENT

(à découper ou à photocopier)

• **Vous souhaitez vous abonner à Club-Internet et au Cyber Club du Routard :**
Cochez l'offre n° 1 (ou l'offre n° 2 si vous êtes déja membre de Club-Internet).
Vous profiterez des informations inédites du Cyber Club du Routard.

• **Vous souhaitez vous abonner uniquement à Club-Internet :**
Cochez l'offre n° 3.
Vous pourrez acheter au coup par coup les exclusivités du Cyber Club du Routard.

Notez : Si vous vous inscrivez pour la première fois à Club-Internet, vous recevrez **gratuitement** un kit de connexion à Club-Internet qui comprend :
- un logiciel de navigation en français permettant la navigation sur le web, l'utilisation de la messagerie électronique...,
• 1 mois d'abonnement gratuit* à Club-Internet, pour un temps de connexion illimité.

Configuration conseillée :
PC : compatible 486 DX2 66 sous Windows 3.x ou Windows 9
Macintosh : compatible système 7.5
Lecteur de CD-Rom, 12 Mo de mémoire vive
Modem : 28 800 bps

❏ **Offre n° 1 :** Je m'abonne à Club-Internet / Cyber Club du Routard pour 99 F TTC*/mois (77 F TTC + 22 F TTC), minimum 2 mois soit 198 F TTC.

❏ **Offre n° 2 :** J'ai déja un abonnement à Club-Internet et je souhaite m'abonner à l'option Cyber Club du Routard au prix de 22 F TTC*/mois, minimum 2 mois soit 44 F TTC.

• Mon login d'accès à Club-Internet est : ....

• Précisez ci-dessous uniquement votre nom et prénom : ....

❏ **Offre n° 3 :** Je m'abonne à Club-Internet pour 77 F TTC*/mois, minimum 2 mois soit 154 F TTC/mois.

Voici mes coordonnées :
Société : ....
Nom : ....Prénom : ....
Adresse : ....
Code Postal : ....Ville : ....
Tél. personnel : ....Tél. professionnel : ....
Télécopie : ....

Choisissez votre login d'accès à Club-Internet :
Votre login vous servira d'identifiant pour accéder au serveur Club-Internet et composera votre adresse e-mail (courrier électronique). Par exemple, si vous optez pour le nom de Dupont, votre adresse e-mail sera :
dupont @ club-internet.fr
Proposez trois logins (entre 3 et 8 caractères, lettres minuscules ou chiffres en dernières positions), par ordre de préférence.

Choix n° 1 : ☐☐☐☐☐☐☐☐
Choix n° 2 : ☐☐☐☐☐☐☐☐
Choix n° 3 : ☐☐☐☐☐☐☐☐

Votre login (nom d'utilisateur) et votre password (mot de passe) vous seront communiqués par courrier.

❏ J'accepte d'être prélevé(e) de deux mois d'abonnement**, tous les deux mois, en fonction de l'offre choisie. Je peux à tout moment résilier cet abonnement pour la période suivante, par lettre recommandée, quinze jours avant l'échéance de mon abonnement.
Carte bancaire n° :
☐☐☐☐ ☐☐☐☐ ☐☐☐☐ ☐☐☐☐
Expire le : |__|__|__|__|

Votre équipement informatique
• Mon micro-ordinateur :
❏ PC compatible 486 DX2 66
❏ PC Pentium
❏ PC Portable
  ❏ Avec Windows 95 ❏ Windows 3.x

❏ PowerMacintosh (PowerPC)
❏ Powerbook
❏ autre Macintosh compatible Système 7.5

• Je possède déjà un modem de marque :
❏ Oui ❏ Non
❏ 28 800 bps ❏ 33 600 bps ❏ 56 000
Autre : ....

*hors coût téléphonique
**à la fin du mois gratuit si je bénéficie du kit de connexion gratuit.

À renvoyer avec votre règlement à :
Club-Internet / Web du Routard
11, rue de Cambrai
75927 PARIS Cedex 19
Informations / abonnement :
N°Azur 0 801 800 900 ou 01 55 45 46 47
Signature
(des parents pour les mineurs) :

Conformément à la loi Informatique et libertés du 06/01/1978, vous disposez d'un droit d'accès et de rectification sur les informations qui vous sont demandées, nécessaires au traitement de votre bulletin d'abonnement. Les destinataires sont les services chargés de la gestion des abonnements à Club-Internet ainsi que les services marketing du Routard et de Moderne Multimédias.

R.C.S. Paris B 381 737 535

07/1998

En route pour la France.

Plus de 4 350 adresses sélectionnées pour :

- *la chaleur de l'accueil*
- *la qualité de cuisine*
- *le charme du décor et la douceur des prix.*

Une France où il fait bon vivre.

Le Guide du Routard.
La liberté pour seul guide.

Hachette Tourisme

NOS NOUVEAUTÉS

LE MARCHÉ DU ROUTARD À PARIS (paru)

De l'humble boulanger à la star de la miche, du génial chocolatier au confiseur d'antan, du roi de l'andouillette au seigneur du fromage de tête, en passant par le boucher aux viandes tendres et goûteuses, le spécialiste de la marée et le marchand de primeurs, chez qui la salade a toujours une mine superbe et les fruits le goût des saisons, sans oublier le fromager génie des alpages, le caviste capable de vous dégoter le petit vin malin en assurant le cru bourgeois, et bien sûr tous ces artisans venus d'ailleurs, italiens, grecs, chinois, philippins... grâce auxquels nos assiettes s'emplissent de saveurs inédites, vous trouverez tout, absolument tout dans *Le Marché du routard à Paris,* le guide de vos emplettes dans la capitale.

Plus de 200 adresses essentielles pour mieux s'approvisionner au coin de la rue, dans le quartier ou à quelques stations de métro de son domicile. Un guide plein d'adresses inédites, mais qui n'ignore pas les valeurs sûres, les grands noms pour grandes occasions, déniche les as du produit, cherche les meilleurs coûts, et le traiteur qui dépanne à deux pas de chez soi. Bref, un guide qui dresse la carte complète de l'artisanat de bouche arrondissement par arrondissement avec, en prime, les marchés de Paris, lieux vivants et pratiques où l'on rencontre aussi bien les maraîchers d'Île-de-France qu'un producteur de miel du Morvan, un fromager du Bourbonnais ou encore un producteur de volailles des Landes.

PARIS EXOTIQUE (paru)

Découvrir le monde tout en restant à Paris, c'est possible et c'est à portée de métro. Passage Brady, laissez-vous tenter par les senteurs parfumées des *curries,* avant d'aller boire une pinte de bière rousse au son de la musique traditionnelle irlandaise dans l'un des fameux pubs de la capitale. À moins que vous ne préfériez dîner japonais rue Sainte-Anne avant de passer la soirée à danser la salsa à *La Coupole.* De l'Australie à Madagascar en passant par le Pérou et la Corée, tous les pays du monde sont à Paris. Et pas seulement avec leurs *nems, pastillas, burritos* et autres délices : au temple bouddhique du parc de Vincennes, partez à la rencontre de la sérénité asiatique ; à la Comédie italienne, perfectionnez votre langue en assistant à une représentation de théâtre en version originale ; à la librairie Shakespeare, préparez votre prochain voyage en lisant ou relisant les grands classiques de la littérature anglaise ; à l'Institut culturel suédois, initiez-vous à la cuisine nordique. Plus besoin de chercher un traiteur marocain pour un méchoui ou un havane pour un ami cubain de passage, nous les avons trouvés pour vous.

Les vêtements du Routard sont distribués par les détaillants textiles et sports et en VPC, par la **CAMIF** (téléphone du lundi au samedi de 8 à 20h : 0803 060 060 - web CAMIF : www.camif.fr).

La collection complète et la liste des points de vente sont visibles sur Internet **www.club-internet.fr/routard**

Pour tout renseignement complémentaire :

Tél. +32 71 82 25 00 - Fax +32 71 81 72 50
E-mail : joe.garot.agc@skypro.be

Nous tenons à remercier tout particulièrement Thierry Brouard, François Chauvin, Jérôme de Gubernatis, Pierrick Jégu, François-Xavier Magny, Bernard-Pierre Molin, Patrick de Panthou, Jean-Sébastien Petitdemange et Philippe Rouin pour leur collaboration régulière.

Et pour cette chouette collection, plein d'amis nous ont aidés :

Albert Aldan
Didier Angelo
Marie-José Anselme
Christine Bain
Arnaud Bazin
Nicole Bénard
Cécile Bigeon
Anne Boddaert
Philippe Bordet et Edwige Bellemain
Gérard Bouchu
Hervé Bouffet
Florence Breskoc
Jacques Brunel
Sandrine Cabioche
Vincent Cacheux et Laure Beaufils
Guillaume de Calan
Alexandre Cammas
Danièle Canard
Jean-Paul Chantraine
Bénédicte Charmetant
Claire Chiron
Sandrine Copitch
Maria-Elena et Serge Corvest
Vincent Cossé
Sandrine Couprie
Valentine Courcoux et Jean-Christian Perrin
Franck David
Laurent Debéthune
Agnès Debiage
Sophie Duval
Hervé Eveillard
Didier Farsy
Mathieu Faujas
Alain Fisch
Dominique Gacoin
Bruno Gallois
Cécile Gauneau
Michelle Georget
Hubert Gloaguen

Hélène Gomer
Jean-Marc Guermont
Xavier Haudiquet
Claude Hervé-Bazin
Bernard Houlat
Christian Inchauste
Fabrice Jahan de Lestang
François Jouffa
Pascal Kober
Jacques Lanzmann
Grégoire Lechat
Raymond et Carine Lehideux
Jean-Claude et Florence Lemoine
Aymeric Mantoux et François-Régis Gaudry
Pierre Mendiharat
Anne-Marie Minvielle
Xavier de Moulins
Jean-Paul Nail
Jean-Pascal Naudet
Alain Nierga et Cécile Fischer
Michel Ogrinz et Emmanuel Goulin
Franck Olivier
Alain Pallier
Martine Partrat
Odile Paugam et Didier Jehanno
Bernard Personnaz
André Poncelet
Jean-Alexis Pougatch
Michel Puysségur
Anne Riou
Frédérique Scheibling-Sève
Jean-Luc et Antigone Schilling
Régis Tettamanzi
Marie Thoris et Julien Colard
Christophe Trognon
Cyril Voiron
Anne Wanter

Direction : Isabelle Jeuge-Maynart
Contrôle de gestion : Ghislaine Stora, Dominique Thiolat et Martine Leroy
Direction éditoriale : Catherine Marquet
Édition : Catherine Julhe, Anne-Sophie du Cray, Yannick Le Bihen et Fabienne Travers
Préparation-lecture : Danièle Blondy
Cartographie : Fabrice Le Goff et Cyrille Suss
Fabrication : Gérard Piassale et Laurence Ledru
Direction artistique : Emmanuel Le Vallois
Direction des ventes : Francis Lang, Éric Legrand et Ségolène de Rocquemaurel
Direction commerciale : Michel Goujon, Cécile Boyer, Dominique Nouvel et Dana Lichiardopol
Informatique éditoriale : Lionel Barth et Pascale Ochérowitch
Relations presse : Danielle Magne, Martine Levens, Maureen Browne et Hélène Maurice
Régie publicitaire : Carole Perraud-Cailleaux et Monique Marceau
Service publicitaire : Frédérique Larvor et Marguerite Musso

COMMENT ALLER AU CANADA ?

PAR LIGNES RÉGULIÈRES

▲ **AIR FRANCE :** 119, av. des Champs-Élysées, 75008 Paris. M. : George-V. Renseignements et réservation : ☎ 0-802-802-802 (de 8 h à 21 h). Minitel : 36-15 ou 36-16, code AF et dans les agences de voyages.
– *À Montréal :* 2000, rue Mansfield, 15e étage. ☎ 514-847-1106.
– *À Toronto :* 151, Bloor Street West, Suite 810. ☎ 416-922-52-67.
Air France dessert le Canada avec 1 vol quotidien vers Montréal et 1 vol quotidien vers Toronto (sans escale) au départ de Roissy-Charles-de-Gaulle, aérogare 2.
Air France propose une gamme de tarifs très attractifs sous la marque *Tempo*, accessibles à tous : *Tempo 1* (le plus soup!)), *Tempo 2, Tempo 3, Tempo 4* (le moins cher). Plus vous réservez tôt, plus il y a de choix de vols et de tarifs aux meilleures conditions. La compagnie propose également le tarif *Tempo Jeunes* (pour les moins de 25 ans) au départ de France vers l'Europe (en aller simple ou aller-retour, changement de réservation ou remboursement gratuit) ou vers des destinations long-courriers (en aller-retour). Ce tarif est accompagné d'une garantie assistance rapatriement gratuite ainsi que de la mise à disposition, 24 h/24, d'une ligne téléphonique « Air France assistance jeunes » en cas de difficultés durant le voyage ou pour transmettre un message à sa famille.
Les bonnes affaires de dernière minute : Air France propose également les tarifs « Coups de Pouce » disponibles uniquement le mercredi sur Minitel (36-15, code AF) avec une sélection de vols métropole et Europe pour les 7 jours suivants.

▲ **AIR CANADA :** 10, rue de la Paix, 75002 Paris. M. : Opéra. ☎ 01-44-50-20-20.
– *À Lyon :* 55, place de la République, 69002. ☎ 04-78-42-43-17.
– *À Toulouse :* 81, bd Carnot, 31000. ☎ 05-61-12-62-00.
Air Canada dessert quotidiennement Montréal et Toronto au départ de Paris, et offre, grâce à ses transporteurs régionaux, des correspondances au Québec et dans les Provinces Maritimes. Sa filiale *Vacances Air Canada* est à votre disposition pour étudier votre séjour. ☎ 01-40-15-15-15.

▲ **AIR TRANSAT :** représenté en France par *Vacances Air Transat,* est devenu le plus important transporteur aérien du Canada dans le secteur des vols affrétés internationaux avec 35 vols par semaine de la France vers le Canada. L'été, vacances Air Transat propose des vols sur sa propre compagnie aérienne, à destination de Montréal, Québec, Toronto (au départ de Paris) et à destination de Montréal (au départ de Bâle-Bordeaux-Lyon-Marseille-Nantes-Nice-Toulouse).

LES ORGANISMES DE VOYAGES

– Encore une fois, un billet « charter » ne signifie pas toujours que vous allez voler sur une compagnie charter. Bien souvent, même sur des destinations extra-européennes, vous prendrez le vol régulier d'une grande compagnie. En vous adressant à des organismes spécialisés, vous aurez simplement payé moins cher que les ignorants pour le même service.

– Nous ne faisons plus de distinction, comme les années précédentes, entre les organisateurs de « charters », les vols réguliers à prix réduits ou les associations pour étudiants. En effet, les agences dont les noms suivent, proposent un peu de tout, pour tous les voyageurs. Ce n'est pas un mal : ça va dans le sens de la démocratisation du voyage.

– Ne pas croire que les vols à tarif réduit sont tous au même prix pour une même destination à une même époque : loin de là. On a déjà vu, dans un même avion pour Lima partagé par deux organismes, des passagers qui avaient payé 40 % plus cher que les autres... Authentique ! Donc, contactez tous les organismes et jugez vous-même.

– Les organisateurs cités sont classés par ordre alphabétique, pour éviter les jalousies et les grincements de dents.

▲ ACCESS VOYAGES
– *Paris :* 6, rue Pierre-Lescot, 75001. ☎ 01-44-76-84-50. Fax : 01-42-21-44-20. M. (ou R.E.R.) : Châtelet-Les Halles.
– *Lyon :* 63, rue de la République, 69002. ☎ 04-72-56-15-95. Fax : 04-72-56-15-99.
Vendu aussi dans les agences de voyages.
Access Voyages est spécialiste depuis 14 ans maintenant du vol régulier à prix réduit. Pourquoi subir les inconvénients des charters, face aux tout petits prix proposés par ce professionnel du vol régulier : 600 destinations sur plus de 60 compagnies. Sa destination vedette : l'Amérique du Nord, avec une énorme palette de vols directs ou avec escale. De très nombreuses promotions. Des prestations à la carte, bons d'hôtels, locations de voitures, motorhomes, circuits... Autres destinations, tous les long-courriers et une production intense sur l'Europe. Access offre de nombreux départs de province, entre autres, vers le Canada.
Le petit plus d'Access : la vente par correspondance, très intéressante pour les provinciaux qui utilisent le service de « paiement à la carte ».

▲ ANY WAY : ☎ 0803-008-008 (1,09 F/mn). Fax : 01-49-96-96-99. Central téléphonique accessible du lundi au samedi, de 9 h à 19 h. Internet : www.a-nyway.fr
Ne vous déplacez pas, Any Way vient à vous ! Any Way, c'est une équipe dynamique rompue à la déréglementation aérienne et à l'explosion des monopoles. Son champ d'action s'étend aujourd'hui à toutes les grandes destinations du globe avec une mention particulière pour l'Amérique du Nord. Ses ordinateurs dénichent en un temps record les meilleurs tarifs du marché. 700 destinations dans le monde sur plus de 60 compagnies aériennes régulières et charters au départ de Paris et de la province, près d'un million de tarifs réduits !
Any Way permet également de réserver à tarifs réduits, hôtels et locations de voitures à la carte.
Les routards voyageant « chic » ou « bon marché » sauront sûrement trouver chaussures à leurs pieds parmi de nombreuses possibilités et promotions de séjours, circuits et week-ends. Précurseurs dans le domaine de la vente à distance, Any Way vous permet de consulter les disponibilités et de réserver par téléphone, par Minitel ou sur Internet. Que vous soyez marseillais, lillois ou parisien, ce système très pratique vous permet de réserver à distance et de payer avec votre carte de crédit en toute simplicité. Un service très convivial.

▲ BACK ROADS : 14, place Denfert-Rochereau, 75014 Paris. ☎ 01-43-22-65-65. Fax : 01-43-20-04-88. M. (ou R.E.R.) : Denfert-Rochereau. Ouvert du lundi au vendredi de 10 h à 19 h et le samedi de 10 h à 18 h.
Depuis 1975, Jacques Klein et son équipe sillonnent chaque année les routes américaines, ce qui fait d'eux de grands connaisseurs des États-Unis, de New York à l'Alaska. Pour cette raison (mais aussi parce qu'ils proposent

Avant de retenir un vol, retenez le nom de nos meilleurs tarifs : *tempo*

Nos meilleurs tarifs, pour tous, toute l'année, en France et dans le monde entier. Tempo c'est une nouvelle gamme de prix qui s'adapte à votre rythme : plus vous vous décidez tôt, moins vous payez cher.
Renseignez-vous dans votre agence Air France, votre agence de voyages ou au 0 802 802 802 (0.79 F ttc/mn).

APL

AIR FRANCE
GAGNER LE CŒUR DU MONDE

des tarifs très compétitifs), ils ne vendent leurs produits qu'en direct. Dans leur Club du Grand Voyageur, ils vous feront partager leurs expériences et vous conseilleront sur les circuits les plus adaptés à vos centres d'intérêt. Spécialistes des autotours, qu'ils programment eux-mêmes, ils ont également le grand avantage de disposer de contingents de chambres dans les YMCA.

De plus, Back Roads représente deux centrales de réservation américaines lui permettant d'offrir les tarifs les plus bas également au Québec et dans les Provinces Maritimes :
– *AMEROTEL* : un seul coup de téléphone pour réserver dans plus de 3 000 hôtels sur tout le territoire, des Hilton aux YMCA.
– *CAR DISCOUNT* : un courtier en location de voitures, motos (Harley notamment), camping-cars, proposant des prix discount sur toute l'Amérique du Nord.

▲ **BALADES AMÉRICAINES (EX NEW AMERICA) :** 66, av. des Champs-Élysées, 75008 Paris. M. : Franklin-Roosevelt. Informations Paris et Province : ☎ 01-53-89-77-77. Fax : 01-53-89-77-78. Minitel : 36-15, code BALADES.
Tour-opérateur spécialiste des États-Unis et du Canada. À la carte : transport aérien, locations de voitures, de motos, de motorhomes ; toutes les formules d'hébergement : motels, hôtels, lodges dans les parcs nationaux, ranchs ; diverses excursions : tour de villes, survol des grands parcs, circuits individuels et accompagnés, et aventure (rafting, jeeping, quad, VTT).

▲ **CANADA CONSEIL :** ☎ 01-45-46-51-75. Fax : 01-45-47-55-53. E-mail : usatours@club-internet.fr.
Bureau de conseil spécialisé sur les voyages au Canada, Canada Conseil vous propose : circuits accompagnés d'excellente qualité, auto-tours variés avec hôtels et voiture réservés, circuits individuels en Bed & Breakfast, séjours chez les Indiens, hôtels à la carte, manoirs, lodges, ranchs, pourvoiries, chalets, ski, motoneiges, traîneaux à chiens et, bien sûr, vols réguliers et locations de voitures, mini-vans, motorhomes.
Canada Conseil s'adresse particulièrement aux familles, ainsi qu'à toutes les personnes désireuses de visiter le Canada dans les meilleures conditions de qualité et de budget. Renseignements et devis gratuits.

▲ **CLUB AVENTURE :** 18, rue Séguier, 75006 Paris. ☎ 01-44-32-09-30. Fax : 01-44-32-09-59. M. : Saint-Michel. E-mail : info@club-aventure.com. Site : www.clubaventure.fr.
Club Aventure est le spécialiste du voyage actif et innovant. Catalogue avec de nombreuses propositions à pied mais aussi en 4 x 4, en pirogue ou en voilier et maintenant dans plus de 60 pays !
Les voyages regroupent une dizaine de participants, encadrés par une équipe d'accompagnateurs professionnels et grands bourlingueurs.
L'esprit est résolument axé sur le plaisir de la découverte des plus beaux sites du monde quitte à bivouaquer en plein désert, à coucher dans un *funduk* yéménite ou dans un refuge des Andes à 4 000 m d'altitude.
La formule reste malgré tout confortable, dans le sens où le portage est confié à des sherpas, des chameaux, des mulets ou à un 4 x 4 d'assistance. Les repas sont mitonnés en pleine nature par un cuisinier et l'hébergement en ville se fait dans des hôtels carrément douillets...

▲ **COMPAGNIE DES ÉTATS-UNIS ET DU CANADA :** 3, av. de l'Opéra, 75001 Paris. ☎ 01-55-35-33-55 (pour les États-Unis) et ☎ 01-55-35-33-50 (pour le Canada). Fax : 01-55-35-33-59. M. : Palais-Royal-Louvre. Minitel : 36-15, code COMET. Ouvert de 9 h à 20 h du lundi au vendredi, et le samedi de 9 h à 19 h.
Après 20 ans d'expérience, un passionné de l'Amérique du Nord ouvre à

Paris le centre des voyages, des informations et des activités culturelles des États-Unis et du Canada. Une brochure « Vols et compagnies » propose 1 500 vols négociés sur les États-Unis et le Canada, avec toutes les compagnies régulières.

Deux autres brochures, l'une sur les États-Unis, l'autre sur le Canada, offrent toutes les formules de voyages à imaginer : circuits thématiques (les grands musées de l'Est américain), en Harley Davidson, dans l'Ouest en avion privé et plus de 2 000 hôtels de toutes catégories, séjours, voyages à la carte, voyages aventure ou de luxe.

La Compagnie propose d'adhérer à son cercle qui donne des avantages et surtout un crédit de 3 % du montant de votre premier voyage (hors vols secs) sur votre prochain voyage.

Tous les mardis, les rencontres-conférences animées par des passionnés des États-Unis et du Canada, professeurs, historiens ou écrivains (gratuites pour les membres du Cercle).

▲ **COMPAGNIE DES VOYAGES (LA) :** 28, rue Pierre-Lescot, 75001 Paris. ☎ 01-45-08-44-88. Fax : 01-45-08-03-69. Infos sur répondeur 24 h/24 : ☎ 01-45-08-00-60. M. : Étienne-Marcel ou Les Halles. Internet : www.lcdv.com. E-mail : voyages@internetaddress. com

Créé il y a plus de 17 ans, ce spécialiste du transport aérien long-courrier pratiquant le circuit court de distribution étend sa production à l'Europe et au Moyen-Orient. Plus de 250 000 tarifs vers plus de 900 destinations ! Point fort : le premier site interactif français opérationnel sur Internet permettant la consultation comparative des prix, horaires, disponibilités et réservations en temps réel (paiements sécurisés). Les prix communiqués à l'inscription sont fermes et définitifs au moment du paiement de l'acompte. Destinations phares : Bangkok, l'Indonésie, Amériques et Tours du Monde. Pour la province : vente par téléphone ou par correspondance.

▲ **COMPTOIR DES AMÉRIQUES :** 23, rue du Pont-Neuf, 75001 Paris. ☎ 01-40-26-20-71. Fax : 01-42-21-46-88. R.E.R. : Châtelet-Les Halles ou M. Pont-Neuf. Ouvert du lundi au vendredi de 10 h à 18 h, le samedi de 11 h à 18 h. Minitel : 36-15, code COMPTOIRS (2,23 F/mn). E-mail : deserts@club-internet.fr.

Spécialiste de l'Amérique du Nord, Comptoir des Amériques propose mille et une façons de composer votre Amérique : tarifs aériens préférentiels sur lignes régulières, locations de voitures, Harley Davidson et motorhomes, toute une sélection de voyages individuels : voiture + hôtel, des itinéraires accompagnés et d'excellents circuits sur mesure, adaptés à votre budget et à vos goûts.

Comptoir des Amériques s'intègre à l'ensemble des Comptoirs organisés autour de thématiques : Afrique, Déserts, Maroc, Amériques et Islande.

▲ **COUNCIL TRAVEL :** ☎ 0801-41-00-41 (numéro Azur).
– *Paris :* 1, place de l'Odéon, 75006. ☎ 01-44-41-89-89. Renseignements téléphoniques seulement : ☎ 01-44-41-89-80. Fax : 01-40-51-89-12. M. : Odéon ou Luxembourg.
– *Aix-en-Provence :* 12, rue Victor-Leydet, 13100. ☎ 04-42-38-58-82. Fax : 04-42-38-94-00.
– *Lyon :* 35, rue Victor-Hugo, 69002. ☎ 04-78-38-78-38. Fax : 04-78-38-78-30.
E-mail : counciltravelfrance@ciee.org

Council Travel propose toute l'année des vols à tarifs spéciaux sur lignes régulières réservés aux jeunes et étudiants vers le monde entier. Souplesse d'utilisation et grand choix de destinations. Pour tous publics, Council Travel dessert principalement l'Amérique du Nord « à la carte » : vols, hôtels, locations de voitures, forfaits bus, circuits. Dans toutes les agences de voyages. Vend aussi la carte internationale d'étudiant. Département spécial pour

études et « summer sessions » en universités américaines et britanniques, stages en entreprises et jobs d'été pour étudiants aux États-Unis et au Canada (☎ 01-44-41-74-99).

▲ DÉGRIFTOUR - RÉDUCTOUR

Deux services différents pour deux types de voyageurs différents. Le groupe Dégriftour est le spécialiste de la vente de prestations touristiques à prix dégriffés par Minitel ou sur Internet, avec une équipe de plus de 150 personnes à votre service pour vous conseiller.

• Minitel : 36-15, code DÉGRIFTOUR ou 36-15, code DT. Internet : www.degriftour.fr.

La formule idéale pour satisfaire une envie brusque d'aller le plus loin possible tout en valorisant votre budget vacances ! Dégriftour propose de 1 à 15 jours avant le départ, des billets d'avion, des chambres d'hôtel, des séjours, des circuits, des thalasso... avec une réduction d'au moins 40 % par rapport au tarif public. Entre 900 et 1 200 offres de voyages sont présentées chaque jour et actualisées 3 fois par jour.

• Minitel : 36-15, code RÉDUCTOUR ou 36-15, code RT. Internet : www.reductour.fr.

Réductour est un tour-opérateur à part entière qui vend en direct sa propre production. Il garantit à ses clients des réductions de 5 à 30 % par rapport au tarif public, de 1 jour à 8 mois avant le départ. Réductour est donc destiné à ceux qui ne veulent pas ou ne peuvent pas attendre le dernier moment, et propose toutes les formules de voyages en France et dans le monde entier, avec un très grand choix de produits.

Et pour connaître les « Coups de Cœur » et les « Super Affaires » de Réductour, il vous suffit de composer le : ☎ 08-36-68-28-27.

▲ ESPACES DÉCOUVERTES VOYAGES

– *Paris :* 38, rue Rambuteau, 75003. ☎ 01-42-74-21-11. Fax : 01-42-74-76-77. M. : Rambuteau ou R.E.R : Châtelet-Les Halles.

– *Paris :* 377 *bis,* rue de Vaugirard, 75015 Paris. ☎ 01-56-56-74-44. Fax : 01-56-56-74-49. M. : Convention.

Deux équipes dynamiques vous accueillent tous les jours du lundi au samedi. Espaces Découvertes vous offre un vaste choix de tarifs aériens exceptionnellement compétitifs, ainsi qu'un éventail de séjours et de circuits sélectionnés pour leur bon rapport qualité-prix. De nombreuses formules « nuit d'hôtel à l'arrivée » et locations de voitures, toujours à prix réduits, sont proposées en complément des vols. Également un service de réservation et de vente par téléphone (paiement par carte bleue) uniquement pour les vols, en appelant le ☎ 01-42-74-21-11.

▲ ESPRIT D'AVENTURE : 12, rue Saint-Victor, 75005 Paris. ☎ 01-53-73-77-99. Fax : 01-43-29-96-31. M. : Maubert-Mutualité ou R.E.R. : Saint-Michel.

Voyager avec Esprit d'Aventure, c'est faire le choix de vivre au contact de la nature et des grands espaces, d'aller à la rencontre d'autres hommes vivant dans leur milieu originel, souvent loin du modernisme. C'est aussi retrouver le voyage des découvreurs d'antan pour explorer, souvent en exclusivité, des régions récemment ouvertes. Au Québec, Esprit d'Aventure organise l'été un circuit très complet de 14 jours, ou l'hiver des balades découvertes en traîneau à chiens. Esprit d'Aventure ne propose pas de vols secs.

▲ FLEUVES DU MONDE : 17, rue de la Bûcherie, 75005 Paris. ☎ 01-44-32-12-85. Fax : 01-44-32-12-89. M. : Maubert-Mutualité.

Spécialisé dans l'exploration des pays par les fleuves, Fleuves du Monde propose toute une gamme de voyages (expédition, sportif, plaisance ou grand luxe) au rythme des grands cours d'eau de la planète. En petits groupes encadrés de guides professionnels, ou en individuel, ces voyages

LE QUEBEC

Qu'il s'agisse d'un **vol**, d'un **voyage à la carte**, d'un **séjour** ou d'un **circuit**, dans différentes catégories d'hôtels (économiques, charmes, standards, luxes), les spécialistes de **Voyageurs aux Etats-Unis et au Canada** sauront vous conseiller pour choisir votre voyage.

de 1 à 3 semaines se font à l'aide d'embarcations traditionnelles et spécifiques du pays. Au Québec, on embarque pour un itinéraire de 7 jours en canoë sur la Métabetchouane. Au cœur de la réserve des Laurentides, ancienne route des trappeurs, des Montagnais et des jésuites. Avec la chance, qui sait, d'apercevoir au milieu des cèdres et des sapins un ours noir, un élan ou encore des castors (de mai à septembre uniquement).
Vivre une expérience hors du commun, entrer en contact direct avec les ethnies, la culture et la nature environnante de lointaines contrées constitue le leitmotiv de Fleuves du Monde.

▲ FORUM VOYAGES

– *Paris :* 11, av. de l'Opéra, 75001. ☎ 01-42-61-20-20. Fax : 01-42-61-39-12. M. : Palais-Royal.
– *Paris :* 28, rue Monge, 75005. ☎ 01-43-25-54-54. Fax : 01-44-07-36-20. M. : Cardinal-Lemoine.
– *Paris :* 39, rue de la Harpe, 75005. ☎ 01-46-33-97-97. Fax : 01-46-33-10-27. M. : Saint-Michel.
– *Paris :* 81, bd Saint-Michel, 75005. ☎ 01-43-25-80-58. Fax : 01-44-07-22-03. R.E.R. : Luxembourg.
– *Paris :* 1, rue Cassette (angle avec le 71, rue de Rennes), 75006. ☎ 01-45-44-38-61. Fax : 01-45-44-57-32. M. : Saint-Sulpice.
– *Paris :* 140, rue du Faubourg-Saint-Honoré, 75008. ☎ 01-42-89-07-07. Fax : 01-42-89-26-04. M. : Saint-Philippe-du-Roule.
– *Paris :* 55, av. Franklin-Roosevelt, 75008. ☎ 01-42-56-84-84. Fax : 01-42-56-85-69. M. : Franklin-Roosevelt.
– *Paris :* 11, rue Auber, 75009. ☎ 01-42-66-43-43. Fax : 01-42-68-00-81. M. : Opéra.
– *Paris :* 69, rue du Montparnasse, 75014. ☎ 01-42-79-87-87. Fax : 01-45-38-67-71. M. : Edgar-Quinet.
– *Paris :* 49, av. Raymond-Poincaré, 75116. ☎ 01-47-27-89-89. Fax : 01-47-27-24-00. M. : Victor-Hugo.
– *Paris :* 75, av. des Ternes, 75017. ☎ 01-45-74-39-38. Fax : 01-40-68-03-31. M. : Ternes.
– *Neuilly :* 120, av. Charles-de-Gaulle, 92200. ☎ 01-40-88-38-38. Fax : 01-40-88-07-20. M. : Sablons ou Pont-de-Neuilly.
– *Amiens :* 40, rue des Jacobins, 80000. ☎ 03-22-92-00-70. Fax : 03-22-91-05-72.
– *Caen :* 90-92, rue Saint-Jean, 14000. ☎ 02-31-85-10-08. Fax : 02-31-86-24-67.
– *Lyon :* 10, rue du Président-Carnot, 69002. ☎ 04-78-92-86-00. Fax : 04-78-38-29-58.
– *Melun :* 17, rue Saint-Étienne, 77000. ☎ 01-64-39-31-07. Fax : 01-64-39-86-12.
– *Metz :* 10, rue du Grand-Cerf, 57000. ☎ 03-87-36-30-31. Fax : 03-87-37-35-69.
– *Montpellier :* 41, bd du Jeu-de-Paume, 34000. ☎ 04-67-52-73-30. Fax : 04-67-60-77-34.
– *Nantes :* 20, rue de la Contrescarpe, 44000. ☎ 02-40-35-25-25. Fax : 02-40-35-23-36.
– *Reims :* 14, cours J.-B.-Langlet, 51100. ☎ 03-26-47-54-22. Fax : 03-26-97-78-38.
– *Rouen :* 72, rue Jeanne-d'Arc, 76000. ☎ 02-35-98-32-59. Fax : 02-35-70-24-43.
– *Strasbourg :* 49, rue du 22-Novembre, 67000. ☎ 03-88-32-42-00. Fax : 03-88-75-99-39.
– *Toulouse :* 23, place Saint-Georges, 31000. ☎ 05-61-21-58-18. Fax : 05-61-13-75-49.
Forum Voyages à travers 4 brochures, dont :
« Les Amériques » : États-Unis, Canada, Mexique. Séjours et circuits. Vous

Où que vous alliez sur terre, ne partez pas sans avoir consulté les tarifs des vols Go Voyages.

VITE

GO VOYAGES UN

Voler moins cher, c'est simple comme GO

VOL

**Dans votre agence de voyage ou au :
tél. : 0 803 803 747 - 3615 GO** (2,23F/mn)

y trouverez également des escapades balnéaires aux Bahamas, à Puerto Rico et à la Jamaïque.

« Trek America » : des circuits camping pour les 18/38 ans, aux États-Unis, au Canada, en Alaska et au Mexique.

« Vols Discount Réguliers » : plus de 1 500 destinations sur des compagnies aériennes régulières.

Trois grands types de séjours et de circuits :

• *Le voyage à la carte :* ce sont des séjours ou itinéraires en départ quotidien que vous construisez avec l'un des vendeurs en vous servant des milliers d'hôtels, des locations diverses et autres prestations de la brochure.

• *Le voyage individuel organisé :* ce sont des itinéraires variés, conçus avec attention et préétablis avec une voiture, parfois un chauffeur, des guides, des hôtels, des excursions et une documentation très complète de ce que vous allez découvrir.

• *Les circuits groupes accompagnés :* ce sont des circuits pour individuels regroupés au départ garanti (à dates fixes), de Paris ou d'une ville du pays visité, qui offrent l'encadrement de guides-accompagnateurs parlant le français, des hôtels de qualité et des autocars ultramodernes. Ce sont également des circuits de groupes pour les comités d'entreprise ou associations.

– Centrale de réservation : ventes par téléphone (règlement par carte bleue) au ☎ 01-53-32-71-72. Fax : 01-53-32-71-74. Du lundi au vendredi de 9 h 30 à 19 h, le samedi de 10 h à 18 h. Minitel : 36-15 FV ou FORUM VOYAGES.

– Pour les groupes, comités d'entreprise et associations (20 personnes minimum) : ☎ 01-53-32-71-67 ou 68 ou 69. Fax : 01-53-32-71-47.

▲ FRAM

– *Paris :* 128, rue de Rivoli, 75001. ☎ 01-40-26-20-00. Fax : 01-40-26-26-32. M. : Châtelet.

– *Toulouse :* 1, rue Lapeyrouse, 31000. ☎ 05-62-15-16-17. Fax : 05-62-15-17-17.

Minitel : 36-15, code FRAM.

Internet : www.fram.fr.

L'un des tout premiers tour-opérateurs français pour le voyage organisé, FRAM programme désormais plusieurs formules qui représentent « une autre façon de voyager ». On y trouve entre autre des voyages au long cours dont le Canada.

▲ FRANCE-ONTARIO : allée de Clotomont, 77183 Croissy-Beaubourg.
☎ 01-60-06-44-50. Fax : 01-60-05-03-45.

Cette association spécialisée sur le Canada et la France élabore elle-même ses voyages, dans un juste équilibre entre sites célèbres et régions méconnues mais surprenantes pour leur histoire et/ou leur nature. Quelques exemples de séjours à thème : hiver, été indien, ski, pêche, route des pionniers, safari-photo. Pour une découverte hors des sentiers battus et une rencontre avec les francophones.

▲ FUAJ

– *Paris* (Centre national) : 27, rue Pajol, 75018. ☎ 01-44-89-87-27. Fax : 01-44-89-87-49 ou 10. M. : La Chapelle, Marx-Dormoy ou Gare-du-Nord.

– *Paris :* 9, rue Brantôme, 75003. ☎ 01-48-04-70-40. Fax : 01-42-77-03-29. M. : Rambuteau.

– *Paris :* 10, rue Notre-Dame-de-Lorette, 75009. ☎ 01-42-85-55-40. Fax : 01-40-23-94-53. M. : Notre-Dame-de-Lorette.

– *Paris :* 4, bd Jules-Ferry, 75011. ☎ 01-43-57-55-60. Fax : 01-40-21-79-92. M. : République.

Et dans toutes les auberges de jeunesse et les points de distribution et de réservation en France.

Minitel : 36-15, code FUAJ (1,01 F/mn). Internet : www.fuaj.org. Serveur vocal : 08-36-68-86-98 (2,23 F/mn).

La FUAJ (Fédération Unie des Auberges de Jeunesse), ce sont près de 200 auberges de jeunesse en France et 6 000 dans le monde. Mais, ce sont aussi des voyages et des activités sportives ! Plus de 50 destinations à travers le monde sur les 5 continents vous sont proposées, à des prix toujours très étudiés. Pour une expédition, un circuit, un séjour ou un week-end, demandez la brochure FUAJ « Voyage expéditions » et « Go as you please ». Au Québec, une seule auberge de jeunesse située dans le centre de la ville de Québec.

▲ **GO VOYAGES :** 6, rue Troyon, 75017 Paris. ☎ 0803-803-747 (réservations). Serveur vocal promo : ☎ 08-36-69-28-48. M. : Charles-de-Gaulle-Étoile. Minitel : 36-15, code GO. Internet : www.govoyages.com. Et dans toutes les agences de voyages.
Spécialiste du vol sec, Go Voyages propose des tarifs sur 600 destinations dans le monde entier. Où que vous alliez, n'hésitez pas à les contacter, ils vous feront des offres tarifaires des plus intéressantes.

▲ **JETSET :** dans les agences de voyages et ☎ 01-53-67-13-00. Fax : 01-53-67-13-29. Minitel : 36-15, code ALLO USA. Internet : www.jetsetvoyage.fr.
JETSET, un spécialiste du Canada. Brochure exclusivement sur le Canada en été. Vaste choix de circuits accompagnés, circuits au volant, séjours à la carte au Québec et dans les Provinces Maritimes. Circuit Trek Adventures : The French Canadian (minibus et hébergement sous la tente). Programmes hiver (motoneige, ski, traîneau à chiens) au Québec.

▲ **JUMBO**
– *Paris :* Boiloris Voyages, 38, av. de l'Opéra, 75002. ☎ 01-47-42-06-92. M. : Opéra.
– *Paris :* Trajectoire Voyages, 9, rue Jacques-Cœur, 75004. ☎ 01-42-74-30-20. M. : Bastille.
– *Paris :* Boiloris Voyages, 62, rue Monsieur-le-Prince, 75006. ☎ 01-46-34-19-79. M. : Odéon.
– *Paris :* Étampes Voyages, 113, rue de Rennes, 75006. ☎ 01-45-44-53-10. M. : Rennes.
– *Paris :* Boiloris Voyages, 19, av. de Tourville, 75007. ☎ 01-47-05-01-95. M. : École-Militaire.
– *Paris :* Antipodes Découvertes, 16, rue Notre-Dame de Lorette, 75009. ☎ 01-44-91-99-00. M. : Notre-Dame-de-Lorette.
– *Paris :* Cama Voyages, 112, av. du Général-Leclerc, 75014. ☎ 01-45-42-03-87. M. : Alésia.
– *Paris :* Boiloris Voyages, 165, rue de la Convention, 75015. ☎ 01-42-50-83-83. M. : Boucicaut ou Convention.
– *Paris :* Denn Voyages, 123, av de Versailles, 75016. ☎ 01-42-88-13-88. M. : Exelmans.
Minitel : 36-15, code JUMBO (1,29 F/mn). Internet : www.jettours.com.
Retrouvez également Jumbo à :
– *Agen :* ☎ 05-53-87-74-74.
– *Aix-en-Provence :* ☎ 04-42-26-04-11.
– *Angoulême :* ☎ 05-45-92-07-94.
– *Annecy :* ☎ 04-50-10-02-02.
– *Arras :* ☎ 03-21-71-42-42.
– *Aubagne :* ☎ 04-42-03-19-24.
– *Bordeaux :* ☎ 05-56-00-79-79.
– *Boulogne-Billancourt :* ☎ 01-46-99-64-64.
– *Bourg-la-Reine :* ☎ 01-46-61-31-02.
– *Brest :* ☎ 02-98-46-58-00.
– *Cagnes-sur-Mer :* ☎ 04-93-20-76-44.
– *Cannes :* ☎ 04-93-68-45-45.

- *Carqueiranne :* ☎ 04-94-12-95-95.
- *Chambéry :* ☎ 04-79-33-17-64.
- *Clermont-Ferrand :* ☎ 04-73-93-29-15.
- *Colmar :* ☎ 03-89-41-66-80.
- *Corbeil-Essonnes :* ☎ 01-60-89-31-21.
- *Dinan :* ☎ 02-96-39-12-30.
- *Grenoble :* ☎ 04-76-47-01-05.
- *Hyères :* ☎ 04-94-35-22-22.
- *Lille :* ☎ 03-28-38-11-28.
- *Limoges :* ☎ 05-55-32-79-29.
- *Lorient :* ☎ 02-97-21-17-17.
- *Lyon :* ☎ 04-72-77-41-07 et 04-78-89-34-34.
- *Marseille :* ☎ 04-91-22-19-19 et 04-91-55-50-51.
- *Meaux :* ☎ 01-60-09-64-64.
- *Metz :* ☎ 03-87-63-60-08.
- *Nantes :* ☎ 02-40-48-66-19.
- *Nice :* ☎ 04-92-17-65-00.
- *Nogent-sur-Marne :* ☎ 01-48-72-76-77.
- *Orléans :* ☎ 02-38-62-75-25.
- *Pérols :* ☎ 04-99-52-65-65.
- *Pradet (Le) :* ☎ 04-94-08-08-07.
- *Quimper :* ☎ 02-98-95-40-41.
- *Rambouillet :* ☎ 01-34-83-06-18.
- *Roche-sur-Yon (La) :* ☎ 02-51-36-15-07.
- *Royan :* ☎ 05-46-39-97-76.
- *Saint-Brieuc :* ☎ 02-96-61-88-22.
- *Saint-Étienne :* ☎ 04-77-32-39-81.
- *Strasbourg :* ☎ 03-88-21-52-40.
- *Torcy :* ☎ 01-60-17-58-20.
- *Toulouse :* ☎ 05-61-23-35-12.
- *Troyes :* ☎ 03-25-43-66-00.
- *Varenne Saint-Hilaire (La) :* ☎ 01-43-97-28-28.
- *Versailles :* ☎ 01-39-49-98-98.

Jumbo s'adresse à tous ceux qui ont envie de se concocter un voyage unique, en couple, entre amis, ou en famille, mais surtout pas en groupe. À la carte : vol ou location de voiture, hôtels 2 étoiles ou hôtels de charme, itinéraires tout faits ou à composer soi-même, des escapades dans le désert en 4 x 4 ou à dos de chameau. Jumbo organise votre voyage où l'insolite ne rime pas avec danger et où l'imprévu ne se conjugue pas avec galère.
Jumbo, les voyages à la carte de Jet Tours, c'est aussi de nombreuses propositions, entre autres, aux États-Unis et au Canada.

▲ MAISON DES AMÉRIQUES

– *Paris :* 4, rue Chapon, 75003. ☎ 01-42-77-50-50. Fax : 01-42-77-50-60. M. : Rambuteau ou Arts et Métiers. Ouvert de 9 h à 19 h du lundi au jeudi, et de 9 h à 18 h le vendredi et le samedi. Minitel : 36-15, code MDA. E-mail : 106652.3610@compuserve.com
– *Lyon :* 59, rue Franklin, 69002. ☎ 04-78-42-53-58. Fax : 04-72-56-02-86. Ouvert de 10 h à 19 h du mardi au vendredi, de 10 h à 12 h et de 14 h à 18 h le lundi et le samedi. E-mail : route-voyages@route-voyages.com
Maison des Amériques est, comme son nom l'indique, spécialiste du continent américain. Son équipe est constituée de gens de terrain, qu'ils soient français, sud ou nord-américains, et donc particulièrement aptes à vous conseiller pour établir votre itinéraire, qu'il s'agisse des grands parcs de l'Ouest des États-Unis, du désert de l'Atacama ou de passer le cap Horn à la voile.

Grand choix de vols secs à petits prix vers les États-Unis, le Canada Est et Ouest, l'Amérique centrale et l'Amérique du Sud, les Caraïbes. Circuits en

Comptoir

DES ETATS-UNIS ET DU CANADA

"Nous vous proposons différentes formules pour découvrir le Québec à votre rythme"

➤ **Une sélection d'hôtels à la carte, un choix d'itinéraires individuels modifiables** *(à partir de 5 490 FF par personnes base double pour 14 jours en Gaspésie - hors aérien)* **et des prix négociés sur vols réguliers** *(à partir de 2 760 FF + taxes pour Montréal).*

COMMANDER VOTRE BROCHURE
3615 COMPTOIRS
2,23F/mn

23, rue du Pont-Neuf, 75001 PARIS - tél : 01 40 26 20 71

petits groupes, et surtout, toutes les possibilités de voyages à la carte, réservations de vols intérieurs, d'hôtels, de voitures de location.

▲ NOUVEAU MONDE

– *Paris* : 8, rue Mabillon, 75006. ☎ 01-53-73-78-80. Fax : 01-53-73-78-81. M. : Mabillon. Ligne directe pour les voyages moto : ☎ 01-53-73-78-90.
– *Bordeaux* : 57, cours Pasteur, 33000. ☎ 05-56-92-98-98. Fermé le samedi.
– *Marseille* : 8, rue Haxo, 13001. ☎ 04-91-54-31-30. Fermé le samedi.
– *Nantes* : 6, place Édouard-Normand, 44000. ☎ 02-40-89-63-64. Fermé le samedi.

Toujours passionnée par l'Amérique latine, en particulier par la Bolivie, l'équipe de Nouveau Monde s'intéresse également à l'Amérique du Nord, essentiellement au Canada. Proposant vols à tarifs réduits, hôtels et circuits sur toutes ces destinations, il était inévitable que Nouveau Monde devienne une référence pour les globe-trotters qui trouvent dans sa brochure « Voyages autour du Monde » plus de 30 circuits aériens autour de la planète.

Sa vocation de découvreur s'affirme encore lorsqu'il s'agit de concocter des virées d'enfer pour motards aux quatre coins du monde.

▲ NOUVELLES FRONTIÈRES : 87, bd de Grenelle, 75015 Paris. M. : La Motte-Picquet-Grenelle. Renseignements et réservations dans toute la France : ☎ 0-803-33-33-33 (1,09 F/mn). Minitel : 36-15, code NF (à partir de 0,65 F/mn). Internet : www.nouvelles-frontières.fr

Plus de 30 ans d'existence, 2 200 000 clients par an, 250 destinations, une chaîne d'hôtels-clubs et de résidences Paladien, deux compagnies aériennes, Corsair et Aérolyon, des filiales spécialisées pour les croisières en voilier, la plongée sous-marine, la location de voitures... Pas étonnant que Nouvelles Frontières soit devenu une référence incontournable, notamment en matière de prix. Le fait de réduire au maximum les intermédiaires permet d'offrir des prix « super serrés ».

Un choix illimité de formules vous est proposé : des vols sur les compagnies aériennes de Nouvelles Frontières, Corsair et Aérolyon, au départ de Paris et de province, en classe Horizon ou Grand Large, et sur toutes les compagnies aériennes régulières, avec une gamme de tarifs suivant confort, budget ; toutes sortes de circuits, aventure ou organisés, des séjours en hôtels, en hôtels-clubs et en résidences notamment dans les Paladiens, les hôtels de Nouvelles Frontières avec « vue sur le monde » ; des week-ends, des formules à la carte (vol, nuits d'hôtel, excursions, locations de voitures...), mais aussi des croisières en voilier ou en paquebot, des séjours et des croisières plongée sous-marine.

Avant le départ, des permanences d'information sont organisées par des spécialistes qui présentent le pays et répondent aux questions. Les 12 brochures Nouvelles Frontières sont disponibles gratuitement dans les 180 agences du réseau, par Minitel, par téléphone et sur Internet.

▲ OBJECTIF NATURE : 13, rue Portefoin, 75003 Paris. ☎ 01-42-78-43-23. Fax : 01-42-78-43-83. M. : République. Ouvert du lundi au vendredi de 9 h 30 à 18 h 30 et le samedi de 9 h à 13 h sur rendez-vous. E-mail : obj.nat-@wanadoo.fr. Internet : wwwobjectif-nature.fr.

Cet organisme de tourisme agréé, riche d'une expérience de 9 ans dans le domaine du voyage individuel et de groupes, a réussi à conforter un concept original de découverte de la nature, des hommes et du monde animal sur les plus beaux sites de la planète. Partir avec un photographe animalier, un naturaliste, permet aux débutants comme aux initiés d'observer, de photographier la faune et les paysages dans les meilleures conditions. Une réunion d'information est organisée avant chaque voyage. Afin d'aider les participants, Objectif Nature met à leur disposition du matériel photo et des

jumelles. Des conditions de séjour idéales sont réunies : sur le terrain, l'intendance est totalement prise en charge par Objectif Nature et ses partenaires locaux. Tous les circuits proposés dans le catalogue se font en petits groupes (de 6 à 12 personnes) et ont été conçus par l'équipe d'Objectif Nature. Parmi leurs nombreuses destinations, le Canada. Sur simple demande, Objectif Nature vous adressera son catalogue général.

▲ OTU VOYAGE

Le spécialiste des vols charters et réguliers à tarifs étudiants, ainsi que des vols de dernière minute. Centrale de réservations à Paris : ☎ 01-43-62-30-00. Fax : 01-43-62-30-09. L'OTU est aussi représentée en France par les *CROUS* et les *CLOUS* :

– *Paris* : 119, rue Saint-Martin, 75004. ☎ 01-40-29-12-12. Fax : 01-40-29-12-25. M. : Rambuteau ou Châtelet.

– *Paris* : 39, av. Georges-Bernanos, 75005. ☎ 01-40-29-12-12. Fax : 01-40-29-12-25. R.E.R. : Port-Royal. Ouvert de 10 h à 18 h 30.

– *Paris* : 2, rue Malus, 75005. ☎ 01-40-29-12-12. Fax : 01-40-29-12-25. M. : Place-Monge.

– *Paris* : resto U de l'université Paris-IX – Dauphine, 75116. M. Porte-Dauphine. ☎ 01-40-29-12-12. Fax : 01-40-29-12-25.

– *Aix-en-Provence* : cité universitaire « Les Gazelles », av. Jules-Ferry, 13621. ☎ 04-42-27-76-85. Fax : 04-42-93-09-16.

– *Angers* : CROUS, jardin des Beaux-Arts, 35, bd du Roi-René, 49100. ☎ 02-41-25-45-81.

– *Besançon* : CROUS, 38, av.de l'Observatoire, 25030. ☎ 03-81-48-46-25. Fax : 03-81-48-46-70.

– *Bordeaux* : campus de Talence, resto U n° 2 « Le Vent Debout », 33405. ☎ 05-56-80-71-87.

– *Brest* : CROUS, Université de Bretagne, 2, av. Legorgeu, 29287. ☎ 02-98-03-38-78.

– *Caen* : CROUS, Maison de l'Étudiant, av. de Lausanne, 14040. ☎ 02-31-56-60-93. Fax : 02-31-46-60-91.

– *Clermont-Ferrand* : CROUS, 25, rue Étienne-Dolet, bât. A, 63037. ☎ 04-73-34-44-14. Fax : 04-73-34-44-70.

– *Compiègne* : 27, rue du Port-aux-Bateaux, 60200. ☎ 03-44-86-43-41. Fax : 03-44-92-15-19.

– *Créteil* : Maison de l'Étudiant, Université Paris-XII, 61, av. du Général-de-Gaulle, 94000. ☎ 01-48-99-75-90. Fax : 01-48-99-74-01.

– *Dijon* : campus Montmuzard, 6B, rue du Recteur-Bouchard, 21000. ☎ 03-80-39-69-33. Fax : 03-80-39-69-43.

– *Grenoble* : CROUS, 5, rue d'Arsonval, 38019. ☎ 04-76-46-98-92. Fax : 04-76-47-78-03.

– *Grenoble (Campus)* : Carreau Rive Gauche, campus Saint-Martin d'Hères, 38406. ☎ 04-76-51-27-25. Fax : 04-76-01-18-57.

– *Havre (Le)* : cité universitaire de Caucriauville, 45 *bis,* rue Casimir-Delavigne, 76610. ☎ 02-35-21-69-12.

– *Lille* : CROUS, 74, rue de Cambrai, 59043. ☎ 03-20-88-66-12. Fax : 03-20-88-66-59.

– *Lille (Campus)* : Brasserie « Les 3 Lacs », Domaine littéraire du Pont-de-Bois, Lille-III, 59650 Villeneuve d'Ascq. ☎ 03-20-67-27-45. Fax : 03-20-91-90-29.

– *Limoges* : CROUS, Université de Vanteaux, 39 G, rue Camille-Guérin, 87036. ☎ 05-55-43-17-03. Fax : 05-55-50-14-05.

– *Lyon* : CROUS, 59, rue de la Madeleine, 69365. ☎ 04-72-71-98-07. Fax : 04-72-72-35-02.

– *Mans (Le)* : 2, rue Laennec, 72040. ☎ 02-43-28-60-70.

– *Metz* : cité universitaire, île du Saulcy, 57045. ☎ 03-87-31-62-62. Fax : 03-87-31-62-87.

– *Montpellier :* 43, rue de l'Université, 34000. ☎ 04-67-66-74-20. Fax : 04-67-66-30-72.
– *Mulhouse :* cité universitaire, 1, rue Alfred-Werner, 68093. ☎ 03-89-59-64-66. Fax : 03-89-59-64-69.
– *Nancy Vandœuvre :* « Le Vélodrome », 8, rue Jacques-Callot, 54500. ☎ 03-83-54-49-63.
– *Nantes :* 14, rue de Santeuil, 44000. ☎ 02-40-73-99-17. Fax : 02-40-69-69-93.
– *Nantes :* 2, bd Guy-Mollet, 44000. ☎ 02-40-74-70-77. Fax : 02-40-37-13-00.
– *Nice :* Carlone, 80, bd Édouard-Herriot, 06200. ☎ 04-93-96-85-43. Fax : 04-93-37-43-30.
– *Orléans :* CROUS, rue de Tours, 45072. ☎ 02-38-76-48-99. Fax : 02-38-63-41-80.
– *Pau :* resto U, av. Poplawski, 64000. ☎ 05-59-02-26-98. Fax : 05-59-02-20-26.
– *Poitiers :* CROUS, 38, av. du Recteur-Pineau, 86022. ☎ 05-49-45-10-79. Fax : 05-49-45-10-81.
– *Reims :* resto U J.-C. Prost, rue de Rilly-la-Montagne, 51100. ☎ 03-26-09-91-50.
– *Rennes :* CROUS, 7, place Hoche, B.P. 115, 35002. ☎ 02-99-84-31-35. Fax : 02-99-84-31-03.
– *Rochelle (La) :* résidence universitaire Antinéa, 15, rue Vaux-de-Foletier, 17026. ☎ 05-46-28-21-30. Fax : 05-46-28-21-55.
– *Rouen :* campus de Mont-Saint-Aignan, cité universitaire du Panorama, 76000. ☎ 02-35-70-21-65. Fax : 02-35-10-00-59.
– *Saint-Étienne :* restaurant « La Tréfilerie », 31 *bis,* rue du 11-Novembre, 42100. ☎ 04-77-33-68-05. Fax : 04-77-33-49-00.
– *Strasbourg :* CROUS, 3, bd de la Victoire, 67084. ☎ 03-88-25-53-99. Fax : 03-88-52-15-70.
– *Toulon :* résidence Campus International, B.P. 133, 83130 La Garde. ☎ 04-94-21-24-00. Fax : 04-94-21-25-99.
– *Toulouse :* CROUS, 60, rue du Taur, 31070. ☎ 05-61-12-54-54. Fax : 05-61-12-36-79.
– *Tours :* résidence Sanitas, bd de Lattre-de-Tassigny, 37041. ☎ 02-47-60-42-42. Fax : 02-47-20-46-33.
– *Valence :* 6, rue Deredon, 26000. ☎ 04-75-42-17-96. Fax : 04-75-55-48-37.
– *Valenciennes :* résidence universitaire Jules-Mousseron, 59326 Aulnoy-lès-Valenciennes. ☎ 03-27-28-39-60. Fax : 03-27-28-39-61.

▲ **PLEIN VENT VOYAGES :** réservations et brochures dans les agences du sud-est de la France. Minitel : 36-15, code PLEINVENT.
Premier tour-opérateur du Sud-Est, Plein Vent assure toutes ses prestations au départ de Lyon, Marseille, Nice et Genève. Sur le Québec, Plein Vent propose un circuit et des séjours de ski en hiver bien entendu. Plein Vent garantit ses prix, ses départs, et propose un système de « garantie annulation » performant.

▲ **R.A. MARKETING :** 68, rue de Lourmel, 75015 Paris. ☎ 01-45-77-10-74. Fax : 01-45-77-78-51. M. : Charles-Michels.
Représentant en France de plusieurs sociétés américaines, dont :
● La compagnie de croisières *Royal Caribbean International,* la seule compagnie de croisières qui fait encore construire ses bateaux par les chantiers de l'Atlantique à Saint-Nazaire. 13 navires, plus de 50 destinations et 150 escales à travers le monde : Europe, Méditerranée, Scandinavie-Russie, fjords de Norvège, Asie du Sud-Est, Hawaï, Alaska, Riviera mexicaine, Caraïbes, Bahamas, Bermudes, transatlantiques, Est canadien et Québec.
● *Telekey,* la carte de téléphone indispensable pour téléphoner des États-

AU CANADA, AVEC JUMBO, C'EST VOUS QUI DÉCIDEZ DU CHEMIN

L'EST DU CANADA EN LIBERTÉ

Découvrir la vraie nature du Canada sauvage, ses régions méconnues (Côte Nord, Iles Mingan, Charlevoix) et vos cousins acadiens du nouveau Brunswick... voilà un avant-goût d'un Canada authentique et à la carte.

Consultez votre agence de voyages ou 3615* Jumbo

*1,29F la minute

jumbo

GROUPE JET TOURS Lic 094950011

JUMBO. LES VOYAGES DONT VOUS ÊTES LES HÉROS

Unis ou du Canada. Économique, pratique et simple à utiliser. Carte rechargeable.

▲ RÉPUBLIC TOURS

– *Paris :* 1 *bis,* av. de la République, 75011. ☎ 01-53-36-55-55. Fax : 01-48-07-09-79. M. : République.
– *Lyon :* 4, rue du Général-Plessier, 69002. ☎ 04-78-42-33-33. Fax : 04-78-42-24-43.
Minitel : 36-15, code REPUBLIC (2,23 F/mn). Internet : www.republic-tours.com.
Et dans les agences de voyages.
République Tours, c'est une large gamme de produits et de destinations tous publics et la liberté de choisir sa formule de vacances :
– séjours détente en hôtel classique ou club ;
– circuits en autocars, voiture personnelle ou de location ;
– insolite : randonnées en 4 x 4, à vélo, en roulotte...
République Tours propose, entre autres, des long-courriers sur les Antilles françaises, le Canada et aussi les États-Unis, la Réunion, l'île Maurice, le Sénégal, Mayotte, les Seychelles et la Polynésie.

▲ ROUTE DES VOYAGES (LA) : 59, rue Franklin, 69002 Lyon. ☎ 04-78-42-53-58. Fax : 04-72-56-02-86.

La Route des Voyages organise des voyages à la carte sur tout le continent américain de l'Alaska à la Terre de Feu. Propose son catalogue sur les États-Unis et le Canada, ainsi que des catalogues par pays pour l'Amérique du Sud. Vaste choix de vols secs à bas prix. Privilégiant les formules très souples pour 2, 4 personnes ou en petit groupe, sur la base d'un des itinéraires de sa brochure ou que les passagers ont imaginé, ce voyagiste réserve vols internationaux, vols intérieurs, hôtels, voitures ou excursions.

▲ SCANDITOURS/CELTICTOURS : 36, rue de Saint-Petersbourg, 75008 Paris. ☎ 01-42-85-60-80. Fax : 01-42-85-62-70. M. : Place-de-Clichy.

Véritable institution sur les pays nordiques, mais aussi sur le Canada. Les formules Scanditours/Celtictours : circuits accompagnés, transport aérien, autotours, hôtels et locations de voitures.

▲ SEE AMERICA : le correspondant d'une agence américaine : BP 533, 13492 Marseille Cedex 04. Fax : 04-91-92-83-17.

Minitel : 36-15, code TEMPOTOUR.
Vols vers le Canada au départ de toutes les villes de province. Hôtels à la carte, séjours chez l'habitant « Gîtes du Passant », location de voitures Alamo et Avis. Location de chalets, voiliers, motos, motoneige, 4 x 4, motorhome. Forfaits bus, train, etc. Circuits organisés à départs garantis.

▲ TERRES D'AVENTURE

– *Paris :* 6, rue Saint-Victor, 75005. ☎ 01-53-73-77-77. Fax : 01-43-29-96-31. M. : Maubert-Mutualité.
– *Lyon :* 9, rue des Remparts-d'Ainay, 69002. ☎ 04-78-42-99-94. Fax : 04-78-37-15-01.
Pionnière et leader du voyage à pied en France et à l'étranger, cette agence propose près de 350 randonnées de 7 à 36 jours pour tous niveaux, même débutant, et à tous les prix.
Au Canada, raquettes et traîneau à chiens l'hiver ; trek l'été dans les Rocheuses, en Colombie britannique et dans l'île de Vancouver.

▲ U.C.P.A.

– Informations et réservations : ☎ 0803-820-830. Minitel : 36-15, code UCPA.
– Bureaux de vente à *Paris, Bordeaux, Lille, Lyon, Marseille, Nancy, Strasbourg, Toulouse* et *Bruxelles.*

C^{IE} DES ETATS UNIS & DU CANADA

LU 075970020   GR Est CN0 99

Voilà plus de 30 ans que 5 millions ˙de personnes de 7 à 40 ans font confiance à l'U.C.P.A. pour réussir leurs vacances sportives. Et ceci, grâce à une association dynamique, toujours à l'écoute des attentes de ses clients, une approche souple et conviviale de plus de 50 activités sportives, des séjours en France et à l'étranger en formule tout compris (moniteurs professionnels, pension complète, matériel, animations, assurance et transport pour les séjours à l'étranger) et à des prix toujours très serrés. Choix entre un séjour Sport Passion ou Sport Détente dans l'un des 130 centres en France auxquels s'ajoutent près de 300 programmes en Sport Aventure pour voyager à pied, à cheval, à VTT, en catamaran... dans 50 pays d'Europe, d'Asie, du Proche-Orient, d'Afrique, d'Amérique latine et d'Amérique du Nord. Au Canada, « Raquettes au Québec et neiges des Rocheuses », rando pour adultes en raquettes et ski de fond de 12 jours environ. L'été, descentes de rivières en canoë. Pour les 15-17 ans, « Neiges du Québec » avec balades en raquettes, ski de fond, traîneau à chiens, tout un programme...

▲ **USIT (Voyages pour Jeunes et Étudiants)**
– *Paris* (vente par téléphone) : ☎ 01-42-44-14-00. Fax : 01-42-44-14-01.
– *Paris :* 12, rue Vivienne, 75002. ☎ 01-44-55-32-60. Fax : 01-44-55-32-61. M. : Bourse.
– *Paris :* 31 *bis*, rue Linné, 75005. ☎ 01-44-08-71-20. Fax : 01-44-08-71-25. M. : Jussieu.
– *Paris :* 85, bd Saint-Michel, 75005. ☎ 01-43-29-69-50. Fax : 01-43-25-29-85. M. : Luxembourg.
– *Paris :* 6, rue de Vaugirard, 75006. ☎ 01-42-34-56-90. Fax : 01-42-34-56-91. M. : Odéon.
– *Aix-en-Provence :* 7, cours Sextius, 13100. ☎ 04-42-93-48-40. Fax : 04-42-93-48-49.
– *Bordeaux :* 284, rue Sainte-Catherine, 33000. ☎ 05-56-33-89-90. Fax : 05-56-33-89-91.
– *Lyon :* 33, rue Victor-Hugo, 69002. ☎ 04-72-77-81-91. Fax : 04-72-77-81-99.
– *Montpellier :* 1, rue de l'Université, 34000. ☎ 04-67-66-03-65. Fax : 04-67-60-33-56.
– *Nice :* 10, rue de Belgique, 06000. ☎ 04-93-87-34-96. Fax : 04-93-87-10-91.
– *Toulouse :* 5, rue des Lois, 31000. ☎ 05-61-11-52-42. Fax : 05-61-11-52-43.
L'une des rares organisations de voyages à produire et à distribuer (billets délivrés immédiatement) le fameux billet d'avion SATA pour les jeunes et les étudiants. Valable sur (presque) toutes les plus grandes compagnies aériennes régulières, ce billet autorise toutes les libertés : allers simples possibles, validité d'un an, modification des dates de voyage ou de vol, modification de l'itinéraire, modification des arrêts en cours de route, etc. Les coupons non utilisés, endommagés, perdus ou volés sont remboursés. De plus, les passagers trouvent aide et assistance dans les nombreux bureaux et correspondants Usit dans le monde entier. Usit met également à la disposition des voyageurs indépendants qui ne peuvent bénéficier du billet SATA d'excellents tarifs négociés sur vols réguliers. Hébergements économiques dans le monde entier, locations de voitures, circuits, ski, expéditions, campings, cartes internationales d'étudiants ou de jeunes et assurances de voyage sont également en vente chez Usit Voyages.

▲ **VACANCES AIR CANADA :** 10, rue de la Paix, 75002. ☎ 01-40-15-15-15. Fax : 01-42-61-68-81. M. : Opéra.
Et dans les agences de voyages.
Voyagiste spécialiste du Canada, Vacances Air Canada propose des voyages à la carte à travers tout le pays, des plus simples (vols secs) aux

plus élaborés, pour tous les types de budget, pour les individuels comme pour les groupes. Deux brochures annuelles (hiver et été). Au programme : vols Air Canada, circuits accompagnés, séjours multi-activités, voyages à la carte, circuits aventure, hébergements variés, location de voitures et de motorhomes, week-ends à prix très attractifs...

▲ VACANCES AIR TRANSAT

Vacances Air Transat, le voyagiste français du groupe Transat, possède sa propre compagnie aérienne, *Air Transat,* et ses propres réceptifs.

Spécialiste de l'Amérique, Vacances Air Transat vous propose une large gamme de voyages au Canada, aux États-Unis, à Cuba, au Mexique et en république Dominicaine. Vous trouverez dans ses brochures des circuits accompagnés, des autotours, des forfaits aventure et à thème, des locations de voitures, de camping-cars, ainsi que différentes formules de séjours suivant les pays (hôtels classiques, de villégiature, balnéaires, clubs, locations de chalets, hébergement chez l'habitant), le tout à des prix très compétitifs. Les brochures Vacances Air Transat sont disponibles dans toutes les agences de voyages. Vous pouvez également obtenir des informations et demander des brochures sur Minitel : 36-15, code VATF.

▲ VACANCES FABULEUSES

– *Paris :* 22 bis, rue Georges-Bizet, 75116. ☎ 01-53-67-60-00. Fax : 01-47-23-68-31. M. : Alma-Marceau.

– *Nice :* 2, rue de Rivoli, 06000. ☎ 04-93-16-18-10. Fax : 04-93-87-87-88. Et dans toutes les agences de voyages.

Vacances Fabuleuses, c'est « l'Amérique à la carte ». Ce spécialiste de l'Amérique du Nord (États-Unis, Canada, Mexique et Caraïbes) vous propose de découvrir le Canada de l'intérieur, avec un choix de formules infini : locations de voitures, une grande sélection d'hôtels (plus de 250), des mini-séjours à Montréal, Québec, Toronto et Vancouver ; des circuits individuels de 6 à 15 jours au départ de Montréal ou de Vancouver ; des circuits accompagnés au Canada, ou combinés États-Unis et Canada.

Le transport est assuré à des prix charters, sur compagnies régulières, avec Air France, British Airways et Air Canada. Le tout, proposé par une équipe de vrais spécialistes.

▲ VOYAGES ET DÉCOUVERTES

– *Paris :* 21, rue Cambon, 75001. ☎ 01-42-61-00-01. M. : Concorde.
– *Paris :* 58, rue Richer, 75009. ☎ 01-47-70-28-28. M. : Cadet.
– *Paris :* 91, av. Secrétan, 75019. ☎ 01-42-00-90-20. M. : Jaurès.

Voyagiste proposant d'excellents tarifs sur lignes régulières à condition d'être étudiant ou jeune de moins de 26 ans.

▲ VOYAGES WASTEELS (JEUNES SANS FRONTIÈRE)

– *Paris :* 5, rue de la Banque, 75002. ☎ 01-42-61-53-21. M. : Bourse.
– *Paris :* 8, bd de l'Hôpital, 75005. ☎ 01-43-36-90-36. M. : Gare-d'Austerlitz.
– *Paris :* 113, bd Saint-Michel, 75005. ☎ 01-43-26-25-25. R.E.R. : Luxembourg.
– *Paris :* 11, rue Dupuytren, 75006. ☎ 01-43-25-58-35. M. : Odéon.
– *Paris :* 12, rue La Fayette, 75009. ☎ 01-42-47-09-77. M. : Le Peletier.
– *Paris :* 11, rue Oberkampf, 75011. ☎ 01-47-00-27-00. M. : Oberkampf.
– *Paris :* 2, rue Michel-Chasles, 75012. ☎ 01-43-43-46-10. M. : Gare-de-Lyon.
– *Paris :* 16, rue Jean-Rey, Bât. UIC, 75015. ☎ 01-44-49-22-60. M. : Bir-Hakeim.
– *Paris :* 58, rue de la Pompe, 75116. ☎ 01-45-04-71-54. M. : Rue-de-la-Pompe.
– *Paris :* 150, av. de Wagram, 75017. ☎ 01-42-27-29-91. M. : Wagram.
– *Paris :* 3, rue Poulet, 75018. ☎ 01-42-57-69-56. M. : Château-Rouge.

AMÉRIQUE
USA - CANADA

Le guide du voyage en Amérique est paru (et il est gratuit)

Il comprend :

Tous les vols à prix réduits.

exemples de prix
au 10 janvier 1999*

MONTREAL	1540 FF A/R
NEW-YORK	1540 FF A/R
LOS ANGELES	1980 FF A/R
SAN FRANCISCO	1980 FF A/R
MIAMI	1870 FF A/R
MEXICO	2960 FF A/R
VANCOUVER	2200 FF A/R
WASHINGTON	1540 FF A/R

- **Les locations de voitures**
à partir de 735 FF HT
par semaine en kilométrage illimité
- **Les locations de camping-cars**
à partir de 240 FF HT
- **Les locations de tout-terrain et de Harley Davidson**
- **+ de 1 000 hôtels et motels**
à partir de 305 FF TTC la chambre
- **Les lodges des parcs nationaux**
- **Les séjours en ranches**
- **Les expéditions et raftings**
- **Des renseignements pratiques**

Envoi du guide contre 10 FF en timbres.
(* offre promotionnelle limitée; prix au 10/01/99 révisables)

BACK ROADS 14, place Denfert-Rochereau - 75014 Paris
Tél. : 01 43 22 65 65 - Lic. 075960068

– *Paris :* 146, bd de Ménilmontant, 75020. ☎ 01-43-58-57-87. M. : Ménil-montant.
– *Aix-en-Provence :* 5 *bis,* cours Sextius, 13100. ☎ 04-42-26-26-28.
– *Angoulême :* 2, place François-Louvel, 16000. ☎ 05-45-92-56-89.
– *Béziers :* 66, allée Paul-Riquet, 34500. ☎ 04-67-28-31-78.
– *Bordeaux :* 65, cours d'Alsace-Lorraine, 33000. ☎ 05-56-48-29-39.
– *Bordeaux :* Résidence Étendard, 13, place Casablanca, 33000. ☎ 05-56-91-97-17.
– *Chambéry :* 44, faubourg Reclus, 73000. ☎ 04-79-33-04-63.
– *Clermont-Ferrand :* 69, bd Trudaine, 63000. ☎ 04-73-91-07-00.
– *Compiègne :* 10, rue des Bonnetiers-Cour-le-Roi, 60200. ☎ 03-44-38-05-44.
– *Dijon :* 20, av. du Maréchal-Foch, 21000. ☎ 03-80-43-65-34.
– *Grenoble :* 50, av. Alsace-Lorraine, 38000. ☎ 04-76-47-34-54.
– *Grenoble :* 20, av. Félix-Viallet, 38000. ☎ 04-76-46-36-39.
– *Grenoble :* 3, rue Crépu, 38000. ☎ 04-76-85-06-15.
– *Lille :* 25, place des Reignaux, 59800. ☎ 03-20-06-24-24.
– *Lyon :* 5, place Ampère, 69002. ☎ 04-78-42-65-37.
– *Lyon :* 162, cours La Fayette, 69003. ☎ 04-78-62-00-65.
– *Lyon :* Centre d'échanges de Lyon-Perrache, 69002. ☎ 04-78-37-80-17.
– *Marseille :* 87, la Canebière, 13001. ☎ 04-95-09-30-20.
– *Metz :* 3, rue d'Austrasie, 57000. ☎ 03-87-66-65-33.
– *Montpellier :* 6, rue de la Saunerie, 34000. ☎ 04-67-58-74-26.
– *Montpellier :* 1, rue Cambacérès, 34000. ☎ 04-67-66-20-19.
– *Mulhouse :* 14, av. Auguste-Wicky, 68100. ☎ 03-89-46-18-43.
– *Nancy :* 1 *bis,* place Thiers, 54000. ☎ 03-83-35-42-29.
– *Nantes :* 6, rue Guépin, 44000. ☎ 02-40-89-70-13.
– *Nice :* 32, rue de l'Hôtel-des-Postes, 06000. ☎ 04-93-13-10-70.
– *Reims :* 26, rue Libergier, 51100. ☎ 03-26-85-79-79.
– *Roubaix :* 11, rue de l'Alouette, 59100. ☎ 03-20-70-33-62.
– *Rouen :* 111 *bis,* rue Jeanne-d'Arc, 76000. ☎ 02-35-71-92-56.
– *Saint-Étienne :* 28, rue Gambetta, 42000. ☎ 04-77-32-71-77.
– *Strasbourg :* 13, place de la Gare, 67000. ☎ 03-88-32-40-82.
– *Thionville :* 21, place du Marché, 57100. ☎ 03-82-53-35-00.
– *Toulon :* 3, rue Vincent-Courdouan, 83000. ☎ 04-94-92-93-93.
– *Toulon :* 3, bd Pierre-Toesca, 83000. ☎ 04-94-92-99-99.
– *Toulouse :* 1, bd Bonrepos, 31000. ☎ 05-61-62-67-14.
– *Toulouse :* 23, av. de l'URSS, 31400. ☎ 05-61-55-59-89.
– *Tours :* 8, place du Grand-Marché, 37000. ☎ 02-47-64-00-26.
Tarifs réduits spécial jeunes et étudiants. En avion, les billets Tempo Air France mettent à la portée des jeunes de moins de 25 ans toute la France aux meilleurs tarifs. Sur plus de 450 destinations, avec J.S.F. et STA Travel, possibilité est offerte aux jeunes de moins de 30 ans de voyager dans le monde entier sur les lignes régulières des compagnies aériennes à des prix très compétitifs et à des conditions d'utilisation extra souples. Divers : séjours de ski (hébergement, visite...) et location de voitures à tout petits prix.

▲ VOYAGEURS AU CANADA

– *Paris :* La Cité des Voyageurs, 55, rue Sainte-Anne, 75002. ☎ 01-42-86-17-30. Fax : 01-42-86-17-89. M. : Opéra ou Pyramides. Bureaux ouverts du lundi au vendredi de 10 h à 19 h. Le samedi, de 9 h à 19 h. Accueil téléphonique à partir de 9 h.
– *Lyon :* 5, quai Jules-Courmont, 69003. ☎ 04-72-56-94-56. Fax : 04-72-56-94-55.
– *Toulouse :* 12, rue Gabriel-Péri, 31000. ☎ 05-62-73-56-46.
Minitel : 36-15, code VOYAGEURS ou VDM. Site Internet : www.vdm.com. Toutes les destinations de Voyageurs du Monde se retrouvent en un lieu unique, sur trois étages, réparties par zones géographiques.

Tout voyage sérieux nécessite l'intervention d'un spécialiste. D'où l'idée de ces équipes spécialisées chacune sur une destination qui vous accueillent à la Cité des Voyageurs, premier espace de France (1 500 m²) entièrement consacré aux voyages et aux voyageurs. Leurs spécialistes vous proposent : vols simples, voyages à la carte et circuits culturels sur les destinations du monde entier à des prix très compétitifs puisque vendus directement sans intermédiaire. Voyageurs au Canada propose des vols simples, circuits et tous les éléments nécessaires à la constitution d'un voyage à la carte sur le Canada, aux prix les plus bas puisque tout est vendu directement sans intermédiaire.

La Cité des Voyageurs, c'est aussi :
● Une librairie de plus de 4 000 ouvrages et cartes pour vous aider à préparer au mieux votre voyage, ainsi qu'une sélection des plus judicieux et indispensables accessoires de voyage : moustiquaires, sacs de couchage, couvertures en laine polaire, etc. ☎ 01-42-86-17-38.
● Des expositions-ventes d'artisanat traditionnel en provenance de différents pays. ☎ 01-42-86-16-25.
● Un programme de dîners-conférences : les mardi et jeudi soir sont une invitation au voyage et font honneur à une destination. ☎ 01-42-86-16-00.
● Un restaurant des cuisines du monde. ☎ 01-42-86-17-17.

EN BELGIQUE

▲ **C.J.B... L'AUTRE VOYAGE :** chaussée d'Ixelles, 216, Bruxelles 1050. ☎ (02) 640-97-85. Fax : (02) 646-35-95. Ouvert de 9 h 30 à 12 h 30 et de 13 h 30 à 17 h 30, tous les jours de la semaine, sauf samedi et dimanche. Association sans but lucratif, C.J.B. organise toutes sortes de voyages scolaires, individuels ou en groupe, de la randonnée au grand circuit. Vacances sportives ou séjours culturels. Dans la jungle des tarifs de transport (avion, train, bus ou bateau), on vous conseillera les meilleures adresses par destination, offrant les prix les plus intéressants.

▲ **CONNECTIONS**
– *Alost :* Kattestraat, 48, 9300. ☎ (053) 70-60-50. Fax : (053) 70-18-38.
– *Anvers :* Melkmarkt, 23, 2000. ☎ (03) 225-31-61. Fax : (03) 226-24-66.
– *Bruges :* Sint-Jacobstraat, 30, 8000. ☎ (050) 34-10-11. Fax : (050) 34-19-29.
– *Bruxelles :* rue du Midi, 19-21, 1000. ☎ (02) 550-01-00. Fax : (02) 512-94-47.
– *Bruxelles :* av. Adolphe-Buyl, 78, 1050. ☎ (02) 647-06-05. Fax : (02) 647-05-64.
– *Gand :* Nederkouter, 120, 9000. ☎ (09) 223-90-20. Fax : (09) 233-29-13.
– *Hasselt :* Botermarkt, 8, 3500. ☎ (011) 23-45-45. Fax : (011) 23-16-89.
– *Liège :* rue Sœurs-de-Hasque, 7, 4000. ☎ (04) 223-03-75. Fax : (04) 223-08-82.
– *Louvain :* Tienserstraat, 89, 3000. ☎ (016) 29-01-50. Fax : (016) 29-06-50.
– *Louvain-la-Neuve :* rue des Wallons, 11, 1348. ☎ (010) 45-15-57. Fax : (010) 45-14-53.
– *Malines :* Ijzerenleen, 39, 2800. ☎ (015) 20-02-10. Fax : (015) 20-55-56.
– *Mons :* rue de la Coupe, 30, 7000. ☎ (065) 35-35-14. Fax : (065) 34-79-19.
– *Namur :* rue Saint-Jean, 21, 5000. ☎ (081) 22-10-80. Fax : (081) 22-79-97.
– *Turnhout :* Grote Markt, 54, 2300. ☎ (014) 43-86-86. Fax : (014) 43-76-56.
– *Zaventen :* aéroport national, 1930. ☎ (02) 753-25-00. Fax : (02) 753-25-03.
– *Également au Luxembourg :* 70, Grande-Rue. ☎ (352) 22-99-33. Fax : (352) 22-99-13.
Informations et réservations téléphoniques : ☎ (02) 550-01-00. Fax : (02) 502-70-60.

Spécialiste du voyage pour les étudiants, les jeunes et les « Independent travellers », Connections est membre du groupe USIT, groupe international formant le réseau des USIT Connection Centres. Le voyageur peut ainsi trouver informations et conseils, aide et assistance (revalidation, routing, etc.) dans plus de 80 centres en Europe et auprès de plus de 500 correspondants dans 65 pays.

Connections propose une gamme complète de produits : les tarifs aériens spécialement négociés pour sa clientèle (licence IATA) et, en exclusivité pour le marché belge, les très avantageux et flexibles billets SATA réservés aux jeunes et étudiants ; toutes les formules rails et, en particulier, les Explorers Pass (Europe, Asie, États-Unis), les billets BIJ et l'Eurodomino ; le bus avec plus de 300 destinations en Europe (un tarif exclusif pour les étudiants) ; toutes les possibilités d'arrangement terrestre (hébergement, location de voitures, « self drive tours », circuits accompagnés, vacances sportives, expéditions...) principalement en Europe et en Amérique du Nord ; de nombreux services aux voyageurs comme l'assurance-voyage « Protections » ou les cartes internationales de réductions (la carte internationale d'étudiant ISIC et la carte jeune Euro-26).

▲ CONTINENTS INSOLITES
– *Bruxelles :* rue de la Révolution, 1, 1000. ☎ (02) 218-24-84. Fax : (02) 218-24-88.
– *En France :* ☎ 03-24-54-63-68 (renvoi automatique et gratuit sur le bureau de Bruxelles).
E-mail : continents@arcadis.be
Association créée en 1978, dont l'objectif est de promouvoir un nouveau tourisme à visage humain, Continents Insolites regroupe plus de 20 000 sympathisants, dont le point commun est l'amour du voyage hors des sentiers battus.

Continents Insolites propose des circuits à dates fixes dans plus de 70 pays, et ce, en petits groupes de 7 à 12 personnes, élément primordial pour une approche en profondeur des contrées à découvrir. Avant chaque départ, une réunion avec les participants au voyage est organisée pour permettre à ceux-ci de mieux connaître leur destination et leurs futurs compagnons de voyage. Voyages encadrés par des guides francophones, spécialistes des régions visitées.

Une gamme complète de formules de voyages :
– *Voyages lointains :* de la grande expédition au circuit accessible à tous ;
– *Aventure Jeune 2000 :* des circuits « routard » pour jeunes (18-31 ans) ;
– *Continents adaptés :* l'aventure qui donne des ailes ; ce secteur propose des voyages pour personnes handicapées physiques ou sensorielles ;
– *Chantiers pour le développement A.S.B.L. :* ☎ (02) 534-48-82. Aller à la rencontre d'un autre « tiers monde ». Après une préparation, les volontaires partent en petits groupes pendant un mois minimum pour participer à un projet interculturel au sein d'une communauté locale du Sud.
L'association organise également vos voyages à la carte : toute l'année, en individuel ou pour des petits groupes. Circuits mis sur pied grâce à une étroite collaboration entre le guide spécialiste et le voyageur afin de répondre parfaitement aux désirs de ce dernier.

De plus, Continents Insolites propose un cycle de 145 conférences-diaporama à Bruxelles, Liège, Namur et Luxembourg. Les conférences de Bruxelles se déroulent à la « Maison du Voyage », rue de la Révolution, 1, Bruxelles 1000 (M. : Madou). Elles se tiennent les mardi, mercredi, jeudi et vendredi à 20 h 30.

▲ JOKER :
bd Lemonnier, 37, Bruxelles 1000. ☎ (02) 502-19-37. Fax : (02) 502-29-23 ; et av. Verdi, 23, Bruxelles 1083. ☎ (02) 426-00-03. Fax : (02) 426-03-60.

« Le » spécialiste des voyages aventureux et des billets d'avion à des prix très concurrentiels. Vols aller-retour au départ de Bruxelles, Paris et Francfort. Voyages en petits groupes avec accompagnateur compétent. Circuits souples à la recherche de contacts humains authentiques, utilisant l'infrastructure locale et explorant le vrai pays. Voyages organisés avec groupes internationaux (organismes américains, australiens, hollandais et anglais). Joker établit également un circuit de Café's pour voyageurs dans le monde entier : ViaVia Joker, Naamsesteenweg, 227, à Louvain, Wolstraat, 86, à Anvers, ainsi qu'à Yogyakarta, Dakar, Barcelone et Copan (Honduras).

▲ **NOUVEAU MONDE :** chaussée de Vleurgat, 226, Bruxelles 1050. ☎ (02) 649-55-33. Fax : (02) 649-43-32. Ouvert de 9 h à 18 h, fermé le samedi.
(Voir texte en France).

▲ **NOUVELLES FRONTIÈRES**
– *Anvers :* Nationalestraat, 14, 2000. ☎ (03) 213-20-20. Fax : (03) 226-29-50.
– *Bruges :* Sint-Jakobsstraat, 21, 8000. ☎ (050) 34-05-81.
– *Bruxelles* (siège) : bd Lemonnier, 2, 1000. ☎ (02) 547-44-44. Fax : (02) 547-44-99.
– *Bruxelles :* chaussée d'Ixelles, 147, 1050. ☎ (02) 540-90-11.
– *Bruxelles :* chaussée de Waterloo, 746, 1180. ☎ (02) 626-99-99.
– *Bruxelles :* rue des Tongres, 24, 1040. ☎ (02) 738-99-99.
– *Charleroi :* bd Audent, 8, 6000. ☎ (071) 30-76-46.
– *Gand :* Nederkouter, 77, 9000. ☎ (09) 269-95-53.
– *Liège :* bd de la Sauvenière, 32, 4000. ☎ (04) 221-56-99.
– *Louvain :* Koningin-Astridlaan, 6, 3000. ☎ (016) 31-95-20.
– *Mons :* rue d'Havré, 56, 7000. ☎ et fax (065) 84-24-10.
– *Namur :* rue Émile-Cuvelier, 20, 5000. ☎ (081) 25-19-99.
– *Wavre :* rue Charles-Sambon, 15, 1300. ☎ (010) 24-49-40.
– *Également au Luxembourg :* rue des Bains, 16, L 1212. ☎ (352) 46-41-41.
30 ans d'existence, 250 destinations, une chaîne d'hôtels-clubs et de résidences Paladien, des filiales spécialisées pour les croisières en voilier, la plongée sous-marine, la location de voitures... Pas étonnant que Nouvelles Frontières soit devenu une référence incontournable, notamment en matière de prix. Le fait de réduire au maximum les intermédiaires permet d'offrir des prix « super serrés ». Un choix illimité de formule vous est proposé.

▲ **PAMPA EXPLOR :** av. de Brugmann, 250, Bruxelles 1180. ☎ (02) 340-09-09. Fax : (02) 343-70-24. Ouvert de 9 h à 19 h en semaine et de 9 h à 17 h le samedi. Également sur rendez-vous, dans leurs locaux, ou à votre domicile.
Spécialiste des vrais voyages « à la carte », Pampa Explor propose plus de 70 % de la « planète bleue », selon les goûts, attentes, centres d'intérêt et budgets de chacun. Du Costa Rica à l'Indonésie, de l'Afrique australe à l'Afrique du Nord, de l'Amérique du Sud aux plus belles croisières, Pampa Explor tourne le dos au tourisme de masse pour privilégier des découvertes authentiques et originales, pleines d'air pur et de chaleur humaine. Pour ceux qui apprécient la jungle et les Pataugas ou ceux qui préfèrent les cocktails en bord de piscine et les fastes des voyages de luxe. En individuel ou en petits groupes, mais toujours « sur mesure ».
Possibilité de paiement par carte de crédit. Sur demande, envoi gratuit de documents de voyages.

▲ **SERVICES VOYAGES ULB :** campus ULB, av. Paul-Héger, 22, Bruxelles. ☎ (02) 648-96-58. Et hôpital universitaire Érasme. Ouvert de 9 h à 17 h sans interruption du lundi au vendredi.

JACKPOT
À LAS VEGAS.

LES PRÉSERVATIFS VOUS SOUHAITENT
UN BON VOYAGE. **AID=S**

Le voyage à l'université, accueil évidemment très sympa. Billets d'avion sur vols charters et sur compagnies régulières à des prix hyper compétitifs.

▲ **TAXISTOP**
Pour toutes les adresses Airstop, un seul numéro de téléphone : ☎ 070-233-188.
– *Airstop Anvers :* Sint-Jacobsmarkt, 86, Anvers 2000. Fax : (03) 226-39-48.
– *Taxistop Bruxelles :* rue Fossé-aux-Loups, 28, Bruxelles 1000. ☎ (02) 223-23-10. Fax : (02) 223-22-32.
– *Airstop Bruxelles :* rue Fossé-aux-Loups, 28, Bruxelles 1000. Fax : (02) 223-22-32.
– *Airstop Bruges :* Dweersstraat, 2, Bruges 8000. Fax : (050) 33-25-09.
– *Airstop Courtrai :* Wijngaardstraat 16, Courtrai 8500. Fax : (056) 20-40-93.
– *Taxistop Gand :* Onderbergen, 51, Gand 9000. ☎ (09) 223-23-10. Fax : (09) 224-31-44.
– *Airstop Gand :* Onderbergen, 51, Gand 9000. Fax : (09) 224-31-44.
– *Airstop Louvain :* Maria-Theresiastraat, 125, Louvain 3000. Fax : (016) 23-26-71.
– *Taxistop Louvain-la-Neuve :* place de l'Université, 41, Louvain-la-Neuve 1348. ☎ (010) 45-14-14. Fax : (010) 45-51-20.

EN SUISSE

C'est toujours assez cher de voyager au départ de la Suisse, mais ça s'améliore. Les charters au départ de Genève, Bâle ou Zurich sont de plus en plus fréquents ! Pour obtenir les meilleurs prix, il vous faudra être persévérant et vous munir d'un téléphone. Les billets au départ de Paris ou Lyon ont toujours la cote au hit-parade des meilleurs prix. Les annonces dans les journaux peuvent vous réserver d'agréables surprises, spécialement dans le *24 Heures* et dans *Voyages Magazine*.
Tous les tour-opérateurs sont représentés dans les bonnes agences : Hotelplan, Jumbo, le TCS et les autres peuvent parfois proposer le meilleur prix, ne pas les oublier !

▲ **ARTOU**
– *Fribourg :* 24, rue de Lausanne, 1700 ☎ (026) 322-06-55.
– *Genève :* 8, rue de Rive, 1204. ☎ (022) 818-02-00. Librairie : ☎ (022) 818-02-40.
– *Lausanne :* 18, rue Madeleine, 1003. ☎ (021) 323-65-54. Librairie : ☎ (021) 323-65-56.
– *Lugano :* via Pessina, 14a. ☎ (091) 921-36-90.
– *Neuchâtel :* 2, Grand'Rue, 2000. ☎ (032) 724-64-06.
– *Sion :* 44, rue du Grand-Pont, 1950. ☎ (027) 322-08-15.
Demandez leur documentation (très bien faite) et leurs tarifs spéciaux sur les billets d'avion. Une librairie du voyageur complète les prestations de chaque agence.

▲ **CLUB AVENTURE :** 51, rue Prévôt-Martin, 1205 Genève. ☎ (022) 320-50-80. Fax : (022) 320-59-10.
(Voir texte en France.)

▲ **CONTINENTS INSOLITES :** A.P.N. Voyages, 3, rue Saint-Victor, 1227 Carouge. ☎ (022) 301-04-10.
(Voir texte en Belgique.)

▲ **NOUVELLES FRONTIÈRES**
– *Genève :* 10, rue Chantepoulet, 1201. ☎ (022) 732-03-33.
– *Lausanne :* 19, bd de Grancy, 1006. ☎ (021) 616-88-91.
(Voir texte en France.)

▲ S.S.R. VOYAGES
– *Bienne :* Hugistr. 3, 2502. ☎ (032) 322-58-88.
– *Fribourg :* 35, rue de Lausanne, 1700. ☎ (026) 322-61-62.
– *Genève :* 3, rue Vignier, 1205. ☎ (022) 329-97-34.
– *Lausanne :* 20, bd de Grancy, 1006. ☎ (021) 617-56-27.
– *Lausanne :* à l'université, bâtiment BF SH2, 1015. ☎ (021) 691-60-53.
– *Montreux :* 25, av. des Alpes, 1820. ☎ (021) 961-23-00.
– *Nyon :* 17, rue de la Gare, 1260. ☎ (022) 361-88-22.

S.S.R. Voyages appartient au groupe STA Travel regroupant 10 agences de voyages pour jeunes étudiants et réparties dans le monde entier. Gros avantage si vous deviez rencontrer un problème : 150 bureaux STA et plus de 700 agents du même groupe répartis dans le monde entier sont là pour vous donner un coup de main *(Travel Help)*.

S.S.R. Voyages propose des voyages très avantageux : vols secs *(Skybreaker)*, billets Euro-Train, hôtels 1 à 3 étoiles, écoles de langues, voitures de location, etc. Délivre les cartes internationales d'étudiants et les cartes Jeunes GO 25.

S.S.R. Voyages est membre du fonds de garantie de la branche suisse du voyage, les montants versés par les clients pour les voyages forfaitaires sont assurés.

AU QUÉBEC

Revendus dans toutes les agences de voyages, les voyagistes québécois proposent une large gamme de vacances. Depuis le vol sec jusqu'au circuit guidé en autocar, en passant par la réservation d'une ou plusieurs nuits d'hôtel, ou la location de voiture. Sans oublier bien sûr, l'économique formule « achat-rachat », qui permet de faire l'acquisition temporaire d'une auto neuve Renault et Peugeot en Europe, en ne payant que pour la durée d'utilisation, en général, minimum 17 jours, maximum 6 mois. Ces grossistes revendent également pour la plupart des *pass* de train très avantageux : *Europass* (5 pays maximum) et *Eurailpass* (accepté dans 17 pays).

▲ AMERICANADA
Ce voyagiste publie des catalogues sur différents thèmes (golf, croisières, location de voiture) et destinations (Europe, Floride, circuits en Amérique du Nord). Il présente une petite brochure pour les individuels, avec les indispensables : vols réguliers (Air Canada), locations de voitures, hôtels (avec système de bons d'échange ou à la carte).

▲ NOUVELLES FRONTIÈRES : comptoir service d'accueil, 1180, rue Drummond, H3G-2R7 Montréal. ☎ (514) 871-30-60.
La filiale du premier voyagiste français, est, avec Vacances Air Transat, leader sur l'Europe et la France en particulier. Elle se destine à ceux qui recherchent des vacances en toute liberté. Au programme : de nombreux vols secs, une sélection d'hôtels, location de chalets, des locations de voitures, des *pass* de bus, des autotours, mais également toutes sortes de circuits (randonnée, aventure, minibus et organisés), etc.

▲ ROYAL VACANCES
Le voyagiste de la compagnie aérienne Royal édite un petit catalogue sur l'Europe et la France avec vols, locations de voitures, « achat-rachat » et hôtels. Royal programme aussi les Caraïbes.

▲ TOURS CHANTECLERC
Tours Chanteclerc publie différents catalogues de voyages (Asie, Pacifique Sud, Amérique, Europe, Méditerranée...). Il se présente comme l'une des « références sur l'Europe » avec deux brochures : groupes (circuits guidés en français) et individuels. « Mosaïques Europe » s'adresse aux voyageurs indépendants (vacanciers ou clientèle d'affaires), qui réservent un billet

d'avion, une ou plusieurs nuits d'hôtel ou des séjours en résidence. Intéressant : le « Passeport Europe » de Tours Chanteclerc permet d'économiser 25 % sur l'hébergement. Pour mieux choisir votre hôtel, demander à votre agent de voyages la vidéo présentant les hôtels et appartements sélectionnés par Tours Chanteclerc.

▲ TOURS MONT ROYAL

Ce voyagiste offre une programmation basique sur l'Europe, destinée aux individuels. Outre une bonne sélection de vols (avec la compagnie Charter Air Club International, qui lui appartient et avec Royal) et d'hôtels à la carte en Europe, il propose des bons d'échange permettant de réserver toutes ou plusieurs nuitées d'hôtels avant le départ (chaînes Campanile et Bleu Marine), valables dans 6 pays européens. Également quelques circuits accompagnés (Russie, Israël, Maroc, Vietnam, etc.).

▲ VACANCES AIR CANADA

Le voyagiste de la compagnie aérienne est surtout présent sur les destinations « soleil », la Jamaïque et ses hôtels « tout compris » en particulier. Sur l'Europe, sa production est beaucoup moins importante qu'auparavant. Vacances Air Canada propose des prestations terrestres à la carte (hôtels, locations de voitures, *pass* de train) liées à ses vols, tous réguliers et au départ de Montréal. Également forfait ski dans l'Ouest canadien et dans le Colorado.

▲ VACANCES AIR TRANSAT

Filiale de l'important groupe touristique Transat, qui détient la compagnie aérienne du même nom, Vacances Air Transat s'affirme comme le premier voyagiste québécois. Ses destinations : États-Unis, Mexique, Caraïbes, Amérique centrale et du Sud, Europe. Vers le vieux continent son offre est l'une des plus variées du marché, avec un catalogue de près de 70 pages (France, Angleterre et Belgique). D'abord un vaste choix de vols secs vers Paris et les grandes villes françaises et européennes, avec Air Transat, bien sûr. Puis de nombreux hôtels, studios et appartements à la carte, des pass de train. Également les « itinéraires découverte » en France, une formule originale qui comprend l'hébergement et la voiture (plusieurs régions au choix). Vacances Air Transat est revendu dans toutes les agences de la province, et notamment dans les réseaux lui appartenant : Club Voyages, Voyages en Liberté et Vacances Tourbec (220 points de vente au total, dont 19 pour Vacances Tourbec).

▲ VACANCES ESPRIT

Ce voyagiste propose essentiellement des voyages en groupe : circuits guidés en autocar et croisières en Grèce. Vols réguliers (Air France et KLM).

▲ VACANCES TOURBEC

– *Montréal :* 3419, rue Saint-Denis, H2X-3L2. ☎ (514) 288-4455. Fax : (514) 288-1611.
– *Montréal :* 3506, av. Lacombe, H3T-1M1. ☎ (514) 342-2961. Fax : (514) 342-8267.
– *Montréal :* 595, bd de Maisonneuve Ouest, H3A-1L8. ☎ (514) 842-1400. Fax : (514) 287-7698.
– *Montréal :* 1887, rue Baubien Est, H2G-1L8. ☎ (514) 593-1010. Fax : (514) 593-1586.
– *Montréal :* 309, bd Henri-Bourassa Est, H3L-1C2. ☎ (514) 858-6465. Fax : (514) 858-6449.
– *Montréal :* 6363, rue Sherbrooke Est, H1N-1C4. ☎ (514) 253-4900. Fax : (514) 253-4274.
– *Montréal :* 545, bd Crémazie Est, H2M-2V1. ☎ (514) 381-7535. Fax : (514) 381-7082.
– *Saint-Laurent :* 776, bd Décarie, H4L-3L5. ☎ (514) 747-4222. Fax : (514) 747-4757.

– *Belœil :* Mail Montenach, 600, Sir Wilfrid-Laurier, J3G-4J2. ☎ (514) 464-9523. Fax : (514) 464-9709.
– *Blainville :* 1083, bd Curé-Labelle, J7C-3M9. ☎ (514) 434-2425. Fax : (514) 434-2427.
– *Grandby :* 247, rue Principale, J2G-2V9. ☎ (514) 372-4545. Fax : (514) 372-3727.
– *Ile Bizard :* 560, rue Jacques-Bizard, H9C-2H2. ☎ (514) 620-7777. Fax : (514) 620-1100
– *Laval :* 155-E, bd des Laurentides, H7G-2T7. ☎ (514) 662-7555. Fax : (514) 662-7552.
– *Laval :* 1658, bd Saint-Martin Ouest, H7S-1M9. ☎ (514) 682-5453. Fax : (514) 682-3095.
– *Longueuil :* 117, rue Saint-Charles, J4H-1C7. ☎ (514) 679-3721. Fax : (514) 679-3320.
– *Québec :* 30, bd René-Lévesque Est, QC G1R-2B1. ☎ (418) 522-2791. Fax : (418) 522-4536.
– *Repentigny :* 261, rue Notre-Dame, J6A-2R8. ☎ (514) 657-8282. Fax : (514) 657-8283.
– *Rimouski :* 23, rue Saint-Jean-Baptiste Ouest, G5L-4J2. ☎ (418) 725-5454. Fax : (418) 725-4848.
v *Saint-Basile :* 267, Sir Wilfrid-Laurier, J3N-3M8. ☎ (514) 461-3960. Fax : (514) 461-2033.
– *Saint-Lambert :* 2001, rue Victoria, J4S-1H1. ☎ (514) 466-4777. Fax : (514) 466-9128.
– *Saint-Romuald :* 2089, bd Rive-Sud, G6W-2S5. ☎ (418) 839-3939. Fax : (418) 839-7070.
– *Saint-Sauveur :* 94, rue de la Gare, Saint-Sauveur-des-Monts, J0R-1R6. ☎ (514) 227-8811. Fax : (514) 227-8791.
– *Sainte-Foy :* place des Quatre-Bourgeois, 999, rue de Bourgogne, G1W-4S6. ☎ (418) 656-6555. Fax : (418) 656-6996.
– *Sherbrooke :* 779, rue King Est, Terrasse 777, J1G-4M5. ☎ (819) 563-4474. Fax : (819) 822-1625.
– *Valcourt :* 1191, rue Saint-Joseph, J0E-2J0. ☎ (514) 532-3026. Fax : (514) 532-3353.
– *Valleyfield :* 45, rue Nicholson, J6T-4M7. ☎ (514) 377-2511. Fax : (514) 377-4221.

Cette association, bien connue au Québec, organise des vols vers l'Europe, l'Asie, l'Afrique ou l'Amérique. Sa spécialité : la formule avion + auto. Elle offre également des forfaits à la carte et des circuits en autocar pour découvrir le Québec.

La mythologie du Grand Nord a encore de beaux jours devant elle. Forêts, chiens de traîneau, lacs, igloos, saumons, baleines et ours. Érables, queues de castors, bûcherons et hydravions... Cette imagerie fantasmagorique (mais vraie), aussi étroite que la terre canadienne est immense, n'a jamais été autant ancrée qu'aujourd'hui dans les esprits européens...

Les routards accourent au Canada depuis quelques années. Viennent-ils y chercher ce qui manque de plus en plus chez nous – la nature ? Ici, l'homme s'incline devant elle. Même s'il a eu à en combattre l'ardeur, il l'a toujours aimée, qu'il soit indien ou blanc. Parce que l'immensité force le respect. C'est ce respect – perdu chez nous – qui nous en impose, aussitôt débarqués au Canada.

Au point qu'on l'aime en toute saison. En hiver (destination de plus en plus courue), quand la nature revêt tout le pays de blanc ; en automne, quand les érables trouent les collines de leur palette incandescente ; au printemps, quand la douceur du ciel anime les chants et les danses des festivals de rue ; ou en été, quand les plages se découvrent et que de féeriques baleines montrent le bout de leur queue...

Bien sûr, il n'y a pas que faune et paysages au Canada : il y a les hommes qui y vivent et en prennent beaucoup de soin, construisent des maisons aux couleurs si gaies, des villes où la culture domine... Des habitants presque toujours d'une très grande gentillesse, que vous n'aimerez pas seulement pour leur accent chantant !

Adresses utiles, formalités

En France

❶ **Division tourisme de l'ambassade du Canada :** 35, av. Montaigne, 75008 Paris. ☎ 01-44-43-29-00 (ne répond que de 14 h à 17 h pour les infos touristiques) et ☎ 01-44-43-25-07 (répondeur 24 h sur 24). Fax : 01-44-43-29-94. Minitel : 36-15, code CANADA. M. : Franklin-Roosevelt. Ouvert de 10 h à 17 h du lundi au vendredi. Très efficace et bien documentée. Une foule d'adresses utiles.

❶ **Office du tourisme du Québec :** ☎ 05-90-77-77. Numéro gratuit d'accès direct à l'office du tourisme de Montréal. Ouvert de 15 h à 23 h (heure française). La ligne est, hélas, souvent occupée.

■ **Destination Québec :** ☎ 0-800-90-77-77. Pour tout renseignement ou toute documentation touristique sur le Québec, appelez entre 15 h et 23 h (7 jours sur 7, appel gratuit).

Site Internet : www.tourisme-.gouv.qc.ca. Minitel : 36-15, code QUÉBEC (1,29 F/mn).

Pour obtenir une documentation écrite en France ou en Belgique, écrire à *Tourisme Québec*, Mercure Prest Service, BP 90, 67162 Wissembourg Cedex France.

■ **Ambassade :** 35, av. Montaigne, 75008 Paris. M. : Franklin-Roosevelt. Même téléphone que la Division tourisme (voir plus haut).

■ **Centre culturel canadien :** 5, rue de Constantine, 75007 Paris. ☎ 01-44-43-21-90. M. : Invalides. Ouvert du lundi au vendredi de 10 h à 18 h. À la même adresse, **Association nationale France Canada**. ☎ 01-45-55-83-65. Bureaux ouverts de 14 h à 18 h.

■ **Amitiés acadiennes :** 2, rue Ferdinand-Fabre, 75015 Paris. ☎ 01-48-56-16-16. Fax : 01-48-56-19-00. M. : Convention. Ouvert les mercredi et vendredi de 10 h 15 à 13 h et de

14 h à 18 h, et le jeudi de 14 h 15 à 18 h. Fonds de documentation, petite librairie sur l'Acadie. Échanges scolaires, informations concernant les régions francophones des provinces atlantiques (Nouveau-Brunswick, Nouvelle-Écosse, île du Prince-Édouard).

■ *France-Québec :* 24, rue Modigliani, 75015 Paris. ☎ 01-45-54-35-37. M. : Lourmel. Petite rue piétonne à la hauteur du 126, av. Félix-Faure. Ouvert du lundi au vendredi de 10 h à 13 h et de 14 h à 17 h 30. 61 antennes régionales. Propose des échanges de jeunes entre les deux pays.

■ *Fédération Unie des Auberges de Jeunesse (F.U.A.J.) :* 27, rue Pajol, 75018 Paris. ☎ 01-44-89-87-27. Fax : 01-44-89-87-49. M. : Porte-de-la-Chapelle. Ouvert de 9 h 30 à 18 h sans interruption du lundi au vendredi ; le samedi, de 10 h à 17 h.

■ *Centre de coopération interuniversitaire franco-québécoise :* université Paris-VII, tour centrale, bureau 613, 2, place Jussieu, 75251 Paris Cedex 05. ☎ 01-44-27-68-85. M. : Jussieu. Reçoivent sur rendez-vous uniquement, les mardi et jeudi matin.

En Belgique

■ *Ambassade du Canada :* av. de Tervueren, 2, Bruxelles 1040. ☎ (02) 741-06-11. L'attaché de douane canadien pour l'Union européenne se trouve au siège de l'ambassade.

■ *Délégation générale du Québec :* av. des Arts, 46, 7e étage, Bruxelles 1040. ☎ (02) 512-00-36.

■ *Centrale wallonne des auberges de jeunesse :* rue Van-Oost, 52, Bruxelles 1030. ☎ (02) 215-31-00. Ouvert du lundi au vendredi, de 9 h à 12 h et de 13 h à 17 h. Possibilité de s'y procurer une carte de membre de la Fédération... ce qui permet d'avoir accès à toutes les auberges de jeunesse à l'étranger (et donc au Canada) pour un prix modique. L'achat de la carte de membre permet de passer gratuitement une nuit dans l'une des auberges de jeunesse de la région wallonne.

En Suisse

■ *Ambassade du Canada :* Kirchenfelstrasse 88, 3005 Berne. ☎ (31) 357-32-00. Adresse postale : 3000 Berne 6.

Formalités d'entrée

– *Passeport* valide. Pas de *visa* si le séjour ne dépasse pas 3 mois pour les Français, Belges et Suisses. Autres nationalités, se renseigner. Pour se rendre ensuite aux États-Unis du Canada, pas besoin d'un visa si le séjour est inférieur à 3 mois. Demander tout de même à l'ambassade américaine si c'est toujours vrai avant de partir...
– Quand on passe la frontière en voiture, en général, aucun problème. On vous fera remplir un questionnaire et on vous demandera en principe 6 US $ par personne.
– Pas de vaccination obligatoire.

Argent, banques, change

Avant tout, savoir que le Canada est un pays cher pour les routards, surtout l'hébergement. Contrairement à une idée reçue, les chambres d'hôte (gîtes du passant et autres *B & B*) ne sont pas bon marché (200 à 300 F la nuit pour deux en moyenne). Et la nourriture y est plus chère qu'aux États-Unis. De plus, la majorité des parcs et musées sont payants... Bref, prévoir un budget large...
– Le *dollar canadien* est différent du dollar américain. Si vous envisagez d'acheter des chèques de voyage, il est préférable de les prendre en dollars canadiens (acceptés par la majorité des commerçants).

– Sachez que les Québécois ont tendance à dire *piastre* (prononcer « piass ») pour dollar, *sous* et *cennes* pour cents. On en profite pour vous rappeler que 1 dollar canadien = 100 cents.

– Les prix affichés ne correspondent pas aux prix réels. Cela varie selon les provinces mais une *taxe* de 10 à 15 % majore le prix à acquitter, ainsi que le **service** qui n'est pas inclus dans les restos. Voir, plus loin, le chapitre « Taxes ».

– La plupart du temps, pour changer des **chèques de voyage,** une commission est perçue. De plus en plus de commerçants les acceptent, sans commission.

– Dans les magasins au Québec, on vous demandera souvent si vous voulez payer « cash » ou « comptant », c'est-à-dire en argent liquide.

– **Horaires des banques :** elles sont toutes ouvertes du lundi au vendredi de 10 h à 15 h, et la plupart les jeudi et vendredi soir jusqu'à 20 h (soirs d'ouverture tardive des magasins).

Cartes bancaires

La carte de crédit est un moyen bien pratique pour retirer de l'argent dans la plupart des banques. Bien se renseigner avant car certaines banques prennent des commissions (2 $ par transaction quel qu'en soit le montant) et d'autres non. Dans certaines régions (Montréal et Québec ville, entre autres), on peut payer les séjours dans les A.J. avec la carte *Visa*. La carte *MasterCard* permet d'obtenir des liquidités à la Banque de Montréal. L'une et l'autre permettent de régler des achats dans de nombreux magasins, hôtels ou restaurants, mais les cartes de crédit ne sont jamais acceptées dans les supermarchés ! Il existe également des distributeurs acceptant les deux cartes, mais une commission est systématiquement prélevée à chaque retrait.

– La carte **Eurocard MasterCard** permet à son détenteur et à sa famille (si elle l'accompagne) de bénéficier de l'assistance médicale rapatriement. En cas de problème, contacter immédiatement : ☎ 01-45-16-65-65. En cas de perte ou de vol (24 h sur 24) : ☎ 01-45-67-84-84 en France (PCV accepté) pour faire opposition. Sur Minitel, 36-15 ou 36-16, code EM (1,29 F/mn) pour obtenir toutes les adresses de distributeurs par pays et villes dans le monde entier.

– Pour la carte **Visa,** en cas de vol ou de perte : ☎ 08-36-69-08-80 (2,23 F/min.) ou le numéro communiqué par votre banque.

– Pour la carte **American Express,** téléphoner en cas de pépin au : ☎ 01-47-77-72-00.

Dépannage

– **Western Union Money Transfer :** en cas de besoin urgent d'argent liquide (perte ou vol de billets, chèques de voyage, cartes de crédit), vous pouvez être dépanné en quelques minutes grâce au système *Western Union Money Transfer*. Il faut pour cela qu'un de vos proches contacte, en France, le : ☎ 01-43-54-46-12, afin de déposer l'argent qui vous sera ensuite transmis. En cas de nécessité, renseignements au : ☎ 1-800-235-00-00.

Achats, souvenirs

– *Le sirop d'érable :* si vous n'avez pas eu l'occasion d'en avoir du vrai auprès d'un producteur, achetez-le en boîte ou en bouteille : choisissez une bonne qualité pour ne pas vous faire refiler du « sirop de poteau ». Le sirop d'érable (et tous ses dérivés comme le sucre et le beurre à tartiner) est (enfin) redevenu abordable. Les régions principales qui en produisent sont la Beauce et les Bois-Francs. On peut l'acheter dans presque toutes les fermes et dans les magasins d'alimentation. Les pressés peuvent s'en procurer à Montréal (marchés), dans la région de Québec et à Saint-Jean-Port-Joli, sur le chemin de la Gaspésie, à la limite du Bas-Saint-Laurent.

– En Beauce, on peut goûter à deux autres spécialités : le *vin de pissenlit,* qui est un vin blanc sec, et le *caribou,* un mélange d'alcool fort et de vin rouge. Les Québécois en boivent surtout pour se réchauffer, durant le carnaval d'hiver, à même une gourde ou une longue canne en plastique.

– *Le vin de bleuet :* apéro super, relativement bon marché. Fabriqué à partir de myrtilles. À boire très frais. Produit dans la région du lac Saint-Jean, notamment à Mistassini (où se déroule un festival du Bleuet, en juillet). Parfois dur à trouver, la principale marque ayant fermé. On en trouve cependant au « duty free » de l'aéroport de Mirabel, au départ de Montréal.

– *Les bières* du cru, dont la *Maudite* et la *Fin du Monde* produites par Robert Charlebois, chanteur et désormais brasseur.

– *Les raquettes de trappeur :* comme souvenir ou cadeau. La spécialité des Indiens (surtout Hurons).

– *Les canards en bois :* pour la décoration, promis ! Pas pour la chasse...

– *Les catalognes en guenilles :* couvertures tissées avec de vieux bouts de tissu de toutes les couleurs, en bandes de 2-3 cm. C'est en Gaspésie (entre le parc Forillon et Percé) qu'il faut les acheter.

– *L'artisanat indien :* il est assez cher quand il est beau. On trouve des fanfreluches bon marché aussi. Achetez dans les réserves, l'argent ira directement aux Indiens et, de plus, c'est moins cher (car détaxé) ! Au choix : calumets, mocassins, statuettes, bijoux et peaux tannées.

– *Bonnes affaires :* les disques sont moins chers, de même que les vêtements (notamment les jeans), le matériel de pêche ou l'électronique (fax, ordinateurs, téléphones portatifs, appareils photo...). Pensez tout de même à vous faire rembourser la taxe (voir plus loin). Surveillez les soldes et promotions (largement annoncés dans les journaux), fréquents dans de très nombreux magasins et souvent hyper intéressants.

Budget

Pour vous aider à préparer votre budget et mieux cerner notre échelle de prix concernant le Canada, voici une grille indicative classée, comme dans le guide, par tranches de prix. Ce ne sont que des estimations moyennes. Comme toute estimation, elles ne prétendent nullement refléter précisément la réalité. Inutile de nous écrire une flopée d'injures si un restaurant vend des plats 3 F de plus que la fourchette que nous indiquons ! En revanche, si un établissement classé par exemple dans la rubrique « Bon marché » a doublé ses prix (ou l'inverse) et n'est incontestablement plus à classer dans la tranche donnée, nous remercions par avance ceux qui auront la gentillesse de nous le faire savoir...

Hébergement

À noter : les fourchettes de prix des établissements cités sont calculées sur une moyenne annuelle. Il se peut, mais c'est assez rare, que certains d'entre eux (hôtels, motels et chambres d'hôte) échappent, en pleine saison touristique (vacances d'été et de Noël surtout), aux tranches de prix que nous leur avons octroyées, les tarifs ayant été revus à la hausse pendant cette période...

– *Bon marché* (voire « Assez bon marché » quand le plancher est plus élevé) : de 60 F par personne (par exemple, dans certaines A.J.) à 240 F la nuit pour deux (par exemple, dans certaines chambres d'hôte moins chères que la moyenne).

– *Prix moyens :* de 240 à 360 F la nuit pour deux (c'est le cas dans la plupart des *Bed & Breakfast* et des motels).

– *Plus chic :* à partir de 360 F la nuit pour deux.

Repas

Attention, ces estimations de prix s'entendent hors taxes (ajouter environ 15 %) et sans le service (15 %). Ces menus sont de type canadien (appelés dans le pays « spécial du jour » à midi et « table d'hôte » le soir). Ce que nous appelons « plat » va du simple snack à l'assiette chaude garnie, généralement accompagnée d'une salade. Sachez que le serveur est imposé sur le service qui fait partie de son salaire. Beaucoup d'Européens ne donnent que 5 % et les restaurateurs se voient obligés de réclamer pour leur personnel...

– *Bon marché :* de 10 à 35 F par plat et jusqu'à 60 F le menu.
– *Prix moyens :* de 35 à 60 F par plat et de 60 à 85 F le menu.
– *Plus chic :* de 60 à 80 F par plat et de 85 à 100 F le menu.
– *Très chic :* plus de 80 F par plat et plus de 100 F le menu.

Carte d'identité du Canada

– *Superficie :* 9 976 139 km^2 (soit près de 20 fois la France).
– *Population :* 29,7 millions d'habitants.
– *Capitale :* Ottawa.
– *Langues officielles :* l'anglais et le français.
– *Monnaie :* le dollar canadien.
– *Régime politique :* démocratie parlementaire.
– *Chef du gouvernement :* Jean Chrétien (Premier ministre).

Carte d'identité du Québec

– *Superficie :* 1 540 700 km^2 (3 fois la France !).
– *Population :* 7 millions d'habitants, dont 3 millions vivent dans la région de Montréal.
– *Capitale :* Québec.
– *Langue officielle :* le français.
– *Monnaie :* le dollar canadien.
– *Régime politique :* démocratie parlementaire.
– *Chef du gouvernement :* Lucien Bouchard (parti indépendantiste québécois).
– *Religions :* catholique (90 %) et protestante.

Climat

– Il peut faire très chaud en été, mais un pull pour les soirées et un imper en cas de pluie sont nécessaires. Pas la peine de débarquer avec *moonboots* et moufles de mai à septembre ! À savoir, pour ceux qui comptent entreprendre une excursion en Zodiac pour observer les baleines : il fait très froid sur l'eau, même en été ! Donc : pulls, grosses chaussettes et écharpes.
– Voici en gros quelques indications valables pour la partie sud du pays : en mai et septembre, jours chauds mais nuits fraîches. En juin, chaud. En juillet et août, très chaud. À Montréal, les climatiseurs tournent à plein régime. En octobre, de frais à très frais. En novembre, assez froid et début du gel. En décembre, janvier et février, très très froid, avec de superbes journées ensoleillées. C'est la saison du ski, des randonnées à motoneige ou des courses en raquettes. Attention au *barbier,* ce vent qui transforme les moustaches en stalactites. En mars et avril, timide redoux. Cette période est à déconseiller.

CANADA (Québec)
Moyenne des températures maxi/mini

CANADA (Québec)
Nombre de jours de pluie

Le dégel transforme les villes en vaste étendue de *slush,* gadoue de neige fondue.

Hiver et contre tout

Des Québécois vous diront que leur rêve est de devenir suffisamment riches pour passer l'hiver en Floride, éviter ces mois sombres où les arbres se déguisent en chandeliers de cristal extravagants, même au cœur de Montréal, fuir ces longs mois devant lesquels, il y a bien longtemps, le pays tout entier se repliait le long des berges du Saint-Laurent en attendant la débâcle. Malgré le froid, les Québécois aiment l'hiver. Pourtant, ils sont près de 1 million à quitter leur pays à cette période, pour quelques semaines ou pour tout l'hiver (300 000 possèdent une résidence secondaire ou tertiaire là où il fait chaud) et partent « dans le Sud, au soleil, se baigner dans la mer » (Charlebois).

Pour comprendre les Québécois, il faut mesurer l'hiver. Le souvenir des hivers sans les facilités du monde moderne est encore inscrit dans la mémoire collective. Imaginez l'arrivée des colons français : vingt morts sur vingt-huit immigrants au cours du premier hiver passé sur les rives du Saint-Laurent ! Parmi eux, un certain Louis Hébert (un Parisien), resté célèbre pour avoir abattu la première « épinette » (conifère local) et tracé le premier sillon pour tenter de donner une agriculture à la colonie. Aujourd'hui, dans un monde de chauffage central, de couvertures chauffantes électriques et d'isolation thermique, l'hiver québécois reste un défi, mais il a depuis longtemps su être apprivoisé par les habitants.

L'été indien

L'automne est ponctué par un phénomène propre au continent nord-américain : l'été indien. Après les premiers frissons, il se produit une petite semaine (parfois plus, parfois moins) de grandes chaleurs : l'ultime sursaut de l'été avant la neige. Cette extravagance de la météo déclenche chez les Québécois une sorte d'euphorie collective. La végétation suspend sa marche vers le dénuement et offre des couleurs, des nuances uniques et propres au Nouveau Monde (un spectacle célébré dans une symphonie par un immigrant illustre : Dvořák). Puis, comme la lame d'une guillotine, la neige tombe du jour au lendemain.

Si, traditionnellement, Paris se visite au printemps, le Québec, lui, se visite au moment magique de l'été indien (vers la mi-octobre). Au fait, savez-vous pourquoi on appelle ainsi cette période ? Parce que les Amérindiens d'autrefois profitaient de cette période de redoux pour s'enfoncer dans les bois et constituer des réserves.

Le (très) Grand Nord

En dehors de l'hiver, la taille du pays est là pour rappeler à l'homme qu'il n'est que peu de chose : dans sa province d'une superficie trois fois supérieure à la France (pour une population d'à peine 7 millions d'habitants), le Québécois se cherche comme une aiguille dans une botte de foin dès que l'on quitte les rives du Saint-Laurent. Là aussi se situent nos différences. Nous autres « Français de France » avons modelé notre pays comme de la pâte. Il se plie, se manipule au gré de nos désirs, à part quelques recoins comme certains sommets des Alpes ou une paire de villages corses ou bretons qui restent indomptables... et encore ! Cette facilité rappelant celle d'une femme trop soumise nourrit notre orgueil national. Nous n'aimons pas vraiment notre pays : nous en sommes fiers, comme d'un chien bien dressé. Alors que le Québécois est humble, son pays est une immensité où l'homme n'est qu'un petit point sur l'horizon. Il aime son pays comme on aime une cathédrale. Pas étonnant que l'autosatisfaction des ressortissants du Vieux Monde l'agace un tant soit peu.

Cette immensité a pourtant engendré des projets colossaux, qu'illustrent bien ces mots de Félix Leclerc : « J'ai deux montagnes à traverser, deux rivières à boire, et une ville à construire avant la nuit »... Un chantier comme celui de la baie James (où, par 54° de latitude nord, se joue l'une des plus fabuleuses aventures des temps modernes) est un incroyable défi à la géographie : on y a construit une immense centrale hydroélectrique, à cheval sur la rivière la Grande et sur son affluent baptisé Laforge. Imaginons le tableau : dans une région où jusqu'à présent l'hiver imposait ce silence propre aux solitudes enneigées, 17 000 hommes, par - 60 °C en hiver et + 30 °C en été, ont construit 215 digues et 11 évacuateurs de crues débitant chacun jusqu'à 16 400 m³ d'eau à la seconde ! Un lac artificiel sept fois plus vaste que le lac Léman, bref... de la science-fiction ! Terrifiant. Les Canadiens auraient-ils oublié cette chanson de Gilles Vigneault : « Le père apprit à ses fils qu'il fallait creuser pour trouver le pays. Ses fils le prirent au mot et creusèrent... l'Indien regarda... après avoir tout retourné, les fils désemparés demandèrent à l'Indien : «Où est le pays ?» et l'Indien répondit : «Tu me l'as pris, maintenant va savoir ce que t'en as fait !» »

Mais il faut aussi évoquer le futur complexe hydroélectrique de Grande-Rivière de la Baleine, situé plus au nord et de moindre envergure que le précédent mais hautement contesté, tant par les écologistes que par les Cris, qui ont demandé une importante compensation financière et ont réussi à retarder les travaux d'un an. Ce projet nécessitera la mise en eau de 1 786 km² d'habitat terrestre. Se réclamant du « principe de la négociation continue » avec les autochtones, Hydro-Québec n'a pas fini de négocier, car, si les Inuit ont accepté de signer un accord de principe, les Cris sont encore en pourparlers avec les autorités.

Cuisine

Il faut distinguer sur ce sujet le Québec du reste du Canada. Si la partie anglophone est somme toute très américanisée sur le plan culinaire, le Québec, qui n'a pas pu contenir le déferlement des fast-food (comme la France d'ailleurs), a toujours essayé de relever le niveau global. Et le résultat est bon, souvent excellent. Si la cuisine québécoise traditionnelle, qu'on ne trouve d'ailleurs plus guère, s'avérait bien grasse, calorique et roborative, elle a pratiquement disparu des cartes des restaurants (mis à part quelques plats). Les seuls établissements qui la proposent sont précisément spécialisés dans le « traditionnel ». Ces plats (voir la liste plus loin) font désormais partie du folklore et les cars de touristes en raffolent. Cette cuisine ancienne apparaît encore sur les tables familiales, aux grands jours et à condition qu'il y ait dans la famille une grand-maman qui s'entende à la préparer. Dans le bas de gamme, la gastronomie est d'inspiration américaine (hot-dogs, hamburgers, poulets frits). Dès qu'on met quelques dollars de plus, on découvre une cuisine d'inspiration française, plus légère, équilibrée, souvent inventive et en tout cas moins radine qu'en France sur les portions. Tant mieux. Bien souvent une salade accompagne le plat. À midi, on peut se contenter d'une quiche ou d'une tourte. Avec une salade copieuse, c'est un déjeuner parfait. Dans les grandes villes et notamment à Montréal, la diversité culinaire est étonnante. Tous les pays sont représentés. Québec compte également d'excellentes tables, même si la diversité est un peu moins grande. De manière générale, depuis quelques années, on note une volonté de recherche culinaire évidente chez certains chefs, tirant la cuisine québécoise vers le haut.

En tout cas les Canadiens aiment manger et l'on voit fleurir de plus en plus, surtout au Québec, les « auberges gourmandes » et les « restaurants gastronomiques ». Tant mieux !

Quelques infos en vrac

– ATTENTION, les *taxes* ne sont pas toujours incluses dans les prix affichés. Ajoutez 15 % pour avoir une meilleure idée du coût réel, plus 15 % du prix hors taxes pour le service ! En tout, pour bien calculer le prix, ajouter environ 30 %.

– Lorsqu'on est pressé, il n'est pas nécessaire de se charger de nourriture : il existe un peu partout des magasins d'alimentation qu'on appelle là-bas des *dépanneurs,* ouverts tard le soir et tôt le matin. Ils sont cependant plus chers que les supermarchés.

– Certains restos, surtout à Montréal, acceptent que l'on apporte son vin (ceux qui n'ont pas de licence d'alcool). Dans ce cas, il en est fait mention dans la vitrine.

Spécialités

– Les Canadiens sont fiers de certaines de leurs spécialités comme la *tourtière*, à l'origine réalisée à base de plusieurs gibiers, à plume et à poil. Cette « tourte » est aujourd'hui plus souvent réalisée avec du porc et du veau mélangés. Très bon malgré tout. Durant les fêtes familiales et dans quelques restaurants, on trouve encore les bonnes fèves au lard ou un ragoût de pieds de cochon. Plus souvent, on pourra déguster un canard au sirop d'érable ou une gibelote de lapin au cidre (hmm...). Excellents encore, la tarte au sucre ou le pudding chômeur (avec de la cassonade ou du sirop d'érable). L'une des spécialités du Québec, mais qu'on ne peut qualifier de traditionnelle parce qu'apparue récemment, est la *poutine*. Alors là, accrochez-vous : il s'agit de frites sur lesquelles on ajoute des « crottes » de fromage, le tout nappé de sauce brune. Loin de faire l'unanimité mais à essayer au moins une fois. Sinon, les soupes sont très populaires, servies en entrée le soir dans la « table d'hôte » des restos : gratinées, aux pois, aux légumes ou aux crustacés (bisques). Fait toujours du bien. D'autres spécialités courantes, mélange de traditions anglaises et françaises. Goûtez aux langues de porc marinées dans le vinaigre ou à la bière, avec un jus de tomate. Essayez aussi les *crêtons,* sorte de terrine ressemblant aux rillettes, souvent servis au petit déjeuner. Les *sous-marins,* qu'on trouve au Québec, désignent de simples sandwiches bien garnis, et les *œufs miroirs,* des œufs sur le plat non retournés.

– À noter encore le *pâté chinois,* gratin à base de purée de pommes de terre, de maïs et de viande hachée. Sa composition n'a rien d'exotique, mais l'origine du nom correspond à une réalité historique : c'est le plat qui donnait le plus d'énergie aux nombreux travailleurs asiatiques qui ont construit la célèbre ligne de chemin de fer « transcanadienne » !

– Les îles de la Madeleine et la Gaspésie sont très connues pour leurs *homards*. Ils débarquent en mai et juin essentiellement ! Plus petits (les mauvaises langues disent aussi moins bons) que ceux de Bretagne mais nettement moins chers ! D'ailleurs, les routards ne s'y trompent pas : ils ne mangent plus que ça au Québec... De très nombreux restaurants font des promotions (genre deux pour le prix d'un), et servent des *surf and turf* (plats de homard et de viande).

– *Party d'huîtres :* on se réunit entre copains et on les déguste crues ou cuites (durant les mois en « r »). Toujours avec de la bière.

– Ceux qui auront la rare chance d'assister à une *épluchette de blé d'Inde* ne doivent pas la rater. Réunion familiale typiquement québécoise, elle ponctue la cueillette du blé d'Inde (maïs consommable par l'homme, par opposition à celui réservé au bétail) et se termine parfois par une fête. On achète de gros sacs de maïs, on fait bouillir les épis puis on les déguste avec du beurre salé... et de la bière. Après ce festin, amis et parents organisent parfois toutes sortes de jeux et de spectacles joyeux. C'est « l'fun » !

Boissons

– *Les vins* étrangers sont très chers (surtout les français). Moins chers, les vins chiliens et argentins ont beaucoup de succès. Profitez aussi des vins californiens de bonne qualité et moins chers que les français. Bonne sélection de vins dans les magasins de la Société des Alcools du Québec, mais, en cas d'urgence, on peut également en acheter chez les dépanneurs (moins de choix, plus cher et banal). Mais le Canada produit aussi du vin, essentiellement dans la péninsule de Niagara, la vallée de l'Okanagan, en Colombie britannique, et la vallée d'Annapolis en Nouvelle-Écosse. Les superficies occupent 6 500 ha, dont 85 ha seulement au Québec, mais la production est pleine d'avenir. Les Québécois apprécient de plus en plus le bon vin.

– *La bière* est beaucoup plus abordable et le Québec notamment en est un gros producteur (marques Labatt, Molson, O'Keefe...). Servies à la bouteille ou à la pression dans les bars, ces bières titrent à 5° et existent souvent en version légère. Autre variante à la mode : le filtrage à froid (Labatt Ice, Black Ice...). Très branchées : les (nombreuses) bières artisanales produites localement dans des « micro-brasseries », comme la Belle Gueule, la Boréale, la Chaudière, la Blanche de Chambly. La Maudite et la Fin du Monde sont excellentes. Ces deux dernières sont produites par Robert Charlebois. On a entendu dire que Thierry Lhermitte était associé dans cette brasserie (Unibroue). Quant à la Cheval Blanc, elle existe depuis près d'un siècle. Toutes ces bières artisanales sont un peu plus chères que les autres, servies en bouteille ou à la pression.

– Quant au *café*, tous les bons restaurants et cafés (ils sont légion) se sont dotés depuis plusieurs années de machines à *espresso* et *cappuccino*. Ailleurs, on sert un café filtre pas toujours génial !

– Parmi les quelques curiosités : le *vin de bleuet* (myrtilles), qui a vaguement le goût du porto, le *whisky canadien* (Canadian Club, etc.), le *caribou* (mélange fulgurant d'alcool fort et de vin), etc.

Se méfier du vocabulaire des francophones canadiens, qui n'a rien à voir avec les termes utilisés par les Français. Les quiproquos fleurissent et sont souvent amusants...

– *Breuvage* désigne une boisson chaude ou froide, non alcoolisée.

– *Boisson* signifie boisson alcoolisée uniquement.

– *Liqueur* s'applique aux boissons gazeuses.

Quiproquo type entre une serveuse canadienne et un consommateur français :

– Monsieur, désirez-vous une liqueur ?

– Non merci, je souhaiterais simplement un verre de vin rouge...

– Mais, monsieur, nous ne servons pas de boisson ici !

Décalage horaire

Quand il est 18 h en France, il est midi au Québec (donc - 6 h) et 13 h au Nouveau-Brunswick et en Nouvelle-Écosse. Petite subtilité : il est 13 h 30 au Labrador et à Terre-Neuve !

Droits de l'homme

Le Québec, un des plus grands (dans tous les sens du terme) pays démocratique, souffre des maux malheureusement communs à de nombreux pays occidentaux. Ainsi, selon l'Observatoire International des Prisons, les autorités carcérales ne respectent pas les réglementations concernant l'isolement disciplinaire et se rendent complices d'une certaine forme de discrimination à l'égard des prisonniers. Les soins médicaux restent aléatoires.

Par ailleurs, la FIDH relève que la législation ne reconnaît toujours pas les coutumes des minorités, et que la discrimination dans les domaines de l'emploi, de l'administration, de la justice, de l'éducation, etc., reste parfois vive. S'ils ont quand même pris conscience du problème de la violence à l'égard des femmes, ils ne se sont pas donné les moyens budgétaires pour aider les victimes.

N'oublions pas qu'en France les organisations de défense des Droits de l'homme continuent de se battre contre les discriminations, le racisme et en faveur de l'intégration des plus démunis.

Pour en savoir plus, n'hésitez pas à contacter :

■ *La Fédération Internationale des Droits de l'homme :* 17, passage de la Main-d'Or, 75011 Paris. ☎ 01-43-55-25-18. Fax : 01-43-55-18-80. E-mail : fidh@hol.fr. Internet : www.fidh.imaginet.fr.

■ *Amnesty International* (section française) : 4, rue de la Pierre-Levée, 75553 Paris Cedex 11. ☎ 01-49-23-11-11. Fax : 01-43-38-26-15. E-mail : admin@amnesty.asso.fr. Internet : www.amnesty.org.

Électricité

La tension électrique étant de 110 volts alternatif et les prises de type américain, munissez-vous d'un adaptateur-transformateur international si besoin est.

Fêtes et jours fériés

– Congés du Nouvel An (1er et 2 janvier).
– Vendredi saint.
– Lundi de Pâques.
– Fête de Dollard-des-Ormeaux, officier français tué par les Iroquois; le même jour, fête de la Reine (3e lundi de mai).
– Fête nationale du Québec (24 juin).
– Fête nationale de la Confédération (1er juillet).
– Fête du Travail (1er lundi de septembre) : date charnière puisque, au-delà de la fête, de nombreux musées et attractions du pays adoptent des horaires restreints ou sont carrément fermés. Si vous voyagez après cette date, il est bon de vérifier les horaires auprès des offices du tourisme. Attention, ce week-end-là, beaucoup d'hôtels et de *Bed & Breakfast* sont complets car les Québécois en profitent pour voyager. Alors, pensez à réserver !
– Action de grâces (2e lundi d'octobre).
– Congés de Noël (25 et 26 décembre).

Forêt québécoise

La forêt québécoise constitue 20 % du territoire forestier canadien et comprend 4 zones de végétation du sud au nord : feuillue mélangée (sapins et bouleaux jaunes), boréale (épinettes, sapins et bouleaux blancs), taïga et toundra. La production forestière, qui emploie directement et indirectement 200 000 personnes, est exportée à 28 % et représente en valeur environ 20 % de la valeur des exportations. Plus de cinquante espèces d'arbres sont recensées, aucune n'est menacée à l'exception de l'orme, comme partout en Amérique. On constate un dépérissement des érables, dont on ne connaît pas encore bien la cause.

Le gouvernement québécois gère 90 % des ressources forestières. Depuis la loi de 1986, les coupes sont sévèrement réglementées. Il est en principe interdit de toucher aux lisières des lacs et des cours d'eau.

Handicapés

Pays très bien équipé en général. La France pourrait prendre exemple... Attention toutefois, certains *B & B*, dans les maisons anciennes notamment, ne sont pas vraiment adaptés, contrairement aux motels.

Hébergement

Ici, tout se négocie, surtout le prix des chambres. Il est très fréquent que les hôteliers accordent des réductions, en particulier si vous arrivez en fin de journée et si vous payez en liquide.

Auberges de jeunesse

Les A.J. canadiennes sont dans l'ensemble formidables (chaleureuses, mixtes, sans corvées...). Vous y obtiendrez des tas de renseignements sur la région où vous séjournez. C'est un peu un office de tourisme *bis* local. De plus, elles sont moins chères que les terrains de camping ! D'ailleurs, on peut souvent y camper. Malheureusement, des mesures d'austérité ont provoqué la fermeture d'un certain nombre d'entre elles... On ne sait jamais : vérifiez tout de même si celles que nous indiquons existent encore !

La carte de membre (genre F.U.A.J.) est désormais obligatoire pour les Européens qui doivent se la procurer au coût de 25 $ + taxes, à moins qu'ils n'achètent un timbre pour chaque nuit au coût de 4 $ + taxes : après six nuits, on leur remettra alors une carte. Mais ceci ne vaut que pour les provinces anglophones. Au Québec, ce système de carte n'est pas obligatoire. Les A.J. acceptent tout le monde sans limite d'âge.

N'oubliez pas de rendre visite à nos amis du *Regroupement Tourisme Jeunesse* (représentant officiel des A.J. du Québec), qui édite une revue pleine d'infos pour les routards *(Temps Libre)*, vend la carte de membre et prend les réservations, entre autres services : 4545, av. Pierre-de-Coubertin, C.P. 1000, succursale M, Montréal H1V-3R2. ☎ (514) 252-3117. À Ottawa : *Hostelling International,* 400-205 Catherine Street. ☎ (613) 237-7884.

PRATIQUE : la FUAJ offre à ses adhérents la possibilité de réserver depuis la France, 6 nuits maximum et jusqu'à 6 mois à l'avance, certaines auberges de jeunesse officielles situées en France et à l'étranger, grâce à un réseau informatique I.B.N. *(International Booking Network)*, qui couvre près de 50 pays. Gros avantage, les A.J. étant souvent complètes, votre lit (en dortoir, pas de réservation en chambre individuelle) est réservé à la date souhaitée. La procédure est simple, il suffit de téléphoner pour demander si le pays où vous vous rendez est relié par ordinateur. Si c'est le cas, il vous faut remplir un formulaire de réservation dans un des points I.B.N. Vous saurez instantanément s'il y a de la place (aucun frais ne vous sera demandé si la réponse est négative) et quel est le prix des nuitées. Vous réglez en France, plus des frais de réservation (environ 17 F). L'intérêt, c'est que tout cela se passe avant le départ, en français, et en francs ! Vous recevrez en échange un bon d'hébergement que vous présenterez à l'A.J. une fois sur place. Ce service permet aussi d'annuler et d'être remboursé (compter 33 F de frais d'annulation. Se renseigner au moment de la réservation sur les délais d'annulation).

– *Paris* : (Agence nationale), 27, rue Pajol, 75018. ☎ 01-44-89-87-27. Fax : 01-44-89-87-10. M. : Marx-Dormoy, Gare-du-Nord (R.E.R. B) ou Porte-de-la-Chapelle. Internet : www.fuaj.org.

– *Paris* : bureau FUAJ, 9, rue Brantôme, 75003. ☎ 01-48-04-70-40. Fax : 01-42-77-03-29. M. : Châtelet-Les Halles (R.E.R. A) ou Hôtel-de-Ville.

– *Paris* : A.J. d'Artagnan, 80, rue Vitruve, 75020. ☎ 01-40-32-34-56. Fax : 01-40-32-34-55. M. : Porte-de-Bagnolet.

– *Le Pré-Saint-Gervais :* A.J. Cité des Sciences, 24, rue des Sept-Arpents, 93310. ☎ 01-48-43-24-11. Fax : 01-48-43-26-82 M. : Hoche.

– *Clichy :* A.J. Léo Lagrange, 107, rue Martre, 92110. ☎ 01-41-27-26-90. Fax : 01-42-70-52-63. M. : Mairie-de-Clichy.

– *Aix-en-Provence :* A.J. de Jas de Bouffan, 3, av. Marcel-Pagnol, 13090. ☎ 04-42-20-15-99. Fax : 04-42-59-36-12.

– *Aix-les-Bains :* A.J., promenade du Sierroz, 73100. ☎ 04-79-88-32-88. Fax : 04-79-61-14-05.

– *Angoulême :* A.J., île de Bourgines, 16000. ☎ 05-45-92-45-80. Fax : 05-45-95-90-71.

– *Annecy :* A.J., 4, route du Semnoz, 74000. ☎ 04-50-45-33-19. Fax : 04-50-52-77-52.

– *Arles :* A.J., 20, av. Foch, 13200. ☎ 04-90-96-18-25. Fax : 04-90-96-31-26.

– *Biarritz :* 8, rue Chiquito de Cambo, 64200. ☎ 05-59-41-76-00. Fax : 05-59-41-76-06.

– *Biarritz-Anglet :* A.J. Gazté Etxea, quartier Chiberta, 19, route des Vignes, 64600 Anglet. ☎ 05-59-58-70-00. Fax : 05-59-58-70-07.

– *Boulogne-sur-Mer :* A.J. Opale, place Rouget-de-Lisle, 62200. ☎ 03-21-99-15-30. Fax : 03-21-80-45-62.

– *Brive :* A.J., 56, av. du Maréchal-Bugeaud, parc Monjauze, 19100. ☎ 05-55-24-34-00. Fax : 05-55-84-82-80.

– *Carcassonne :* A.J., rue du Vicomte-Trencavel, Cité Médiévale, 11000. ☎ 04-68-25-23-16. Fax : 04-68-71-14-84.

– *Chamonix :* A.J., 127, montée J.-Balmat, 74400. ☎ 04-50-53-14-52. Fax : 04-50-55-92-34.

– *Cherbourg :* rue de l'Abbaye, 50100. ☎ 02-33-78-15-15. Fax : 02-33-78-15-16.

– *Grenoble-Échirolles :* A.J., 10, av. du Grésivaudan, « La Quinzaine », 38130 Échirolles. ☎ 04-76-09-33-52. Fax : 04-76-09-38-99.

– *Lannion :* A.J. « Les Korrigans », 22300. ☎ 02-96-37-91-28. Fax : 02-96-37-02-06.

– *Mont Dore (Le) :* A.J. Le Grand Volcan, « Le Sancy », 63240. ☎ 04-73-65-03-53. Fax : 04-73-65-26-39.

– *Lille :* A.J., 12, rue Malpart, 59000. ☎ 03-20-57-08-94. Fax : 03-20-63-98-93.

– *Lyon-Vénissieux :* A.J., 51, rue Roger-Salengro, 69200 Vénissieux. ☎ 04-78-76-39-23. Fax : 04-78-77-51-11.

– *Lyon :* 41-45, montée du Chemin Neuf, 69005. ☎ 04-78-15-05-50. Fax : 04-78-15-05-51.

– *Marseille :* A.J., impasse du Dr-Bonfils, 13008. ☎ 04-91-73-21-81. Fax : 04-91-73-97-23.

– *Menton :* A.J., plateau Saint-Michel, 06500. ☎ 04-93-35-93-14. Fax : 04-93-35-93-07.

– *Montpellier :* A.J., rue des Écoles-Laïques, impasse Petite-Corraterie, 34000. ☎ 04-67-60-32-22. Fax : 04-67-60-32-30.

– *Nantes :* A.J. « La Manu », 2, place de la Manu, 44000. ☎ 02-40-29-29-20. Fax : 02-40-29-29-26.

– *Nice :* A.J., route forestière du Mont-Alban, 06300. ☎ 04-93-89-23-64. Fax : 04-92-04-03-10.

– *Nîmes :* A.J., chemin de la Cigale, 30900. ☎ 04-66-23-25-04. Fax : 04-66-23-84-27.

– *Poggio Mezzana* (Corse) : L'Avillanella, 20230. ☎ 04-95-38-50-10. Fax : 04-95-38-50-11.

– *Poitiers :* A.J., 1, allée Roger-Tagault, 86000. ☎ 05-49-30-09-70. Fax : 05-49-30-09-79.

– *Rennes :* Centre International de Séjour-A.J., 10-12, canal Saint-Martin, 35700. ☎ 02-99-33-22-33. Fax : 02-99-59-06-21.

– *Saint-Brévin-les-Pins :* A.J. « La Pinède », « Le Pointeau », 1-3, allée de la Jeunesse, 44250 Saint-Brévin-les-Pins. ☎ 02-40-27-25-27. Fax : 02-40-64-48-77.

– *Sète :* A.J. « Villa Salis », rue du Général-Revest, 34200. ☎ 04-67-53-46-68. Fax : 04-67-51-34-01.

– *Strasbourg :* A.J. Strasbourg-Parc du Rhin, rue des Cavaliers, 67017 Strasbourg Cedex. ☎ 03-88-45-54-20. Fax : 03-88-45-54-21.

– *Strasbourg :* A.J. René-Cassin, 9, rue de l'Auberge-de-Jeunesse, La Montagne Verte, 67200. ☎ 03-88-30-26-46. Fax : 03-88-30-35-16.

– *Tours :* A.J. Parc de Grandmont, av. d'Arsonval, 37200. ☎ 02-47-25-14-45. Fax : 02-47-48-26-59.

– *Verdun :* A.J. du Centre Mondial de la Paix, place Monseigneur-Ginisty, 55100. ☎ 03-29-86-28-28. Fax : 03-29-86-28-82.

Hôtels et motels

Les *hôtels* ressemblent à ceux qu'on trouve aux États-Unis : confortables, fonctionnels mais ne dégageant aucune chaleur.

Dans les gares routières de toutes les grandes villes se trouvent des panneaux avec téléphone directement relié à des hôtels dont la présentation est faite sous forme d'affichettes. Certains gérants d'hôtels ou de motels offrent le prix de la course en taxi de la gare routière à l'hôtel.

Quant aux *motels,* ils sont parfois bien utiles. Pas dans les grandes villes, bien sûr, car ils se situent toujours en périphérie. Mais dans la cambrousse, chaque patelin a son motel. Si on le déconseille au routard solo, parce que c'est cher, il faut bien reconnaître qu'à partir de trois l'hébergement en motel est très intéressant (à quatre, cela revient parfois moins cher qu'en A.J.). À noter aussi que les prix sont plus bas à partir de septembre.

Attention : en règle générale, dans les hôtels, gîtes ou restaurants, les chiens ne sont pas toujours acceptés.

Résidences d'étudiants

Attention, l'hébergement dans les universités l'été n'est pas forcément une bonne solution. Les facs sont souvent éloignées du centre (nous l'indiquons quand c'est le cas) et les piaules ne sont pas vraiment bon marché. L'intérêt, c'est qu'elles possèdent souvent une cuisine collective et que l'on y trouve des chambres confortables, souvent avec salle de bains.

Gîtes, B & B, chambres d'hôte

Pour les plus fortunés (les routards de l'establishment), nous conseillons les *Bed & Breakfast* (*Couette et Café* au Québec) plutôt que l'hôtel. Dans tout le pays, il existe une kyrielle d'associations sympas qui s'occupent de loger les voyageurs dans de chouettes familles où l'accueil et la convivialité le disputent à l'abondance du petit déjeuner (compris dans le prix). À prix égal par rapport à l'hôtel, n'hésitez pas. Cependant, vous comprendrez qu'il faut aussi respecter la vie de vos hôtes et que vous n'aurez pas les mêmes rapports avec eux qu'avec le personnel d'un hôtel. Ce sera d'ailleurs mille fois plus sympa ! Pour réserver, passez vos coups de fil à l'office du tourisme. Si nos adresses sont complètes, ils en ont d'autres.

Au Québec, les *Gîtes du Passant* ne sont pas une appellation générale pour les chambres d'hôte mais une enseigne réputée (et recherchée), attribuée par l'Association *Agricotours,* qui contrôle régulièrement les adresses. Pour avoir droit à l'appellation, il faut obéir à de sévères critères de sélection : propreté, confort, sécurité, qualité de l'accueil, etc. Autant dire que chaque *Gîte du Passant* est une adresse de qualité ! Les prix ne sont pourtant pas forcément plus élevés que ceux des autres *B & B*. Nous en indiquons bien sûr de

nombreux au Québec, mais il y en a beaucoup d'autres, tout aussi sympas...
On peut se procurer dans certains offices du tourisme le petit bouquin édité
par l'association, qui recense toutes les adresses en les situant sur des
cartes. Le guide des *Gîtes du Passant* (*B & B,* gîtes à la ferme, maisons de
campagne et de ville, promenades à la ferme, tables champêtres) est disponible en France dans les grandes librairies. Il existe enfin une autre association, celle des *Gîtes classifiés,* en Gaspésie (site Internet : www.gîtes-classi-
fiés.qc.ca). Carte des Gîtes classifiés diffusée gratuitement. Classification
sybolisée par des cœurs.

■ *Agricotours :* 4545, av. Pierre-de-Coubertin, C.P. 1000, succursale M,
Montréal GC, H1V-3R2. ☎ 252-3138.

Campings

L'un des pays les mieux organisés pour le camping, même si l'on ne voit pas
bien pour quelle raison un certain nombre d'entre eux sont fermés à partir de
la fête du Travail (en septembre). Grands espaces préservés et isolés,
tables en bois, propreté du site... la liste n'est pas complète. Assez souvent,
chaque emplacement dispose d'un foyer pour faire des feux de bois, celui-ci
étant vendu à l'accueil des campings. La plupart des campings disposent de
lave-linge séchants, d'abris ou de salles aménagées en cas d'intempéries.
Les parcs nationaux possèdent plusieurs campings régis selon les mêmes
règles.
Les prix sont modestes et varient un peu selon l'emplacement, la présence
de douches, de l'électricité... On paie par emplacement (entre 50 et 80 F),
soit une tente, une voiture et 4 personnes (dont 2 enfants, en principe, mais
à 4 adultes dans la même tente, ça passe). Les places sont en nombre
limité, ce qui évite la foule. Mais il est conseillé de réserver en été... Dans
certains campings très retirés, on paie grâce à un système d'enveloppe à
déposer dans une boîte. Un *ranger* vient plus tard faire les comptes. Très
pratique.
Attention, en mai-juin, il fait encore très froid pour camper. Pour ceux qui
veulent être en pleine nature sans forcément dormir sous la tente, plusieurs
campings louent des « mini-chalets », avec ou sans sanitaires, mais généralement équipés de vaisselle, plaques chauffantes et barbecue extérieur.
Enfin, dernier détail : se munir de « Muskol » ou de « Région Sauvage »,
produits miracles pour lutter contre mouches et moustiques.
La liste des campings, avec localisation sur des cartes, est disponible (par
province) dans les offices du tourisme. Un guide regroupant toutes les provinces est également disponible à l'office du tourisme de Montréal.

Échange de résidence

■ *Intervac :* 230, bd Voltaire, 75011 Paris. ☎ 01-43-70-21-22. Fax : 01-43-70-73-35. M. : Boulets-Montreuil. Cet organisme internatio- nal propose une formule originale d'échange de logement : pour un prix raisonnable, il intégrera votre annonce avec une photo de votre maison dans cinq catalogues (au choix). Ensuite, à vous de choisir par l'intermédiaire de ces mêmes cata- logues le logement de vos rêves. Une solution pratique, sympathique et généralement assez économique.

■ *Vacances Amitiés Internatio- nales :* 2242, Cartier, Montréal. Fax : (514) 525-0115. Envoie à ses clients l'adresse d'une personne ou famille qui accepte de faire avec eux soit l'expérience de l'hospitalité réci- proque, soit l'échange de sa rési- dence principale ou secondaire. Écrire ou faxer à V.A.I., qui envoie un questionnaire, avec les condi- tions (400 F de forfait). Vous pouvez également laisser vos coordonnées par téléphone à Paris au : ☎ 01-69- 34-47-87.

Institutions

Les citoyens canadiens élisent un parlement fédéral et, dans chaque province, un parlement provincial qui s'occupe de tout ce qui n'implique pas de grands choix nationaux. Jusqu'à présent, aux élections fédérales, deux grands partis politiques dominaient : le *parti libéral* (modéré et réformiste) et le *parti progressiste conservateur* (vous noterez le paradoxe).

Le scrutin d'octobre 1993 a bouleversé le jeu du bipartisme de façon spectaculaire. Le parti conservateur a été laminé (2 sièges seulement) devant l'écrasante victoire du libéral Jean Chrétien, le nouveau Premier ministre. Mais c'est surtout l'émergence de deux partis « régionalistes » qui change le visage politique du Canada : le *Reform Party* (originaire de l'Ouest, populiste et ultraconservateur) et le *Bloc québécois* (parti « souverainiste » qui prône l'indépendance du Québec... tout en étant le parti d'opposition officielle).

Langue

L'anglais et le français sont tous deux langues officielles au Canada. Mais le français est la seule langue officielle au Québec depuis 1977. Voici une petite liste d'expressions que l'on peut entendre de la bouche des Québécois. Attention, selon les villes ou les campagnes ces expressions diffèrent énormément. À Montréal ou au Québec, nombre de gens nous ont dit ne pas en connaître certaines. Pourtant dans Charlevoix ou en Gaspésie, on pourra les entendre. Toutes ne sont donc pas présentes partout, certaines ne sont même plus guère utilisées aujourd'hui, mais la plupart sont encore de mise, quelque part. Enfin, ne soyez pas surpris si un restaurateur, un marchand, ou même... un policier vous tutoie : au Québec, sachez-le, le tutoiement est roi.

- *Charger :* faire payer.
- *C'est dispendieux :* c'est cher.
- *C'est dull :* c'est ennuyeux.
- *Jaser, placoter :* bavarder.
- *Chum* (prononcer « tchom ») : petit ami.
- *Blonde :* petite amie.
- *Peinturer au fusil :* peindre au pistolet.
- *Bicycle à gazoline :* moto.
- *Un dépanneur :* épicier ouvert quasiment tout le temps, qui vend des produits de première nécessité (souvent contigu à une station-service).
- *Virer dans le beurre :* tourner à vide (moteur).
- *Prendre une brosse :* prendre une cuite.
- *Être paqueté* ou *chaud :* être soûl.
- *Se taper une broue :* se payer une bière.
- *Être en crisse* ou *en maudit :* être en colère.
- *Le mal de bloc :* le mal de tête.
- *De quoi c'est que tu parles ? :* de quoi parles-tu ?
- *Ils voudront-tu venir :* le *tu* indiquant la forme interrogative.
- *C'est l'fun* (prononcer « fone ») : c'est super.
- *Mêlant :* compliqué.
- *Toffe :* pénible ; *un toffe :* un dur, un costaud.
- *Déjeuner :* petit déjeuner.
- *Dîner :* déjeuner.
- *Souper :* dîner.
- *Cannes :* conserves.
- *Chaudron (ou chedronne) :* casserole.
- *Suce :* tétine.
- *Suçon :* sucette.

- *Un bec :* un petit baiser.
- *Breuvage :* boisson non alcoolisée.
- *La renverse, le reculon :* la marche arrière.
- *Peser sur le gaz :* appuyer sur l'accélérateur.
- *Souffler un tire :* gonfler un pneu.
- *Char :* voiture.
- *Lumières :* feux tricolores.
- *V.T.T. :* ce n'est pas un vélo, mais un véhicule tout-terrain motorisé à 4 roues.
- *Faire du pouce :* faire de l'auto-stop.
- *Être badlucké :* être malchanceux.
- *Être branleux :* être indécis.
- *J'ai mon voyage :* j'en ai marre.
- *Ç'a pas d'allure, ç'a pas de bon sens* (prononcer « sans ») : ne pas avoir la classe.
- *C'est dommage :* c'est incroyable.
- *Une bonne toune :* un bon morceau de musique.
- *C'est heavy :* presque incroyable.
- *C'est au boutte :* c'est le pied.
- *S'essayer :* tenter sa chance.
- *Crouser :* draguer.
- *S'enfarger :* buter dans quelque chose.
- *Magasiner :* faire des courses.
- *Barrer la porte :* fermer la porte à clé.
- *S'acoter :* vivre en concubinage.
- *Une agace-pissette :* une allumeuse.
- *C'est bon en maudit* ou *en titi :* c'est très bon.
- *C'est pas pire :* c'est pas mal.
- *Y mouille :* il pleut.
- *Faire le train :* traire les vaches.
- *Il va passer au feu :* il va brûler.
- *J'aime pas chauffer dans la noirceur :* je n'aime pas conduire de nuit.
- *Sacrer son camp :* foutre le camp.
- *La sloche :* la sale neige fondue.
- *Un ruine-babines :* un harmonica.
- *Tabarnak* ou *crisse* (de « Christ »), ou *hestie* (hostie) ou *calvaire...* (lorsque les Québécois sont en colère, ils peuvent conjuguer chacun de ces blasphèmes avec des variantes très imaginatives !) : merde.
- *Tabagie :* bureau de tabac.
- *Courir les érables :* faire la tournée d'érables pour en recueillir la sève ; notez que l'on dit souvent « une belle érable ».
- *C'est coulant :* se dit d'une route glissante.
- *Avoir un kick* ou *avoir le kick sur :* avoir le béguin pour quelqu'un.
- *Astheure :* maintenant.
- *Beurre de pinotes :* beurre d'arachides (de *peanuts :* cacahuètes).
- *C'est tiguidou :* c'est super.
- *Chialer :* se plaindre.
- *Frapper* (ou *pogner*) *un nœud :* tomber sur un os.
- *Icitte :* on le dit parfois pour « ici ».
- *Joual :* argot québécois (vient du mot « cheval »).
- *Robineux :* ivrogne.
- *Être fucké :* être mélangé, sentir que ça ne tourne pas rond ; se dit aussi pour tout un tas de choses, par exemple : *avoir fucké son char.*
- *Menteries :* mensonges.
- *Niaiseux (niaiseuses) :* bête, stupide (« maudit niaiseux ») ou facile à faire.
- *Niaise-moi pas :* ne me fais pas marcher, ne te fous pas de moi.
- *Boutique de sexe :* sans commentaire.
- *Se faire passer un sapin :* se faire avoir.

– *Entreprise de débosselage :* carrossier.
– *Tannant :* fatigant ; être tanné : en avoir assez.
– *T'as pas d'affaire à faire ça :* tu ne dois pas faire ça.
– *Pogner :* avoir du succès (avec les filles ou les garçons) ; *pogner les nerfs :* s'énerver.

Faux-amis

Les *claques,* qui ne sont que les couvre-chaussures, et les *gosses* (les mecs en ont deux, comme papa, mais ce ne sont pas des jumeaux). Donc, ne jamais dire, même si vous êtes éducateur, que vous aimez jouer avec les gosses.
D'autres faux-amis, tout aussi amusants : *se faire emmancher* (se faire avoir), *brassière* (soutien-gorge). Dans un autre genre : *malin* veut dire méchant, *fin* s'utilise pour gentil, et *poche* pour nul. *Être cassé* ne veut pas dire être fourbu ou avoir trop fumé mais tout simplement être fauché. Et *c'est écœurant* signifie... que l'on adore ! Pour rester dans le même domaine, sachez que la *turlute* n'est pas ce que l'on imagine mais une onomatopée musicale (*cf.* la chanson « Tam ti delam » de Gilles Vigneault), que les *bibites* sont des insectes, qu'*être chaud* ne veut pas dire être « en forme » mais soûl. Enfin, *être bourré* signifie avoir trop mangé, et *être choqué,* être fâché.

Quelques petits conseils pour finir...

N'essayez pas d'utiliser ces termes en imitant l'accent (en général, les Québécois détestent). Vous ne réussirez jamais à l'imiter parfaitement (nous, Français, avons la fâcheuse tendance à prendre l'accent belge ou des campagnes françaises, et cela n'a strictement rien à voir).
Si vous voulez en savoir plus, il existe des dictionnaires de langue québécoise. Notamment : *Dictionnaire des canadianismes,* de Gaston Dulong, Larousse Canada (1989 ; disponible en France) ; *Dictionnaire pratique des expressions québécoises,* d'André Dugas et Bernard Soucy, Montréal, Éditions Logiques (1991) ; *Dictionnaire québécois d'aujourd'hui,* Dico Robert (1992 ; disponible en France).

Livres de route

– *Voyages au Canada* (1565 et 1612), de Jacques Cartier ; récit de voyage. La Découverte Poche : La Découverte n° 35 (272 p.). Cartier s'est rendu plusieurs fois au Canada sur ordre du roi ; les voyages relatés ici furent effectués en 1502 et 1543, et concernent essentiellement Terre-Neuve, l'embouchure du Saint-Laurent et l'actuel Québec. Cartier n'est pas un écrivain, c'est un aventurier ; son témoignage est brut, sans fioritures.
– *Les Derniers Rois de Thulé* (1955), de Jean Malaurie ; ethnographie. Plon Poche : Presses-Pocket n° 3001 (655 p.). À mi-chemin entre le récit de voyage et l'essai ethnographique, cet ouvrage témoigne des civilisations en mouvement. Au cours de plusieurs missions et hivernages, Jean Malaurie a partagé la vie des derniers Esquimaux, au moment crucial où leur société archaïque était soumise au choc de la modernité.
– *Les Fous de Bassan* (1984), d'Anne Hébert ; roman. Le Seuil Poche : Points-Roman n° 141 (248 p.). Une poignée de loyalistes, restés fidèles au gouvernement anglais durant la guerre d'Indépendance, émigrent vers une terre côtière, située entre cap Sec et cap Sauvagine, où les autorités canadiennes leur concèdent un droit de chasse et de pêche. Ce lieu providentiel, baptisé Griffin Creek par une communauté fervente, cache en vérité une fureur sauvage derrière son aura sacrée.
– *Aventures dans le commerce des peaux en Alaska* (1986), de John

Hawkes ; roman. Le Seuil Poche : Points-Roman n° R308 (497 p.) ; traduit par M. Doury. Le roman de John Hawkes est une version satirique des grands récits historiques et initiatiques sur l'aventure du Grand Nord. La narratrice, une prostituée, raconte l'épopée de son père, Oncle Jack, émigré de souche française parti en quête d'un Alaska fantasmatique.

– *La Route bleue* (1983), de Kenneth White ; récit. Grasset Poche : Le Livre de Poche n° 5988 (191 p.) ; traduit par M.-C. White. Kenneth White, membre de la horde des voyageurs-voyants, couve un vieux rêve de trente ans : suivre le chemin ascensionnel vers le plateau désolé du Labrador, dans un voyage doublement initiatique de renaissance et de reconnaissance. *La Route bleue* mène aux réalités lumineuses que notre civilisation d'aujourd'hui a escamotées.

– *Red Fox* (1986), d'Antony Hyde ; polar. Le Seuil Poche : Points-Roman n° R277 (413 p.) ; traduit par F. et G. Casaril. C'est à Halifax, petite ville portuaire à l'est du Canada, qu'arrive Robert Thorne, un journaliste spécialiste de la Russie, à la recherche d'un riche importateur de fourrures qui a subitement disparu. Son enquête va l'entraîner bien plus loin qu'il ne le pensait, et l'amènera à remonter dans le passé, jusqu'aux débuts de la révolution russe.

– *Une enfance à l'eau bénite* (1985), de Denise Bombardier ; autobiographie. Le Seuil Poche : Points-Roman n° R387 (220 p.). Denise Bombardier, journaliste à la télévision, nous fait revivre son enfance et son adolescence, dans les années 1940-1950, au sein d'une famille de Canadiens français de Montréal. Enfance triste, douloureuse, dans un univers clos qui subit l'humiliation face à la réussite et à la vénération de l'argent.

– *L'Appel de la forêt* (1903), de Jack London ; roman. Presses de la Cité Poche : 10/18 n° 827 (442 p.) ; traduit par F. Lacassin. C'est l'histoire d'un chien, dans l'Alaska de la fin du XIXe siècle, vendu à des chercheurs d'or du Klondike. Il éprouvera après la mort de ceux-ci l'appel de la forêt, et partira rejoindre les loups, ses frères sauvages, dans les montagnes.

– *Maria Chapdelaine* (1914), de Louis Hémon ; roman. Grasset Poche : Presses Pocket n° 1770 (185 p.). Maria Chapdelaine fait partie d'une famille de paysans. Elle est tombée amoureuse d'un jeune homme qui est obligé de partir au loin, mais lui promet de revenir. Elle l'attend, ignorant qu'il est mort dans une tempête de neige. Ce roman a constitué pendant longtemps l'un des points de repère de la littérature sur le Canada.

Librairies

Deux bonnes adresses à Paris :

■ *Librairie du Québec :* 30, rue Gay-Lussac, 75005. ☎ 01-43-54-49-02. R.E.R. : Luxembourg. Ouvert de 9 h 30 à 19 h tous les jours sauf le dimanche. Plus de 8 000 ouvrages représentant l'édition québécoise et qui incluent des traductions d'ouvrages canadiens anglais ; toutes commandes possibles. Accueil très sympa.

■ *Librairie canadienne :* Abbey Book Shop, 29, rue de la Parcheminerie, 75005. ☎ 01-46-33-16-24. M. : Saint-Michel.

Musique, danse

Dans le Canada anglais, les boîtes de nuit sont ouvertes aux plus de 19 ans seulement.

Offices du tourisme

Pas difficiles à repérer dans le pays : ils sont signalés par un « ? ». Ils sont tout bonnement géniaux. L'accueil est la plupart du temps chaleureux. Le personnel est compétent, parle le français (même à l'extérieur du Québec) ; ils fournissent cartes, plans des villes, infos générales, mini-guides régionaux (très utiles), adresses de gîtes et campings... tout cela gracieusement. Un peu plus, ils nous feraient pointer à l'ANPE !

Se procurer pour chaque région le « Guide touristique » extrêmement bien fait et très complet. Il en existe pour Montréal, la région de Québec, le Bas-Saint-Laurent, Charlevoix, la Gaspésie... Très clairs et bien utiles. Avoir cependant en tête que ces guides sont promotionnels et que les annonces sont payantes.

Parcs nationaux et provinciaux

Actuellement, il y a plus de 30 parcs nationaux sur le territoire canadien, ainsi que de nombreux parcs provinciaux dépendant des gouvernements locaux. Les parcs ont pour objectif d'assurer la protection des ressources naturelles (faune et flore), tout en permettant au visiteur de découvrir les richesses de la nature. Mission accomplie lorsque l'on voit la qualité des services mis en place dans chaque parc. Au Québec, dans les centres d'accueil, des naturalistes vous fourniront toutes les indications nécessaires pour choisir vos promenades, en fonction de vos goûts et du temps dont vous disposez. N'hésitez pas à jaser avec eux, ils sont passionnés par leur métier. Vous trouverez également dans les parcs des installations de camping, des aires de pique-nique, etc. Ici, la protection de l'environnement n'est pas un vain mot.

Poste

Attention, à la poste, il n'y a pas de téléphone. Les deux services sont séparés en Amérique du Nord. Dans les grandes villes du Québec, les postes sont souvent très excentrées, mais on trouve des « minipostes » dans certains grands magasins tels les *Pharmaprix* ou les *Jean Coutu*.

Poste restante

Tout envoi fait à la poste restante doit être réclamé par le destinataire lui-même dans les 15 jours au plus tard, sinon il est retourné à l'expéditeur. Il est donc préférable de faire envoyer son courrier aux agences de l'*American Express*.

Pourboire

Il n'est jamais inclus mais, au restaurant, il convient de laisser environ 15 % du prix hors taxes. Une place est d'ailleurs réservée à cet effet sur les reçus des cartes de crédit. Les serveurs vivent essentiellement grâce à leurs pourboires, et vous constaterez que celui-ci n'est en général pas volé, vu la gentillesse du service.

Santé

Assurances

Au Canada, les frais de santé sont très élevés pour les étrangers. Le système de santé de chaque État ne profite pas aux Français, même au Québec, car il ne concerne que les salariés expatriés. Les hôpitaux et cliniques sont plus formalistes que ceux des États-Unis et exigent la présentation d'une carte personnelle d'assurance pour accepter une admission. Il est donc indispensable de prendre avant votre départ une ASSURANCE VOYAGE INTÉGRALE pour la durée de votre séjour au Canada ! L'assurance maladie et frais d'hôpital doit couvrir au moins 500 000 F SANS FRANCHISE.

– Un assureur propose une formule spécialement destinée aux voyages États-Unis-Canada : *Carte santé A.V.A.,* 24, rue Pierre-Sémard, 75009 Paris. ☎ 01-53-20-44-20. Fax : 01-42-85-33-69. Et dans les agences de voyages.

■ *ROUTARD ASSISTANCE* propose des garanties complètes avec une assurance maladie et hôpital de 2 000 000 de francs sans franchise (un record). La carte personnelle d'assurance « ROUTARD ASSISTANCE », avec un texte en anglais, comprend une prise en charge des frais d'hôpital ; c'est la formule : « Hospitalisé ! rien à payer. »

■ *Routard Assistance :* 28, rue de Mogador, 75009 Paris. ☎ 01-44-63-51-01. M. : Chaussée-d'Antin.

Antimoustiques

De très nombreux sprays, crèmes, lotions vendus en grandes surfaces et même en pharmacie sont très peu ou pas du tout efficaces contre les moustiques. Les spécialistes reconnaissent comme le plus efficaces les produits contenant l'une ou l'autre des substances actives suivantes :

• DEET à 50 %. Nom commercial : *Insect Ecran Peau*. Attention : ne pas utiliser chez l'enfant.

• 35/35. Nom commercial : *Cinq sur Cinq Tropic*. D'efficacité sans doute moindre, mais utilisable chez l'enfant.

Dans tous les cas, s'enduire les parties découvertes du corps toutes les 4 h au maximum.

« Spécial fumeurs »

Les accros doivent savoir que la majorité des *Bed & Breakfast* et des gîtes sont « non-fumeurs ». Ceux qui ne peuvent pas se retenir d'en griller une le soir ont donc intérêt à se renseigner avant de réserver une chambre d'hôte. L'interdiction est généralement stricte, pour une simple raison de sécurité : la plupart des maisons sont en bois !

De plus, la loi interdit de fumer dans tous les édifices publics et les établissements commerciaux ainsi que sur tous les vols des compagnies canadiennes. Dans les restos, il existe une section « fumeurs » et une section « non-fumeurs ».

Taxes

Les prix affichés ne sont pas ceux que vous paierez réellement. En passant à la caisse (et quel que soit le produit ou le service), le client doit payer en plus deux taxes : une taxe de vente provinciale, appelée **T.V.Q.** au Québec (elle porte d'autres noms dans les autres provinces), qui s'élève à 7,5 % ; plus la **T.P.S.** (taxe sur les produits et services) qui fait encore grimper l'addition de 8 %. En tout, compter 15,5 % de plus que les prix indiqués. Au resto, il faudra encore ajouter le service, environ 15 % du prix hors taxes. 15 + 15 = 30 %. Ami lecteur, quand vous entrez dans un resto, pensez-y ! Un menu à 100 F coûte en fait 130 F. Mais bon, le gouvernement a eu la bonne idée de ne pas tuer dans l'œuf (d'or) la poule que représente la manne touristique : on peut se faire rembourser cette T.P.S. et la T.V.Q. (au Québec) si on ne réside pas dans le pays, sous certaines conditions. C'est assez compliqué à vue de nez mais on finit par s'en sortir grâce à la petite brochure remise au bureau des douanes à l'aéroport, ou dans la plupart des offices du tourisme.

Sans entrer dans trop de détails, voici quelques indications : la T.P.S. et la T.V.Q. sont remboursées sur les logements provisoires (hôtels, *B & B*, etc., à l'exception du camping et à condition de ne pas avoir payé depuis l'étranger, via une agence) et sur la plupart des produits de consommation courante que l'on rapporte chez soi. Ne sont donc pas pris en compte, entre autres : les repas, l'alcool, les tabacs, la location de voitures, l'essence, les produits alimentaires et les objets usagés de valeur. Sur 3 semaines de voyage, on peut tout de même récupérer, par exemple, dans les 500 F...

Pour se faire rembourser, ne jamais oublier de demander à chaque fois une facture aux commerçants et hôteliers (être spécialement vigilant dans les *B & B*), en leur faisant préciser le montant de la T.P.S. et le nombre de nuits. **Il faut que le montant de vos achats sur les biens, avant les taxes, atteigne 50 $ minimum pour chacun des reçus** (on a donc intérêt à grouper ses achats dans un même magasin) **et que le montant total de vos achats avant les taxes totalise au moins 200 $**. Il faut ensuite remplir le petit formulaire encarté dans la brochure T.P.S. (remise à la douane ou dans les offices du tourisme) et l'expédier avec l'original des factures. Le chèque met ensuite plusieurs semaines à vous parvenir. Plus rapide : se faire directement rembourser dans les boutiques hors taxes du pays, mais elles ne participent pas toutes à l'opération et ne remboursent qu'une somme inférieure à 500 $.

On peut aussi se faire rembourser au bureau Mable Leaf, au niveau galerie (4ᵉ) du centre Eaton de Montréal. Frais de service de 15 % pour chaque demande. Votre demande de remboursement de taxes doit équivaloir à un minimum de 200 $ en achat admissibles (avant taxes). Pour tout renseignement ☎ (514) 847-09-82. Fax : (514) 847-10-19.

Pour encaisser le chèque de remboursement en France, la plupart des banques prennent une commission forfaitaire, parfois élevée par rapport au montant du chèque. Les agences **Multi Change** à Paris ne prennent pas de commission et pratiquent un taux de change correct. Il y a une au 8, bd de la Madeleine, 75009 (☎ 01-49-24-96-62). M. : Madeleine. Et une autre au 7, rue Marbeuf, 75008 (☎ 01-47-20-23-57) M. : Franklin-Roosevelt.

Téléphone

Appels locaux

Les appels locaux au Québec sont assez simples : il suffit d'avoir une pièce de 25 cents, et vous aurez droit à 3 mn de communication. Vous pouvez également utiliser les cartes *La puce* de Bell, prépayées (5, 10 ou 20 $), et il vous en coûtera le même prix par communication. On les trouve principalement dans les compagnies de téléphone, les téléboutiques *Bell*, les principales gares de *Via Rail*, ainsi que dans certains bureaux d'information touristique et dans de rares auberges de jeunesse. Attention cependant, il existe encore des cabines qui ne sont pas équipées pour recevoir ces petites cartes. Enfin, rappelons que pour les appels locaux, il est inutile de composer l'indicatif de la région (exemple : 514 pour Montréal).

Appels interurbains

Là, ça se complique un peu. En premier lieu, vous devez toujours composer l'indicatif régional lorsque vous effectuez un appel interurbain, même si cet indicatif est le même que celui de l'endroit où vous vous trouvez (exemple : un appel à Berthierville de Montréal ? Composez le 514 d'abord). Le prix est variable selon la distance qui vous sépare de votre interlocuteur, mais c'est en tout cas toujours cher. Ensuite, il est fortement recommandé d'avoir une carte, car cela vous coûtera encore plus cher si vous n'avez que des pièces de monnaie, et il vous en faudra alors une montagne. D'autant plus que cela file très vite. Sachez cependant que de plus en plus de cabines acceptent les pièces de 1 $. Mais cela ne vous dispensera pas de devoir insérer le montant exact en monnaie, qui vous sera annoncé une fois votre numéro composé. Vous a-t-on convaincu qu'il était préférable d'acheter une carte ?

Enfin, pas mal de cabines acceptent aujourd'hui les cartes de crédit, mais vous aurez de mauvaises surprises en recevant votre relevé de compte...

Appels internationaux

Les moyens précédents peuvent être employés, mais c'est cher et peu pratique. On vous conseille plutôt les suivants :

– La **carte France Télécom :** internationale, elle permet de téléphoner depuis plus de 70 pays. Avec elle, vous pouvez appeler à partir de n'importe quel poste téléphonique ou d'une cabine, et vous êtes débité directement sur votre facture téléphonique habituelle. Plus besoin de monnaie.
Très pratique à l'étranger, vous appelez le numéro qui correspond au pays où vous êtes, et vous êtes accueilli en français par un serveur vocal ou un opérateur qui établit votre communication. Idéal si vous ne parlez pas la langue locale.
Notez que pour bénéficier du tarif le plus avantageux, il est préférable de passer par le serveur vocal, plutôt que par l'opérateur.
Pour appeler depuis le Canada, composez le numéro France Direct suivant :
☎ 1-800-363-40-33. Pour obtenir une *carte France Télécom* ou des renseignements, composez le numéro vert : ☎ 0800-202-202, ou tapez le 36-14, code CARTE FT sur votre Minitel.
La carte France Télécom est sans abonnement.

– **Calling Card AT & T :** pratique et proposée gratuitement à tous les détenteurs de comptes *American Express, MasterCard* et *Visa,* elle permet d'appeler plus de 200 pays à partir des États-Unis. Elle peut aussi être employée dans les 72 pays qui proposent le service « AT & T World Connect ». Cependant, contrairement à la *carte France Télécom,* elle ne marche pas de partout lorsqu'il s'agit d'appeler du Canada vers la France. Le montant de la communication est débité directement sur le compte de l'utilisateur en France. Enfin, celui-ci a accès aux services internationaux AT & T : *Language Line* (interprète), *Message Service* (laisser un message), renseignements, numéros verts, multitélécopie et téléconférence. Pour l'obtenir, numéro vert : ☎ 0800-90-82-93, ou Minitel : 36-15, code USA + AT & T (3 semaines de délai).
Une autre compagnie a mis au point un système qui permet d'avoir accès à des tarifs nord-américains réduits sans autre instrument que votre doigt et votre carte de crédit. Le principe est simple : cette compagnie achète de très

grosses quantités de minutes téléphoniques aux trois grands du marché américain, elle bénéficie ainsi de tarifs ultra-réduits qu'elle peut ensuite revendre à très bas prix. Il suffit de composer le n° gratuit ☎ 1-800-836-9067 en arrivant au Québec et le reste des informations vous est donné par un opérateur qui parle le français. Le paiement est prélevé sur votre carte de crédit.

– *CANADA → FRANCE :*
011 + 33 + numéro du correspondant (sans le « 0 » par lequel débute le numéro à 10 chiffres).

– *FRANCE → CANADA :*
00 (tonalité) + 1 + indicatif de la ville + numéro du correspondant.

GÉNÉRALITÉS

Indicatifs des villes

Barrie (Ont.)	705	Niagara Falls	416	Sault Ste Marie	705
Calgary	403	Ottawa	613	Stratford	519
Chatham	519	Peterborough	705	Toronto	416
Edmonton	403	Québec	418	Vancouver	604
Halifax	902	Regina	306	Victoria	604
Montréal	514	Saskatoon	306	Winnipeg	204

Transports intérieurs

Train (VIA)

Les trains canadiens sont lents, très lents, mais plutôt confortables (repas et boissons offerts pendant le trajet). Les *voitures coach* sont les moins chères. Le *Canrailpass* est une carte permettant des trajets illimités pendant un mois sur toutes les lignes canadiennes. On peut acheter un *Canrailpass* par courrier ou par fax, en France, auprès de ***Express Conseils :*** 5 *bis*, rue du Louvre, 75001 Paris. ☎ 01-42-60-05-45, ou bien dans les agences *Jet Set, Vacances Air Canada* et *Vacances Air Transat*. Réduction supplémentaire pour les jeunes (en principes moins de 25 ans). Inutile si vous restez dans la partie est du Canada. Horaires peu pratiques.

Auto-stop

Pouce en québécois, *hitch-hiking* en anglais.
Sensiblement les mêmes conditions qu'aux États-Unis. Beaucoup de concurrence en été sur la transcanadienne. Compter une bonne semaine pour aller de Montréal à Vancouver (nombreuses auberges de jeunesse tout au long du chemin). Pour la sortie des villes, on conseille de prendre un bus urbain. Le stop est facile dans le nord du Québec, dans les endroits fréquentés par les forestiers, ainsi que sur les grands axes. Attention toutefois : le stop est toléré sur les autoroutes au Québec, mais interdit dans les provinces anglophones. Les relais routiers *(truck stops)* sont de bons points de rencontre. Demander directement aux chauffeurs leur destination.
Le système *Allôstop*, qui permet de mettre en contact les stoppeurs et les « transporteurs », fonctionne dans de nombreuses villes (pas de bureaux au-delà de Rimouski). Il suffit simplement de payer un droit d'inscription pour faire partie du réseau.
Beaucoup de Québécois partent en vacances les deux semaines qui suivent le 15 juillet. Ce sont les « vacances de la construction ». Les villes sont moins animées et il y a beaucoup plus de monde sur les routes.

GÉNÉRALITÉS

Distance entre les principales villes canadiennes (en kilomètres)

	WINNIPEG	WHITEHORSE	VICTORIA	VANCOUVER	TORONTO	SAINT JOHN'S	REGINA	QUÉBEC	OTTAWA	MONTRÉAL	MONCTON	JASPER	HALIFAX	GASPÉ	EDMONTON	CHICOUTIMI	CALGARY
CALGARY	1336	2385	1162	1057	3434	6334	764	4014	3553	3743	4756	415	4973	4694	299	4220	
CHICOUTIMI	2884	6326	5382	5277	1015	2338	3455	206	666	476	760	4609	977	679	3294		4220
EDMONTON	1357	2086	1349	1244	3455	6367	785	4035	3547	3764	4788	369	5013	4715		3294	299
GASPÉ	3359	6801	5856	5752	1490	2248	3930	703	1141	951	669	5084	945		4715	679	4694
HALIFAX	3656	7099	6154	6050	1788	1503	4228	982	1439	1249	275	5382		945	5013	977	4973
JASPER	1725	2247	980	875	3824	6735	1154	4403	3943	4133	5156		5382	5084	369	4609	415
MONCTON	3431	6874	5929	5824	1563	1579	4002	784	1213	1024		5156	275	669	4788	760	4756
MONTRÉAL	2408	5850	4905	4801	539	2602	2979	270	190		1024	4133	1249	951	3764	476	3743
OTTAWA	2218	5660	5126	4611	399	2792	2789	460		190	1213	3943	1439	1141	3547	666	3553
QUÉBEC	2678	6120	5176	5071	809	2363	3249		460	270	784	4403	982	703	4035	206	4014
REGINA	571	2871	1926	1822	2670	5581		3249	2789	2979	4002	1154	4228	3930	785	3455	764
SAINT JOHN'S	5010	8452	7775	7403	3141		5581	2363	2792	2602	1579	6735	1503	2248	6376	2338	6334
TORONTO	2099	5528	4596	4492		3141	2670	809	399	539	1563	3824	1788	1490	3455	1015	3434
VANCOUVER	2232	2697	105		4492	7403	1822	5071	4611	4801	5824	875	6050	5752	1244	5277	1057
VICTORIA	2337	2802		105	4596	7775	1926	5176	5126	4905	5929	980	6154	5856	1349	5382	1162
WHITEHORSE	3524		2802	2697	5528	8452	2871	6210	5660	5850	6874	2247	7099	6801	2086	6326	2385
WINNIPEG		3524	2337	2232	2099	5010	571	2678	2218	2408	3431	1725	3656	3359	1357	2884	1336

Location de motos

Nouveau Monde a une formule novatrice très attirante qui consiste non seulement à louer des motos mais aussi à organiser des « virées » entre motards expérimentés connaissant bien la région. Les itinéraires durent de quelques jours à un mois et couvrent beaucoup de régions du Canada, dans des styles toujours différents, de la balade nature au circuit pour motard chevronné.

■ *Nouveau Monde* : 8, rue Mabillon, 75006 Paris. ☎ 01-43-29-40-40.   Fax : 01-46-34-19-67. M. : Mabillon. Pour tous renseignements.

Location de voitures

Toujours téléphoner avant et demander si la compagnie propose un « spécial ». Donc, ne pas hésiter à en interroger plusieurs pour connaître la moins chère. Si vous longez la frontière Canada-États-Unis, les locations aux États-Unis sont un peu moins chères.

Dans tous les cas de figures, pour louer une voiture au Canada, il faut avoir au moins 18 ans, le plus souvent 21 ans et parfois même 25 ans en fonction des exigences des compagnies qui réclament la plupart du temps une carte de crédit au nom du conducteur. Le permis de conduire français rose à 3 volets est valable au Canada, et est le seul valable au Québec. Attention, les assurances sont chères si l'on inclut les taxes.

L'hiver, exigez des véhicules équipés de pneus-neige, les pneus « 4 saisons » sont totalement inefficaces. Les distances étant grandes, prenez évidemment l'option kilométrage illimité. Vous aurez une voiture avec boîte automatique. Pas de panique, on s'y habitue vite.

Attention : vitesse limitée à 50 km/h en ville et 100 km/h sur autoroute. Quant aux feux, ils sont situés de l'autre côté de l'intersection ; attention de ne pas vous arrêter en plein milieu du carrefour !

À retenir : quand un bus scolaire s'arrête pour faire descendre ou monter des élèves, des clignotants s'allument et un petit panneau « ARRÊT » s'affiche sur la portière du conducteur. Toutes les voitures doivent s'arrêter (celles qui suivent ou celles qui viennent d'en face), jusqu'à ce que les clignotants s'éteignent (même s'il n'y a pas d'enfants... *the law is the law !*), sinon, l'addition est particulièrement salée !

La plupart des parkings sont payants et assez chers, surtout dans les grandes villes. Prévoyez donc un budget en conséquence. Il faut obligatoirement enlever sa voiture aux horaires indiqués sur les panneaux réglementant le stationnement, notamment dans les grandes villes. Les mises en fourrière sont hyper rapides. D'autre part, il est interdit de stationner devant une borne incendie, même si aucun panneau ne le stipule.

– *Hertz* vous propose un grand choix de véhicules au départ de toutes les grandes villes et des principaux aéroports. Service assistance *Hertz* 24 h sur 24 et en français. Vous pouvez réserver à partir de la France : ☎ 01-39-38-38-38.

Achat d'une voiture d'occasion

Il faut compter *grosso modo* entre 25 et 30 % de plus que l'achat simple pour avoir les plaques d'immatriculation, l'assurance, etc. Le processus le plus courant est de passer par les annonces de journaux. C'est tout simple : on voit le vendeur et la voiture, on décide de l'achat (un contrat écrit est établi), on paie une avance (en liquide), puis on va ensemble au Bureau des véhicules automobiles où l'on raque pour obtenir le certificat d'immatriculation et les nouvelles plaques. À la sortie, on paie au vendeur le solde (toujours en liquide).

Pour l'assurance, le *Club automobile du Québec-CAA* offre des prix avantageux. Se renseigner.

Transport de véhicules

Une adresse : **Allship :** 93, rue Jean-Lolive, 93100 Montreuil. Sur rendez-vous. ☎ et fax : 01-48-70-04-45. Demander Charlie. Les véhicules seront transportés en rouliers réguliers (pas de passagers !). Les motos sont prises telles quelles, sans emballage coûteux, sur toutes les destinations *Allship*. Dans tous les cas, indiquer à Charlie les dimensions du véhicule ! Les motos achetées là-bas peuvent revenir sur l'Europe du Nord dans les mêmes conditions. Comme les voitures, d'ailleurs, même si les droits et taxes et les Mines alourdissent l'ardoise, ça reste très supportable.

Transporter votre équipement ?

Allship dessert toujours 152 villes du continent, du Mexique au Canada : consultez-le si vous avez plus que les 2 valises maxi (ou une malle) acceptées par la compagnie aérienne.

Location de motorhomes

Bonne idée pour partir en famille ou à plusieurs. Dites plutôt « roulotte », ou « motorisé », que « motorhome »... Le réseau est étendu, avec des départs de Québec, Montréal, Toronto, Calgary, Vancouver, Whitehorse, Edmonton, ainsi que des États-Unis. Nombreuses formules (aller simple ou circuit en boucle, kilométrage illimité ou pas). Idéal pour vivre au rythme de la nature canadienne.

Pour tous renseignements supplémentaires, s'adresser à la **Société d'Assurance Automobile du Québec :** ☎ (514) 873-76-20. Location possible hors saison chez **Vacances Air Transat.** Renseignements sur Minitel : 36-15, code VATF, et dans toutes les agences de voyages. Réservez tôt !

Autocar

Au Québec, la compagnie *Orléans* assure de nombreuses liaisons quotidiennes entre les différentes villes (notamment entre Montréal et Québec). D'autres compagnies effectuent également des liaisons régionales. Beaucoup offrent des réductions étudiants. **Orléans Express** propose un *Tour Pass,* forfait de 14 jours consécutifs (uniquement l'été), valable pour le Québec et l'Ontario sur toutes les compagnies d'autobus. On peut prolonger ce tour à 20 jours si on le désire. Pour toutes informations, à Toronto : ☎ (416) 393-79-11 ; à Québec : ☎ (418) 525-30-00 ; à Montréal : ☎ (514) 842-22-81 ; à Ottawa : ☎ (613) 238-59-00. Malgré cela, certains de nos lecteurs se sont plaints du système *Tour Pass,* trop limité dans le temps pour être intéressant. Si on ne veut pas perdre la somme investie, on en vient à visiter le pays à un rythme rapide et frustrant. À chacun de juger en fonction de son planning. Si on compte rester assez longtemps, ce n'est bien sûr pas rentable.

Les bus sont souvent plus vieux qu'aux États-Unis, et moins confortables. Il n'y a jamais de douches dans les terminaux (sauf dans le Winnipeg), parfois un « lavabo privé » pour 25 cents. Pour les autocars et le train, n'oubliez pas les tarifs *Excursion* (30 à 40 % de réduction). Sachez enfin que la compagnie américaine **Greyhound** est présente à Montréal : ☎ (514) 842-22-81. Tarifs corrects dans l'ensemble, mais attention cependant : les horaires ne sont pas toujours respectés.

Avion

Air Canada ne possède guère de tarifs intéressants sur ses lignes intérieures. Mais pour un billet aller et retour acheté en Europe, toutes les compagnies proposent des *pass* intérieurs avec 30 % de réduction. *Canadian International* possède un bon réseau de lignes.

Péniches et bateaux

■ *Blakes Bourry Service :* 70, rue des Martyrs, 75009 Paris. ☎ 01-48-78-70-00. Fax : 01-48-78-78-00. M. : Pigalle. Centrale de réservation pour la location de pénichettes (sans permis) en Europe, en Amérique du Nord et notamment au Québec.

Travail au Québec

Stages agricoles

■ *Sésame :* 9, square G.-Fauré, 75017 Paris. ☎ 01-40-54-07-08. M. : Malesherbes. Pour les jeunes agriculteurs entre 18 et 30 ans. Stages de 3 mois à 1 an. Formation agricole et expérience (stage ou emploi) requises.

■ *France-Québec :* voir « Adresses utiles ». Récolte de fruits. Pour la cueillette des pommes (mi-septembre-mi-octobre), contacter *France-Québec* à Paris dès le mois de février : ☎ 01-45-54-35-37.

Organismes susceptibles de procurer un stage ou un job

■ *Office Franco-Québécois pour la Jeunesse :* 5, rue de Logelbach, 75017 Paris. ☎ 01-40-54-67-67. M. : Monceau. Ouvert du lundi au vendredi de 9 h 30 à 12 h 30 et de 14 h à 18 h (centre de documentation uniquement). Minitel : 36-15, code OFQJ (1,29 F/mn). Internet : www.integra.fr/ofqj. E-mail : ofqj-doc@club-internet.fr.

Cet organisme bigouvernemental, créé en 1968, a permis à plus de 80 000 jeunes Français et Québécois de découvrir l'autre communauté. L'OFQJ s'adresse aux jeunes de 18 à 35 ans porteurs de projets s'inscrivant dans deux grands volets – immersion dans le monde du travail, séjours à thèmes ou rencontres professionnelles –, et couvrant divers secteurs : intégration-insertion, métiers et techniques, sciences et technologie, tourisme, management, commerce, droit international, environnement, etc.

L'aide de l'OFQJ se situe à différents niveaux : accès au centre de documentation, conseils et aides personnalisés à l'élaboration de projets, obtention des autorisations légales de séjours, logistique aérienne et hôtelière... Une contribution forfaitaire de 1 900 F est demandée aux participants.

Un programme spécifique « Formation et Emploi » concerne exclusivement les jeunes demandeurs d'emploi (les frais de participation peuvent être adaptés sur présentation d'un justificatif), susceptibles de bénéficier de stages qualifiants au Québec.

■ *Council on International Educational Exchange-Programme Work and Travel Canada :* 1, place de l'Odéon, 75006 Paris. M. : Odéon. Réunions d'information très régulièrement. Brochures sur demande. ☎ 01-44-41-74-99. Minitel : 36-15, code COUNCIL.

Si vous êtes étudiant et âgé de 18 ans au moins et 30 ans maximum, Council peut vous aider à trouver un travail sur le territoire canadien. Outre l'autorisation légale de travailler au Canada pour une durée de 4 mois, Council vous fournit une assurance, l'assistance si nécessaire et bien sûr des conseils dans le cadre de réunions d'information, et vous propose des tarifs aériens à des prix intéressants. Council propose deux nuits d'hébergement et une réunion d'orientation à l'arrivée. Coût du programme : 2 560 F. Excellente solution pour un séjour de plusieurs mois car le fait de bosser sur place rembourse tous vos frais. Les secteurs qui embauchent le plus restent l'hôtellerie, la restauration, la vente, les parcs nationaux, les parcs d'attractions.

Ce programme permet donc de partir « job en poche » ou de trouver l'emploi sur place. En fait, cette dernière solution a conquis au moins

40 % d'astucieux participants qui profitent des multiples offres d'emplois saisonniers existants au Canada. Et surtout, travailler au Canada est une expérience vraiment intéressante, très appréciée sur un C.V. mais qui demande, bien sûr, un maximum de mobilité et de souplesse.

Formalités pour ceux qui ont un job temporaire

– Passeport valide.
– Posséder une attestation d'emploi et un visa obligatoire à demander à *l'ambassade du Canada* : 35, av. Montaigne, 75008 Paris. ☎ 01-44-43-29-00. M. : Franklin-Roosevelt.
Enfin, au Canada, vous devez vous rendre au *Service de main-d'œuvre et d'immigration*. À Montréal : 5167, Jean-Talon Est. ☎ 864-91-91. M. : Jean-Talon.

– Toute personne qui n'est ni citoyen canadien, ni immigrant « reçu » et qui veut travailler ou étudier au Canada doit être en possession d'une autorisation spéciale, avant même d'entrer au Canada. Pour de plus amples renseignements, s'adresser à l'ambassade ou au consulat canadien le plus proche.
Sachez tout de même qu'il est de plus en plus difficile d'obtenir un job au Canada si vous n'êtes pas spécialiste dans un domaine particulier.
– Ceux qui obtiennent un visa de travailleur temporaire reçoivent une « carte fédérale », fournie par le gouvernement du Canada et qui donne droit à un numéro d'assurance sociale... et c'est tout. Une « carte provinciale » obtenue à la Régie de l'assurance maladie du Québec (pour le seul Québec, évidemment !) donne un autre numéro qui permet, lui, d'obtenir les soins gratuits.

Séjour au pair (1 an maximum)

■ *Association nouvelle franco-québécoise :* 4, quai du Port, 94130 Nogent-sur-Marne. ☎ 01-43-24-34-66.

■ *France-Canada* et *France-Québec :* voir, plus haut, « Adresses utiles ».

Travail bénévole

■ *Concordia :* 1, rue de Metz, 75010 Paris. ☎ 01-45-23-00-23. Fax : 01-47-70-68-27. M. : Strasbourg-Saint-Denis. Travail bénévole. Logé, nourri. Chantiers très variés : restauration du patrimoine, valorisation de l'environnement, travail d'animation... Places limitées. Attention, voyage à la charge du participant.

« Mon pays, ce n'est pas un pays, c'est l'hiver... »

Gilles Vigneault.

Pour les Français, le Canada c'est avant tout le Québec. Depuis que Félix Leclerc nous a rappelé que les habitants des « quelques arpents de neige » d'outre-Atlantique ont su garder le « parler » français, nous sommes fascinés par ces francophones nord-américains. Francophones oui, Français certainement pas. Car trois siècles d'isolation et de luttes ont forgé un caractère national tout à fait distinct chez ces sujets abandonnés de Louis XV. Et si les Québécois ont tendance à nous appeler – nous autres Français de France – les « maudits Français », il faut avouer qu'ils ont parfois raison. Outre l'aspect historique, notre nombrilisme légendaire fait de nous des touristes relativement pénibles, surtout dans ce pays dont nous partageons la langue. Nos cousins québécois fatiguent devant les éternels « en France, nous... »! Ils aiment et admirent le pays de leurs ancêtres; mais s'ils ne représentent pas encore un État souverain (ils ne quitteront peut-être jamais la confédération canadienne), ils ne sont certainement pas non plus les gérants d'une lointaine province française !

Entre la France et le Québec, il n'y a pas seulement le fossé des siècles et de l'Atlantique, mais aussi une différence d'état d'esprit. Les Québécois ont une mentalité nord-américaine, forgée par des ancêtres pionniers qui ont lutté pour s'implanter dans un paysage de neige où il gèle à pierre fendre. Nous autres du Vieux Monde avons parfois du mal à appréhender les Nord-Américains, car nos valeurs et nos références sont ancrées dans une continuité historique. Alors que chez eux cet « esprit pionnier » ne s'efface pas encore devant leur histoire.

La nuit des temps

L'état actuel des connaissances laisse supposer que les Indiens d'Amérique, les Amérindiens, sont d'origine asiatique et auraient pris pied sur le continent au départ de l'Asie du Nord via l'Alaska. La première vague remonterait à environ 40 000 ans. C'est en suivant les troupeaux de cervidés en migration que se serait tout naturellement effectuée la traversée du détroit de Béring asséché par ces chasseurs-cueilleurs nomades, sans cesse à la recherche d'un abondant gibier. L'essaimage sur l'ensemble du territoire des Amériques s'est ensuite effectué graduellement et a donné lieu à de nombreuses civilisations autochtones originales et, parfois, remarquablement brillantes. Sur le territoire canadien, le nomadisme a perduré dans de nombreux cas jusque bien après l'arrivée des colons européens. Dans d'autres cas, la sédentarisation et l'agriculture ont dominé. Avant l'arrivée de l'Européen, toutes ces civilisations avaient en commun d'être dotées de religions animistes, de perpétuer la culture ancestrale au moyen d'une tradition essentiellement orale, et de croire à l'importance du respect d'un équilibre constant entre l'homme et la nature qui l'entoure et le nourrit. Elles ne croyaient pas à l'appropriation de la terre et ne reconnaissaient que le droit d'usage d'un territoire.

L'arrivée des premiers colons

Vers la fin du IXe siècle, des Irlandais chassés d'Islande s'implantent sur la rive nord du golfe du Saint-Laurent. Deux siècles plus tard, ce fut au tour d'Islandais, venus cette fois-ci du Groenland, de s'installer sur le littoral de Terre-Neuve et du Labrador. Certains ethnologues pensent que les Vikings ont occupé la côte est des États-Unis jusqu'en Virginie.

Ces premières migrations ont vraisemblablement donné naissance à un certain métissage, mais leur importance fut trop réduite pour ne pas être assimilée par le peuple indien.

La redécouverte

Découvert « officiellement » par Jean Cabot en 1497, le Canada va connaître par la suite un tas de découvreurs : Verrazano qui ne fit qu'une courte visite en 1524, mais réussit à magouiller et à donner son nom à un pont de New York. Jacques Cartier, le Malouin, y vint trois fois. C'est lui qui prendra possession du Canada au nom du roi de France, François Ier, en 1534. Quand il pénètre l'estuaire du Saint-Laurent, il croit qu'enfin la Chine est à portée de voile ! Il remonte le fleuve jusqu'à l'actuel emplacement du village Hochelaga et appelle la colline *mont Réal* (mont Royal) en l'honneur de son roi. Il est très vite arrêté par des rapides qu'il désigne comme ceux de *Lachine,* croyant fermement trouver l'Empire Céleste juste en amont ! Le type asiatique des indigènes pouvait laisser croire que l'on commençait à s'approcher sérieusement de l'Orient. Cartier, un peu à court d'imagination, baptise le fleuve *Saint-Laurent*... parce qu'on célébrait cette fête ce jour-là ! Jacques Cartier allait faire trois voyages vers le Canada ; le dernier eut lieu en 1541. Quant à l'origine du nom *Québec*, elle est controversée : certains prétendent que c'est un mot des Indiens algonquins qui signifie « contraction » ; effectivement, le fleuve se rétrécit à cet endroit.

Il était une fois... l'Amérique francophone

Imitant la politique des Anglais dans leurs colonies américaines, Richelieu fonde la Compagnie des Cent-Associés. À partir de 1629 et pendant 15 ans, cette compagnie allait jouir du monopole du commerce dans toute la vallée du Saint-Laurent, et importer ses produits libres de toute taxe en métropole. En échange, la compagnie s'engageait à faire venir en Nouvelle-France 300 colons par an (catholiques exclusivement), et à fournir trois prêtres pour chaque « installation ». Le Canada devint très vite la cible préférée des missionnaires français qui, eux-mêmes, devinrent la cible préférée des Indiens ! Mais la colonisation, du point de vue commercial, n'apporta pas les fruits escomptés : la compagnie périclita et, plus de 30 ans après sa fondation, il n'y avait que 2 000 âmes françaises perdues dans l'immensité nord-américaine. Les raisons de cet échec sont liées à la rigueur du climat, mais aussi au fait que, contrairement aux Britanniques (pour la plupart des quakers ou des puritains mal vus chez eux), les catholiques français n'étaient pas persécutés en métropole. Ils avaient même l'exclusivité lors des départs. Donc les raisons d'immigration reposaient uniquement sur l'appât d'un gain... très éventuel ! De plus, le pouvoir en métropole n'était en fait pas très encourageant... Colbert, par exemple, déclara qu'« il ne serait pas prudent de dépeupler le royaume de France pour peupler le Canada ». En 1663, Louis XIV dissout la compagnie et la Nouvelle-France devient une province royale administrée par un gouverneur et un intendant, comme les provinces de France.

PROVINCES ET POPULATIONS

La réaction britannique

Les Français ne sont pas les seuls à s'intéresser au Nouveau Monde, l'ennemi héréditaire est aussi sur les rangs. Deux ans après Champlain, le navigateur anglais Henry Hudson s'arrête extasié devant une baie immense, regarde à droite, puis à gauche, constate qu'il est seul et lui donne son nom. C'est une manie, quoi! Il est lui aussi persuadé d'avoir découvert le fameux « passage » vers la Chine. Mais la vie d'aventurier se paie parfois très cher. L'année 1611 lui est fatale : son équipage se révolte et, sans grande cérémonie, le largue dans un canoë au milieu des glaces du Grand Nord! Hudson laissa ainsi sa vie (et son nom) dans cette baie.

Par ailleurs, l'implantation française – même maigre – le long des rives du Saint-Laurent, et surtout les territoires conquis inquiètent énormément les Anglais. Maîtres de la côte est des États-Unis, ils se voient cernés de l'intérieur des terres. Les Français avaient tracé une voie du Saint-Laurent au golfe du Mexique, et les Anglais mesurèrent certainement mieux que le roi de France les possibilités qu'offrait une telle situation. Les colonies anglaises se comportaient comme des démocrates à part entière, et chacune poursuivait ses propres intérêts. La Couronne britannique savait qu'elle ne pourrait pas compter sur elles pour se battre contre la France. En revanche, l'implantation française s'étant faite au nom du roi, ses membres étaient fidèles à la Couronne française.

Pour contrecarrer une éventuelle mainmise française sur le continent nord-américain, les Anglais attaquèrent par le nord. Sir William Phips, parti de Boston en 1690, conquit l'Acadie qui devint la Nova Scotia (la Nouvelle-Écosse) puis, à la tête d'une flottille de bateaux (dont certains n'étaient que des barques de pêche!), il remonta le Saint-Laurent pour aller exiger la reddition de la ville de Québec. Le gouverneur Louis de Buade, comte de Frontenac, ne céda pas. Phips attaqua mais perdit la bataille... Malgré cette victoire et l'avantage énorme des Français sur l'échiquier géographique, le déclin était pourtant proche. Que pouvaient faire les 70 000 Canadiens français face au 1,5 million d'Anglais installés dans le Sud ? De plus, Louis XIV était trop empêtré dans sa lutte de domination en Europe, et son peuple montrait peu d'enthousiasme à l'émigration...

La défaite, l'abandon et l'oubli

Le traité d'Utrecht, qui mit fin à la guerre de Succession d'Espagne en 1700-1713, fut l'occasion pour les Anglais de faire admettre aux Français l'échec de leur politique sur le continent nord-américain. Par ce traité, la France cédait la baie d'Hudson, Terre-Neuve et la Nouvelle-Écosse. En 1755, les Britanniques, toujours aussi machiavéliques, décident d'expatrier les Acadiens de la Nouvelle-Écosse : c'est le « Grand Dérangement ». Beaucoup sont déportés, d'autres fuient en Louisiane ou retournent en France et peupleront Belle-Île.

Cet événement pèsera sur le déclenchement de la guerre de Sept Ans, pendant laquelle la suprématie de la flotte anglaise fut décisive. Les Anglais sont alliés aux Iroquois et les Français aux Hurons. En 1759, l'armée française commandée par Montcalm (sûr qu'il aurait dû s'énerver un peu) est battue à Québec et, au Traité de Paris en 1763, la France perd toutes ses possessions, mais garde Saint-Pierre-et-Miquelon comme lot de consolation.

Après 150 ans d'occupation d'un territoire inhospitalier, la Nouvelle-France est abandonnée. L'armée, ayant brûlé ses drapeaux, rentre en France suivie par presque tous les notables et commerçants de la colonie qui ne laissent derrière eux que les Français les plus démunis (une majorité évidemment), livrés aux Anglais.

Les colons britanniques ne se précipitent pas pour autant vers l'hiver québécois, et le nouveau gouverneur James Murray doit sympathiser avec les Québécois, dont il avait admiré le courage. L'« Acte du Québec » (1774) rétablit les privilèges et les dîmes du clergé catholique (bien que l'Église officielle soit dorénavant anglicane). Il donne aussi des sièges au conseil gouvernemental pour les francophones.

Petites conséquences linguistiques

Les rapports de tout temps ambigus entre les Québécois et le Canada anglophone, illustrés par le « Je veux, moi non plus » qui caractérisait leur désir d'autonomie, trouvent leurs racines dans cette époque troublée. Le fait d'avoir été abandonnés par leur classe bourgeoise et leur patrie a laissé ces 70 000 Canadiens français orphelins. Et puis, tout compte fait, ces Britanniques « n'étaient pas pires », surtout au début de leur histoire commune, après la démission de la métropole. D'ailleurs, les expressions populaires ont souvent des racines « émotionnelles » précises. Chez les Québécois, l'expression « C'est pas pire » est utilisée aussi bien littéralement que pour exprimer une grande satisfaction.

Cette ambiguïté est illustrée dès 1775, quand les insurgés américains envahissent le Québec en pensant le rallier à leur cause (l'indépendance). Mais les Canadiens français se rangent du côté des Anglais ! La révolution américaine marqua profondément le Canada : des milliers de réfugiés « américano-britanniques » ont traversé la frontière pour rester loyaux à la Couronne britannique, laquelle donnera plus de 4 millions de livres en compensation des pertes subies aux États-Unis. Ce jeu du chat et de la souris auquel se livrent les francophones et les anglophones a eu des répercussions culturelles dans les deux communautés.

L'un des exemples les plus frappants est le *joual*, c'est-à-dire le patois québécois. Par exemple, avec l'expression « magasiner » (et non pas faire du « shopping » ou de bêtes « courses »), le fait de décliner le mot magasin comme un verbe est un détournement francophone de la grammaire anglaise ! Tout comme le « je suis en amour » (« I am in love »), le « prendre une marche » (« take a walk ») et tant d'autres... On ne peut pas accuser les Québécois de parler franglais, mais ils ont détourné des mots en les francisant d'une telle manière qu'un Anglais n'y retrouverait pas... son latin ! Le mot « chum », qui est de l'argot britannique d'avant-guerre (complètement tombé en désuétude depuis) et désigne un copain, devient au Québec « tchumme ». On « jobe », « jobine », ou « jobette » selon l'importance du travail qui nous est confié...

Bref, 300 ans de liberté à l'écart de l'austère et intraitable Académie française a donné une langue française vivante (n'en déplaise aux puristes), nettement plus pratique dans le monde moderne, et qui a gardé toute la puissance poétique et imagée que l'on rencontre encore aujourd'hui dans le parler des provinces de Loire. Il suffit de lire le romancier Félix Leclerc (bien que peu de ses livres aient été publiés en France) pour s'en convaincre !

Les problèmes recommencent

La colonisation anglaise devient effective en 1783 avec l'afflux des loyalistes, colons américains fidèles à la Couronne. En 1791, la colonie est divisée en deux par le Constitutional Act : le Bas-Canada, à majorité française, qui conserve ses lois et un gouvernement indépendant, et le Haut-Canada, construit et administré sur le modèle britannique. La guerre anglo-américaine donne une nouvelle occasion aux Américains d'espérer englober le Canada dans les États-Unis. Les combats sont particulièrement vigoureux à la frontière, autour du Niagara, où Français, Indiens et Anglais confondus tiennent tête aux Américains. Mais « l'invasion » américaine est un échec. Un traité est signé à Ghent en 1814 : la frontière avec les États-Unis est définitivement établie.

En 1838, les deux provinces se révoltent contre l'autoritarisme de Londres, mais elles sont écrasées. Les parlements provinciaux sont remplacés par un parlement unique avec égale représentation des deux communautés, mais la langue française perd toute existence légale. Il faudra huit ans de lutte, avec l'aide des libéraux anglais, pour qu'elle retrouve ses droits.

La première tentative d'indépendance du Bas-Canada (le Québec) est menée par Louis-Joseph Papineau. Il souhaite établir une république française sur les rives du Saint-Laurent. La même année, dans le Haut-Canada, William Lyon Mackenzie mène une révolte contre les Britanniques, avec l'idée d'y établir une deuxième république, mais avec comme modèle... les États-Unis ! Que de fil à retordre pour la pauvre Couronne britannique qui, jamais en manque d'hommes forts, envoie « Radical Jack ». Le comte de Durham (c'est lui) n'aime pas les Québécois, ce « peuple sans histoire et sans littérature » qui constitue une menace pour le Canada anglophone. Il préconise une réunion des deux Canada afin que les anglophones dominent les francophones. C'est chose faite en 1840 : un million d'habitants et un seul gouvernement.

Cette union ne fonctionna pas et n'amena pas plus de stabilité politique entre les deux communautés. Les Français et les Anglais étaient suffisamment égaux en force et en nombre pour rendre le pays ingouvernable. Qui dit « union » dit une seule et même capitale. Or choisir la ville de Québec aurait donné l'avantage aux francophones, et préférer Toronto aurait privilégié les anglophones. En désespoir de cause, la reine Victoria fut consultée. Elle regarda la carte géographique du pays incriminé et choisit une toute petite ville, Bytown, située sur la rivière Outaouais, à la frontière du Haut et du Bas-Canada. Bytown fut alors rebaptisée *Ottawa*.

Le modèle américain

En 1864, l'idée d'une fédération refait surface avec pour partenaires le Nouveau-Brunswick, la Nouvelle-Écosse et l'île du Prince-Édouard. Une conférence est tenue à Québec en octobre de la même année. Il y est décidé que le Canada serait la première confédération de l'Empire britannique. Le 1er juillet 1867, le Canada devient donc « dominion britannique » (confédération de provinces) et cette date marque officiellement la fête nationale.
À cette époque, avec l'apport de l'émigration écossaise et irlandaise, la population du Haut-Canada dépasse pour la première fois celle du Canada français.
Cette confédération est née, en fait, d'une nécessité économique : le chemin de fer. Il devenait impératif de relier le Canada d'est en ouest et d'avoir le pouvoir financier nécessaire pour réaliser un tel projet. Mais la confédération n'est pas un succès instantané. Ainsi Terre-Neuve ne la rejoint qu'en 1949. Cependant, le fameux chemin de fer est quand même achevé dès 1885.
En 1931, le pays acquiert l'indépendance, mais est toujours partie prenante du Commonwealth britannique.
Le drapeau canadien, rouge et blanc avec une feuille d'érable, n'a été finalement choisi qu'en 1965, en remplacement de l'Union Jack.

Le Canada et le XXe siècle

Le Canada est aujourd'hui une monarchie constitutionnelle au sein du Commonwealth britannique. La reine est représentée par un gouverneur général, mais à titre purement honorifique. Chaque province jouit d'une grande autonomie en matière d'éducation, de logement et de ressources. La souplesse qui caractérise une confédération ouvre aussi la porte aux contestations... légales. Par exemple, il y a actuellement un parti politique anglophone qui, lassé des turbulences « francophonesques », préconise l'expulsion pure et simple du Québec de la confédération ! L'arroseur arrosé en quelque sorte...
La première guerre à laquelle les Canadiens participent en dehors de leur territoire fut la guerre des Boers, en Afrique du Sud, contre les Afrikaners. Elle fut suivie par la Première Guerre mondiale. À cette occasion Henri Bourassa, un chef politique québécois, déclara que « les vrais ennemis des Canadiens français ne sont pas les Allemands, mais les Canadiens anglais angliciseurs, les Ontariens intrigants et les prêtres irlandais » (les Irlandais étant certes catholiques, mais anglophones...). Et il est vrai que, par la suite, beaucoup de Québécois sont allés à la guerre à reculons. Pendant la Seconde Guerre mondiale, la menace nazie paraissait bien trop loin pour le Nouveau Monde, et les attaches européennes, tant françaises que britanniques, étaient devenues douteuses. Mais, malgré ses réticences, le Canada paya le prix fort durant les deux guerres mondiales : 60 000 morts pour la Première et 43 000 pour la Seconde.

L'influence des États-Unis

Le « grand voisin d'à côté » est omniprésent dans l'histoire économique du pays, et le Canada subira la Grande Dépression ainsi que tous les flux, reflux et autres avatars financiers des États-Unis. Si chaque communauté a gardé une identité spécifique, l'influence américaine est néanmoins considérable. Les fast-food, le Coca, et les aspirations de l'*American way of life* sont partout, à chaque coin de rue. Dans la communauté francophone, l'impact de l'*American dream* était tel que déjà, dans les années 20, on avait interdit le cinéma aux adolescents !

« Nègres blancs d'Amérique »

L'ancien empire industriel anglophone qui s'étendait sur les rives du canal de Lachine n'est plus qu'un souvenir et, durant ces trois dernières décennies, on a vu les francophones prendre peu à peu le pouvoir économique. C'est ce qui a été appelé la « révolution tranquille ». Jadis aux mains des quelques grandes familles anglophones qui tenaient le Golden Square Mile (le Mile Carré Doré, situé sur les pentes du Mont-Royal à Montréal), l'industrie lourde employait la main-d'œuvre française bon marché. Surnommés les « Nègres blancs d'Amérique » par l'écrivain Pierre Vallières, les francophones, assujettis par une minorité anglophone et le clergé, vivaient une situation proche de celle des Irlandais au siècle passé : domination britannique et misère économique pour des familles nombreuses (très !) et catholiques pratiquantes.

Je me souviens...

La « révolution tranquille » fut précédée par la « revanche des berceaux ». Un peu comme dans une ambiance de « multiplication des pains », les Québécois francophones, avec leurs familles de douze (voire quinze, voire même vingt enfants !), ont littéralement noyé la communauté anglophone. Cette révolution-là, les Québécois la doivent au clergé qui voyait dans la fécondité des femmes le moyen le plus sûr, non pas de résister au pouvoir anglophone, comme on a tendance à la suggérer, mais d'implanter solidement l'Église romaine dans le Nouveau Monde. On était pauvre mais pieux... L'emprise du clergé fut telle que, dans les années 60, le Québec francophone continuait à se mettre à genoux devant le poste de radio tous les jours à 19 h pour réciter en chœur les prières du chapelet avec le cardinal ! Le diocèse de Montréal formait encore à cette époque 700 à 800 prêtres par an. Aujourd'hui, il en sort à peine 7 ou 8 ! Cette frénésie religieuse s'est éteinte brutalement au début des années 70, dans la foulée de la génération « peace and love ». Par ailleurs, avec l'arrivée de près de 50 000 immigrés par an, les milieux francophones parlent aujourd'hui de menace linguistique. Car ces nouveaux immigrants italiens, grecs, libanais, asiatiques et autres apprennent – ou maîtrisent déjà en seconde langue – l'anglais, et moins du tiers parlent le français. Le gouvernement du Québec s'est néanmoins fixé pour objectif d'accueillir 40 % d'immigrants francophones, qu'il recrute, en France notamment, en multipliant les séances d'information... Le Québec du XXIe siècle est une interrogation. Va-t-on aujourd'hui vers une évolution multiculturelle avec l'anglais ou le français comme langue dominante ? État souverain ou province canadienne ? Autant de questions qui rendent la devise du Québec, *Je me souviens,* plus que jamais d'actualité.

La question du Québec

Nous n'avons surtout pas la prétention ici de tout expliquer en quelques lignes. Nous souhaitons seulement fournir quelques éléments d'histoire pour aborder cette situation compliquée, mais qui sera présente tout au long de votre voyage, dans vos rencontres, dans les manifestations culturelles, dans tous les aspects de la vie sociale.

On l'a vu, le Québec a une histoire qui se confond avec celle du Canada. Historiquement, les Canadiens français auraient dû être largement assimilés. Cela n'a pas été le cas. Pour plusieurs raisons : d'abord, en 1763, les Anglais n'étaient pas assez nombreux pour imposer vraiment la langue et les lois britanniques. Puis, en 1774, Londres accorda une certaine autonomie aux Canadiens français pour les empêcher de s'allier aux colons américains en révolte. On les laissa donc vivre en « Français ». Ensuite, il y eut la « revanche des berceaux ». Le Québec connut un taux de natalité beaucoup plus fort que les autres provinces canadiennes. De 1760 à 1850, la population québécoise doubla tous les vingt-cinq ans. La structure sociale, essentiellement rurale, ne favorisa pas l'assimilation. À plusieurs périodes même, les Canadiens français trouveront dans les libéraux anglais du Haut-Canada un soutien à leurs revendications.

En 1867, les Québécois obtiennent enfin, avec le *British North-America Act,* la garantie du maintien de leur langue, de l'organisation de la scolarité et la maîtrise de leur administration. Le système confédéral, avec la création de quatre provinces, permet cette relative autonomie. Les leviers de l'industrie et du commerce restent cependant entre les mains des Anglais. De 1867 à 1960, le Québec va vivre sous le signe de l'affirmation de son identité et de l'acquisition de nouveaux droits.

Une période marquera profondément la « Belle Province » : le *duplessisme.* De 1936 à 1960, Maurice Duplessis, leader de l'Union nationale, régnera avec une autorité teintée de paternalisme sur le pays. Sa devise aurait pu être « Travail, Famille, Patrie ». La province pendant un quart de siècle n'évoluera presque pas, unifiée autour de ces valeurs traditionnelles.

Cependant, une fois de plus, l'aspect positif d'une telle organisation sociale fut de rendre le Québec imperméable à l'idéologie et au mode de vie anglo-saxons. Il se dota même à cette époque d'un drapeau bien à lui : le drapeau bleu et blanc fleurdelisé.

« Vive le Québec libre! »

Depuis 1960, tout a bien changé : la société québécoise a connu une mutation très importante. Grands programmes énergétiques, industrialisation, mouvement des idées l'ont fait émerger sur la scène internationale.

En 1967, le centenaire du Canada est fêté avec en toile de fond l'organisation de l'Exposition universelle de Montréal. C'est une occasion pour le Québec de prendre le pas sur les autres provinces et de s'imposer internationalement. Si cette fin de décennie, extrêmement agitée partout dans le monde, voit les séparatistes québécois luttant lors des élections, les activistes vont plus loin et commettent des attentats. Et c'est dans ce climat de grande agitation que de Gaulle (oubliant un instant que le Québec avait soutenu Vichy) lâche la petite phrase qui allait couper le souffle du monde : « Vive le Québec libre! » De Gaulle, homme respecté et figure « respectable » de la politique internationale, soutient publiquement ce que certains considèrent comme une idée terroriste émise par de jeunes agitateurs! Beaucoup d'encre a coulé pour tenter d'expliquer cette phrase ou plutôt ce cri. Mais avec le recul, l'explication la plus plausible reste que de Gaulle a saisi une occasion de semer une certaine perturbation chez les Britanniques et les Américains... N'oublions pas qu'il ne leur avait pas pardonné Yalta et qu'il avait tout de même un esprit franc-tireur!

Mais, en dehors du choc psychologique créé, cette phrase n'a pas été suivie de la moindre aide concrète de la part de la France pour aider les Québécois à obtenir une quelconque indépendance...

Malgré tout, un an après cet appel, un dissident du parti libéral, René Lévesque, journaliste influent de la télévision québécoise, fonda le *Parti québécois*. En 1970, sa formation obtint 24 % de voix et quelques sièges. C'est à cette époque que de jeunes Québécois, impatients et peu confiants dans les voies institutionnelles, créèrent le *F.L.Q.* (Front de Libération du Québec) et se lancèrent dans le terrorisme.

Trudeau et le F.L.Q.

Entre-temps, en 1968, Pierre Elliott Trudeau, un avocat originaire de Montréal, bilingue et raffiné, devient, à 49 ans, le plus jeune Premier ministre (libéral) du Canada après avoir été un ministre très progressiste. En effet, durant son passage à la Justice, il réforma les lois sur l'homosexualité, le divorce, le contrôle des naissances et l'avortement. Trudeau était l'incarnation du Canadien français que les Canadiens anglais pouvaient aimer. Mais la nature des réformes l'avait rendu particulièrement impopulaire au Québec, où l'emprise de l'Église était encore plus que tenace. Bien que Trudeau accueillît presque avec sympathie la requête pour une égalité linguistique, il était farouchement opposé à toute idée d'indépendance. De leur côté, les membres du F.L.Q. accentuèrent les actions terroristes. Ils kidnappèrent le commissaire aux Affaires britanniques James Cross et assassinèrent le ministre québécois du Travail Pierre Laporte en octobre 1970 (on appelle d'ailleurs cette période la « crise d'octobre »). Le F.L.Q. fut déclaré hors la loi, puis Trudeau invoqua la « loi de mesures de guerre » et envoya 10 000 hommes au Québec pour y effectuer plusieurs centaines d'arrestations. Le choc émotionnel causé par le F.L.Q. eut d'importantes conséquences pas la suite.

Félix Leclerc a écrit une très belle chanson, *L'Alouette en colère,* dans laquelle un père raconte comment et surtout pourquoi « son fils » était devenu un assassin. Cette chanson eut un impact important, surtout auprès de la population âgée du Québec, qui, suite aux événements, était devenue hostile à toute idée d'indépendance. Ce climat pour le moins agité eut une autre conséquence : l'exode de beaucoup d'anglophones du Québec vers Toronto, qui prit le pas sur Montréal dans les secteurs financiers, démographique et culturel.

Oui-oui, non-non...

Aux élections provinciales de 1976, le Parti québécois l'emporta avec 41 % des voix. C'est cela qui donna confiance à René Lévesque et l'incita à organiser le référendum de 1980 sur la « Souveraineté-Association » : mandat politique de négociation visant à assurer au Québec la maîtrise totale de son destin dans un État souverain, associé au Canada dans une sorte de Marché commun. Malgré le soutien de personnalités telles que Félix Leclerc, Gilles Vigneault ou Robert Charlebois, cette proposition n'obtint que 41 % des voix et fut rejetée. Lui étaient opposés les milieux d'affaires et du commerce, une large partie de la minorité anglophone (20 % de la population du Québec), ceux qu'effrayait un processus trop rapide à leurs yeux et tous ceux, bien sûr, qui souhaitaient rester dans la confédération. En revanche, les jeunes et les ouvriers votèrent majoritairement oui. Au vu du résultat négatif, certains pensaient qu'aux élections provinciales suivantes ce « désaveu » se confirmerait dans les urnes et que le « P.Q. » serait battu. Ce fut le contraire qui se produisit, il obtint plus de voix et de sièges qu'au scrutin précédent !

La leçon de ce feuilleton politique à rebondissement montre à l'évidence que, si la majorité des Québécois n'était pas à un moment donné prête pour un changement politique trop radical, elle tenait néanmoins à manifester sa propre spécificité. Il est significatif qu'à Montréal certains quartiers de forte immigration grecque et italienne aient délaissé le parti libéral provincial pour le P.Q. et que deux candidats péquistes élus aient été... anglophones. Le vote refléta aussi, d'une certaine manière, autant la volonté des Québécois de marquer leur refus de l'américanisation du Canada que d'affirmer leur identité propre.

Une fois de plus, et malgré le vote puis l'adoption en 1977 de la « loi 101 » (qui faisait du français la seule langue officielle du Québec), la province marqua sa différence en 1982 en refusant de ratifier un amendement de la Constitution qui devait sceller une fois pour toutes l'identité politique canadienne. Pourtant, cet amendement libérait le Canada de l'obligation de devoir en référer à Londres pour chaque changement de ladite Constitution. Et une Charte des droits et libertés, semblable à la Déclaration des droits de l'homme française, y était ajoutée...

Au niveau fédéral, après avoir été au pouvoir pendant pratiquement 15 ans (avec une seule interruption de courte durée), le parti libéral de Trudeau a dû céder la place au parti conservateur en septembre 1984 (victoire de Mulroney) tandis qu'au Québec le parti québécois a perdu les élections en décembre 1985 au profit du parti libéral (Premier ministre, Robert Bourassa). Il vit aussi disparaître René Lévesque, l'un de ses fondateurs, décédé le 1er novembre 1987.

René Lévesque, figure politique haute en couleur, restera l'initiateur du droit à la différence. Il sut se faire respecter même de ses adversaires. Brian Mulroney, l'ex-Premier ministre conservateur, promit au Québec de lui permettre d'adhérer à la Constitution canadienne avec « enthousiasme et dignité » : ce qu'il fit en avril 1987, en signant les « accords du lac Meech » en compagnie des dix Premiers ministres provinciaux. En gros, ces accords prévoyaient 7 amendements à la Constitution de 1982, dont la reconnaissance du Québec comme « société distincte »... Pour être entérinés, ces accords devaient être adoptés par les onze parlements avant juin 1990 ; or dans l'intervalle, trois des Premiers ministres signataires furent remplacés par des successeurs qui ne l'entendaient pas de cette oreille !

À signaler qu'il existe plus d'un million de Canadiens francophones dans les autres provinces, surtout en Ontario et au Nouveau-Brunswick, toujours menacés d'assimilation par le milieu anglophone. Ce danger se trouverait évidemment accentué par un quelconque changement de statut du Québec, car c'est celui-ci qui maintient un rapport de force linguistique au niveau de la confédération. D'ailleurs, l'unité fédérée du Canada semble plus que jamais remise en question. En octobre 1992, lors d'un référendum, les Canadiens ont voté contre les propositions de réforme constitutionnelle. La rupture semble consommée, d'autant qu'à la longue le Canada anglais manifeste un net rejet du Québec.

Les nouveaux enjeux

Les querelles constitutionnelles ont d'ailleurs largement influencé le résultat des élections fédérales d'octobre 1993. Certes, le libéral Jean Chrétien, nouveau Premier ministre du Canada (et québécois de surcroît) dispose d'une forte majorité à la Chambre des communes d'Ottawa. Mais il doit compter avec deux nouvelles forces « régionalistes ». À l'ouest du pays, le *Reform Party,* parti populiste et ultra-conservateur, considéré comme francophobe et qui milite notamment pour la suppression du bilinguisme des institutions fédérales (imposé par Pierre Elliott Trudeau), jugé comme un facteur de gaspillage. Dans la « Belle Province », le *Bloc québécois,* parti d'opposition offi-cielle, qui défend la cause de la souveraineté du Québec.

Si Jean Chrétien a l'intention de démontrer que le Canada « est toujours la meilleure solution pour les Québécois », les « bloquistes » de Lucien Bou-chard sont fermement convaincus qu'« il y a deux pays dans ce pays ». Quoi qu'il en soit, le 12 septembre 1994, le parti québécois indépendantiste de Jacques Parizeau a remporté les élections législatives organisées dans la province en obtenant 77 des 125 sièges du Parlement québécois avec 44,7 % des suffrages... et Jean Chrétien s'est déclaré persuadé que les Québécois rejetteront l'indépendance lors du référendum promis par Jacques Parizeau en octobre 1995. L'histoire lui a donné raison mais il s'en fallut de peu : 49,6 % oui contre 50,4 % non... et Parizeau donna sa démis-sion, remplacé par Lucien Bouchard (ancien chef du Bloc québécois à Ottawa), à la tête du parti indépendantiste québécois et du gouvernement de la Province.

Lors des élections fédérales anticipées du 2 juin 1997, qui ont vu la relative victoire du parti libéral, 60 % de la population du Québec ont voté pour un autre parti que le leur. Un référendum comparable à celui de 1995 a aujourd'hui peu de chances d'aboutir...

La « spécificité » québécoise

Les Français du Canada échappèrent aux phénomènes de désintégration sociale que beaucoup émigrèrent par groupes de familles et par vil-lage. Les dangers de l'environnement leur commandant de s'unir, ils consti-tuèrent rapidement un groupe homogène bien plus, en vérité, que la France aux provinces si différentes, et une mentalité nouvelle en naîtra. À cet égard, il est intéressant de mentionner le rôle d'une institution bien propre aux Qué-bécois : le *rang,* qui sert d'adresse à la campagne. Lorsque les Québécois s'installèrent, ils disposèrent partout leurs maisons en ligne, le long d'une rivière ou d'une route, à faible distance l'une de l'autre. Ils découpèrent ensuite leurs parcelles de terre devant et derrière leur maison, perpendi-culairement à la rivière ou à la route. Ce qui transformait en fait chaque pro-priété en une longue bande de terrain, et chaque villageois pouvait ainsi trouver rapidement du secours chez ses premiers voisins en cas de néces-sité. Cette politique du rang tissa la solidarité et l'unité des villages, à la dif-férence de l'implantation dans l'Ouest américain qui se fit souvent de façon isolée et individualiste.

Très vite, la trilogie classique du village français, seigneur, curé et adminis-tration civile, se retrouva dans le village québécois limitée au seul curé. Les paroisses firent office d'administration, s'occupèrent de la scolarité et de tous les problèmes touchant à la vie sociale.

De plus, le Canadien français, beaucoup plus que son homologue anglo-saxon, noua des relations d'amitié et de bon voisinage avec les tribus indiennes. Il est certain que, s'il n'y eut pas véritablement d'échanges cultu-rels, l'Indien transmit en tout cas au Québécois son goût de l'indépendance, de la liberté et son amour pour la nature. On peut affirmer donc qu'au traité de Paris, qui cède le Canada à l'Angleterre, les Canadiens français ont déjà largement leurs traits spécifiques, leur propre organisation sociale, et que celle-ci va leur permettre de survivre pendant deux siècles en préservant leur identité.

Bougainville, aide de camp de Montcalm, dira d'eux : « Le Canadien est haut, glorieux, obligeant, affable, honnête, paresseux pour la culture des terres. Il consomme extrêmement d'eau-de-vie et s'adonne de bonne heure à la chasse... Malgré ce défaut d'éducation, il faut convenir qu'ils ont de l'esprit naturellement, ils parlent avec aisance, leur diction est remplie de phrases empruntées à la langue des sauvages. Il semble, conclut-il, que nous soyons d'une nation différente... »

À remarquer que les « Français de France », l'élite, marchands et membres de l'Administration, se cantonnaient dans les villes. Ils furent les premiers à partir en 1763, ne laissant plus sur place que l'organisation villageoise et son curé tout-puissant. La population, cimentée par la religion, préservera ainsi son héritage culturel, sa langue, ses coutumes. Ce qui explique un certain égalitarisme et la sociabilité des Québécois.

Québécois et Français aujourd'hui

À notre avis, l'erreur à ne pas commettre serait donc d'imaginer que parce qu'il parle le français, le Québécois est proche des Français. Nous l'avons vu dans le développement historique, au cours des siècles les Québécois se sont forgé une personnalité collective largement différente. Même si le Québécois a parfois tendance à vous faire comprendre qu'on pénètre difficilement dans les problèmes du Québec, ça ne sera jamais du mépris. Il croira toujours qu'aucun étranger ne peut vraiment appréhender la question nationale de son pays.

Raison de plus pour ne pas débarquer en donneur de leçons. Nous possédons à ce sujet un lourd passif de néocolonisation culturelle et de paternalisme insupportable. Pour un Français, il est souvent difficile d'admettre qu'une bouture de son propre peuple ait pu prendre un visage différent à travers l'histoire, et qu'à certains moments elle paraisse si proche, à d'autres si éloignée... Ne soyez pas trop rapide à émettre des jugements (ô Descartes!) et n'oubliez jamais qu'ici... c'est vous qui avez l'accent... français. Avec beaucoup de savoir-vivre et de modestie, vous vous donnerez l'occasion de rencontres extraordinairement chaleureuses et d'amitiés durables. Et si des jeunes vous accueillent par un « maudit Français », c'est bien souvent pour tester votre sens de l'humour et de la réplique. Leur attitude révèle, en général, plus d'affection rentrée pour un cousin (ou un arrière-grand-père) abusif que d'agressivité réelle. En tout cas, routard complexé et timide, vous ne serez jamais seul sur la route, les Québécois adorent « jaser », rire et chanter.

Les peuples autochtones dans l'histoire canadienne

Sauvages, Indiens ou autochtones ?

Après des siècles de cohabitation, les rapports entre les Québécois et les autochtones demeurent chargés d'incompréhension, d'ignorance (souvent assortie de préjugés) et de ressentiment mutuels... Symbolique, même l'utilisation des termes pour définir les uns et les autres est problématique! Durant les premières décennies de ce siècle, on employait (notamment dans les manuels d'histoire) le mot « Sauvages » pour parler des « Peaux-Rouges » ou des « Indiens » (ainsi baptisés par les premiers navigateurs qui croyaient avoir trouvé la route des Indes). Puis on les a nommés « Amérindiens », pour faire plus local. Aujourd'hui, on dit « autochtones », terme qui présente l'avantage d'englober les Inuit (car ceux-ci ne sont pas des Amérindiens).

Une classification difficile

Sur le territoire du Canada moderne, on dénombre une dizaine de familles linguistiques autochtones, subdivisées en une multitude de sous-familles (représentant souvent chacune un groupe ethnique distinct). En dresser le

LES COMMUNAUTÉS AUTOCHTONES DU QUÉBEC

portrait complet serait long et téméraire. Un exemple de la complexité? La famille wakaskenne, sur la côte Pacifique, regroupe les langues haisla, heiltsuk, kwakiutl, nuuchalnulth, nootka et nitinat! Encore? La famille athapaskane, autour des montagnes Rocheuses, groupe les langues castor, porteur, chilcotin, tcippewayan, flan-de-chien, han, lièvre, kaska, kutchin, sarsi, sakani, esclave, tagish, tahitan et tutchoni. Il y a vraiment de quoi y perdre son nassgitksan...

L'arrivée des colons... et des problèmes

L'arrivée des colons français, puis anglais dans ce qui allait devenir la Nouvelle-France puis le dominion du Canada, a irrémédiablement bouleversé le régime de vie indigène. L'importance de cette prise de possession, cependant, doit être évaluée à ses justes proportions. Le Canada a toujours été et demeure très peu densément peuplé. Aujourd'hui, 28 millions d'individus se partagent l'équivalent territorial de 20 fois la France. Dans la mesure où les conflits entre populations autochtones et colonisateurs furent largement déterminés par le désir des seconds d'accéder à la terre et aux ressources naturelles et d'implanter des colons, c'est un fait historique que les populations autochtones du Canada subirent diverses formes de sévices. Plus personne ne conteste cette réalité. Déportations, dépossession et persécutions diverses firent partie du lot, à mesure que s'amplifiait l'appétit de possession du Blanc et la mise en exploitation de la nature.

Les maladies nouvelles venues d'Europe ont lourdement sévi. En Amérique, dans l'ensemble, on va jusqu'à estimer qu'entre 1520 et 1700 la décimation indigène liée à la maladie a atteint un taux frisant les 90 %.

Les affrontements directs entre coloniaux et peuples indigènes au Canada eurent surtout lieu dans les grands bassins fertiles où le contrôle de la terre devenait un enjeu, comme la plaine du Saint-Laurent ou la périphérie des Grands Lacs. À l'écart du littoral, les contacts furent plus rares, se confinant souvent à l'échange commercial sans autre désir d'occupation.

Prise de conscience et mea culpa

Les Québécois (comme d'ailleurs les autres Canadiens) savent qu'ils ont eu des torts et ne peuvent se défendre d'un certain sentiment de culpabilité « historique ». Tout en estimant souvent que les autochtones bénéficient d'énormes privilèges (fiscaux notamment). Les autochtones, eux, cherchent à sauvegarder leur différence, leur culture (malmenée, on le sait, par la modernité), se sentent exploités et réclament des territoires auxquels ils estiment toujours avoir droit. Tout en faisant valoir que leurs revendications sont aussi légitimes que celles des Québécois vis-à-vis du pouvoir fédéral canadien. On le voit, le problème est loin d'être simple !

Un récent rapport du secrétariat québécois aux Affaires autochtones souligne que « le bouleversement vécu par les autochtones depuis l'arrivée des Européens sur le continent a laissé des séquelles dont ils souffrent encore aujourd'hui ». Les dernières décennies ont provoqué des changements sociaux particulièrement rapides et profonds. Par exemple, il y a 50 ans à peine, les Inuit et une grande partie des Amérindiens menaient une vie nomade.

Les autochtones ont en effet durement ressenti le choc de la modernité, perdant leurs repères, leur identité vis-à-vis des Québécois. Un écart important demeure encore entre leurs conditions de vie et celles de la population du Québec en général.

Qu'en est-il exactement ? D'après des statistiques gouvernementales établies en 1987, le taux de suicide est 3 fois supérieur chez les autochtones, le taux de mortalité infantile 3,5 fois plus élevé, l'espérance de vie de ceux vivant dans des réserves de 8,6 ans inférieure.

Combien sont-ils ?

Les « Indiens inscrits » sont aujourd'hui environ 500 000 répartis à travers le Canada, soit environ 1,9 % de la population totale. Rappelons qu'au moment de l'arrivée du Blanc il y avait environ un demi-million d'autochtones, soit une croissance démographique nulle sur 4 siècles. Aujourd'hui, plus de la moitié d'entre eux ont moins de 25 ans. On estime que d'ici l'an 2001, le nombre d'Indiens inscrits atteindra 623 000 personnes et représentera 2,1 % de la population canadienne.

Ce taux de croissance démographique élevé s'explique notamment par la modification de 1985 de la loi sur les Indiens, qui a permis la réintégration, ou l'inscription pour la première fois, de 85 000 d'entre eux.

Qu'est-ce que la loi sur les Indiens?

Au terme de la Constitution canadienne, le gouvernement fédéral est habilité à légiférer en ce qui concerne les « Indiens et les terres réservées pour les Indiens ». La première « loi sur les Indiens » a été adoptée en 1876. Celle-ci a été modifiée de nombreuses fois.

Ainsi, avant 1960, les « Indiens inscrits » (c'est-à-dire enregistrés comme tels en vertu de la loi) et vivant dans les réserves n'avaient pas le droit de vote aux élections fédérales. Par ailleurs, ce n'est qu'en 1969 que les Amérindiens ont obtenu le droit de vote aux élections provinciales.

Mais ce n'est qu'en 1985 que cette loi est (enfin) devenue conforme aux dispositions contenues dans la Charte canadienne des droits et libertés ! Auparavant, les « Indiens » (puisque c'est encore le terme qu'utilise la loi) pouvaient perdre leur statut d'« Indiens inscrits ». Cela s'appelait l'« émancipation ». Elle leur enlevait leurs droits en tant qu'Indiens mais leur accordait tous les droits des Canadiens. Vous avez compris? Non? Alors reprenez lentement en mâchant bien tous les mots.

... et les négociations continuent

Malgré tous ces pas en avant, le gouvernement fédéral reconnaît explicitement qu'aujourd'hui encore la loi sur les Indiens « continue d'entraver le développement social, économique et politique » et qu'« elle ne peut satisfaire les aspirations contemporaines des Indiens ». Voilà pourquoi les dirigeants autochtones et les ministères de la Justice et des Affaires indiennes et du Nord canadien sont actuellement en train de modifier profondément la loi afin de trouver des solutions, notamment sur les questions de la gestion des terres, de l'imposition et des pouvoirs administratifs.

La question autochtone aujourd'hui

La question autochtone au Canada d'aujourd'hui est complexe et commande une réflexion plus appuyée qu'une indignation bruyante. La reconnaissance des autochtones comme étant des citoyens à part entière s'est faite tardivement : on les a d'abord gardés à distance en traitant avec eux de façon impérialiste, en les considérant cependant comme des sujets de « Sa Majesté ». Quand le besoin en territoire se fait sentir, on convoque les chefs, auxquels on reconnaît une existence politique, et on « propose » de céder des droits par traité. Le système des réserves encadre les populations elles-mêmes et les sédentarise, et restreint les droits d'usage de territoires de chasse ancestraux (dans certains cas, grands comme la France).

Au Québec, on reconnaît légalement en 1912 des droits territoriaux aux « habitants sauvages », ce qui permet ensuite de traiter la cession de ces droits contre dédommagement financier, comme c'est encore le cas aujourd'hui. Dans ce processus, le conquérant dépossède « légalement » l'occupé de ses biens avant même qu'il ne réalise ce qui lui arrive. Un système social parallèle s'est mis en place, conférant aux membres des « Premières Nations », comme se désignent eux-mêmes maintenant les autochtones, des droits particuliers qu'on ne peut s'empêcher de considérer comme une tentative malhabile de réparer les erreurs du passé.

La crise du golf d'Oka

Si la majorité des Canadiens sont souvent ignorants de toute la question « indienne », il n'en va pas de même au Québec. Ceux qui n'étaient pas particulièrement intéressés *a priori* par le sujet en ont malgré tout beaucoup entendu parler pendant l'été 1990. Origine de l'affaire : le projet de transformer une pinède amérindienne en terrain de golf. Farouchement opposés à cette idée et focalisant toutes leurs rancœurs sur cette nouvelle violation de territoire, les *warriors* mohawks de la réserve de Kahnesatake (au sud de l'île de Montréal) ont déterré la hache de guerre. Ils se sont emparés de quelques maisons appartenant à des Blancs, les ont saccagées et ont, en outre, forcé les habitants écœurés à faire des dizaines de kilomètres de détour pour se rendre à leur travail à Montréal, le pont Mercier étant totalement bloqué durant deux mois, sans aucune négociation possible. Un policier a été tué lors du premier assaut.

Personne n'a encore oublié cet été brûlant, qui a ravivé l'incompréhension et le ressentiment de part et d'autre... Mais surtout, ce fut un véritable détonateur. Depuis lors, chacun a le sentiment que la situation doit évoluer pour qu'enfin les uns et les autres puissent vivre ensemble.

Cependant, plusieurs groupes d'autochtones ont repris les armes pendant l'été 1995, exaspérés par la lenteur des négociations avec les autorités gouvernementales au sujet de la rétrocession de plusieurs territoires. Mais le véritable événement historique de cette mobilisation, c'est la cohésion dans l'action des différentes Premières Nations, qui n'ont pourtant en commun que la primauté de l'occupation du sol.

Droits constitutionnels et avantages

Les autochtones bénéficient de tous les droits et avantages des autres Canadiens. Voici en quelques lignes les avantages auxquels donne droit le fait d'être un « Indien inscrit » : en tant qu'« inscrit », on a le droit de vivre dans une réserve. On compte 2 300 réserves à travers le Canada, où vivent environ 60 % des « Indiens inscrits ». Le fait de vivre en réserve permet de bénéficier de l'exemption fiscale sur les revenus gagnés dans les réserves, l'exemption de certaines taxes provinciales, la gratuité des soins médicaux, des subventions au logement dans les réserves, des subventions aux études postsecondaires ainsi que d'autres allocations.

Organisation politique et sociale

Avec la scolarisation obligatoire et l'accès à la richesse collective sont venus le régime des droits égaux et le modèle administratif moderne. Les villages autochtones élisent des représentants politiques, ils s'administrent eux-mêmes. Le conseil de bande est l'organisation politique de chaque village autochtone au Québec. Formé d'un chef (ou « une » chef, comme c'est maintenant le cas au village huron près de Québec) et de conseillers élus, le conseil de bande gère sa communauté et veille à l'application de différents programmes gouvernementaux. Il prend également de plus en plus la charge de l'éducation et du développement économique et culturel local. Le chef est le porte-parole du village pour l'extérieur. Des autochtones se présentent à la députation provinciale et fédérale, et ils sont parfois élus. Les revendications autochtones trouvent maintenant le chemin des tribunaux et sont défendues par des avocats membres des communautés. On rouvre les vieux traités, on négocie les nouvelles cessions contre services et capitaux. Le lobby autochtone est devenu important, et les gains sont notables.

Depuis quelques années, les Inuit du Québec ont le plein contrôle de leur développement sur leur territoire, ils ont leur gouvernement, élisent leurs représentants, mettent sur pied leurs lignes aériennes et contrôlent leurs chaînes de télévision. Les Cris, également, font valoir jusque dans les corridors de l'O.N.U. leurs revendications territoriales et leur opposition aux nouveaux projets hydroélectriques.

Mais toutes ces batailles juridico-politiques, parfois gagnées, parfois perdues, ne seront jamais que la revanche du vaincu qui prend le vainqueur à son propre jeu. Les pertes culturelles irréversibles, les problèmes sociaux liés à l'identité bouleversée, le désœuvrement, la délinquance et l'alcoolisme conséquents à la difficulté de trouver sa place dans un monde qui n'est plus celui des ancêtres et où on n'arrive pas encore à se situer, ne pourront jamais être compensés. Le seul objectif accessible est de faire cesser l'hémorragie culturelle et de revendiquer avec acharnement la reconnaissance des droits ancestraux, dans un processus irréversible d'ajustement à une société blanche, industrielle et résolument moderniste.

Présentation des groupes autochtones au Québec

Sur le territoire du Québec, grand comme trois fois la France, on compte environ 63 000 membres reconnus de groupes autochtones. C'est à peu près 1 % de la population totale de la province. En termes ethnologiques, ces groupes autochtones comptent dix nations divisées en deux grandes catégories : les Amérindiens et les Inuit.

LES AMÉRINDIENS

Ce sont les plus nombreux. Ils regroupent environ 90 % de tous les autochtones du Québec. Les nations qui forment le groupe amérindien sont réparties entre deux aires culturelles et linguistiques : *les Algonquins,* traditionnellement nomades et associés aux espaces forestiers qui incluent les Algonquins proprement dit, les Abénaquis, les Attikameks, les Cris, les Malécites, les Micmacs, les Montagnais et les Naskapis ; et *les Iroquoiens,* agriculteurs des terres fertiles de la vallée du Saint-Laurent qui, au Québec, incluent les Mohawks et les Hurons (d'autres groupes iroquoiens sont présents en Ontario et dans quelques États américains limitrophes du Canada).

Les nations algonquiennes

Les Abénaquis (*Wabanaki*, « terre de l'aurore »)

Autrefois installés dans ce qui est aujourd'hui le nord-est des États-Unis, ces chasseurs-cueilleurs d'alors se sont tôt associés aux colons français contre les Anglais, et l'on croit que ce sont eux qui auraient enseigné aux Européens l'art de la fabrication du sirop d'érable. Repoussés vers le nord, ils se sont fixés sur la rive sud du Saint-Laurent, face à Trois-Rivières. On compte environ 1 600 Abénaquis au Québec.

Les Algonquins (*Nishnabi*, « vrais hommes »)

Vraisemblablement originaires de la côte atlantique, près de 4 000 Algonquins habitent 9 communautés situées en Outaouais et en Abitibi-Témiscamingue. Vivant de chasse et de collecte sur ces territoires dès avant l'arrivée des Européens, ils tirèrent bénéfice du commerce des fourrures notamment en taxant les Hurons qui empruntaient la rivière Outaouais pour se rendre dans les comptoirs de Nouvelle-France. La transhumance hivernale vers les territoires de chasse se pratique toujours, et la langue algonquine est bien vivante. Une station de radio communautaire émet en langue algonquine.

Les Attikameks

Décrits comme pacifiques par les premiers missionnaires jésuites et récollets français, les Attikameks ont été décimés au XVIIe siècle tant par les maladies européennes que par les guerres avec les Iroquois liées à la question du commerce des fourrures. En instance de disparition, les survivants se sont réfugiés chez les bienveillants voisins Cris et Montagnais, ce qui leur permit de se perpétuer jusqu'à aujourd'hui sous une forme culturelle mixte. Malmenés au cours du XXe siècle par les projets d'exploitation forestière et de barrages hydroélectriques, les Attikameks se retrouvent concentrés en 3 communautés totalisant 4 000 habitants dans la haute Mauricie.

Les Cris

Les Cris, soit 10 500 personnes réparties entre 9 villages au cœur de la forêt boréale, chassent et collectent dans la région de la baie James depuis 4 000 ans. Également impliqués dans la traite des fourrures avec le Blanc, ils restèrent suffisamment à l'écart des centres de peuplement européens pour moins souffrir de la colonisation. Du moins était-ce vrai jusqu'à la seconde moitié du XXe siècle. Avec l'implantation des programmes étatiques d'éducation et, surtout, la construction depuis des années 1970 de grands barrages hydroélectriques et l'inondation considérable de milliers de kilomètres carrés de territoire, les Cris ont réagi, et vite ! Leur organisation politique actuelle est un modèle d'efficacité qui leur vaut aujourd'hui la reconnaissance de droits territoriaux ancestraux, l'obtention de compensations financières pour la perte d'usage des territoires inondés, le droit d'administrer leur population et leur territoire, le droit exclusif de pratiques ancestrales sur 150 000 km^2 de forêts et de lacs. Les Cris ont toujours sur ces territoires d'importantes activités de chasse et de pêche. Le Grand Conseil cri, allié avec les voisins Inuit, a compris la règle du jeu politique, et il met souvent le gouvernement québécois dans l'embarras par des actions médiatiques imposantes. La langue cri est parlée par la majorité de la population.

Les Malécites

Les 270 Malécites du Québec, plus nombreux au Nouveau-Brunswick, sont dispersés parmi la population blanche et ne disposent que d'un minuscule territoire pour exercer leurs droits ancestraux. Ils ne parlent plus que le français.

Les Micmacs (*Mig'mawag,* « peuple de l'aurore »)

15 000 Micmacs habitent l'est maritime du Canada, dont 3 850 sont répartis entre 3 villages de Gaspésie. Gens de la mer mais pratiquant aussi une agriculture sommaire, connus de Jacques Cartier, alliés des Français, les Micmacs ont notamment participé dans la baie de Restigouche à une bataille contre les Anglais, en 1760. Un navire français coulé lors de cette bataille, *le Marquis-de-Malauze,* a été remonté du fond récemment par les résidents de la réserve de Restigouche et constitue aujourd'hui une attraction touristique.

Les Montagnais (*Innuat*)

Forte de 12 000 membres, la nation montagnaise du Québec, est aussi présente au Labrador terre-neuvien. L'histoire orale montagnaise se souvient d'avoir vu et, parfois, pris contact avec des pêcheurs blancs venus en bateau bien avant Cabot et Cartier. Actifs dans la traite des fourrures avec les Blancs, les chasseurs-cueilleurs montagnais alternaient entre campements d'été pour la collecte et campements d'hiver pour le piégeage. Cette transhumance immémoriale tend aujourd'hui à revivre. Les Montagnais possèdent dans chaque communauté, en association avec les Attikameks, une station radio qui émet en langue montagnaise ainsi qu'un journal. Ils ont même un groupe rock autochtone, « Kashtin », qui a percé récemment sur les radios.

Les Naskapis (du montagnais *Unaskahpiwaki,* « gens de l'endroit où ça disparaît »)

Le seul village naskapi du Canada est situé près de Schefferville au Nouveau-Québec. 488 résidents y disposent en exclusivité d'un droit de chasse et de pêche sur un territoire de 4 000 km^2. Chasseurs émérites du caribou, ils ont longtemps vécu des produits de cette chasse : nourriture, vêtements et outils. Une source inattendue et importante de revenus a fait récemment son apparition chez les Naskapis : le tourisme d'aventure et le guidage d'expéditions nordiques (traîneaux à chiens, motoneige, longues expéditions de chasse, etc.).

Les nations iroquoiennes

Les Hurons (*Wendat*, « habitants de la péninsule »)

C'est l'une des nations les plus urbanisées du Québec. 950 Hurons-Wendat habitent une unique communauté en banlieue de Québec, et plus de 1 500 autres sont mêlés à la population blanche. Cette faible représentation démographique n'est pourtant pas proportionnée au rôle joué par leurs ancêtres dans l'histoire.

Venus du sud-est de l'Ontario où ils formaient une confédération de 4 nations pratiquant l'agriculture sédentaire, la Huronie (18 000 habitants en 1640 répartis en une vingtaine de villages fortifiés), les Hurons-Wendat prirent le parti des Français dont ils furent pendant longtemps les plus importants partenaires commerciaux dans la traite des fourrures. Par effet de retour du balancier, le déclin du pouvoir français a mis fin à la prospérité huronne, les guerres iroquoises et les épidémies faisant le reste pour décimer la population. 300 Hurons-Wendat christianisés et réfugiés à Québec en 1649 sous protection jésuite sont responsables de la survie de la nation au Québec.

Très métissés avec le Blanc, ayant perdu leur langue et adopté le français, les Hurons-Wendat s'adonnent à une florissante industrie manufacturière de l'artisanat prisée des touristes qui se rendent sur la réserve en grand nombre. Utilisant habilement les lois canadiennes, une décision récente de la Cour suprême du Canada a reconnu au groupe le droit d'usage sur un territoire beaucoup plus important que celui actuellement occupé. Les négociations se basent sur un traité remontant au premier gouverneur anglais, James Murray, qui l'a signé en... 1760 !

Les Mohawks (*Kanienkehaka*, « peuple du silex »)

Avec les Hurons-Wendat, les Mohawks sont les plus urbanisés des autochtones du Québec, conséquence de leur habitat situé dans la plaine du Saint-Laurent où se fixèrent également la plus grande partie des colons européens. La quasi-totalité des 12 000 Mohawks du Québec sont installés dans trois villages de la périphérie montréalaise.

La société Mohawk avait déjà, à l'arrivée du Blanc, une réputation d'indépendance et de dynamisme qui persiste aujourd'hui. Dotés depuis longtemps d'une organisation politique sophistiquée, célèbres pour leur architecture en « maison longue », ces agriculteurs accomplis et commerçants habiles participaient d'une emprise commerciale et guerrière sur un territoire allant de Québec à Chicago. Tour à tour ennemis ou alliés des Français, profitant également de la demande en fourrure du côté des Anglais et des Hollandais, et en raison même de cette collaboration plutôt tiède avec la Nouvelle-France, les Mohawks traînent avec eux dans les livres d'histoire simpliste une mauvaise réputation que ne font que confirmer les « horreurs » qu'on leur a attribuées sans procès : massacres de colons, torture de missionnaires, etc. Bref, le rôle du méchant.

Depuis que la pratique de l'agriculture traditionnelle n'est plus possible dans la périphérie montréalaise, les communautés mohawks se sont tournées presque exclusivement vers une économie fondée sur les petites activités commerciales. Si bien qu'à traverser un village mohawk en voiture, on peut difficilement le distinguer de la banlieue environnante. C'est sur le territoire mohawk que s'est développée la « crise du golf d'Oka » de l'été 90, dans la banlieue montréalaise.

LES INUIT (les « Hommes », pluriel de Innu en langue inuktitut)

Des autochtones différents

Autrefois connus sous le nom d'Eskimos, ils forment la seconde grande catégorie d'autochtones présents en territoire québécois. Leurs 14 villages sur les rives des baies d'Hudson et d'Ungava, au septentrion, abritent une communauté composée pour l'essentiel de 6 850 Inuit proprement dit, plus quelques autochtones de groupes limitrophes et quelques Blancs venus du Sud.

S'ils méritent à eux seuls une division particulière, c'est en raison de leur distinction culturelle. En effet, les Inuit ne sont apparus dans le nord-est du Canada qu'il y a 4 500 ans, ce qui est relativement peu, comparé aux quelques dizaines de milliers d'années des Amérindiens. Jusqu'à la seconde moitié du XXe siècle, les Inuit du Nord québécois n'ont connu du Blanc que les apparitions occasionnelles de pêcheurs basques et des baleiniers anglais et américains. En plus de l'armée canadienne qui y effectua des séjours de repérages, des ethnologues et un bon nombre d'explorateurs y passèrent, quelques missionnaires chrétiens s'y incrustèrent. Le véritable choc des cultures ne s'effectua qu'avec l'implantation permanente de bases militaires et de services gouvernementaux comme l'éducation et la santé, vers les années 1950.

Aujourd'hui, la plupart des Inuit sont encore nomades. Ils vivent de la chasse et de la pêche, leur lieu de résidence varie selon les saisons, leur maison est de neige l'hiver et de peaux l'été. Toutes les nécessités de la subsistance sont patiemment trouvées dans un environnement avare et un climat extrême, interdisant l'agriculture. Les plus forts seulement survivent, les famines sont fréquentes, la mortalité élevée. Ce qui n'empêche pas l'Innu d'être foncièrement joyeux et d'une générosité peu commune.

Des effets indésirables de la modernité

En même temps que la vie matérielle s'est considérablement adoucie, les effets désastreux de la sédentarisation rapide sont massifs. L'Innu est doté de gènes qui l'ont pourvu d'un métabolisme extrêmement efficace, il lui faut peu pour survivre. Dans les maisons que lui a données l'État et qui favorisent sa sédentarisation, il a trop chaud, il mange trop, il ne bouge pas assez. Résultat de l'inactivité et de la soudaine abondance, l'espérance de vie s'est accrue, mais la santé de l'Innu s'est aussi considérablement détériorée. Sa culture, fondée sur la migration et le rapport intime à la nature, s'est effritée sous la poussée conjuguée de l'évangélisation et du modernisme promu, entre autres, par le système éducatif des premières années et la télévision.

Prise en main et renouveau culturel

C'est avec les acquis de la convention de la Baie James et du Nord québécois, signée en 1975, que l'Innu a amorcé la reprise en main de sa destinée. Les apports financiers de l'entente lui permirent un développement autogéré ciblé sur ses besoins, dont l'achat de bateaux de pêche modernes, la mise en marche d'une station radio et d'un périodique, la mise sur pied d'une compagnie aérienne régionale, *Air Inuit*, et même l'achat en 1990 d'une autre compagnie régionale, celle-là desservant les Territoires du Nord-Ouest. Dans ces régions qu'aucune route ne relie au reste du monde, c'est un fait d'arme majeur.

Travaillant de façon autonome ou en collaboration avec divers ministères du gouvernement québécois, des institutions totalement inuit veillent à l'administration et au développement de la région dans tous les secteurs d'activité. Les acquis administratifs et politiques leur permettent maintenant de prendre en charge l'éducation en langue inuktitut, ainsi que le contrôle du développement et de la mise en valeur de tout le territoire québécois au nord du 55e parallèle, le tiers du Québec. En revanche, la justice est rendue par une cour itinérante provinciale, formée de juges qui se déplacent depuis Québec. La société inuit est en pleine mutation, pas encore totalement assimilée, et violence et stupéfiants sont assez présents.

La culture inuit regagne une partie du terrain perdu. Les anciens sont sollicités par les plus jeunes pour enseigner le savoir ancestral. On écrit soi-même ses livres d'histoire et ses dictionnaires, on rapatrie les objets traditionnels qui avaient été emportés vers le sud, on revalorise l'art traditionnel de la sculpture sur os, sur ivoire, sur andouillers de caribou et sur stéatite, et on prend en main sa commercialisation. Ce « succès » des Inuit profite certes du fait que les centres de peuplement du Québec sont très loin, à des milliers de kilomètres au sud. Mais la fierté et le dynamisme sont les premiers moteurs du renouveau au pays du morse, du narval et de l'ours blanc.

HISTOIRE ET SOCIÉTÉ

MONTRÉAL

Lorsque le super réseau d'autoroutes vous aura conduit dans le centre-ville, il n'est pas exclu qu'une petite angoisse vous monte à la gorge et que votre pomme d'Adam reste un temps suspendue. Tabernacle ! (Prononcer « tabernacle ».) Est-ce donc cela Montréal ? Cette grande ville aussi typiquement nord-américaine avec ses rues coupées au cordeau, ses gratte-ciel, son trafic... Il est vrai que les projets d'urbanisme malheureux des pouvoirs publics et la boulimie des promoteurs ont pas mal esquinté le centre-ville. Cependant, le premier moment de surprise passé, on constate que Montréal a grandi vite certes, mais en englobant de vieux quartiers qui ont continué à ronronner tranquillement à l'ombre des bétonnières. C'est alors l'heureuse découverte de rues au rythme tout à fait paisible, bordées de petites maisons peintes dans les tons les plus vifs. Chacune d'elles possédant, devant, son petit jardin fleuri ou planté de légumes. La vie y est douce et les gens gais et affables. Ici, tout est libéré des excès propres aux grandes villes américaines. Pas de saleté, ni de concentration d'épaves humaines. Tout paraît raisonnable. Enfin, une ville du Nouveau Monde construite pour les hommes. Chaque quartier, suivant ses habitants, ses couches sociales, ses ethnies, présente un visage original, différent, une divergence heureuse dans le mode de vie.

De plus, une vie nocturne dense, agréable, presque latine. Mais au fond, n'est-on pas à la latitude de Bordeaux ?

Orientation

Montréal est situé sur une île (eh oui !), délimitée par le Saint-Laurent au sud et la rivière des Prairies au nord. Plusieurs quartiers très distincts, avec cependant des frontières qui se recoupent parfois, des zones d'influences qui se superposent, des flux sociaux et culturels qui ont des traits communs. La *rue Saint-Laurent* divise la ville en deux. Les numéros partent de là. De part et d'autre, une même rue se dénomme Est ou Ouest. Ne vous trompez pas, ça peut coûter un paquet de kilomètres. Du sud au nord, moins de problèmes, tous les numéros partent du fleuve. Les rues verticales se retrouvent toutes aux mêmes numéros aux carrefours importants, en principe de 1000 en 1000, quitte à oublier quelques dizaines de numéros en route pour arriver juste. C'est assez pratique, vous vous y ferez vite !

La rue Saint-Laurent marquait autrefois une sorte de frontière imaginaire. À l'ouest, les beaux quartiers, majoritairement anglophones, le quartier des affaires et *Westmount,* le secteur ultra-résidentiel de la bourgeoisie anglophone. À l'est, les quartiers francophones et les usines. Ces différences ont maintenant nettement tendance à s'estomper avec le brassage des populations et l'immigration nouvelle. Au sud, on trouve un quartier spécifique, le *Vieux-Montréal,* définitivement séparé du reste de la ville par la saignée de l'autoroute Ville-Marie, et, plus au nord, sur les pentes du mont Royal, *Outremont,* la zone résidentielle de la bourgeoisie francophone. Plus loin, différents quartiers d'immigrés.

MONTRÉAL – PLAN D'ACCÈS (PLAN I)

MONTRÉAL

Arrivée à Montréal

Les vols internationaux se posent désormais à Dorval, à 22 km de Montréal ; l'aéroport de Mirabel continue d'accueillir les vols cargos et charters.

✈ *Par l'aéroport international de Mirabel :* situé à 55 km du centre de Montréal. Pas de bureau touristique à l'aéroport, mais le kiosque d'information délivre une carte de Montréal et de la région, ainsi que de nombreuses brochures concernant diverses activités. On y trouve également des bureaux de change et les loueurs de voitures habituels. Attention : dans cet aéroport, aucun distributeur de billets n'accepte la *MasterCard*.

● *De l'aéroport de Mirabel à Montréal : Autocar Connaisseur* (kiosque dans le hall d'arrivée). ☎ 934-12-22. De 12 h à 20 h (horaires sujets à petits changements), départ toutes les 30 mn. Avant 12 h et après 20 h, départ toutes les heures, normalement, à l'heure pile ; entre 2 h et 6 h, pas de bus. Pas trop cher. Arrivée à l'aérogare Centre-Ville (M. : Bonaventure), 777, rue de la Gauchetière Ouest. Compter environ 1 h de trajet. Un service de navettes est offert gratuitement, de l'aérogare Centre-Ville à divers hôtels montréalais. Renseignez-vous auprès du vôtre. Si vous repartez du même aéroport, achetez un aller-retour, c'est moins cher. Si vous êtes quatre, il revient moins cher de prendre un taxi plutôt que le bus (comptez 60 $ environ).

● *De Montréal à Mirabel :* même fréquence que pour l'aller. Départ de l'aérogare Centre-Ville (là encore, un service de navettes est assuré) ou devant la station de bus Berri-de-Montigny. Le taxi coûte quatre fois plus cher.

✈ *Par l'aéroport international de Dorval :* situé à 22 km. ☎ 633-31-05.

● *De l'aéroport de Dorval à Montréal : Autocar Connaisseur.* ☎ 934-12-22. Départ toutes les 20 mn en semaine de 7 h à 23 h (toutes les 30 mn en fin de semaine). Avant 8 h et après 23 h, départ toutes les 30 mn. Pas de bus de 1 h à 7 h.

– *Navette entre les aéroports de Mirabel et Dorval :* bus à 9 h 30, 10 h 30, 11 h 30, puis toutes les 30 mn jusqu'à 20 h 30 et toutes les heures jusqu'à 23 h 30. Mêmes horaires dans les deux sens. Pas de bus de 23 h 30 à 9 h 30.

Adresses utiles

Informations touristiques

☐ Infotouriste *(plan II, B3,* **☐ 1)** : 1001, rue du Square-Dorchester, à l'angle de Metcalfe. ☎ 873-20-15. Numéro d'appel gratuit depuis le Canada ou les États-Unis : ☎ 1-800-363-77-77 (en semaine seulement, de 9 h à 17 h). M. : Peel. Ouvert tous les jours de 8 h 30 à 19 h 30 de début juin à mi-septembre ; le reste de l'année, de 9 h à 18 h. Documentation gratuite (sauf les cartes) et une mine de renseignements aussi bien sur la ville de Montréal que sur toutes les régions du Québec. Demander la brochure *Montréal Guide Touristique,* très complète, ainsi que *La Tournée Pom* qui offre des coupons de réduction pour de nombreux musées, activités culturelles et de loisirs. Fait le change. Agence de voyages également, et location de voitures *(Thrifty)* possible. On peut y acheter des cartes de téléphone. Plan des pistes cyclables disponible. On y trouve aussi *Hospitalité Canada*, un service de réservation d'hôtels. ☎ 393-15-28. Fax : 393-89-42. Gère 80 établissements hôteliers dont les *Gîtes du Passant.* Un numéro gratuit permet de les appeler de n'importe où au Canada : ☎ 1-800-665-1528.

☐ Kiosque touristique du Vieux-Montréal *(plan III, C1,* **☐ 2)** : place Jacques-Cartier, à l'angle de Notre-Dame Est. Ouvert tous les jours de 9 h à 19 h, de fin juin à mi-septembre ; le reste de l'année, du jeudi au dimanche de 9 h à 17 h.

■ Le Groupe qui Héberge : 505, bd Maisonneuve Est. ☎ 845-76-30. Fax : 523-70-72. M. : Berri-Uquam. Ouvert 7 jours sur 7 de 9 h à 21 h. Du nouveau au terminus Voyageur : une centrale de renseignements touristiques gratuite. *Le Groupe qui Héberge* met à votre disposition plans et guides de la ville. Des cahiers « consultables » sur place proposent tous les types d'hébergement, du plus économique au plus luxueux. Réservations possibles et gratuites.

Représentations étrangères

■ Consulat de France *(plan II, B3, 1)* : 1, place Ville-Marie, bureau 2601, au 26e étage. ☎ 878-43-81 et 878-98-51. Ouvert de 8 h 30 à 12 h 30 du lundi au vendredi.

■ Consulat de Belgique : 999, bd de Maisonneuve Ouest, suite 850. ☎ 849-73-95. Ouvert de 9 h à 13 h du lundi au vendredi.

■ Consulat de Suisse : 1572, rue du Docteur-Penfield. ☎ 932-71-81.

■ Consulat des États-Unis : 1155, rue Saint-Alexandre. ☎ 398-07-03 ou 96-95. Ouvert de 8 h 30 à 14 h 30. Arriver tôt. Beaucoup d'attente.

■ Renouvellement du visa : *Canada Immigration,* 1010, rue Saint-Antoine. ☎ 496-10-10. M. : Bonaventure. Ouvert de 8 h 30 à 16 h 30. Fournit les formulaires à remplir pour la demande de renouvellement du visa.

Services

✉ Poste *(plan III, B1)* : bureau principal, 201, Saint-Antoine. ☎ 393-11-77. M. : Place-d'Armes. Ouverte de 8 h à 17 h 45 (12 h le samedi). Attention, on n'y trouve pas de téléphone ! Il existe un numéro pour obtenir des informations générales en français : ☎ 344-88-22.

■ Téléphone : très nombreuses cabines dans les rues, centres commerciaux, restos. De la plupart on peut appeler l'étranger. Aucun problème donc. Certaines cabines fonctionnent avec la carte bleue, mais attention c'est assez cher. Sinon, P.C.V. possible. Le mieux est d'acheter une carte *La puce (Bell).* En vente dans certaines stations de métro (dans les *tabagies*), à la gare centrale ou au centre infotouriste, entre autres. Pour tout savoir, repor-

■ **Adresses utiles**

ℹ️ Information touristique
🚌 Terminus Voyageurs
🚆 Gare centrale
1 Consulat de France
2 Bell Canada
3 Easy Ride Covoiturage
6 American Express
7 Banque Royale (carte Visa)
8 Air France
9 Air Canada
10 Aux Quatre Points Cardinaux
11 Bicycletterie J.R.

■ **Où dormir ?**

20 Auberge de jeunesse de Montréal
21 Chez J.-G. Montpetit
23 YMCA
24 YWCA
25 Collège français
26 McGill
29 Hôtel Pierre et hôtel Manoir Sherbrooke
30 B & B chez Hervé et Tracy
31 La Maison Jaune
32 La Dormance
33 Gîte touristique du Centre-Ville
34 B & B chez Christian Alacoque
35 Le Coteau Saint-Louis
36 Auberge Chez Jean
37 Hôtel Manoir des Alpes et hôtel Saint-André
38 Hôtel Le Breton
39 Castel Saint-Denis
40 Le Taj Mahal -Thrift Lodge
41 Le Gîte du Parc Lafontaine
42 Chez Marine Berthou
43 L'Auberge de La Fontaine
44 Auberge des Glycines
45 Manoir Ambrose
46 Hôtel de Paris
47 B & B Centre-Ville-Downtown-Network
48 Gîte du Passant L'Urbain
50 Chez Pierre et Dominique
51 B & B À l'Adresse du Centre
53 B & B Chambres avec Vue
54 Gîte La Cinquième Saison

🍽️ **Où manger ?**

60 Eaton
61 Da Giovanni
63 Ben's Delicatessen
64 Basha
65 Bar B'Barn
66 Biddle's
70 La Paryse
71 Le Petit Extra
72 Mikado
73 Le Commensal
74 Hard Rock Café
75 La Binerie Mont-Royal
76 Schwartz's
77 Jano
78 L'Anecdote
79 Coco Rico
80 Santropol
81 Restaurant Mazurka
82 Le Café Pellerin
83 L'Express
85 Laloux
86 Wilensky
87 Maison de l'Original Fairmount Bagel
88 Beautys
89 La Petite Ardoise
90 El Zaziummm
91 Galaxie
92 Shezan
93 Cafétéria
94 Primadonna
95 Quartier Saint-Louis
96 Chez Gautier
97 Le Jardin de Jade
98 Egg-Spectation

🍸 **Où sortir ? Où boire un verre ?**

100 Spectrum
101 Les Foufounes Électriques
102 Les Beaux Esprits
103 Jello Bar
104 Cock and Bull
106 Métropolis
107 Cyberia
111 Le Di Salvio
113 Le Swimming
114 Café Central
115 Whisky Café
116 Café Zazou
117 Le Saint-Sulpice
118 Le Peel Pub

★ **À voir**

120 Musée des Beaux-Arts
121 Musée d'Art contemporain
124 Centre canadien d'Architecture
125 Cinémathèque québécoise, musée du Cinéma
126 Musée Juste pour Rire
127 Musée McCord d'Histoire canadienne
129 Centre Molson
130 Planetarium Dow

MONTRÉAL

MONTRÉAL

tez-vous à la rubrique « Téléphone » dans « Généralités » en début de Guide.

■ *Bell Canada* (plan II, B3, 2) : 700, rue de la Gauchetière Ouest (à l'angle de University).

■ *Télégrammes :* Unitel, Or-Gold, 800, Victoria Square. Ouvert de 8 h à 16 h du lundi au vendredi. Pour les télégrammes téléphonés : ☎ 861-73-11, 24 h sur 24.

■ *Météo :* ☎ 283-30-10.

MONTRÉAL (PLAN II)

■ *Infos neige et trafic routier :*
☎ 1-873-41-21.

Urgences

■ *Numéro d'appel en cas d'ur-*
gence : ☎ 911. Permet d'être rapidement en contact avec pompiers,
police, services de santé.

■ *Hôpital Saint Mary's :* 3830, Lacombe (coin Côte-des-Neiges).

MONTRÉAL

— Circuit touristique

NORD

■ **Adresses utiles**

   🛈 Information touristique
   ✉ Poste

|●| **Où manger ?**

   67 La Gargote
   68 Le Grill
   69 Menara

♈ **Où sortir ?**
   Où boire un verre ?

   108 Le Jardin Nelson
   109 Les Deux Pierrots

★ **À voir**

   122 Musée d'Archéologie et d'Histoire
   123 Centre d'histoire de Montréal

☎ 734-26-90. Accepte les touristes dans son service d'urgence.

■ *Pharmacie ouverte 24 h sur 24* **:** *Pharmaprix,* 5122, chemin de la Côte-des-Neiges, à l'angle de Queen Mary. ☎ 738-84-64. Une autre au 901, rue Sainte-Catherine Est, à l'angle de

Saint-André *(plan II, D3).* ☎ 842-49-15.

Argent

– On peut retirer du liquide dans la plupart des distributeurs avec une carte *Visa*.

■ *American Express (plan II, B3,*

LE VIEUX MONTRÉAL (PLAN III)

★ **À voir dans le Vieux Mon-tréal**

1 Château de Ramezay
2 Maison Papineau
3 Rue Saint-Louis
4 Maison Dumas
5 Maison du Calvet
6 Marché Bonsecours
7 Maison Beaudoin
8 Place d'Armes
9 Vieux séminaire
10 Basilique Notre-Dame
11 Place d'Youville
12 Hôpital général des Sœurs Grises
13 Les écuries d'Youville

6) : 1141, bd de Maisonneuve Ouest (angle Peel). M. : Peel. Ou au centre Eaton (nouveau sous-sol), 705, Sainte-Catherine Ouest (☎ 282-04-45). Carte perdue, ☎ 1-800-268-98-24.

■ *Carte Visa : Banque Royale* (*plan II, A3, 7),* 1100, av. Atwater. Renseignements : ☎ 1-800-463-31-35. Carte perdue : ☎ 1-800-847-29-11.

■ Pour *changer de l'argent* ou des chèques de voyage, il faut aller dans les kiosques de change. Il y en a de nombreux dans les quartiers touristiques. En revanche, les banques font peu le change, sauf si l'on a des US dollars, à l'exception des *Caisses Populaires Desjardins* qui changent les francs et que l'on trouve partout. Deux adresses pour changer des chèques de voyage sans commission : *Maître de la Monnaie International :* 390, rue Saint-Jacques (angle McGill). M. : Square Victoria. Ouvert du lundi au vendredi. Meilleur taux de change pour toutes les monnaies. Et *American Express* (voir adresses plus haut).

ATTENTION : pensez à garder 10 $ pour la « taxe de départ » que l'on paie après avoir passé la douane, quand vous quittez le Québec.

Compagnies aériennes

■ *Air France* (plan II, B3, **8**) : 2000, rue Mansfield, bureau 1510. ☎ 847-11-06 et 847-50-00. Numéro gratuit : ☎ 1-800-667-2747. Dans le centre *ManuVie* (au 15ᵉ étage), ouvert du lundi au vendredi de 9 h à 17 h.

■ *Air Canada* (plan II, B3, **9**) : 979, Maisonneuve Ouest. ☎ 393-39-32 ou 800-361-86-20. M. : Peel. Ouvert du lundi au vendredi.

■ *Canadien International* (Canadian Airlines) : 999, Maisonneuve Ouest (bureau 400). ☎ 847-22-11. Appel gratuit : ☎ 1-800-387-34-01.

Tourisme

■ *Centre de réservation de Montréal :* 505, bd de Maisonneuve Est, bureau 205. ☎ 28-22-77. Vente de forfaits pour tous les événements sportifs et culturels.

■ *Boutique Temps Libre* (Tout pour le Voyage ; plan II, C2) : 3603, rue Saint-Denis (en face du carré Saint-Louis). ☎ 252-31-17. Appel gratuit (hors de Montréal) : ☎ 1-800-461-85-85. M. : Sherbrooke. Du lundi au mercredi de 10 h à 18 h, les jeudi et vendredi de 10 h à 21 h, le samedi de 10 h à 17 h et le dimanche de 12 h à 17 h. C'est la « vitrine » du dynamique *Regroupement Tourisme Jeunesse* (équivalent de notre Fédération des Auberges de Jeunesse). C'est ici que vous pourrez vous procurer la carte internationale des A.J., qui vous permettra d'économiser environ 3 $ par nuit en A.J. On peut également y effectuer ses réservations pour les A.J. québécoises. La boutique propose de nombreux autres services, des accessoires de voyage, sa propre revue et des guides de voyage (dont le fameux *G.D.R.* !). Succursale à Québec (dans la vieille ville).

■ *Randonnées Plein Air :* 419, bd Rosemont, bureau 201. ☎ 278-35-77. Ouvert du lundi au vendredi, de 9 h à 17 h 30. Ils organisent des randonnées pédestres tous les dimanches de mai à novembre (ski de fond et raquettes l'hiver), ainsi que des randonnées de quelques jours et des voyages combinant tourisme et randonnées. Équipe sérieuse et sympathique. Réserver plusieurs jours à l'avance.

■ *Aux Quatre Points Cardinaux* (plan II, D2, **10**) : 551, Ontario Est. ☎ 843-81-16. M. : Berri ou Sherbrooke. Ouvert tous les jours sauf le dimanche de 9 h à 18 h (21 h les jeudi et vendredi). Les grands spécialistes des cartes topographiques du Québec et du reste du Canada. Tous les randonneurs et ceux qui partent pour le Nord leur rendront donc utilement visite. Ils vendent également des photos aériennes, très prisées des trappeurs car elles permettent de voir tous les détails du terrain, y compris les barrages à castors. Également des cartes marines des côtes d'Amérique du Nord, des cartes routières de (presque) tous les pays du monde, et des guides de voyages (dont le *G.D.R.*).

■ *Globe Trotter Aventure Canada :* 185, Sherbrooke Est. ☎ 849-87-68. Appel gratuit : ☎ 1-8888-598-768. Fax : 286-38-66. Site internet : www.3sympatico.ca :gtav TROTTER (gratuit). Fax : 598-76-87. Ouvert du lundi au samedi de 9 h à 18 h. Deux globe-trotters reconvertis dans le tourisme d'aventure dans les plus beaux parcs nationaux du Québec : canoë, camping, quad, randonnée, équitation. Également motoneige, raquettes, traîneaux à chiens. Pour vivre une aventure hors du commun et découvrir les parcs naturels, des formules où tout est inclus (guide, sac de couchage, transport, nourriture...), histoire de partir l'esprit léger.

■ **Tourbec :** 3419, rue Saint-Denis. ☎ 288-44-55. Ouvert du lundi au mercredi de 9 h à 18 h, les jeudi et vendredi jusqu'à 20 h, le samedi de 10 h à 16 h. Uniquement des billets d'avion.

Loisirs

■ **Journaux français :** plusieurs *Maisons de la Presse Internationale* à Montréal, comme celles du 550, Sainte-Catherine Est, ou des n°s 728, 1128, 1393 et 1645, Sainte-Catherine Ouest.

■ **Cinéma :** Le Palace, 6, Sainte-Catherine Ouest et University. ☎ 866-69-91. Entre 2 et 3 $ la place, pour les films après exclusivité.

– Réduction de 50 % sur les places de **cinéma** le mardi et le mercredi pour les cinémas de la chaîne Cineplex Odeon, et tarif avantageux tous les jours en semaine avant 17 h.

– **Radio rock** (anglophone) : sur 97.7. Excellente musique.

– Dates de **concerts** et adresses des **boîtes** dans l'hebdo gratuit *Voir*. Pour les anglophones, *Mirror* (plus rock) ou *Hour*.

■ **Patinoires :** une en plein air, sur le vieux port. Apporter ses patins. L'autre, couverte, à l'Amphithéâtre Bell, 1000, rue de la Gauchetière Ouest, qui organise aussi des soirées thématiques sur glace. Location de patins.

– **Piscines :** elles sont gratuites jusqu'à 16 h en semaine.

Souvenirs, achats

Montréal se révèle intéressant pour y effectuer des achats. Quelques adresses :

⌂ **L'Échange :** 3694, rue Saint-Denis. Entre Sherbrooke et le carré Saint-Louis. ☎ 849-19-13. Une autre adresse au 713, Mont-Royal Est. Disques d'occase impeccables. Grand choix de bouquins aussi. Bonne adresse également au 1631, rue Saint-Denis. Vinyles et C.D. en excellent état, livres sur différents artistes.

⌂ **Chez Sam, the Record Man :** angle Sainte-Catherine et Saint-Alexandre. Pendant longtemps le disquaire le moins cher de Montréal. C'est moins vrai maintenant, mais le choix de disques reste très important. Voir aussi **H.M.V.,** 1020, Sainte-Catherine Ouest. ☎ 875-07-65. Ou encore **Archambault Musique,** 500, rue Sainte-Catherine Est. Et pour les fanas de *world music* en tout genre : **Hibiscus,** 288, rue Sainte-Catherine Ouest.

⌂ **Jeans Levis :** 1382, Sainte-Catherine O/W, au coin de Crescent. La boutique sans doute la moins chère de Montréal pour les jeans 501, 505, etc. Les ourlets sont faits sur place en deux minutes. Grand choix de couleurs.

⌂ **Le Baron :** 932, rue Notre-Dame Ouest. ☎ 866-88-48. Ouvert tous les jours sauf le dimanche. Un supermarché qui ne vend que du matériel de camping (dont des recharges de gaz, plutôt rares dans le pays !), de pêche, de marche, etc. Bon accueil.

⌂ **La Capoterie :** 2061, rue Saint-Denis, à hauteur de Sherbrooke. ☎ 845-00-27. Ouvert tous les jours jusqu'à 21 h. Comme son nom ne le cache pas, cette boutique ne s'intéresse qu'aux préservatifs, tout comme le maître des lieux, le mythique Guillaume Connan, spécialiste *es* condom, dont la devise est « le plastique, c'est fantastique ! ». Toutes les formes, tous les goûts et toutes les couleurs, pour (se) faire des cadeaux rigolos... Autre adresse : 2015, rue Crescent.

⌂ **Pierre Gingras,** un producteur très sympa, vend ses produits naturels au marché Jean-Talon, ouvert tous les jours en saison (au nord du centre-ville : 7075, av. Cassegrain ; M. : Jean-Talon) : miel, sirop d'érable, cire d'érable, jus de fruits bio et vinaigres de cidre aromatisés. Pour les horaires : ☎ 277-21-40 ou 469-49-54.

⌂ **Plusieurs marchés** publics à Montréal, recensés dans le guide touristique régional remis à Infotouriste. Le *marché Atwater* est l'un des plus intéressants : 138, av. Atwater ; M. : Lionel-Groulx. Super pour ceux qui peuvent faire leur cuisine eux-mêmes : poissons, homards, fruits et

légumes du pays. Tous les jours, et jusqu'à 21 h les jeudi et vendredi.
– Ne pas louper les *encans* (enchères) annoncées dans les journaux. Affaires intéressantes à réaliser.
– Le *26 décembre* est traditionnellement le plus grand jour de soldes dans les grands magasins. *Boxing Day* dure, dans la plupart des boutiques, jusqu'au 31 décembre.
– Éviter tout ce qui se fait passer pour de l'artisanat amérindien : c'est moins cher (car détaxé) dans les réserves.

Laveries automatiques

■ *Duluth Laundromat and Dry Cleaning :* 106, Duluth Est. M. : Sherbrooke ou Mont-Royal. Pas loin du boulevard Saint-Laurent. Ouvert tous les jours de 9 h 30 à 18 h (17 h le dimanche). Laverie tenue par un vieux Grec sympa et farfelu, qui vous prêtera des livres pour vous faire patienter et, s'il est en forme, vous offrira même le café ou un jus d'orange. Il ne parle pas le français. Le décor est franchement kitsch. Une drôle de laverie, pas chère et commode.

■ *Buanderie Net Net :* 310, Duluth Est. Ouvert de 8 h 20 à 22 h, du lundi au vendredi, et de 9 h à 21 h le samedi et le dimanche. Laverie beaucoup plus conventionnelle, à 100 m de la précédente.

Location de voitures

Les locations sont en moyenne meilleur marché à l'extérieur de la ville. Mais, bien sûr, ce n'est pas très pratique... Voici les adresses les moins chères que nous ayons trouvées à Montréal :

■ *Location Pelletier :* 3585, Berri, bureau 110. ☎ 281-50-00. Fax : 281-85-80. M. : Sherbrooke Est.

■ *Discount :* 6740, bd Décarie (☎ 340-15-51), ou 607, bd de Maisonneuve Ouest, centre-ville (☎ 286-15-54). Appel gratuit : ☎ 1-800-263-23-55. Prix intéressants là aussi.

■ *Hertz :* 1475, rue Aylmer. ☎ 842-85-37. Appel gratuit : ☎ 1-800-263-06-78.

■ *Budget :* bureau à l'aéroport de

Mirabel, 895, rue de la Gauchetière Ouest (M. : Bonaventure). ☎ 866-76-75. Appel gratuit : ☎ 1-800-268-89-70.

■ *Via Route :* 1255, rue Mackay (☎ 871-11-66), ou 6250, bd Saint-Jacques Ouest (M. : Vendôme ; ☎ 482-16-60). 10 autres adresses. Également l'un des moins chers.

■ *Thrifty :* 1076, De La Montagne, H3G-1Y7. ☎ 989-71-00. Fax : 989-72-41. Tarifs intéressants.

Location de motos

■ *Laval Moto Inc :* à Laval (rive nord de Montréal), 31, bd des Laurentides. ☎ 662-19-19. Grosses motos uniquement.

Location de vélos

Contrairement à Paris (où la Mairie n'a jamais rien fait pour lutter contre la pollution), à Montréal c'est très dans le coup de circuler à vélo... Profitez-en ! Les pistes cyclables sont merveilleusement bien aménagées (sans trop de risques de collision) et la circulation est rarement infernale, à part sur les grandes artères du centre. L'office du tourisme délivre une excellente carte « voies cyclables » (payante, mais pas le Pérou).

■ *Bicycletterie J.R.* (plan II, C1, 11) : 151, Rachel Est, à l'angle de la rue Bullion. ☎ 843-69-89. Et aussi 907, Bélanger Est. ☎ 278-40-16. Toutes sortes de vélos et d'équipements aux prix les plus intéressants de Montréal.

■ *Vélo-Aventure :* Vieux-Port de Montréal, quai King Edward. ☎ 847-06-66. L'été, ouvert de 10 h à 20 h en général. V.T.T., tandems et patins à roulettes.

■ *La Cordée :* 2159, rue Sainte-Catherine Est. ☎ 524-15-15. M. : Papineau. Équipement de plein air et location de vélos.

■ *Assurance vélo :* contacter l'*Association Vélo Québec*, à la Maison du Cycliste, 1251, rue Rachel Est. ☎ 521-83-56. Ne loue pas de vélos mais fournit itinéraires et conseils.

LE MÉTRO DE MONTRÉAL

Transports urbains

– **Métro :** rapide et moderne. Le plus pratique et le plus économique est d'acheter une carte touristique pour 1 jour ou pour 3 jours (trajets illimités). Disponible au centre Infotouriste, 1001, rue du Square Dorchester, au kiosque touristique du Vieux-Montréal, place Jacques-Cartier et à la station de métro Berri-Uqam. Vite rentabilisée, valable pour les bus. On peut aussi se procurer dans les stations ou chez certains dépanneurs des bandes de 12 tickets. Moins cher qu'à l'unité. La *STCUM* (Société des Transports de la Communauté urbaine de Montréal) propose aussi des cartes touristiques de 1 ou 3 jours, valables pour métro et bus. Très vite amorties (à partir de 2 trajets pour la carte de 3 jours). Les cartes mensuelles, quant à elles, n'offrent aucun intérêt pour le touriste de passage. Le service du métro débute à 5 h 30 et s'achève vers 1 h (1 h 30 le week-end). Système facile à comprendre.
– **Bus :** réseau pratique et étendu. En composant A.U.T.O.B.U.S. sur le cadran d'un téléphone, on peut obtenir tous les renseignements sur les trafics, les itinéraires et les horaires. Carte des bus distribuée à l'office du tourisme.
– **Métro et bus :** des plans gratuits sont disponibles aux guichets des stations de métro. Également dans les stations de métro, des distributeurs

de billets offrent la possibilité de finir un trajet en bus, et inversement ; le chauffeur de bus, lui, donne un transfert qui permet de prendre le métro sans avoir à payer une seconde fois et ce, quel que soit le nombre de changements. Limite de validité : 90 mn.

– **Taxis :** COOP. ☎ 725-98-85. Une petite compagnie d'artisans.
– **Trains de banlieue :** gare Windsor. ☎ 395-74-92. M. : Bonaventure. Également gare centrale *(STCUM)*.

Où dormir assez bon marché ?

Les campings

Quelque 14 campings près de Montréal. Procurez-vous la liste à l'office du tourisme dès votre arrivée. Très bien faite. Campings assez chers et toujours éloignés de la ville. Quand on n'est pas motorisé, camper à Montréal n'a aucun intérêt.

▲ **Le camping du parc d'Oka :** dans le parc même, 2020, chemin Oka, à Oka. On y accède depuis Montréal par l'autoroute 15 (ou la 13), puis par la 640 en direction ouest. Aménagé au cœur de la végétation, le camping compte 800 emplacements, dont presque 300 sont dotés des 3 services. Un des plus beaux de la région, à 30 mn de Montréal.

▲ **KOA Montréal-Sud :** 130, bd Monette, à Saint-Philippe-de-la-Prairie. ☎ 659-86-26. Pour ceux arrivant par l'autoroute 15 Sud. Prendre La sortie 38, tourner à gauche et rouler 3 km.

▲ **Seigneurie de Soulanges :** 195, route 338, à Coteau-du-Lac. ☎ 763-53-44. Pour ceux arrivant par la 20 Ouest. Avant de traverser l'île Perrot. Ouvert de mai à fin septembre. Un peu proche de l'autoroute, donc assez bruyant.

▲ **Camping Camp Alouette :** à Belœil, 3441, rue de l'Industrie, ☎ 464-16-61. Par l'autoroute 20, sortie 105. Ouvert du 15 avril à début novembre.

– Et pour vos *recharges de camping-gaz :* Blacks Camping International, 3525, chemin Queen Mary. ☎ 739-44-51. M. : Côte-des-Neiges (près de l'oratoire Saint-Joseph). L'un des seuls endroits où l'on en trouve à Montréal.

Les auberges de jeunesse

▲ **Auberge de jeunesse de Montréal** *(plan II, A3, 20)* : 1030, rue Mackay, H3G-2H1. ☎ 843-33-17. Fax : 934-32-51. M. : Lucien-L'Allier. Ouverte toute l'année. 264 lits en tout. Chambres de 2, 3, 4, 6 ou 10 lits (chambres de 2 : supplément de 2 $... normal !) avec chacune une douche. Pas de couvre-feu. Attention, A.J. non-fumeurs. On peut y faire sa cuisine, mais planquez vos provisions : il semblerait qu'elles aient tendance à se volatiliser... Carte des A.J. conseillée. Consigne. Machine à laver séchante. Parking pour les vélos. On y sert le petit déjeuner. On vous conseille de réserver par téléphone, mais il faut avoir un numéro de carte de crédit. Location de vélos à prix très corrects pour le Canada. L'A.J. organise des tournées des bars deux ou trois fois par semaine.

▲ **Auberge alternative du Vieux Montréal :** 358, rue Saint-Pierre, H2Y-2M1. ☎ 282-80-69. Ouverte 24 h sur 24. Près du vieux port, auberge récente, dirigée par Angela (australienne) et Bruno (québécois), propriétaires très chouettes. Chambre double et dortoirs de 6 à 16 lits. Navette gratuite de plusieurs endroits du centre-ville. Cuisine, laverie. Ambiance très sympa. Tout cela pour le même prix qu'en A.J., sans nécessité d'avoir une carte de membre.

♠ **Chez J.-G. Montpetit** *(plan II, B2, 21)* : 3431, rue Aylmer, H2X-2B4. ☎ 845-39-84. M. : McGill. À 5 mn du centre-ville. Ouvert de mai à mi-novembre. Propose quelques chambres doubles (même prix à peu près que l'A.J si on est 2). Un peu vieillot. Propreté limite. Cuisine à disposition. Bon accueil. Couples bienvenus. Offre la consigne gratuite pour celles et ceux qui souhaitent continuer leur voyage sans être trop chargés.

♠ **Hôtel de Paris :** 901, Sherbrooke Est. ☎ 522-68-61. Cet hôtel assez chic, bien situé (à l'angle de Saint-André), dispose, en annexe, dans une vieille maison entièrement rénovée, d'un hébergement d'un genre auberge de jeunesse. Pas cher du tout. Propre. Literie très correcte. Cuisine, buanderie, salle TV et musique à disposition. Ouvert 24 h sur 24. Quelques chambres privées. Minibus gratuit à partir de la gare centrale. Accueil souriant et bonne ambiance générale.

♠ **Centre Impact Jeunesse :** 2800, rue Bossuet, H1N-256. ☎ 355-70-41. Fax : 252-05-82. M. : Cadillac. Situé dans un quartier calme et verdoyant, non loin du stade Olympique. Moins cher que dans les A.J. Pas de petit déjeuner. Douches, lave-linge, cuisine équipée à disposition. Réservation obligatoire.

Les centres religieux

♠ **Centre Maria Goretti :** 3333, chemin de la Côte-Sainte-Catherine. ☎ 731-11-61. M. : Côte-des-Neiges. Ouvert 24 h sur 24. Uniquement pour les filles, à partir de 18 ans. Une bonne adresse, très propre et moins chère que l'A.J. Chambres avec lavabo. Moins cher en chambrettes. Sanitaires dans le couloir. Pas de couvre-feu. On y trouve une cafétéria très bon marché (ouverte aux hommes) ; hélas fermée le week-end en été, ainsi que de mi-juillet à mi-août), une bibliothèque, deux salles TV, etc. Tarifs dégressifs pour les séjours prolongés. Accueil très gentil, mais on ne peut pas dire que l'ambiance soit délirante.

♠ **YMCA** *(plan II, B3, 23)* : 1450, rue Stanley. ☎ 849-83-93. Fax : 849-5863. M. : Peel. Ouverte 24 h sur 24. Hommes et femmes acceptés. En plein centre. Chambres pour 1, 2, 3 ou 4. Prix assez élevés, mais intéressants à partir de 3. Très propre. Cafétéria. Piscine. Activités culturelles et sportives. Une vraie ruche. Possibilité de rencontres intéressantes. Réduction avec la carte d'étudiant.

♠ **YWCA** *(plan II, B3, 24)* : 1355, bd René-Lévesque Ouest. ☎ 866-99-41. Fax : 861-16-03. M. : Peel, Lucien-L'Allier, ou Guy-Concordia. Située près des gares. Ouverte 24 h sur 24. Pour filles seulement. Chambres simples et doubles. Piscine, sauna, cafétéria, biblio, machines à laver, etc. Très bien tenu. Certaines chambres ont leur salle de bains (assez cher). Le plus avantageux est le dortoir pour 4. En fait, même prix que *YMCA*. Possibilité de réserver par téléphone. Cartes *Visa* et *MasterCard* acceptées.

Les universités

En été seulement. Pour les fans de ce mode de logement. On vous prévient quand même, c'est assez *bluey,* plutôt cher et moche.

♠ **Collège français** *(plan II, C1, 25)* : 5155, av. de Gaspé. ☎ 495-25-81. M. : Laurier. Dans un quartier socialement très intéressant (se reporter aux rubriques « Où manger ? » et « À voir »). Téléphoner et demander M. Stellian. Propose toute l'année des chambres de 4 avec douche et w.-c., ainsi que des dortoirs pour 7 (ceux-ci étant moins chers qu'à l'A.J.). Couvre-feu variant selon les saisons entre 1 h et 3 h du matin. Petit déjeuner bon marché l'été. Pas vraiment le grand confort mais bien pour le petit prix demandé.

☙ *McGill* (plan II, B2, **26**) : 3935, rue de l'Université. ☎ 398-63-67. Fax : 398-67-70. Et n° 3425 de la même rue. ☎ 398-63-78. Fax : 398-44-45. C'est l'université anglophone. Ouvert de début mai au 15 août. On loge dans de hautes tours déprimantes. Assez cher pour le confort proposé : couloirs sombres, peu de douches. Chambres simples uniquement. Pas formidable... Prix élevés pour les étudiants et prohibitifs pour les autres. De plus, un peu excentré. Draps et serviettes fournis.

☙ *Résidence des étudiants de l'Université de Montréal :* 2350, rue Édouard-Mont-Petit. ☎ 343-65-31. M. : Édouard-Mont-Petit. Ouverte de début mai au 20 août. Université francophone. Un peu moins cher qu'à *McGill* mais plus cher qu'en A.J. 10 $ de réduction avec une carte d'étudiant. Chambres pour 1 ou 2 avec lavabo. Sanitaires à l'étage. On y fait des rencontres sympa.

☙ *Résidence de l'Université Concordia :* 7141, rue Sherbrooke Ouest. ☎ 848-47-56. Ouvert de début mai au 20 août. Vraiment très excentré. Chambres simples ou doubles. Moins cher que les deux universités précédentes.

☙ *Collège Jean-de-Brébeuf* (hors plan II par B1) : 3200, Côte-Sainte-Catherine. ☎ 342-13-20. M. : Côte-des-Neiges. Chambres doubles ou individuelles avec lavabo. Très propre. Possibilité de manger pour pas cher.

Chez l'habitant

C'est *grosso modo* le même prix qu'en hôtel, mais avec deux avantages : petit déjeuner (souvent très copieux) inclus dans le prix et accueil bien plus chaleureux. Voici quelques adresses – entre autres – de *Gîtes du Passant,* où il est vivement recommandé de réserver en été. De toute façon, téléphoner avant d'y aller. Si c'est plein, consulter les autres adresses du guide édité par la Fédération des Agricotours (disponible à Infotouriste). Plusieurs autres associations à contacter qui proposent de nombreuses chambres chez l'habitant :

● *Bed and Breakfast Downtown Network :* 3458, Laval Avenue, près de Sherbrooke. ☎ 289-97-49.

● Chambres d'hôte *Montréal Oasis.* Renseignements : ☎ 935-23-12.

● *Gîte provincial Bed and Breakfast.* ☎ 285-40-60.

● *Bed and Breakfast à Montréal :* C.P. 575, Succ. Snowd. ☎ 738-94-10. Fax : 735-74-93.

● Outre des chambres chez l'habitant, *Catherine,* une Française émigrée au Québec, propose à ceux qui souhaitent séjourner plus longtemps à Montréal des chambres ou des appartements meublés, appartenant à des particuliers qui s'absentent pour des durées allant de quelques semaines à quelques mois. Elle prodigue de plus pas mal de bons conseils et organise diverses activités. ☎ 524-83-44.

Vous devriez trouver votre bonheur dans les adresses qui suivent. On vous les recommande plus que les hôtels de la catégorie « Plus chic ».

☙ *Auberge Chez Jean* (plan II, C2, **36**) : 4136, rue Henri-Julien. ☎ 843-82-79. M. : Mont-Royal. Jean Bériou est français, mais québécois d'adoption depuis maintenant pas mal de temps. Chez lui, on vit plus ou moins tous en collectivité (parfois plusieurs personnes dans la même pièce) dans une grande maison. Et s'il n'a plus de place à l'intérieur, vous pourrez dormir dans ses camionnettes aménagées. Attention cependant : les prix sont peut-être imbattables, mais la propreté est vraiment limite et c'est bruyant. Pour vrais routards en bout de course...

MONTRÉAL

Où dormir à prix moyens ?

Chez l'habitant

DANS LE CENTRE

■ *B & B chez Hervé et Tracy* (plan II, C3, **30**) : 1225, rue Bullion. ☎ 878-98-43. Fax : 878-38-13. À deux pas du centre. Pour des prix légèrement inférieurs à la moyenne, Hervé et Tracy, respectivement français et canadienne anglophone, vous proposent des chambres pour 2 superbement décorées et toutes différentes : la petite (2 lits superposés), la marocaine et la mexicaine et la « château » à l'étage, avec une salle de bains très mignonne pour ces 4 chambres ; l'orange (où l'on peut dormir à 3) et la rouge « Shangaï » en bas, avec leur petite salle de bains. Et en prime, un salon aussi coloré que le reste et un petit déjeuner copieux... Que demander de plus !

■ *La Maison Jaune* (plan II, D2, **31**) : 2017, rue Saint-Hubert. ☎ 524-88-51. Bien situé, car à deux pas du terminus Voyageurs. Belle demeure victorienne, très joliment redécorée il y a peu. Calme et bien tenu. Accueil chaleureux et excellent petit déjeuner. On vous conseille de réserver à l'avance car il n'y a que 5 chambres : une individuelle (commune) en bas, et 4 à l'étage, dont 3 doubles (dans l'ordre de notre préférence la jaune, la bleue puis la verte) et une pour 4 personnes (la meilleure). Prix raisonnables, dégressifs après 5 jours.

■ *Chez Marine Berthou* (plan II, C2, **42**) : 3490, rue Jeanne-Mance. ☎ 282-98-61 (mais attention, il change très souvent. Au cas où, appelez les renseignements : ☎ 411). Cette petite maison ne paie pas de mine de l'extérieur, mais une vieille dame charmante, sa fille et son chat Saskatchewan vous y accueillent avec une gentillesse toute québécoise. L'intérieur est calme, très clair, et à l'architecture particulièrement réussie. 3 petites chambres, parfaits nids d'amoureux, s'y partagent une mini-salle de bains. Et

dans ce havre de paix, les prix sont les mêmes qu'ailleurs. Petit bémol : ceci est une adresse d'été, car la maison est déserte pendant l'hiver.

■ *Bed & Breakfast À l'Adresse du Centre* (plan II, D3, **51**) : 1673, rue Saint-Christophe. ☎ 528-95-16. Fax : 879-32-36. M. : Berri-Uqam. Bien situé, près du terminus Voyageurs, dans une rue calme et très colorée. Huguette Boileau réserve aux touristes un accueil chaleureux. Dans sa jolie maison, elle met à votre disposition des chambres agréablement décorées et confortables. Bon rapport qualité-prix pour 2. Pour 3, demander la chambre du bas, au fond, la plus spacieuse. Petits déjeuners gastronomiques (spécialités maison).

■ *Gîte touristique du Centre-Ville* (plan II, C2, **33**) : chez le sympathique Bruno Bernard, 3523, rue Jeanne-Mance (et non Jeanne Mas !), Montréal H2X-2K2. ☎ 845-04-31. Fax : 845-02-62. Internet : http ://www3.sympatico.ca/app. M. : Place-des-Arts. Maison de pierre dans un quartier résidentiel, en plein centre. Excellente adresse. On vous propose ici 3 chambres de qualité à prix doux. Salle de bains commune. Une chambre d'une personne également. Atmosphère agréable, tout en douceur. Petit déjeuner superbe. On dispose également d'une cuisine indépendante. Chambres modernes, équipées de ventilo, TV... Propose également 3 appartements qui peuvent accueillir jusqu'à 5 personnes, mais situés dans une tour moderne et anonyme (offrant cependant : piscine, sauna et laverie). Accepte les cartes de crédit.

■ *B & B chez Christian Alacoque* (plan II, C2, **34**) : 2091, Saint-Urbain. ☎ 842-09-38. Fax : 842-75-85. E-Mail : christian.alacoque@sympatico.ca. Calme et central. Dans une maison assez sympa et agréable, avec un salon de lecture de B.D. et autres bouquins. Accueil parfois décontracté et propreté parfois douteuse. Une salle de bains pour 3 chambres. Super petit déjeuner. Il est prudent de réserver.

▲ *Chez Pierre et Dominique* *(plan II, C2, 50)* : 271, square Saint-Louis. ☎ 286-03-07. M. : Sherbrooke. Adresse bien située, près du boulevard Saint-Denis et de l'avenue Sherbrooke, sur un square agréable. Très bel intérieur, moderne et chaleureux. Pierre et Dominique ont pas mal voyagé et donnent des conseils avisés à leurs hôtes sur la ville et la région. Les 3 chambres sont très agréables (surtout celle qui dispose d'une petite terrasse), calmes et très bien tenues. La plus grande peut accueillir 4 personnes (pour un prix vraiment avantageux). Non-fumeurs uniquement. Mieux vaut réserver par téléphone. Pierre et Dominique ont également 4 chambres dans une annexe voisine ouverte pendant l'été, mais celle-ci est nettement moins agréable. Demander donc à être dans leur belle maison.

▲ *Le Gîte du Parc Lafontaine* *(plan II, D2, 41)* : 1250, Sherbrooke

UN PEU EXCENTRÉ

▲ *Bed & Breakfast Chambre avec Vue* *(plan II, D2, 53)* : 4043, rue Papineau. ☎ 597-08-17 ou 945-19-25. À 10 mn à pied du centre-ville. Au 2e étage d'une maison donnant sur le parc Lafontaine, 2 chambres dans un appartement clair et moderne. Douillet, literie royale, et tarifs honnêtes. Appeler avant de s'y rendre.

▲ *La Dormance* *(plan II, D1, 32)* : 4425, rue Saint-Hubert, H2J-2X1. ☎ 529-01-79. M. : Mont-Royal. Chez Chantal (une Française, originaire d'Aix-les-Bains) et Eddy, un jeune couple amical. Maison confortable, au calme, à proximité d'un quartier qui bouge. Chambres agréables, grandes et claires, 4 doubles et 1 simple, donnant sur le jardin ou sur la rue. Pas toujours du chauffage dans les chambres. Chaleureux et charmant. Un peu cher toutefois. Toutes à l'étage avec salles de

Est. ☎ 522-39-10. Ouvert du 1er juin au 1er septembre. À mi-chemin entre gîte et A.J., propose dortoir ou chambres doubles. Clair et propre, mais les chambres sont un peu petites. Location de serviettes. Possibilité d'utiliser la cuisine de 17 h à 20 h. Le petit déjeuner, inclus, se prend sur la terrasse.

▲ *Bed & Breakfast Centre Ville-Downtown-Network* *(plan II, C2, 47)* : 3977, av. Laval. ☎ 287-96-35. Fax : 287-10-07. M. : Sherbrooke. Martha Pearson – qui est artiste-peintre et chanteuse d'opéra – et sa fille possèdent des chambres, dans cette rue calme, parallèle et proche des boulevards Saint-Laurent et Saint-Denis, plus animés.

▲ *La Maison du Jardin* : 3744, rue Saint-André, H2L-3V7. ☎ 598-88-62. Fax : 598-06-67. M. : Sherbrooke. Tenue par Nathalie, une Française, et Jean-Thomas, cinéaste. Logis confortable, 2 chambres doubles et 1 chambre simple dans une maison qui dispose d'un jardin où l'on vous servira le petit déjeuner. Accueil simple et chaleureux. Prix raisonnables pour Montréal.

bains communes propres. Nombreuses B.D. et magazines français.

▲ *Gîte La Cinquième Saison* *(plan II, D1, 54)* : 4396, rue Boyer, H2J-3E1. ☎ 522-64-39. Fax : 522-61-92. Internet : www.destination-quebec.com. M. : Mont-Royal. Dans le dernier quartier qui monte, très londonien. Tenu par Jean-Yves Goupil, hôte très chaleureux. Chambres confortables et bien décorées, coins lecture, TV et musique. Bon petit déjeuner avec pâtisseries maison. Prix corrects.

▲ *Le Coteau Saint-Louis* *(plan II, D1, 35)* : 5210, rue Berri. ☎ 495-16-81. M. : Laurier. 3 jolies chambres légèrement mansardées dans une traditionnelle petite maison québécoise bien agréable, où le bois domine. Accueil très sympa et petit déjeuner copieux (confitures maison).

▲ *Gîte du Passant L'Urbain* *(plan II, C1, 48)* : 5039, rue Saint-

Urbain. ☎ 277-38-08. M. : Laurier. Tenu par une dame charmante. 3 chambres douillettes dans une belle maison début de siècle. On dispose d'une chouette terrasse et d'un grand salon (TV, vidéo, piano, journaux). Un poil plus cher qu'ailleurs, mais ça se justifie.

🛏 *La Violette d'Outremont :* 27, av. Laviolette, Outremont, H2V-1X6. ☎ 270-23-85. M. : Outremont. Dans une petite rue du beau quartier résidentiel français, près de l'avenue Bernard et donnant dans Outremont. Des rues calmes et arborées... Maison claire, confortable et impeccablement entretenue par Pierre Pontbriand, très gentil. Seulement 3 chambres : l'une, pas très chère, petite mais avec balcon, les autres plus chères mais spacieuses et avec TV. Salle de bains à l'étage.

🛏 *Au Bonheur d'Occasion :* 846, rue Agnès. ☎ 935-58-98. M. : Place-Saint-Henri. Dans une magnifique maison du début du siècle avec un petit jardin où l'on peut prendre son copieux petit déjeuner. Bon accueil et très calme. Au fait, on vous prête même les vélos. Parking gratuit. Bon rapport qualité-prix.

🛏 *Monique et Christian :* 1508, rue Jeanne-d'Arc. ☎ 522-28-69. M. : Pie-IX. Bus n° 139. Plusieurs chambres avec sanitaires à l'intérieur ou en commun. Ambiance familiale, accueil chaleureux. Monique et Christian disposent d'une foule d'informations sur Montréal et le Canada. C'est de toute évidence un bon point de départ pour une première arrivée au Québec. Assez excentré, donc au calme, et seulement à une vingtaine de minutes du centre-ville par les transports en commun.

Les hôtels

À Montréal, les hôtels traditionnels sont tout de même assez onéreux. Bien sûr, il en existe de minables pas très chers. Si vous séjournez assez longtemps, il est préférable de se mettre à la recherche d'une *chambre à louer*. On arrive à en trouver assez bon marché. En principe, il y a toujours un réfrigérateur, une salle de bains sur le palier et un téléphone pour toute la maison. Cherchez du côté de la rue Saint-Denis (sachez cependant que les *Tourist Rooms* sont parfois des hôtels de passe). Allez voir aussi dans le coin de Saint-Hubert, rue Berri, carré Saint-Louis, rues Duluth, Aylmer, Hutchinson, av. du Parc, etc. Un organisme, *Tours Richelieu Tower*, loue des chambres d'hôtel et des appartements avec cuisine équipée. ☎ 844-33-81. Fax : 844-83-61. Notez par ailleurs qu'une taxe supplémentaire de 2 $ par nuit et par chambre existe depuis 1997.

🛏 *Hôtel Dynastie* (plan II, D2) : 1723, rue Saint-Hubert. ☎ 529-52-10. Fax : 695-1167. E-mail : hôteldyn@openface.ca. À 200 m de la gare routière. Simple, propre, vraiment pas cher et bon accueil. Chambres rénovées avec TV-câble, climatisation et bains, mais ne vous attendez pas au grand luxe.

🛏 *Hôtel Manoir des Alpes* (plan II, D3, *37*) : 1245, rue Saint-André, H2L-3T1. Près du terminus Voyageurs et du métro Berri. ☎ 845-98-03. Appel gratuit : ☎ 1-800-465-29-72. Fax : 845-98-86. Un bien bonne adresse, située idéalement. Accueil parfois inégal mais prestations de bon niveau pour un prix raisonnable. Chambres avec ou sans salle de bains. Climatisation et TV couleur. Café et croissant compris le matin. Stationnement gratuit. Essayez de réserver assez longtemps à l'avance. Souvent complet.

🛏 *Auberge des Glycines* (plan II, D3, *44*) : 819, bd Maisonneuve Est. ☎ 526-55-11. Cet hôtel à l'engageante façade en brique est situé non loin de la station de métro Berri-Uqam. Chambres propres pour 2, 3 ou 4 personnes avec salle de bains. Cependant, la déco est un peu vieillotte, l'accueil parfois froid et les prix toujours un peu plus élevés qu'en *B & B*. Bref, une adresse semblable à d'autres du même coin, comme l'hôtel *Le Breton*.

🛏 *Hôtel Pierre* (plan II, C2, *29*) :

169, rue Sherbrooke Est. ☎ 288-85-19. Donnant sur une rue bruyante, cet hôtel offre des chambres doubles sans grand intérêt, mais des chambres pour 4 ou 6 avec salle de bains d'un bon rapport qualité-prix (tout comme l'appartement pour 6). Accueil sympa et petit déjeuner inclus.

▪ *Hôtel Le Breton* (plan II, D3, 38) : 1609, rue Saint-Hubert, H2L-3T1. ☎ 524-72-73. Très bien situé, à « 50 pieds » du métro Berri-Uqam et du terminus Voyageurs. Une assez bonne adresse : chambres entièrement refaites, équipées de TV. Les plus chères disposent d'une salle de bains avec w.-c. Certaines chambres pour 4 à prix avantageux. Le petit déjeuner (tout petit !) est offert l'été ; l'hiver, les prix sont plus bas mais seul le café est offert. En prime, la gérante, Mme Miron, est une dame très aimable qui vous conseillera et, si vous le souhaitez, organisera vos journées (excursions). Réservez, il n'y a que 13 chambres (bientôt 22) dans ce petit hôtel très *cosy*.

▪ *Castel Saint-Denis* (plan II, C-D2, 39) : 2099, rue Saint-Denis. ☎ 842-97-19. Fax : 843-84-92. Au cœur de l'animation. Très bon accueil. Chambres avec ou sans salle de bains. Toutes avec TV et climatisation. Propre. Un peu moins cher que les hôtels de même catégorie. Ne sert pas de petit déjeuner, mais Anne-Marie, une sympathique Bretonne, donne de bonnes adresses et fait tout pour aider ses clients : infos, services, conseils...

Où dormir plus chic ?

Dans cette catégorie figurent des hôtels proposant de bonnes chambres à prix convenables et également de véritables petites suites. Les prix varient du simple au double.

▪ *Hôtel Manoir Sherbrooke* (plan II, C2, 29) : 157, Sherbrooke Est. ☎ 845-09-15. Fax : 284-11-26. Sur Sherbrooke, large artère bruyante, une grande bâtisse toute blanche avec des coursives. Une vingtaine de chambres, toutes différentes et décorées avec goût (moulures, mobilier de style), possédant toutes salle de bains et air conditionné. Demander à être sur l'arrière et à choisir votre chambre (si cela est possible), car certaines sont quand même mieux que d'autres. Le petit déjeuner n'est pas compris mais on vous l'offre. La patronne tient à la nuance.

▪ *Manoir Ambrose* (plan II, B2, 45) : 3422, rue Stanley. ☎ 288-69-22. Fax : 288-57-57. M. : Peel. Une bien belle maison de style victorien, typiquement montréalaise, dans un quartier résidentiel. Excellent accueil et chambres impeccables, certaines avec des meubles anciens. Quelques suites spacieuses et magnifiques. Petit déjeuner offert. Plusieurs tarifs en fonction du confort. Les premières (sans salle de bains) sont à prix très acceptables.

▪ *Hôtel de Paris* (plan II, D2, 46) : 901, Sherbrooke Est, à l'angle de Saint-André. ☎ 522-68-61. Fax : 522-13-87. Situé sur la bruyante Sherbrooke. Charmante maison à tourelle du début du siècle. Bon accueil. Chambres climatisées, toutes avec salle de bains, TV et téléphone. Certaines assez luxueuses, avec alcôve ou lit à baldaquin. Plusieurs prix mais surtout intéressant entre novembre et mai, sinon c'est plutôt cher. Ont récemment ajouté une section A.J. d'une soixantaine de lits, donc moins chère, dans un bâtiment rénové juste en face de l'hôtel (voir la rubrique « Où dormir assez bon marché ? Les auberges de jeunesse »).

▪ *Hôtel Terrasse Royal :* 5225, Côte-des-Neiges ; face au métro Côte-des-Neiges. ☎ 739-63-91. Fax : 342-25-12. Assez excentré mais dans un quartier calme et agréable. Entièrement rénové et archi-propre. Chambres spacieuses avec salle de bains et TV. Cher pour 2 mais à 3 ou 4, ça devient vraiment intéressant. Avantage : elles ont presque toutes une cuisine équipée, et on trouve un marché proposant des produits régionaux à 50 m de l'hôtel... Malheureusement cher.

🛏 *Hôtel Saint-André (plan II, D3, 37)* : 1285, rue Saint-André. ☎ 849-70-70. Appel gratuit : ☎ 1-800-265-70-71. Fax : 849-8167. M. : Berri-Uqam. Dans un quartier central, à deux pas de Sainte-Catherine et du terminus Voyageurs, un hôtel sans charme particulier mais au rapport qualité-prix honnête. Grandes chambres avec salle de bains, TV et air conditionné. Petit déjeuner continental compris, servi uniquement dans les chambres.

🛏 *Les studios du Quartier latin :* 2024, rue Saint-Hubert, bureau 5, H2L-3Z5. ☎ 845-09-16. Fax : 840-91-44. Internet : lestudio@microtec.net M. : Berri-Uqam. Emprunter la sortie Terminus Voyageurs. 80 studios aménagés dans de vieilles demeures. Bon accueil. Prix très corrects vu la situation. Cuisine parfaitement équipée.

🛏 *Le Taj Mahal-Thrift Lodge (plan II, D3, 40)* : 1600, rue Saint-Hubert. ☎ 849-32-14. Fax : 849-98-12. Moderne, sans charme et touristique. Mais l'accueil est pro, les chambres neuves et confortables, toutes avec climatisation, salle de bains et TV. Prix assez élevés mais honnêtes pour les prestations. À 3 ou 4, ça devient intéressant.

🛏 *L'Auberge de La Fontaine (plan II, D1, 43)* : 1301, Rachel Est. ☎ 597-01-66. Fax : 597-04-96. Chambres toutes différentes et très agréables, certaines avec vue sur le parc, ou bain tourbillon, ou coin-salon. Déco de bon goût dans des tons sympas, avec effets de papier peint pour souligner un angle ici ou là. Accueil charmant. Il y a même un coin cuisine où vous pourrez vous préparer une petite collation pour que vous vous sentiez comme chez vous ! Prix un peu élevés, mais largement mérités.

Où dormir dans les environs ?

🛏 *Auberge de jeunesse Le Chalet Beaumont :* 1451, rue Beaumont, Val-David. ☎ (819) 322-19-72. À 80 km de Montréal, entre Sainte-Adèle et Sainte-Agathe-des-Monts. On peut y aller en bus, mais c'est la galère. Être véhiculé. Une cinquantaine de places en chambres de 2 ou 4, ou en dortoirs de 6 à 8 lits. On y sert le petit déjeuner. Douches, toilettes et lavabos. Véranda, cuisine équipée. Ce beau chalet tout en bois conviendra tout particulièrement aux sportifs : nageurs (lac à proximité), randonneurs, grimpeurs, cyclistes, skieurs.

🛏 *L'Anse du Patrimoine :* chez Mme Mercier, 475, Émile-Nelligan, Boisbriand, J7E-4H4. ☎ (450) 437-69-18. Fax : (450) 434-51-30. Dans la banlieue nord de Montréal, entre les aéroports de Mirabel et Dorval, par l'autoroute n° 15 Sud. À 20 mn de l'aéroport de Mirabel. Une adresse recommandée par de nombreux lecteurs, idéale si l'on arrive de l'aéroport le soir et qu'on n'a pas le courage de chercher une adresse en ville, voire la veille du départ si on veut éviter la route avant de s'envoler. Maison de campagne bicentenaire et pleine de charme, au calme, avec piscine. Accueil chaleureux et petit déjeuner copieux. Très bon rapport qualité-prix.

🛏 *Gîte du Passant La Belle Vie :* 1408, Jacques-Lemaistre. ☎ 381-57-78. Fax : 381-39-66. Pour y aller : autoroute 40, sortie 73, av. Christophe-Colomb, vers le nord. À 1 km, prendre à droite, rue Legendre, puis André-Grasset à gauche (à 200 m), et c'est la 1re à droite. Ça paraît compliqué, mais c'est très facile à trouver ! Une bonne adresse où passer la nuit après (ou avant) un vol. Quartier résidentiel calme et proche des deux aéroports. Chambres impeccables, claires et agréables. Excellent petit déjeuner à déguster sur la terrasse donnant sur le jardinet. Petite piscine où faire trempette. Accueil charmant et prix très raisonnables.

▲ **Gîte du Passant La Villa des Fleurs :** 45, rue Gaudreault, Repentigny, J6A-1M3. ☎ (450) 654-92-09. Fax : (450) 654-12-20. Idéal si l'on arrive du nord (Québec ou Trois-Rivières) par l'autoroute 40. Les autres feront un petit détour qu'ils ne regretteront pas tant l'accueil de Denise et Claude est convivial. Chambres douillettes avec lavabo, salle de bains commune. Le petit déjeuner est délicieux, ainsi que le dîner (sur demande) avec de bonnes spécialités. Piscine. Nombreuses activités possibles l'hiver. Une très bonne adresse dans une banlieue résidentielle très agréable.

Où manger ?

Montréal, grande ville gastronomique de l'Amérique du Nord : les restos (plus de 5 000 !) poussent comme les champignons de rosée mais beaucoup disparaissent presque aussi vite ou ne maintiennent pas longtemps leurs qualités initiales. Nous avons pris bien soin de ne vous révéler que les valeurs sûres, saupoudrées, bien entendu, de quelques branchés ou nouveaux ethniques dont on espère qu'ils tiendront leurs promesses. Ne pas hésiter non plus à remonter vers le nord de la ville. Les quartiers qui se branchent se « touristisent » assez rapidement et perdent évidemment leurs caractéristiques sympas. Il en est ainsi de ceux des rues Prince-Arthur et Duluth. Aujourd'hui, on n'hésite plus à monter vers Saint-Laurent et Fairmount. Demain, Bernard et Van Horne... Mais, déjà, nombre d'aventuriers gastronomiques errent autour de Jean-Talon !

À noter, pour les fauchés : on trouve de nombreux stands culinaires dans les gigantesques centres souterrains de la ville. Toutes les cuisines du monde pour des prix généralement modiques. On est rapidement servi et c'est bien commode de s'y abriter par mauvais temps... Pour le petit déjeuner, même topo : quelques cafés bon marché dans les stations de métro !

DANS LES QUARTIERS SAINT-LAURENT ET SAINTE-CATHERINE

Quartier animé le jour, relayé par une vie nocturne assez trépidante. À l'intersection de Saint-Laurent et de Sainte-Catherine, vous trouverez le gros des boîtes de strip minables, des cinés porno et le début du quartier chinois. Nombreux restos et snacks pas chers.

Bon marché

I●I **Ben's Delicatessen** (plan II, B3, 63) : 990, bd de Maisonneuve Ouest (à l'angle de Metcalfe). ☎ 844-10-00. M. : Peel. Ouvert de 7 h à 4 h du matin. Y aller une fois, en fin de parcours de nuit, pour voir les visages défaits, les rimmels délavés, les tronches verdâtres des consommateurs. Décor années 50, aux couleurs kitsch, chrome et plastique. Pourquoi les gens viennent-ils, nous direz-vous ? Pour le *smoked meat* sur pain de seigle, le meilleur de Montréal depuis 1908, et aussi parce qu'on peut y manger, bière comprise, pour vraiment pas cher. Et dans deux siècles, les prix n'auront pas changé et il y aura toujours autant de monde... Au mur, les photos de toutes les vedettes qui ont hanté les lieux (dont notre Johnny Hallyday !). Pour les grosses faims, le *Big Ben*, un repas à lui tout seul. Sinon, carte bilingue proclamant « Nos clients sont les gens les plus merveilleux de l'univers », et où l'on peut signaler les bonnes soupes du jour, les crêpes aux pommes de terre à la « crème sure », comme celles aux bleuets (myrtilles). Une adresse intéressante pour son originalité.

MONTRÉAL

|●| *Eaton* (plan II, B3, **60**) : 677, rue Sainte-Catherine, à la hauteur de l'université. ☎ 284-84-21. Attention, ouvert seulement le midi, de 11 h 30 à 15 h. Au 9e étage d'un grand magasin de luxe, on trouve la copie exacte de la gigantesque salle à manger (très rétro) de l'*Île-de-France*, l'un des paquebots les plus luxueux d'avant-guerre. La clientèle y est majoritairement du 3e âge, car ceux-ci paient 10 % de moins. Buffet ou à la carte. Bonne cuisine à prix correct, servie par des mamies Nova qui devaient déjà être en service à l'époque du paquebot. Dépaysant.

|●| *Da Giovanni* (plan II, B3, **61**) : 690, rue Sainte-Catherine Ouest. ☎ 393-38-08. Ouvert tous les jours de 7 h (7 h 30 le dimanche) à 2 h (3 h les vendredi et samedi, 1 h le dimanche). Une institution de plusieurs décennies. Spécialités italiennes. C'est l'un des restos les moins chers et l'un des plus populaires de la ville. Pourtant, il n'a rien pour plaire avec son immense salle bruyante et son décor très quelconque. Mais on y fait un copieux repas de pâtes sauce viande pas cher, incluant soupe et dessert, et c'est là une raison bien suffisante. Ne pas s'attendre à de la grande cuisine. Vaste choix de pizzas, salades, sandwiches variés, omelettes, poulet, etc. Petit déjeuner très copieux servi avant 11 h. Un vrai repas ! Nourriture à emporter également. Pratique, car le terminal des bus n'est pas loin. Deux autres *Da Giovanni* : 5440, Sherbrooke Est et 572, Sainte-Catherine Est.

|●| *Le Commensal* (plan II, B3, **73**) : 1204, av. McGill-College. ☎ 871-14-80. M. : McGill. Ouvert tous les jours de 11 h 30 à 22 h. Système très apprécié de buffet végétarien au poids, ce qui permet de goûter plein de choses sans se ruiner. Vaste choix d'entrées, salades, tartes, pâtes... Sans oublier les desserts. Pas cher. Salle genre cafétéria *clean* et agréable, située à l'étage avec vue sur la rue. D'autres adresses dans Montréal, parmi lesquelles 2115, Saint-Denis, et 3715, Queen Mary.

|●| *Basha* (plan II, B3, **64**) : 930, rue Sainte-Catherine Ouest. ☎ 866-42-72. M. : Peel. Au 1er étage. Ouvert tous les jours, de 11 h à minuit du lundi au jeudi (jusqu'à 1 h les vendredi et samedi ; le dimanche, ouvert de 12 h à minuit). Libanais populaire et pas cher. Cadre archinul de cafétéria, particulièrement triste. Bonnes viandes à la broche malgré des photos peu engageantes et, en semaine, plat du jour à des prix animés 50.

|●| *Le Jardin de Jade* (plan II, C3, **97**) : 67, rue de la Gauchetière Ouest. Dans Chinatown. Endroit assez étonnant. Plusieurs salles fréquentées en majorité par une clientèle asiatique. Buffet à volonté. Bon et vraiment pas cher.

– Le minuscule *quartier chinois* possède plusieurs autres restos, bon marché pour la plupart. Ils se situent dans la rue Clarke, autour de la rue de la Gauchetière (au sud de René-Lévesque). Ce quartier est en pleine mutation ces derniers temps.

Prix moyens

|●| *Biddle's* (plan II, B3, **66**) : 2060, rue Aylmer. ☎ 842-86-56. M. : McGill. Ouvert de 11 h 30 à minuit ; les vendredi et samedi, ouvert le soir seulement, jusqu'à 3 h. Décor « rustico-Tiffany anglais chargé » dans lequel vous aurez l'occasion de déguster de bonnes *spare-ribs* (côtes « style Sud ») bien charnues à un prix raisonnable. La demi-portion est copieuse. Pour les grosses faims, la portion entière ou les *ribs and chicken*. Le midi, bourré de monde (employés du coin, yuppies, hommes d'affaires anglophones) et bruyant. On y vient plutôt en soirée, quand il y a de la musique, car l'endroit est également réputé pour son excellent jazz le soir à partir de 19 h (voir « Où boire un verre ? Où s'éclater en musique ? »). Terrasse agréable l'été. Vend aussi T-shirts, porte-clés et tabliers sympas.

|●| *Quartier Saint-Louis* (plan II, C1, **95**) : 4723, rue Saint-Denis. ☎ 284-77-23. M. : Laurier. Ce restaurant, ouvert seulement le soir,

sert d'excellents plats français, cuisine provençale et d'ailleurs : ris de veau aux nouilles, moules, sanglier. La cuisine est simple et savoureuse. On peut apporter son vin. Accueil très sympa.

|●| Restaurant Place Milton *(plan II, C2)* : 220, Milton Ouest. ☎ 285-00-11. M. : Place-des-Arts. Ouvert de 8 h à 20 h (les samedi et dimanche de 8 h à 16 h). Derrière une devanture des moins tape-à-l'œil se cache un petit trésor pour votre *brunch*. Simplicité et décontraction au programme. On traverse la première salle pour aller sur la terrasse (chauffée en hiver), calme et verdoyante. Rosa (à peine 82 printemps) vous propose ses plats, toasts, œufs, pommes de terre, saucisses, bacon servis avec le café. Petit resto qui vaut le détour pour Rosa et pour ses prix.

|●| Cafétéria *(plan II, C2, 93)* : 3581, bd Saint-Laurent. ☎ 849-38-55. Cadre original, un peu sophistiqué (rien à voir avec une cafétéria...), moderne et pourtant chaleureux. Lumière douce. On y mange de bonnes pâtes, de bonnes viandes, de bons desserts, le tout à des prix raisonnables pour l'endroit et la qualité. Clientèle plutôt jeune et branchée. Adresse à la mode à Montréal, parfaite pour le soir. Côté service, le casting a été bien fait...

|●| Shed Café *(plan II, C2)* : 3515, bd Saint-Laurent. ☎ 842-02-20. Ouvert de 8 h à 23 h en terrasse et jusqu'à 3 h à l'intérieur. L'une des étapes du circuit branché. Un monde fou, plein de jolies filles et une musique puissante ! Décor post-moderne et cuisine sur le pouce de qualité et pas très chère. Sandwiches composés sur pain au blé entier, croques divers, bons hamburgers, salades variées. Bons desserts. On vient quand même ici plus

pour la frime que pour la bouffe. Le *Shed Café* serait parfait dans notre rubrique « Où boire un verre ? ».

Plus chic

|●| Primadonna *(plan II, C2, 94)* : 3479, Saint-Laurent. ☎ 282-66-44. Excellent restaurant italien à la cuisine originale et inventive. Galette de crabes au confit de tomates, filet de thon, grillade de pieuvre aux aromates, pâtes noires aux pétoncles et crevettes, poitrine de faisan aux cerises et pommes... On en salive encore ! Service attentionné, supervisé par un Roberto décontracté qui a pas mal roulé sa bosse de par le monde. Cadre très agréable, d'inspiration Arts déco, dans les tons jaune et bleu. En plus, un excellent *sushi-bar*. Dommage que le boulevard Saint-Laurent sur lequel le resto s'ouvre en terrasse soit très passant, donc un peu bruyant.

|●| Chez Gautier *(plan II, C2, 96)* : 3487, av. du Parc. ☎ 845-29-92. Idéalement situé au carrefour de différents quartiers du centre-ville. L'intérieur de cet élégant restaurant revêt des allures de bistrot parisien à la mode 1900, et sa terrasse (en été) est l'une des plus agréables du coin. Le service, impeccable, est à la hauteur du cadre et de la cuisine. Cher à la carte, mais si l'on se contente des menus, très abordables, on en a vraiment pour son argent.

|●| Académie du Goût : 1242, Bishop. ☎ 393-16-35. M. : Guy ou Lucien-L'Allier. Ouvert du lundi au vendredi de 12 h à 14 h 15 et de 17 h 30 à 22 h ; le samedi, de 17 h 30 à 23 h. Fermé le dimanche. Chef français, carte et menus variés. Cuisine traditionnelle de qualité. Cadre aéré, nombreux tableaux exposés. Le premier étage, très feutré, est dédié à la lecture (bibliothèques) avec salon de thé.

DANS LE QUARTIER OUEST

C'est là que s'étend le quartier anglophone. Les vibrations y sont différentes. À vous de voir. Quartier d'affaires plus chicos. Grosses opérations immobilières de prestige et magasins de luxe. Quartier assez mort le soir, à part quelques rues élégantes aux boîtes à la mode. Cependant, animé la journée pendant l'année scolaire autour de l'université McGill.

Prix moyens

|●| Egg-Spectation (plan II, B3, 98) : 1313, rue Maisonneuve Ouest. ☎ 842-34-47. M. : Peel. Ouvert tous les jours de 6 h à 23 h. Pour les apôtres de la grasse matinée, voici le must du *brunch* à Montréal. Salle spacieuse à chacun des 2 étages, aux murs de brique joliment décorés. Clientèle en majorité étudiante ; le week-end, il n'est pas rare de voir 10 m de queue dans la rue. Très grand choix de plats (saumon, steak, fruits et légumes frais...) servis avec un café et de délicieux toats. Bonne spécialité d'œufs bénédicte. Autre adresse : 198, Laurier Ouest. ☎ 278-64-11.

|●| Bar B'Barn (plan II, A3, 65) : 1201, rue Guy. ☎ 931-38-11. M. : Guy. Ouverture à 11 h en semaine, 11 h 30 le week-end. Fermeture à 22 h 30 du dimanche au jeudi, 24 h les vendredi et samedi. Tout près de Sainte-Catherine. On y déguste bien sûr la spécialité de la maison : les *spare-ribs* (travers de porc) avec du riz aux tomates, du poulet et des frites. Plats copieux et excellents pour des prix corrects. Plusieurs tailles de *ribs* et de poulet. De plus, l'intérieur – c'est immense, sur 5 étages – est plutôt sympa, genre campagnard version cabane en bois.

|●| Hard Rock Café (plan II, B3, 74) : 1458, rue Crescent. ☎ 987-14-20. Ne dérogeons pas à la tradition ! Comme à Los Angeles, San Francisco, New York, Stockholm, Londres, Bangkok et Paris (ouf !), on va vous indiquer, en traînant un peu les pieds, cet énième *H.R.C.* Déco immuable de guitare d'untel, disque d'or d'un autre, poster d'un troisième, petite culotte de celle-ci, bottes de celui-là... Dans l'assiette, du *McDo* amélioré. Nous, blasés ?

DANS LE VIEUX MONTRÉAL

Un quartier plein de charme et bien conservé. Cela dit, les cars de touristes y font la loi et il est bien difficile d'y manger de bonnes choses pour pas cher... Dans ces conditions, autant s'y promener le matin ou aller y boire un verre le soir (voir le chapitre concerné, plus loin), en décidant de se sustenter ailleurs, par exemple dans le tout proche quartier chinois qui regorge de petits restos bon marché...

|●| La Gargote (plan III, B2, 67) : 351, place d'Youville. ☎ 844-14-28. Voilà un restaurant qui n'est loin ni de l'animée rue Saint-Paul, ni du très passant boulevard René-Lévesque. Et pourtant, les seuls véhicules à passer devant sont des carrioles tirées par des chevaux... (Celles des touristes romantiques !) L'intérieur, assez intimiste, est très agréable. La cuisine, quant à elle, est française, pas mal du tout et pas très chère. Accueil moyen.

|●| Le Grill (plan III, C1, 68) : 183, rue Saint-Paul Est, presque à l'angle de la place Jacques-Cartier. ☎ 397-10-44. Ouvert tous les jours midi et soir. Joli patio où l'on mange en été. Sinon, salles tamisées, tout de pierre et de poutres. Pour un peu, on se croirait en France – d'ailleurs l'équipe est française. Le midi, bonne formule « spécial du jour » à prix doux. La cuisine n'a rien de miraculeux, mais globalement le travail est bien fait. Le soir, table d'hôte idéale pour un tête-à-tête en amoureux... Mais autant être prévenu : l'addition sera lourde !

|●| Menara (plan III, C-D1, 69) : 256, rue Saint-Paul Est. ☎ 861-19-89. Ouvert tous les jours mais on y vient le soir. Sert jusqu'à 22 h. Pourquoi pas un peu d'exotisme ? Ambiance feutrée et décor typique dans ce resto marocain. Au menu, bien sûr, couscous, tajines, pastillas et, pour accompagner le dessert, les jeux de voiles des danseuses du ventre dans un décor de tente berbère. Dépaysant.

MONTRÉAL

DANS LA RUE SAINT-DENIS ET VERS L'EST

La rue Saint-Denis, du n° 1000 au n° 4000, aligne nombre de restos à tous les prix, de la gargote classique au bon resto de standing. Dans le « bas Saint-Denis » que nous traitons ici, ils se serrent les uns contre les autres, tolérant de temps à autre que s'intercalent quelques cafés. Dans la partie comprise entre René-Lévesque et Sherbrooke, atmosphère très commerciale et touristique au plus mauvais sens du terme, à mi-chemin de Montmartre et de Saint-Michel à Paris. Cependant, l'animation pourra plaire à nombre de lecteurs, surtout au moment du festival de Jazz, la première quinzaine de juillet.

Bon marché

l●l *La Paryse* *(plan II, C2-3, 70)* : 302, rue Ontario Est (à l'angle de Sanguinet). ☎ 842-20-40. Ouvert de 11 h à 23 h (le dimanche, de 14 h à 22 h 30). Pour ceux que la rue Saint-Denis rebute, voici, à quelques pas, l'occasion de manger le meilleur hamburger de Montréal. Atmosphère agréable, déco années 50, tables serrées, etc. Vous saurez tout de la vie de vos voisins, tout en dégustant une excellente viande hachée et de croustillantes frites maison. Le midi, menu très bon marché. Le croirez-vous, il faut souvent y faire la queue ! C'est bon signe, non ? De plus, la maison fait du mécénat : 1 % de ses ventes sert à soutenir l'art contemporain. L'une de nos meilleures adresses pour manger un hambourgeois.

l●l *Le Café Pellerin* *(plan II, C2-3, 82)* : 330, rue Ontario Est. ☎ 845-09-09. *Le Café Pellerin,* qui vient de fêter ses 21 ans, c'est avant tout une salle à la déco sympa où vous pourrez lire des B.D. tout en écoutant de la bonne musique. On y trouve également une terrasse calme à l'arrière. La carte n'est pas très originale, mais au moins les prix sont raisonnables.

l●l *Shezan* *(plan II, C-D2, 92)* : 2051, rue Saint-Denis. ☎ 845-88-67.

Parmi les nombreux restaurants asiatiques du coin, ce resto indien est l'un des plus recommandables. Cadre simple, bonne cuisine et tarifs très honnêtes.

Prix moyens

l●l *Le Petit Extra* *(plan II, D2, 71)* : 1690, rue Ontario Est, près de Papineau. ☎ 527-55-52. Ouvert midi et soir, jusqu'à 22 h. Fermé les samedi midi et dimanche midi. Un bistrot toujours aussi à la mode, animé et pas trop cher. Le cadre est plaisant, le service souriant et la cuisine irréprochable. Le menu du jour, servi à midi, est à un prix intéressant. Il comprend une entrée, un plat et le café. Le soir, formule un peu plus chère avec une cuisine plus élaborée. Très bonne adresse. Réservation conseillée.

l●l *Mikado* *(plan II, C-D3, 72)* : 1731, rue Saint-Denis. ☎ 844-57-05. Voilà un restaurant japonais d'où l'on ressort rassasié (ce qui n'est pas toujours le cas chez nos amis nippons...), et ce après s'être délecté des spécialités habituelles du pays du Soleil levant (*sushi, sashimi, teriyaki,* etc.). Prix corrects pour les formules servies à midi, mais plus élevés le soir. Le tout dans un cadre élégant et sur une musique propre à la méditation...

DE PRINCE-ARTHUR À MONT-ROYAL

Sur deux axes parallèles, Saint-Laurent et Saint-Denis, et dans les rues adjacentes, un certain nombre de restos intéressants. M. : Sherbrooke et Mont-Royal. Quartier, en quelque sorte le Midtown de Montréal, pas encore vraiment « touristisé » et ayant conservé une vieille population typique. Cette portion de Saint-Laurent traverse même en partie le secteur portugais de la ville. Il y a quelques années, la rue Prince-Arthur fut la rue des restos branchés. Aujourd'hui, elle a beaucoup perdu de son âme et s'est très touristiquement banalisée. La rue Duluth, qui fut, à la même époque, bourrée de petits restos margeos sympas et de gargotes grecques, s'est largement institutionnalisée, mais on trouve tout de même dans les alentours quelques rues agréables pour se balader (la rue Drolet, la rue Laval, le carré Saint-Louis...). Mais d'une manière générale, vous ne trouverez pas grand-chose d'autre dans ce quartier que des dizaines de restos grecs se faisant une concurrence féroce dans un urbanisme rénové sonnant assez faux.

Bon marché à prix modérés

●| Schwartz's (plan II, C2, **76**) : 3895, bd Saint-Laurent (et Napoléon). ☎ 842-48-13. Ouvert tous les jours de 9 h à 1 h (2 h le vendredi, 3 h le samedi). Le meilleur resto de cuisine juive à Montréal. On ne peut guère le manquer, vu le monde qui s'y presse et attend parfois longtemps pour avoir une table. Les vitrines croulent sous le *smoked meat* et les bocaux d'énormes poivrons. On vient ici pour un copieux sandwich de viande fumée avec moutarde, et on file. Il est amusant de constater le décalage entre ces vieux locaux poussiéreux, au sol graisseux, et la clientèle parfois bourgeoise et/ou branchée qui s'y montre. Aux murs, nombreux articles et peintures attestant, s'il le fallait, de la notoriété de l'établissement. Le slogan c'est : « Ici, on a l'embarras du Schwartz's. » Fin de citation !

●| L'Anecdote (plan II, D1, **78**) : 801, Rachel Est, à l'angle de Saint-Hubert. Ouvert en semaine de 7 h 30 à 22 h, le week-end de 9 h à 22 h. Un endroit somme toute banal, fréquenté par une clientèle de quartier. Pour une plongée dans la réalité sociale. Amateurs de sensations fortes et d'originalité, passez votre chemin ! Ringard dans sa déco, confortable pour ses sièges, ambiance musicale actuelle. On vient ici pour une halte soupe ou pour une assiette de poutine au cours d'une balade dans le coin. Lieu idéal pour rencontrer des indigènes.

●| Coco Rico (plan II, C2, **79**) : 3907, bd Saint-Laurent. ☎ 849-55-54. Ouvert jusqu'à 22 h du dimanche au mercredi et 23 h du jeudi au samedi. Même maison que le *Jano*. Une sorte de fast-food portugais spécialisé dans le poulet et les côtelettes de porc grillées. Régimes, s'abstenir... Dans cette salle peinte

tout en jaune, on ne peut manger qu'au comptoir. Rapide et pas cher.

●| Santropol (plan II, C2, **80**) : 3990, rue Saint-Urbain, à l'angle de Duluth. ☎ 842-31-10. Ouverture à 11 h 30 en semaine et 12 h le week-end. Fermeture à 24 h du dimanche au jeudi et 1 h les vendredi et samedi (vous suivez ?). Fermé le lundi en hiver. Endroit très fréquenté, plutôt margeo et « granola » (végétarien en jargon local). Décor rigolo et coloré. Mini-jardin japonais. Cour intérieure très agréable et bucolique. Soixante sortes de thés et tisanes (à l'abricot, à la framboise, etc.), de savoureux *milk-shakes* maison et d'excellents sandwiches (au thon, très copieux). Ambiance très sympa. À découvrir.

●| Restaurant Mazurka (plan II, C2, **81**) : 64, rue Prince-Arthur. ☎ 844-35-39. Ouvert tous les jours jusqu'à minuit. Un resto polonais fréquenté par des Polonais. Bon, pas cher et copieux. Très réputé.

Prix moyen à plus chic

●| L'Express (plan II, C-D2, **83**) : 3927, rue Saint-Denis. ☎ 845-53-33. Ouvert tous les jours jusqu'à 2 h (1 h le dimanche). Restaurant-bar assez animé, genre brasserie parisienne. Clientèle dans les 30-40 ans. Beau monde en général (beaucoup d'artistes). L'un des restos ayant réussi, depuis de nombreuses années, à maintenir une qualité constante et à fidéliser sa clientèle, bien que les entrées soient un peu chichiteuses. Prix raisonnables eu égard au standing de l'établissement. À noter également : une des meilleures caves à vin de Montréal et aussi de fabuleux desserts (comme la glace poire-framboise et l'étonnant gâteau « Indulgent »). Mieux vaut réserver le soir.

●| Jano (plan II, C2, **77**) : 3883, bd Saint-Laurent. ☎ 849-06-46. Ouvert tous les jours de 17 h à 24 h. Resto populaire portugais régalant de copieuses spécialités du Ribatejo : lapin grillé, brochettes, *spare-ribs,* saucisse portugaise, poisson sur charbon de bois, etc. Ambiance familiale, cuisine simple et service affable. Les prix ont un peu trop grimpé ces derniers temps : attention à l'addition.

Bien plus chic

|●| *Laloux* (plan II, C2, **85**) : 252, av. des Pins Est (à 2 blocs de la rue Saint-Denis). ☎ 287-91-27. Sert tous les jours de midi à 22 h 30 (23 h 30 le week-end). Le midi, arri-

vez avant 14 h. Décor sobre et élégant pour une clientèle assez chicos et yuppie. Grandes glaces qui renvoient à l'infini le ballet des garçons stylés aux longs tabliers. Nouvelle cuisine imaginative et équilibrée. Carte pas très longue d'où émergent, par exemple (mais ça peut changer), le gâteau de lapin au poivre, le *gaspacho* de crustacés, le panaché de poisson à la vanille ou encore le ris de veau à la moelle et au vin rouge (slurp!). Le midi, table d'hôte à prix raisonnable. Quelques bons vins au verre. Cher le soir, mais un vrai rendez-vous des bonnes bouches.

DE MONT-ROYAL À BERNARD

C'est le dernier quartier qui monte. L'un des plus cosmopolites de Montréal (surtout des Grecs, Portugais, Italiens), avec quelques rues habitées par les juifs orthodoxes. Un coin de Méditerranée dans la ville. Dans le quadrilatère compris entre Parc et Saint-Laurent, une pléiade de petits et grands établissements culinaires bien sympathiques. Aucun bouleversement architectural. Seuls les nouveaux restaurateurs, les publicitaires dynamiques, les boutiques de vêtements branchées et les coiffeurs à la mode se sont installés dans les vieux magasins et échoppes abandonnés pendant de nombreuses années (surtout sur Saint-Laurent, entre Saint-Joseph et Bernard). Parc est considéré comme la « petite Grèce gastronomique ». Enfin, tout au nord du quartier, à Outremont, le secteur résidentiel de la bourgeoisie francophone, vous trouverez les restaurants plutôt chic. Pour digérer, articulez votre étape culinaire avec une balade dans ces rues typiques du Montréal ethnique. Pour s'y rendre : métro jusqu'à la station Laurier ou prendre le bus remontant Saint-Laurent.

Bon marché

|●| *Wilensky* (plan II, C1, **86**) : 34, rue Fairmount Ouest, à l'angle de Clark. M. : Laurier. ☎ 271-02-47. Ouvert de 9 h à 16 h du lundi au vendredi. Fermé le week-end et du 15 au 30 juillet. Snack casher ouvert en 1932 et qui n'a pas changé une poignée de porte depuis. Un vrai décor de cinéma. D'ailleurs, on y a tourné une séquence de *L'Apprentissage de Duddy Kravitz* avec Richard Dreyfuss. Les grille-pain datent, quant à eux, nettement de Neandertal! Atmosphère authentique *thirties-forties*. Sur de hauts tabourets étroits et mouvants, nouveaux habitants, gamins du quartier et hommes d'affaires juifs viennent y prendre un petit déjeuner ou un *lunch* typiques. Goûtez au *Wilensky*

special, avec ses quatre sortes de salamis. Les sandwiches n'ont jamais été les meilleurs de la ville (bonjour la graisse), mais le lieu est l'un des plus typiques. Prix écrasés. Une adresse pour amoureux et nostalgiques de la vieille Amérique!

|●| *La Binerie Mont-Royal* (plan II, C1, **75**) : 367, rue Mont-Royal Est, près de l'angle avec Saint-Denis. ☎ 285-90-78. Ouvert de 6 h à 22 h 15 (16 h le samedi). De 8 h à 15 h le dimanche. C'est l'une des dernières « bineries » de Montréal, c'est-à-dire ces petits restos de quartier qui, il y a quelques dizaines d'années, furent nombreux à proposer une solide nourriture typiquement québécoise à des prix d'avant-guerre (même l'autre) et à réchauffer corps et cœurs les rudes jours d'hi-

ver. Aujourd'hui, la plupart ont succombé aux modes et changements d'habitudes culinaires. Décor nu. Peu de tables, on mange avant tout au comptoir sur les tabourets d'aluminium années 40, en compagnie d'habitués, d'artistes, d'ouvriers du coin, de fauchés, etc. Ici, on vient pour les _bines_ (fèves au lard) dont le resto débite plus de vingt tonnes par an, pour le bœuf aux choux ou aux fèves, le ragoût de pâtes, la tourtière, et ces desserts aux noms insolites : « pudding chômeur » et « blanc-manger ». Compter 5-6 $ le repas maximum. Pèlerinage obligatoire.

|●| _Maison de l'Original Fairmount Bagel_ (plan II, C1, **87**) : 74 Fairmount (entre Saint-Urbain et Clark). ☎ 272-06-67. Une curiosité. Dans une vieille maison de brique rouge, une boulangerie où vous pourrez acheter, de jour comme de nuit (c'est ouvert 24 h sur 24), d'excellents _bagels_ bruns aux raisins (les meilleurs de Montréal, paraît-il). Tout autour, ça sent bien bon ! Beaucoup de gens viennent de loin pour les acheter.

Prix moyens

|●| _Beautys_ (plan II, C1, **88**) : 93, rue Mont-Royal Ouest, à l'angle de Saint-Urbain. ☎ 849-88-83. Créé en 1942. Ouvert tous les jours de 7 h (8 h le dimanche) à 17 h. Ça ressemble bien sûr à un _dinner_, ça a l'atmosphère d'un _dinner_, mais c'est quelque chose de plus encore. Incroyable comme la foule s'y presse. Le dimanche matin, pour le _brunch_, les fans effectuent souvent longtemps la queue, faisant pression du regard pour qu'une table se libère. Parmi les quelques stars montréalaises habituées des lieux, le grand chanteur Leonard Cohen et la douce Carole Laure... C'est toujours relax et bon enfant, dans un décor bleu et aluminium somme toute banal. Mais on vient avant tout pour la bonne cuisine juive, fraîche et appétissante. Carte superbe avec un grand choix de sandwiches, omelettes, salades, _burgers_, etc. Goûtez au fameux _Beautys special_ (fromage à la crème, saumon fumé, tomates et oi-

gnons sur un croustillant _bagel_ grillé). Délicieux _cheese blintzes_ (petits roulés au fromage et crème sure) ; le _mishmash_ (omelette avec saucisse, salami, poivron vert et oignons frits) possède ses irréductibles.

|●| _El Zaziummm_ (plan II, C1, **90**) : 4525, av. du Parc. ☎ 499-36-75. Impossible de trouver deux objets identiques dans ce resto mexicain : buste d'Elvis et squelette en plastique par-ci, fauteuil de bar en selle de vélo et masque aztèque par-là... La carte est à l'image du décor : très chargée, mais superbe (une B.D. à elle toute seule). Vous pourrez y dénicher de bonnes spécialités à prix raisonnables. Une super adresse !

|●| _La Petite Ardoise_ (plan II, C1, **89**) : 222, Laurier Ouest. ☎ 495-49-61. Ouvert tous les jours de 8 h à minuit. Bar-resto à la pimpante façade turquoise. À l'intérieur, bois, brique et ambiance cool. Terrasse paisible. Service délicat et charmant pour une série de petits en-cas genre soupe à l'oignon, salades, quiches, etc. Un lieu tranquille pour écrire des cartes, pour voir évoluer une tranche de vie de quartier. Pas cher, copieux et agréable.

|●| _Galaxie_ (plan II, C1, **91**) : 4801, Saint-Denis, non loin de l'angle avec Saint-Joseph. ☎ 499-97-11. M. : Laurier. Ouvert jusqu'à 23 h en semaine et 1 h le week-end. Pour les petits Européens, c'est bien une autre galaxie : celle des authentiques _dinners_ américains, ces sortes de gros bus-caravanes en alu, avec des sièges en Formica et des serveuses sympas en socquettes. On y avale des _burgers_ et des _milk-shakes_ sur les airs choisis dans de mini-juke-boxes. En fait, l'endroit est tout neuf, c'est donc un remake, une sorte de reproduction. Sympa bien que manquant parfois d'ambiance.

|●| _La Moulerie :_ 1249, av. Bernard, à l'angle de Champagneur. ☎ 273-81-32. M. : Rosemont ou Outremont. Ouvert de 11 h 30 à minuit (ouvre à 10 h les samedi et dimanche). Service en continu. Très populaire dans tout le nord de Montréal. Comme son nom l'indique, spécialisé dans

les moules, proposées sous une bonne dizaine de savoureuses versions (notamment à l'indienne, à l'italienne, en salade, mais pas en dessert!). Cadre agréable de bistrot chic. Beaucoup de monde, surtout le week-end (on vient se montrer).

|●| **Restos grecs** sur l'avenue du Parc, de Laurier à Van-Horne. L'embarras du choix!

DANS LE NORD DE LA VILLE

Pour les vrais aventuriers de la gastronomie, pour ceux qui ont épuisé toutes les adresses précédentes, une intéressante expédition, par exemple, dans le petit quartier italien de Montréal pour saisir tous les bons effluves méditerranéens. Montréal évolue très vite. Des quartiers se font et se défont. Les clientèles sont mouvantes. Dans le nord de la ville, des secteurs entiers se revitalisent peu à peu. Et, comme les missionnaires débarquant dans les fourgons des expéditions coloniales, ici, ce sont les restos qui viennent évangéliser les estomacs. M. : Beaubien ou Jean-Talon.

Prix moyens

|●| **Tre Marie (Les Trois Marie) :** 6934, rue Clark, à l'angle de Mozart. ☎ 277-98-59. M. : Jean-Talon. Une rue à l'ouest de Saint-Laurent. Ouvert tous les jours de midi à 21 h. La façade extérieure est moderne et laide, et l'intérieur encore plus moche. Le plus souvent, un seul plat du jour, servi copieusement et bon marché. Cuisine qui tient au corps. Lasagne, osso buco, côtelette *alla parmigiana*, etc. Le soir, arriver de bonne heure. À 21 h, on empile déjà les chaises. Le dimanche, les familles italiennes trustent les tables. Accueil plutôt bourru.

Où manger chic mais typiquement québécois dans les environs de Montréal?

|●| **Sucrerie de la Montagne :** 300, rang Saint-Georges, Rigaud. ☎ 451-52-04 et 451-08-31. À 45 mn de Montréal, près du mont Rigaud, sur la route 40 vers Ottawa (sortie 17). Ouvert toute l'année, tous les jours mais il faut réserver. Impossible d'y aller en bus. Être véhiculé. Camp de bûcherons comme il s'en construisait sur les chantiers au début du siècle. On peut voir comment se font la récolte et la transformation de l'eau d'érable. Mais les nombreux touristes viennent avant tout y goûter la soupe aux pois, les fèves au lard, les crêpes au sirop, préparées à l'ancienne. Menu très cher (moins cher à midi) mais nourriture à profusion. Il est absolument impossible de terminer son assiette. Et, bien sûr, le tout en zizique. Le patron, célèbre grâce à sa splendide barbe, est une personnalité québécoise. Cela dit, c'est pas vraiment un endroit pour routard : surtout conçu pour les groupes. 2 ravissantes maisons en rondins à l'entrée, conçues pour 6 personnes, où l'on peut passer une ou plusieurs nuits. Retour à la nature assuré hiver comme été. Très cher. Pas d'activité le soir.

|●| **La Sucrerie À l'Orée du Bois :** 11381, La Fresnière, Mirabel, Saint-Benoît. ☎ 258-29-76. Fax : 258-47-57. À 50 km au nord de Montréal. De Montréal, emprunter la route 13 ou la 15 Nord, sortir à l'autoroute 640 Ouest, à la sortie 11, rester à droite sur la 148 Ouest. Au troisième feu, prendre le boulevard Industriel de gauche. Au troisième stop, tourner à droite sur Rivière Sud-Chemin La Fresnière. Faire 10 km. *L'Orée du Bois* se trouve à gauche, peu après le croisement de la route (à droite) de la montée Rochon (ouf!). Il s'agit d'une grande cabane rustique située dans un cadre agréable, vert et vallonné, tenue par la famille Pilon, où l'on sert une

bonne et copieuse cuisine tradition-nelle : soupe aux pois, fèves au lard, oreilles de crisse, marinades maison, ainsi qu'une multitude de gentils desserts au sirop d'érable (pêches à l'érable, tartelettes à l'érable, mousse à l'érable, meringues à l'érable). Les menus sont gargantuesques et à des prix tout à fait corrects. Réservation à l'avance impérative. Visites guidées et commentées de la sucrerie (10 à 15 mn), très intéressantes, par Nicole, la maîtresse de maison, sur réservation aussi.

Où manger chic en savourant un vin excellent dans les environs de Montréal ?

◉ Le Bistro à Champlain : à Sainte-Marguerite du lac Masson, à 50 mn de Montréal. Autoroute 15 Nord, sortie 67, puis la 117 nord et enfin la 370. Table renommée, mais cave encore plus appréciée. Quelque 22 000 bouteilles... Seul restaurant du Canada à se voir récompensé par le Grand Award du magazine américain *The Wine Spectator*. On vient ici de partout, du Québec, bien sûr, mais aussi des États-Unis et d'Europe.

Où boire un verre ? Où s'éclater en musique ? Où danser ? Ou les trois en même temps...

La vie nocturne à Montréal risque de vous laisser sans souffle au bout de quelques nuits si vous n'êtes pas préparé physiquement. Dire qu'elle est riche et intense ne suffit pas, c'est aussi l'une des moins friquées du monde occidental, au sens qu'on ne paie pas pour entrer dans la plupart des boîtes et que le prix des consommations est raisonnable. Il n'y flotte donc pas l'atmosphère viciée du profit maximum, ni le climat oppressant des lieux élitistes où l'on se sent de trop. Vous serez surpris par la vitalité des cafés, bars et boîtes. Montréal est une ville qui bouge très fort, dans un conflit culturel permanent francophone/anglophone. Ici, il est inutile de se pointer dans un lieu quelconque avant 23 h. La vie commence après. Inutile de préciser qu'il y en a pour tous les goûts, tous les fantasmes. Le seul défaut de la vie nocturne montréalaise c'est qu'elle consomme les lieux goulûment. Les modes évoluent vite, des réputations se défont d'une année sur l'autre, les centres d'intérêt se déplacent. Malgré notre soin à n'indiquer que des valeurs sûres, nous n'excluons pas que certaines de nos adresses puissent se dévaluer le temps que le bouquin sorte. Tout va tellement vite ici...

Pour les spectacles, concerts et boîtes, se reporter à l'hebdo gratuit *Voir* qu'on trouve pratiquement partout (grands hôtels, restos, etc.). Nous avons classé les lieux par secteur, et à l'intérieur de chaque secteur, pour chaque adresse, nous indiquons si l'on y vient plutôt pour boire un verre, pour danser, pour écouter de la musique ou les trois à la fois. Rappelons qu'au Canada ces différentes activités ne sont pas distinctes comme en France.

En ce qui concerne le jazz, Montréal occupe une place de plus en plus importante, comme en témoignent les nombreux lieux qui s'y consacrent. Le jeune jazz montréalais a beaucoup d'avenir et révèle des musiciens talentueux. Vous aurez l'occasion de le découvrir encore plus aisément si vous êtes à Montréal pendant le *Festival international de Jazz* (cf. notre article sur cette fête annuelle montréalaise dans la rubrique « Vie culturelle »).

DANS LE CENTRE : SAINTE-CATHERINE ET SAINT-DENIS

♟ **Jello Bar** (plan II, C2-3, **103**) :
151, rue Ontario Est. ☎ 285-26-21.
En plein centre de Montréal mais
dans un coin plutôt calme, on trouve
ce bar où l'on peut écouter de l'excellente musique, et ce, tous les
soirs : jazz, funk, soul,... Et pour se
désaltérer, de nombreux vermouths
(Martini, etc.). Une bonne adresse.

♟ **Les Foufounes Électriques**
(plan II, C3, **101**) : 87, Sainte-Catherine Est. ☎ 844-55-39. Grand bar-
boîte assez *grunge*. Faune bigarrée.
On y voit de tout (surtout en matière
de fringues et de coupes de cheveux), de l'étudiant modèle au punk
coloré, en passant par le skater fou
ou le hippie égaré. Immense terrasse en bas, sur laquelle des bi-
dons font office de tables. Ambiance
sympa. Entrée gratuite, sauf s'il y a
un concert. Bière au pichet bon marché.

♟ **Le Saint-Sulpice** (plan II, C3,
117) : 1680, rue Saint-Denis. ☎ 844-
94-58. Clientèle étudiante et faune
bigarrée.   Boîte-café dans une
chouette maison particulière avec
terrasse et jardin derrière. Endroit
bruyant et jeune. Musique rock à
tue-tête. Plusieurs bars sur différents niveaux. Au sous-sol, on
danse. Toujours une bonne ambiance.

♟ **Les Beaux Esprits** (plan II,
C-D2, **102**) : 2073, rue Saint-Denis.
☎ 844-08-82. M. : Berri-Uqam. Bistrot à l'ambiance chaleureuse. Musique *live* (surtout du blues), tous les
soirs vers 22 h 30.

♟ **Biddle's** (plan II, B3, **66**) : 2060,
rue Aylmer. ☎ 842-86-56. Voici un
chouette rendez-vous tant pour le
ventre que pour l'oreille puisque,
outre les bons travers de porc,
on déguste ici un jazz de qualité
tous les soirs de 18 h à minuit (2 h
les vendredi et samedi). Entrée gratuite puisque c'est un resto-bar,
mais prix des consommations un
peu plus élevés. Biddle, le patron,
est à la batterie, un de ses amis à la
contrebasse, et l'orchestre reçoit
souvent quelques amis pour un
bœuf endiablé.

♟ **Cyberia** (plan II, C2, **107**) : 30,
rue Prince-Arthur Ouest. ☎ 285-
13-22. E-mail : cyberia cyberiadcaf
.com Site web : www.cyberiadcaf
.com. Ouvert de 11 h à 24 h. Un petit
cyber-café au décor sympa, proche
du centre, où les accros pourront envoyer leurs e-mails sur cinq « bé-
canes » et les débutants essayer de
trouver quelques « internautes »
pour les guider dans la « toile ».

– **Le Di Salvio** (plan II, C2, **111**) :
3519, bd Saint-Laurent. ☎ 845-
43-37. Une boîte où l'on danse et
une salle de concert où l'on écoute
du rock et du blues du mercredi au
dimanche, de 22 h à 3 h. Bonne atmosphère. Ambiance feutrée et
clientèle yuppie.

– **Spectrum** (plan II, C3, **100**) : 318,
rue Sainte-Catherine Ouest. ☎ 861-
58-51. M. : Place-des-Arts. L'un des
meilleurs clubs de la ville pour les
concerts en tout genre, surtout du
rock mais parfois de la danse ou du
jazz. Ce n'est pas une boîte, c'est
très grand et vous n'aurez jamais les
genoux dans le menton, mais les
premiers arrivés sont quand même
les mieux placés.

– **Métropolis** (plan II, C3, **106**) : 59,
rue Sainte-Catherine Est. ☎ 288-
20-20. M. : Saint-Laurent. Ancien
théâtre transformé en boîte. Ne fait
pas l'unanimité à Montréal. Ses dé-
tracteurs en parlent comme d'un monument de prétention. Ça fait très
boîte new-yorkaise avec portiers, tapis et cordons rouges sur le trottoir.
Entrée assez chère. Sévère sélection selon le look. À l'intérieur, pratiquement que la jeunesse *trendy*,
plus, le week-end, les banlieusards
endimanchés et ébahis.

– **Le Storm :** 1296, Ahmerst, à
l'angle de la rue Sainte-Catherine.
☎ 284-22-66 (en plein cœur du village gay). Ouvert uniquement le vendredi et le samedi de 2 h à 10 h. Y aller le samedi de préférence. Les nuits
les plus décadentes du Québec avec
sa population hors du commun : ho-
mos, travestis, hétéros exhibition-
nistes. Musique assourdissante tout
droit sortie des *rave parties* : house,
techno.

MONTRÉAL

DANS LA VIEILLE VILLE

🍷 **Le Jardin Nelson** (plan III, C1, 108) : 407, place Jacques-Cartier. ☎ 861-57-31. Ouvert de mi-avril à fin-septembre jusqu'à 1 h du matin. Située au cœur du Vieux-Montréal, cette adresse est sympa pour la grande terrasse ombragée située derrière le resto et donnant sur la rue Saint-Paul. C'est l'endroit idéal pour boire un verre en fin d'après-midi (spécialité de sangria). Possibilité également de casser la croûte. Attention toutefois, les prix ne sont pas donnés... Quartier touristique oblige.

🍷 **Les Deux Pierrots** (plan III, C2, 109) : 104, rue Saint-Paul Est. ☎ 861-12-70. M. : Champ-de-Mars. Ouvert les vendredi et samedi de 20 h à 3 h. C'est une « boîte à chansons ». Atmosphère chaleureuse et décontractée. Vaste salle remplie d'une clientèle de secrétaires et petites employées pimpantes. Animé, populaire et marrant. Chansons populaires dans le ronronnement des gens qui « jasent » de tout, de rien... Spectacle quasi permanent et show d'ambiance. Très touristique mais plutôt sympa.

🍷 **L'Air du Temps :** 191, rue Saint-Paul Ouest (entrée rue Saint-François). ☎ 842-20-03. Ouvert de 21 h à 3 h. Fermé les mardi et mercredi. À notre avis, la boîte de jazz la plus sympa du quartier. Endroit exigu et plein de bonnes vibrations, à la déco fourre-tout. Essentiellement des groupes de jazz, excellents, et parfois du blues. Le lundi, un chouette « big band ». Prix d'entrée en fonction du groupe. Rendez-vous obligatoire des amateurs de jazz.

DANS LE QUARTIER OUEST

Dans le quartier anglophone, on trouve les boîtes et cafés à la mode dans les élégantes rues Crescent, Bishop, Stanley, etc. Se fier à ses goûts et à son intuition.

– **La Salsathèque :** 1220, rue Peel. ☎ 875-00-16. Ouvert de 22 h à 3 h. Rythmes latino, déhanchements sensuels et robes ultra-moulantes de rigueur. Musique salsa, baienato, meringue et rien d'autre. La clientèle est cubaine, brésilienne et colombienne.

🍷 **Le Peel Pub** (plan II, B3, 118) : 1107, rue Sainte-Catherine Ouest. ☎ 844-67-69. M. : Peel. Ouvert tous les jours de 6 h 30 à 3 h. Bien situé dans le centre. Dans une immense salle, une foule hétéroclite et très bruyante enchaîne bière sur bière à prix ridicules. Encore pire au moment des *happy hours* (du lundi au vendredi de 15 h à 19 h) ! Constamment des matches de hockey ou de football américain sont diffusés sur plusieurs écrans géants. Allergiques, s'abstenir, en particulier quand l'équipe locale est à l'affiche... On peut aussi s'y restaurer, mais hamburgers et sandwiches ne sont vraiment pas terribles... En outre, des plaintes concernant l'hygiène nous sont parvenues. Mieux vaut se contenter d'un verre. Petit déjeuner très bon marché.

🍷 **Cock and Bull** (plan II, A3, 104) : 1944, rue Sainte-Catherine Ouest. ☎ 933-45-56. Ouvert jusqu'à 3 h du matin. Dans le quartier anglophone, un pub irlandais typique avec concert tous les soirs. Fléchettes. Bières délicieuses.

AU NORD DE PRINCE-ARTHUR

– **Club Soda :** 5240, av. du Parc ; près de Fairmount. ☎ 270-78-48. L'un des piliers de la ville dans son genre. Boîte et salle de concert à la programmation dynamique. Un peu le même genre que le *Spectrum*

MONTRÉAL

mais à l'audience plus intime et présentant peut-être des artistes moins « arrivés ». Groupe presque tous les soirs. Un rendez-vous obligé des amateurs de musique de qualité.

🍸 *Le Swimming (plan II, C2, 113)* : 3643, bd Saint-Laurent, entre l'avenue des Pins et Prince-Arthur. À l'étage. ☎ 282-POOL. Ouvert de 12 h à 3 h. Immense salle très animée où branchés et jolies minettes viennent s'adonner aux joies du billard (gratuit jusqu'à 17 h) et de la bière sous le regard aveugle des vidéo-clips.

🍸 *Café Central (plan II, C1, 114)* : 4479, rue Saint-Denis ; près de Mont-Royal. ☎ 845-90-10. Ouvert de 15 h à 3 h. Décor moderne et mezzanine à petites arcades. Clientèle hétérogène, tendance étudiante. Animé et bourdonnant. Boissons à prix raisonnables.

🍸 *Whisky Café (hors plan II par C1, 115)* : 5800, bd Saint-Laurent. ☎ 278-26-46. Bar à la déco agréable (les toilettes sont une réplique édulcorée de celles de l'ex-*Café Costes* de Paris ! – pour ceux qui l'ont connu). Clientèle qui se cherche, mais de bonnes vibrations et évidemment un grand choix d'alcools forts.

🍸 *Café Zazou (Sports Bar Plus ; plan II, C1, 116)* : 4597, av. du Parc. ☎ 845-60-60. Un café quelconque en apparence, mais qui dispose d'une bonne quinzaine de téléviseurs et dont la spécialité est de diffuser plusieurs événements sportifs à la fois. Amateurs de foot, de hockey ou de basket s'y retrouvent pour partager les moments les plus chauds.

🍸 *Le Belmont :* 4483, bd Saint-Laurent, à l'angle de la rue Mont-Royal. ☎ 845-84-43. Ouvert du lundi au dimanche, de 20 h à 3 h. Toutes les musiques (techno, funk, disco...), pas de code vestimentaire. Le *Belmont* propose à la fois, un pub très anglais (table de billard, fléchettes, écrans vidéo et collection de pichets et plateaux) et une boîte très sympa.

– *Le Kokkino :* 3556, bd Saint-Laurent, à l'angle de Prince-Arthur. ☎ 848-63-98. Ouvert du mercredi au samedi de 21 h à 3 h. Les nuits sont chaudes dans cette jungle rythmée de dance-funky-techno-rap-house. Les tenues sont légères et l'ambiance, animée. Y aller de préférence le lundi, à la « Staff Night ».

À voir

Vous remarquerez vite le nombre étonnant d'églises à Montréal... même si les gratte-ciel semblent désormais leur faire de l'ombre. Il y a près d'un siècle, l'écrivain américain Mark Twain notait déjà qu'il était impossible de lancer une pierre dans les rues de la ville sans toucher une église ! L'explication de cette profusion est très simple : la religion a longtemps servi de fondement à la société canadienne mais les deux communautés principales (anglaise et française) n'ayant pas le même culte, les lieux de prière se voyaient du même coup multipliés par deux...

■ *L'Autre Montréal :* ☎ 521-78-02. Propose des visites guidées payantes de certains quartiers pour découvrir la ville sous ses multiples facettes : le Montréal interculturel, celui du développement urbain, des places publiques, ou encore celui des femmes...

★ *Le Vieux Montréal :* délimité par les rues Notre-Dame, Berri, Saint-Paul et McGill. Son centre historique se situe place Jacques-Cartier *(plan III, C1-2)*. Très touristique, exprime un certain charme provincial. Cafés, restos, joyeuse animation. Pourtant, le Vieux Montréal ne séduit pas du premier coup. N'allez pas imaginer que c'est comme une « vieille ville » de chez nous, en général assez homogène et regroupée autour d'un réseau étroit de rues et de maisons historiques. Ici, c'est très disparate. La plupart des vieilles maisons sont dispersées et se découvrent au milieu des entrepôts, des banques et bâtiments administratifs qui prirent leur place au XIXe siècle. Essayez de vous procurer le *Circuit de visite du Vieux Montréal* édité pour le 350e anniversaire de la ville. On y trouve un plan du quartier et un petit historique de chaque édifice présentant quelque intérêt. Il existait quatre brochures similaires sur 16 autres quartiers de Montréal, sous le titre *Patrimoine en marche*; hélas, elles sont quasi introuvables aujourd'hui.

C'est autour de la place Jacques-Cartier que l'on trouve les maisons les plus anciennes. Et, plus loin, le **château de Ramezay** *(plan III, D1, 1)*, 280, Notre-Dame Est, qui abrite un petit musée historique. ☎ 861-37-08. Ouvert du mardi au dimanche de 10 h à 16 h 30. Fermé le lundi. En période estivale, du 1er juin au 28 septembre, ouvert tous les jours de 10 h à 18 h. Entrée payante. Ancienne maison du onzième gouverneur de Montréal (1705) abritant mobilier, costumes, tableaux, etc., des XVIIIe et XIXe siècles. **Maison Papineau** *(1785 ; plan III, D1, 2)*, 440, rue Bonsecours, où habita Papineau, dirigeant de l'insurrection nationaliste de 1837. **Rue Saint-Louis** *(plan III, D1, 3)* découvrez, au no 442, une très belle maison à « logements » (1890) en brique rouge, avec corniche victorienne, lucarnes moulurées et deux escaliers sinueux grimpant sur les côtés. En face, une baraque construite vers 1755 pour moitié, et 1815 pour l'autre.

Plus loin, la *maison Brossard* (1827) ; *la maison du Calvet* *(1770 ; plan III, D1, 5)*, 401, Saint-Paul Est et, au 445, la *maison Dumas* *(1800 ; plan III, D1, 4)*. Vous aurez remarqué, un peu avant, le **marché Bonsecours** *(plan III, D1, 6)*, bel édifice à dôme de 1845.

Plus à l'ouest, la **maison Beaudoin** *(plan III, C1, 7)*, 427, rue Saint-Vincent (1780).

Autre centre historique, la **place d'Armes** *(plan III, B1, 8)* où s'élève le **vieux séminaire** *(1684 ; plan III, B1, 9)* à l'architecture élégante. Notez au passage le clocheton et son horloge. Puis, la **basilique Notre-Dame** *(1824 ; plan III, B1, 10)* de style gothique. Intérieur richement décoré. Les vitraux retracent l'histoire religieuse et les principales étapes de la fondation de la ville. Le reste consiste en immeubles commerciaux du XIXe siècle.

La **place d'Youville** *(plan III, B2, 11)* mérite une visite. On y découvre de vieux bâtiments très bien restaurés comme *l'hôpital général des Sœurs Grises* *(1694-1765 ; plan III, B2, 12)* et les **écuries d'Youville** *(1827 ; plan III, B2, 13)*, bel ensemble massif, trapu, aux fenêtres peu nombreuses. Pénétrez dans les jardins intérieurs au calme étonnant.

Avec l'arrêt des destructions, la réhabilitation des entrepôts et l'arrivée des inévitables boutiques de fringues, d'antiquités et autres lieux de consommation de la N.P.B.U. (Nouvelle Petite Bourgeoisie Urbaine), le Vieux Montréal connaît un regain d'activité et se paie une petite cure de jeunesse. Pourtant, après la fermeture des bureaux et magasins, un grand vide s'installe entre 17 h et 20 h, puis ça se réanime dans certaines rues, avec les restos (chers) et les boîtes (sympas et abordables).

★ *Le « village » Saint-Denis :* c'est la portion de la rue Saint-Denis comprise entre Rachel et Sainte-Catherine, avec quelques rues adjacentes. Le produit des amours scandaleuses de la marginalité et des nouveaux riches : clientèle d'artistes, d'étudiants, d'artisans et les *kétaines* (provinciales montant à Montréal) des quartiers Est. Les cafés-terrasses, restos et boîtes se succèdent. Ambiance très fontaine Saint-Michel, surtout au sud de Sherbrooke, avec la présence de l'U.Q.A.M. (Université du Québec à Montréal). L'été, très touristique ; à vivre au moins une fois.

★ *La « Catherine » :* entre la rue Bishop et la rue Saint-Hubert, « Grands Boulevards » du coin qui seraient passés entre les mains d'un super Haussmann. Mélange de populaire et de démesuré. Grands magasins, boutiques style Chaussée-d'Antin, cinoches, trottoirs « chauds » à l'intersection de la rue Saint-Laurent, circulation dingue... La parcourir à pied, pour mieux juger de la mutation de Montréal. Sur votre chemin, à la hauteur de Jeanne-Mance, vous croiserez la *place des Arts,* avec son immense temple culturel comprenant de multiples salles de théâtre, de cinéma et de concerts, ainsi que le musée d'Art contemporain absolument superbe (voir « Les musées »). Au sud, le *Complexe Desjardins* avec ses buildings, hôtels, passerelles volantes. Un vrai labyrinthe. Bon, pas de malentendu, on n'aime pas : ce n'est pas une raison pour en dégoûter les autres. De Saint-Hubert à Papineau, la « Catherine » est devenue en grande partie le quartier gay de Montréal avec ses boutiques, restos, bars, etc. Un côté village sympa.

★ *Le quartier « Ouest » :* quartier à dominante légèrement anglophone, compris entre les rues Sherbrooke, Bishop et René-Lévesque jusqu'au square Dorchester. La rue Crescent est bourrée de restos à la mode avec petites terrasses, baraques bourgeoises de style très *British,* boîtes huppées, etc. La rue Stanley devient le soir très animée et brillante. Bref, tout ça n'est pas routard pour deux sous. Mais ça ne veut pas dire qu'il ne faille pas y faire un tour, le quartier a quand même du charme, il offre quelques lieux de plaisir à des prix raisonnables.

★ *Le quartier chinois :* circonscrit dans le quadrilatère René-Lévesque, Saint-Laurent, Viger et Bleury. L'épine dorsale en est la rue La Gauchetière. Enfin, ce qu'il en reste ! On dirait qu'il a subi une « Blitzkrieg ». Victime de l'autoroute est-ouest et de la restructuration du centre-ville. Quelques pâtés de maisons en brique rouge, quelques-unes couvertes de lierre, subsistent encore. Depuis quelques années un processus de rénovation a cependant été entamé, et les effets commencent à se faire sentir.

★ *La ville souterraine et la place Ville-Marie (plan II, B3) :* pour ne pas se faire accuser de sectarisme, on en cause. Uniquement pour les inconditionnels du Forum des Halles, de la gare de Lyon-Perrache ou de La Grande-Motte. Bref, tous les chefs-d'œuvre qui préfigurent l'art urbain du XXIᵉ siècle. C'est une ville souterraine, le deuxième centre commercial au monde. Une gigantesque toile d'araignée de près de 30 bornes, galeries, couloirs et escaliers à différents niveaux, desservie par des autoroutes, des gares, les bus de la ville et le métro. Plus de 1 700 boutiques, 200 restos et bars, hôtels, cinémas, théâtres, stations de métro, galeries d'art. Possibilité d'y errer des journées entières sans voir le jour. Fréquenté principalement par les minets et les « chromées » (minettes, en jargon local) de la ville. On peut même suivre les tribulations de la Bourse. Le flip du siècle pour les bucoliques !
Pour y accéder, plusieurs dizaines d'entrées, depuis les immeubles commerciaux de la place Ville-Marie et les stations de métro Victoria et Bonaventure. C'est pas le tout, mais on nous attend pour manger sur le haut Saint-Laurent et Parc (à partir du Mont-Royal).

LES MUSÉES

Montréal possède plusieurs très beaux musées, comme toutes les grandes villes du monde pourrait-on dire. Elle abrite également une kyrielle de musées spécialisés dont nous indiquons ceux qui nous ont semblé les plus intéressants.
Pour les enragés, la *carte musées Montréal,* individuelle ou familiale, donne accès à 19 musées en 1 ou 3 jours, selon l'option choisie. On peut se la procurer dans les centres *Infotouriste* ou directement dans les musées concernés.

★ *Le musée des Beaux-Arts (plan II, B3, 120) :* 1379, rue Sherbrooke Ouest. ☎ 285-20-00. M. : Guy-Concordia ou Peel, et bus 24 (arrêt Bishop). Réduction étudiants. Ouvert tous les jours sauf le lundi, de 11 h à 18 h. Le mercredi jusqu'à 21 h pour les expositions temporaires payantes, les expositions permanentes sont gratuites et les remarquables expositions tempo-raires sont à prix réduits. Demander un plan à l'entrée. Cafétéria.

C'est, paraît-il, le plus vieux musée du Canada. Il est composé de deux édi-fices, de part et d'autre de la rue, reliés par un souterrain. Le premier est du XIXe siècle, l'autre est tout récent et ultramoderne. Ce double musée abrite un vaste résumé de l'art mondial à travers les siècles. Certaines collections sont évidemment axées sur la peinture canadienne ou l'art inuit et précolom-bien, mais la définition générale du musée est plutôt celle d'un mini-mini-Louvre : arts africain, égyptien, grec, peinture religieuse, art roman... D'autres salles sont consacrées à l'art moderne, aux arts décoratifs, à la peinture du XXe siècle... Bref, un *digest* de l'art sous toutes ses formes. Égale-ment de très belles expositions temporaires.

★ *Le musée d'Art contemporain* (plan II, C3, 121) : place des Arts, 185, rue Sainte-Catherine Ouest. ☎ 847-62-26. M. : Place-des-Arts. Ouvert tous les jours sauf le lundi, de 11 h à 18 h (21 h le mercredi). Entrée payante. Réduction étudiants. Dans un superbe édifice tout beau tout neuf, juste à côté du complexe culturel de la place des Arts. Dans ce temple de l'art, réa-lisé avec des matériaux nobles et modernes, bien éclairé et spacieux, on présente de belles expos temporaires d'artistes canadiens en général et québécois en particulier. Une partie du musée est dédiée aux collections permanentes de 1939 à nos jours. Belle section de sculpture moderne expo-sée dans des espaces aérés. Un excellent rendez-vous de la culture.

★ *Le musée d'Archéologie et d'Histoire* (pointe à Callière ; plan III, B2, 122) : 350, place Royale, dans le Vieux Montréal. ☎ 872-91-50. M. : Place-d'Armes. En juillet et août, ouvert du mardi au dimanche de 10 h à 20 h, fermé le lundi ; le reste de l'année, ouvert du mardi au dimanche jusqu'à 17 h (20 h le mercredi). C'est à cet endroit précis que fut fondée la ville.

Composé de deux édifices, l'ancienne douane et une construction ultra-moderne, ce musée abrite un ensemble de fouilles archéologiques extrême-ment bien mis en valeur. La visite débute par une séance multimédia pré-sentant l'histoire de la ville dans une salle hyper moderne. Très bien fait. Puis on visite les fouilles. Même si elles n'ont pas une grande valeur, la mise en scène interactive est d'une rare intelligence. On y trouve un ancien cime-tière, le lit d'une rivière et des vestiges amérindiens. Les étages abritent des panneaux dynamiques et interactifs sur l'évolution de la ville : Amérindiens, présence française, développement architectural de la cité, conquête britan-nique, révolution industrielle, américanisation de la ville, domination franco-phone, etc. Très instructif, et alliant merveilleusement les techniques modernes pour mettre en valeur des siècles d'histoire.

★ *Le musée Marc-Aurèle Fortin :* 118, rue Saint-Pierre, dans le Vieux Montréal. ☎ 845-61-08. Fax : 845-61-00. M. : Square Victoria ; sortie rue Saint-Pierre. Ouvert de 11 h à 17 h sauf le lundi. Marc-Aurèle Fortin (1888-1970) a voulu « créer une école du paysage canadien, totalement détachée de l'école européenne ». Il a peint les paysages du Québec et les vieilles maisons et bâtiments historiques de Montréal. Le musée est un ancien entrepôt reconverti et très bien situé.

★ *Le musée des Arts décoratifs :* 2929, rue Jeanne-d'Arc, à l'angle de la rue Sherbrooke Est et de Pie IX. ☎ 259-25-75. Ouvert du mercredi au dimanche de 11 h à 17 h. Petit droit d'entrée. Non loin du parc olympique, ce petit musée, connu sous le nom de *château Dufresne*, est installé dans une « folie », l'une de ces demeures un peu bizarres et hétéroclites que se fai-saient construire les nouveaux riches du siècle dernier. Collections tour-nantes de mobilier et d'objets design. Intéressante également, la décoration bigarrée (fresque, vitraux, marqueterie, mosaïques...) de la maison elle-même.

★ *Le centre canadien d'Architecture* (plan II, A3, 124) : 1920, rue Baile.

M. : Guy-Concordia. ☎ 939-70-26. Fermé le lundi toute l'année. De juin à septembre, ouvert du mardi au dimanche de 11 h à 18 h (21 h le jeudi) ; d'octobre à mai, de 11 h à 18 h les mercredi et vendredi (20 h le jeudi, 17 h le week-end), et fermé le mardi. Pas cher. Gratuit pour les étudiants le jeudi (et pour tout le monde à partir de 18 h). Bâti autour d'une ancienne maison victorienne, voici un édifice d'une modernité et d'un équilibre remarquables. Les expositions temporaires sur l'architecture moderne ou ancienne sont généralement très bien réalisées et intéressantes. On vous conseille d'aller y faire un tour. Beaux jardins dépouillés.

★ **La Cinémathèque québécoise, musée du Cinéma** *(plan II, C3, 125)* : 335, bd de Maisonneuve Est (pas loin de l'angle avec Saint-Denis). ☎ 842-97-63. M. : Berri-Uqam. En fait, ce n'est pas vraiment un musée, mis à part les petites expos gratuites et tournantes dans le hall, mais une vraie cinémathèque réputée pour sa belle collection de films d'animation, l'une des plus importantes au monde. Deux projections par jour (une seule le dimanche). Appeler pour les horaires.

★ **Le musée Juste pour Rire** *(plan II, C2, 126)* : 2111, bd Saint-Laurent. ☎ 845-40-00. M. : Saint-Laurent. Ouvert du mardi au dimanche de 13 h à 20 h en été. Le reste de l'année, il vaut mieux téléphoner, les horaires sont plus fantaisistes. Un musée dédié à l'humour et à l'insolite. Expositions temporaires, renouvelées chaque année, ce qui nous interdit de vous en dire plus. Allez-y faire un tour ou appelez pour savoir ce qui s'y passe pendant votre séjour à Montréal. La visite est souvent interactive : le public participe ou est pris dans le jeu.

★ **Le centre d'histoire de Montréal** *(plan III, B2, 123)* : 335, place d'Youville. ☎ 872-32-07. De mai à la fête du Travail, ouvert tous les jours de 10 h à 17 h ; de septembre à avril, fermé le lundi. Un peu délaissée au profit de son prestigieux voisin de Pointe-à-Callière, cette ancienne caserne de pompiers abrite un petit musée interactif, certes moins spectaculaire, mais néanmoins plus chaleureux grâce à une équipe dynamique et passionnée. L'exposition permanente retrace l'histoire de Montréal de 1642 à nos jours, dans son aspect quotidien (création des services publics, réseaux de chemin de fer, aménagement du port, reconstitution de façades de maisons...). N'hésitez pas à demander à l'accueil des infos sur le Vieux Montréal, ils en connaissent un bout !

★ **Le musée McCord d'Histoire canadienne** *(plan II, B3, 127)* : 690, Sherbrooke Ouest. M. : McGill. ☎ 398-71-00. De fin juin à mi-octobre, ouvert tous les jours de 9 h à 18 h (17 h le week-end) ; le reste de l'année, du mardi au dimanche de 10 h à 18 h (17 h le week-end). Gratuit le samedi jusqu'à midi. Intéressante exposition permanente sur les premières nations du Canada : superbes miniatures d'ivoire inuit, objets ornés de perles de verre amérindiens, vêtements. Collection d'objets de la vie des colons. À l'étage, des expositions temporaires sur des thèmes aussi variés que le hockey, le style Arts déco, ou les photos de femmes autochtones.

ATTRACTIONS DIVERSES

★ **Le parc des Îles :** regroupe les îles Sainte-Hélène et Notre-Dame. ☎ 872-45-37. Accès en voiture par le pont Jacques-Cartier ou Concorde (parking obligatoire et payant). Pour les piétons et les cyclistes, métro Île-Sainte-Hélène ou bus n° 169 du métro Papineau. De juin à octobre, accès par navette fluviale du Vieux-Port, sur le quai Jacques-Cartier. Le bus n° 167 offre une visite agréable.
Ce lieu favori des Montréalais fut le site de l'Expo universelle de 1967. C'est aujourd'hui le plus grand parc de Montréal, axé sur le divertissement et le sport. En fin de semaine, un endroit de détente très prisé. Actuellement en pleine réorganisation. De l'expo, il ne reste que des jardins et quelques pavil-

lons dont celui de la France, transformé en casino (entrée gratuite, pertes payantes), celui de la Jamaïque aménagé en resto (voir plus loin « Fleurs de l'Isle »), et celui des États-Unis, qui est devenu la biosphère.

Balade agréable, surtout sur l'île Sainte-Hélène qui rassemble en fait la majorité des choses à voir. L'île Notre-Dame est, pour sa part, plus réservée aux activités sportives (location de vélos et pédalos, cours de planche à voile, baignade dans l'eau – filtrée – du Saint-Laurent). C'est aussi là qu'on trouve le circuit Gilles-Villeneuve qui accueille le Grand Prix du Canada vers la mi-juin.

Voici le détail des réjouissances sur l'île Sainte-Hélène.

● *L'Homme :* dans la partie ouest du parc, l'une des plus grosses sculptures de Calder. Situé sur un promontoire, on embrasse de là une vue surprenante sur la ville.

● *Le musée David M. Stewart :* le Vieux-Fort. ☎ 861-67-01. M. : Sainte-Hélène, puis environ 10 petites minutes de marche. En été, ouvert tous les jours de 10 h à 18 h. En hiver, jusqu'à 17 h seulement, et fermeture hebdomadaire le mardi. Entrée payante (réduction étudiants). Musée retraçant l'histoire du Canada jusqu'à l'indépendance, installé dans le Vieux-Fort construit en 1822. Quelques salles sur les traditions domestiques (collections d'armes et d'objets usuels). Ne ratez pas la magnifique maquette interactive de Montréal en 1760, ni la belle collection de globes.

En été, du mercredi au dimanche, reconstitution sur le terrain de manœuvres opposant des soldats en uniformes du XVIIIe siècle. Trois séances à 13 h, 14 h 30 et 17 h. À peine plus ridicule que la relève de la garde à Monaco, et beaucoup plus drôle ! Et pour poursuivre dans le ringard, organisation en face du fort, dans le restaurant *Le Festin du Gouverneur,* de banquets « d'époque » avec scènes des temps héroïques et serveurs en costumes. Allez, on vous donne quand même le téléphone mais vous êtes prévenu (de plus, c'est cher) : ☎ 879-11-41.

● *La Ronde :* parc d'amusement populaire. Entrée sur l'esplanade. ☎ 872-62-22. Ouvert de fin mai à la fête du Travail, de 11 h à minuit (23 h du dimanche au jeudi). Montagnes russes, cabaret, spectacles pour enfants, resto, etc. Affluence bien répartie qui limite l'attente aux attractions choisies. Spectacles de bonne qualité. En été, l'*International Benson & Hedges,* grand concours de feux d'artifice, 2 fois par semaine. Téléphonez pour connaître les dates. Entrée payante, mais on peut aussi se placer sur le pont Jacques-Cartier, fermé pour l'occasion.

● Noter encore la *fête gourmande,* grosse foire en août. Entrée payante.

● *La biosphère :* ☎ 283-50-00. De fin juin à début septembre, ouvert tous les jours de 10 h à 18 h. Le reste de l'année, tous les jours sauf le lundi, de 10 h à 17 h. Réalisation originale de l'architecte américain Buckminster Fuller, la biosphère est le premier centre canadien d'observation environnementale. Elle abrite un musée interactif à propos de l'eau, en particulier du fleuve Saint-Laurent.

|●| **Fleurs de l'Isle :** île Notre-Dame, pavillon de la Jamaïque. ☎ 954-01-82. Ouvert tous les jours de 11 h à 21 h. Pour un petit en-cas, pourquoi ne pas casser une petite graine dans un pavillon de l'Expo 67 ? Ambiance terrasse, à l'extérieur comme à l'intérieur, malgré l'imposante charpente. Restauration sur le pouce et table d'hôte.

★ *Le Vieux-Port :* c'est la partie du Vieux Montréal située au bord du Saint-Laurent. ☎ 496-76-78. Entièrement réhabilités, les abords du fleuve proposent de grandes pelouses ainsi que de nombreuses attractions, la plupart très touristiques. Ambiance glace vanille et barbe à papa. On y trouve un kiosque d'information, un cinéma Imax, des bateaux-mouches, des terrasses.

MONTRÉAL

★ **Planetarium Dow** (plan II, B3, **130**) : 1000, rue Saint-Jacques Ouest. Dans le quartier de la place Bonaventure. ☎ 872-45-30. M. : Bonaventure. Ouvert toute l'année au moment des spectacles seulement. Fermé le lundi hors saison. Entrée payante. Appeler pour les horaires des séances. Le spectacle, animé par un conférencier, dure un peu moins d'une heure. Intéressera les apprentis astronomes et même les autres. Gigantesque lanterne magique, le planétaire domine la salle circulaire de 400 places et recrée sur son dôme écran l'image fidèle du ciel avec moult procédés hyper sophistiqués. La simulation est assez saisissante. Si les planètes visibles à l'œil nu (Mercure, Vénus, Jupiter, Mars et Saturne) se déplacent à leur vitesse relative propre par rapport au mouvement d'ensemble, le planétaire comprime le temps, de façon à ce qu'un processus plus ou moins long, comme une éclipse de soleil, puisse se produire en quelques minutes pour l'assistance. Plein d'autres trucages.

★ **Le mont Royal :** grimpette obligatoire au belvédère pour jouir d'un panorama super sur Montréal. Belle balade depuis l'A.J. Sinon, métro jusqu'à station Mont-Royal, puis bus n° 11 jusqu'au lac des Castors (prendre un billet transfert). La colline fait 233 m de haut et vit une longue amitié avec un parc de 200 ha, lieu de pique-nique traditionnel des familles. Ce parc est l'œuvre de F.L. Olmsted qui a aussi dessiné Central Park à New York. Les jardins situés au pied du parc accueillent tous les dimanches après-midi musiciens et marginaux de tout poil. Tam-tams, danses et snacks biologiques dans une ambiance sympa (par beau temps, bien sûr !). Au pied du mont Royal, l'*oratoire Saint-Joseph*, un lieu de pèlerinage très fréquenté, accessible par le métro : station Côte-des-Neiges.

★ **Le Jardin botanique :** entrée pour les voitures au 4101, rue Sherbrooke Est. ☎ 872-14-00. M. : Pie-IX. Entrée payante. Ouvert de 9 h au crépuscule. Pour ceux qui viennent en métro, entrée à l'angle de Sherbrooke Est et de Pie IX. Les serres ne sont ouvertes que jusqu'à 20 h l'été. 26 000 espèces réparties sur 73 ha (le deuxième au monde après celui de Londres). 1 200 variétés d'orchidées, dont certaines très rares. Serre tropicale, jardin aquatique, jardin japonais, jardin chinois et un superbe insectarium. Que vous faut-il de plus ? Le samedi, vers 15 h, les jeunes mariés viennent se faire prendre en photo : robes à frou-frou bleu pâle ou violacées, demoiselles d'honneur à la pelle, c'est vraiment trop...

★ **Le Parc olympique :** entrée au 4141, av. Pierre-de-Coubertin. Informations : ☎ 252-86-87. M. : Viau. Navette gratuite reliant le Parc olympique (du métro Viau ou du hall touristique, au pied de la tour) au Jardin botanique (via l'Insectarium). C'est le site des Jeux de 76, à l'architecture très avant-gardiste pour l'époque. Pour sportifs ou amoureux du béton, ou les deux à la fois. Visites guidées tous les jours de 10 h à 16 h en été. Entrée payante. La structure est intéressante mais la visite, bof ! Bon, vous en aurez déjà entendu parler, c'est monstrueusement gigantesque. Il n'a pas fallu moins de 525 000 verges cubes (400 000 m³) de béton, 400 000 t d'acier, 225 km de câbles... La tour inclinée est la plus haute du genre au monde. Un ascenseur-funiculaire mène au sommet (beau panorama), sauf de mi-janvier à mi-février. La grimpette est payante. Vue exceptionnelle sur la ville. Petit musée sur les Jeux. Sur le stade, en quelques heures, on peut enlever le tapis synthétique qui sert aux matches de football, pour dégager la piste olympique en Tartan. En peu de temps, une autre transformation le change en terrain de base-ball.

On en profite pour rappeler que Montréal possède de fameuses équipes (les *Expos* pour le base-ball ; les *Canadiens* pour le hockey) et que chaque match est un grand moment. Ambiance garantie ! Pour le programme des matches de base-ball : ☎ 253-34-34.

★ **Le Biodôme :** juste à côté du Parc olympique, 4777, av. Pierre-de-Coubertin. ☎ 868-30-00. M. : Viau. Ouvert tous les jours de 9 h à 17 h (19 h en saison estivale). Entrée payante. Forfait d'entrée pour le Biodôme, le Jardin botanique et l'Insectarium.

Le Biodôme est un vaste site de 7 000 m², recouvert, comme son nom l'indique, par un grand dôme. Il a été créé dans l'enceinte de l'ancien vélodrome des Jeux olympiques de Montréal et à l'intérieur sont recomposés 4 écosystèmes d'Amérique : la forêt tropicale, la forêt laurentienne, le Saint-Laurent marin et le monde polaire. Plutôt qu'une foule d'animaux, on a choisi ici une sélection de certains spécimens. Un ensemble impressionnant recréé avec intelligence et pédagogie, surtout pour la forêt tropicale (on s'y croirait) et la forêt laurentienne où une famille de castors s'est si bien adaptée qu'elle n'a rien trouvé de mieux que de construire un barrage devant les filtres à eau de son lac artificiel. Bref, un pari difficile mais réussi pour tous ces scientifiques. Au sous-sol, chouette exposition « Naturalia » qui passionnera les enfants par son côté interactif. Moult explications sur l'alimentation, les moyens de défense, la locomotion, la perception...

★ *Le Cosmodôme :* 2150, autoroute des Laurentides, Laval. ☎ 978-36-00. Numéro vert : ☎ 1-800-565-22-67. Fax : 978-36-01. Internet : www.cosmodome.org. En été, ouvert tous les jours de 10 h à 18 h ; de septembre à juin, fermé le lundi. Tarifs réduits enfants et étudiants. À une demi-heure de voiture du centre de Montréal. Pour y aller, prendre l'autoroute des Laurentides (n° 15). Sortie n° 9, bd Saint-Martin, puis à droite sur le boulevard Daniel-Johnson et encore à droite sur la rue Édouard-Montpetit. Il faut encore tourner à droite avenue Terry-Fox. Vous ne raterez pas l'entrée : une réplique d'Ariane s'y dresse.

Le Cosmodôme, c'est un grand centre dédié à l'espace et à son exploration. Il est tout récent (1995) et vraiment bien conçu. On y apprend des tas de choses sur l'espace et les sciences qui s'y rapportent. La visite débute par un spectacle multimédia d'une vingtaine de minutes, qui retrace l'histoire de la découverte du cosmos du néolithique à nos jours. On y rencontre tous les grands hommes qui ont fait avancer l'humanité vers la connaissance de l'univers, dont Galilée et son fameux « et pourtant elle tourne... ». La visite se poursuit par différentes sections qui expliquent, tour à tour, comment se rendre dans l'espace, comment y vivre, les télécommunications, ce que l'on peut connaître de la Terre et du système solaire de là-haut... Des écrans interactifs permettent de faire de petites expériences. Un système tout bête mais très efficace permet aussi de ressentir brièvement les effets de l'apesanteur. On trouve encore au Cosmodôme une chose rarissime dans les musées de notre vieille planète : une roche lunaire rapportée par les astronautes ! Bref, un musée intelligent où l'on ne s'ennuie pas. Prévoir au moins deux bonnes heures. Le Cosmodôme abrite aussi un camp spatial, où l'on peut faire des stages d'un à cinq jours. Intéressant aussi, mais ça, c'est pour les groupes.

★ *Le Centre Molson* (plan II, B3, 129) : 1260, rue de la Gauchetière Ouest. M. : Bonaventure ou Lucien-L'Allier. Stade de hockey de 21 000 places, où jouent les *Canadiens* de Montréal. Il y a des concerts pop très souvent car toutes les tournées américaines passent par là. ☎ 932-25-82 (pour connaître le programme des matches d'avril à septembre).

– *Descente des rapides de Lachine :* Les Descentes sur le Saint-Laurent, 7770, bd La Salle, à La Salle. ☎ 767-22-30. À 15 mn du centre-ville, autoroute 20 Ouest, sortie 67. Navette gratuite du centre *Infotouriste*, 1001, square Dorchester. Les rapides du Colorado coûtent cher. Voici donc l'occasion de tenter cette expérience palpitante (assez impressionnante mais sans risque) à un prix plutôt abordable. L'excursion dure 2 h 15 aller et retour. Départs tous les jours de 9 h à 18 h, de début mai à fin octobre. Réservez par téléphone, un ou deux jours à l'avance. Choisissez de partir l'après-midi car l'eau est plus chaude. On revient totalement trempé, donc prévoir des vêtements de rechange.

À voir également à Lachine, le petit *musée du Commerce des fourrures*. Intéressant.

– *Patins à roulettes Montrean :* 27, rue de la Commune Est. ☎ 866-06-33. Ouvert 7 jours sur 7. Dans le Vieux Montréal. Superbe piste goudronnée qui longe le Saint-Laurent et le canal de Lachine. Location de vélos dans le Vieux Montréal pour parcourir cette même piste.

Balade strictement pour poètes urbains

Montréal est en train de changer de visage. Plus en dix ans que durant tout le siècle précédent. Les anciens quartiers se métamorphosent, les usines déménagent, beaucoup aujourd'hui se transforment en « condo ».
Cette évolution est très perceptible dans le quartier de *la Petite Bourgogne*, ancien quartier ouvrier et populaire qui s'était greffé autour du canal Lachine et des usines. Délimité au nord par la rue Saint-Antoine, à l'est par la rue de la Montagne, à l'ouest par l'avenue Atwater, au sud par le canal Lachine. Accès par les stations de métro Lucien-L'Allier et Lionel-Groulx. C'est aussi la balade à vélo idéale car le trafic est très modéré. Au fond se détache la silhouette massive de la brasserie *O'Keefe*. Pratiquement toutes les vieilles H.L.M. et maisons ouvrières ont été démolies pour céder la place à de pimpants ensembles de brique rouge. La *rue Notre-Dame* est l'une des plus anciennes de Montréal (tracée en 1660). Au n° 1850, Notre-Dame Ouest, voir la *Banque de Montréal,* superbe édifice du XIXe siècle à l'élégant pignon sculpté à la flamande : le grès rouge fut importé d'Écosse. Pousser ensuite par la rue des Seigneurs, jusqu'au *canal Lachine*. À l'*écluse n° 3,* tout le coin a été joliment transformé en pistes cyclables et sentiers piétons. Quelques usines en passe de se muer en appartements de luxe. Le canal Lachine fut construit en 1825 pour contourner les rapides du Saint-Laurent. Il fonctionna plus de 130 ans, jusqu'à l'ouverture de la voie maritime, et permit l'expansion économique du pays.
Remonter la rue des Seigneurs, au-delà de la rue Saint-Jacques. L'*îlot Saint-Martin* se révèle un modèle de rénovation urbaine intelligente. Maisons restaurées, mais ayant conservé leur cachet, se mariant bien avec les constructions modernes. Emprunter la *rue Coursol,* l'un des derniers paysages urbains typiques de la Petite Bourgogne. Alignement homogène de maisons ouvrières fort bien rénovées et vestiges de l'architecture du XIXe siècle.
Dans le coin, beaucoup de familles noires (héritières de celles qui construisirent le chemin de fer vers 1850) et immigrés haïtiens. Dans le prolongement de la rue Coursol, après le boulevard Georges-Vanier, joli alignement de maisons montréalaises typiques et colorées.
Enfin, en descendant l'avenue Atwater, vous parviendrez au *marché Atwater (plan II, A3),* à l'architecture un peu mussolinienne. C'est le dernier de Montréal, avec celui de Jean-Talon au nord de la ville. Boire un verre à la *Brasserie Vimy,* angle Notre-Dame et Atwater. Bière pas chère. Un musicien joue les morceaux que vous lui demandez. Parfois, les gens poussent les tables et dansent. Évidemment, quelques piliers de comptoir, mais atmosphère garantie. Allez à la boulangerie *Première Moisson* qui fait des plats du jour et de délicieux desserts.

Vie culturelle

Il faudrait des pages entières pour détailler la vie culturelle à Montréal, tant elle offre de possibilités. Le mieux, c'est de se reporter à *Voir* et à *Mirror* (journaux de spectacles en anglais, gratuits). Se procurer aussi le *Montrealscope* (mensuel bilingue).

– *Festival International de Jazz :* 822, rue Sherbrooke Est (1er étage). ☎ 871-18-81. Se déroule toujours fin juin-début juillet, pendant 10 jours. Après avoir connu une enfance difficile, le Festival International de Jazz de Montréal est aujourd'hui devenu un des plus grands festivals musicaux au monde. Près de 2 000 musiciens venant des cinq continents assurent 400 concerts, dont 300 gratuits en plein air. Plus d'un million et demi de spectateurs. Festival éclaté aussi dans les rues de la ville, aux alentours de la place des Arts. On joue partout, toute la ville vit et vibre à l'heure de la musique. En effet, le F.I.J. rassemble désormais des artistes représentant tous les styles musicaux et pas seulement le jazz. Ont été applaudis, en 1996 et 1997, Dee Dee Bridgewater, George Benson, Lucky Peterson, Buddy Guy, Ben Harper et bien d'autres encore... Rien que ça !

– *Activités estivales sur le Vieux-Port :* de mai à la 1re semaine de septembre, une quantité d'animations au pied de la place Jacques-Cartier et sur le quai de l'Horloge (rue Berri). Théâtre, danse, expositions, bouquinistes (en juillet), musique. Le soir, concerts de jazz en plein air.

– Autres événements : *festival de Théâtre des Amériques* (a lieu tous les deux ans, les années impaires, fin mai ; ☎ 842-07-04) ; *festival de musique francophone Francofolies* (en juin), place des Arts, nombreux concerts en plein air ou dans les salles environnantes ; *festival « Juste pour rire »* (10 jours, fin juillet, ☎ 845-31-55) ; *festival des Films du monde* (dernière semaine d'août, ☎ 933-96-99) ; *festival international de Nouvelle Danse* (fin septembre, ☎ 287-14-23) ; l'*International Benson & Hedges* (concours de feux d'artifice, *cf.* « La Ronde » dans *Le parc des Îles,* rubrique « À voir. Attractions diverses »).

– Une mention particulière pour *la fête de la Saint-Jean*, la fête « nationale » québécoise, le 24 juin. Jour de congé pour tous et exaltation de l'âme québécoise pour beaucoup. Pas mal de rues du centre sont fermées à la circulation et divers concerts y remplacent les voitures. Clou de la fête : le grand défilé sur Sherbrooke en milieu d'après-midi, jusqu'au Parc olympique, suivi d'une foule joyeuse communiant aux cris de « On veut un pays » ou « le Québec aux Québécois », dans un camaïeu de bleus.

– Le *1er juillet*, au contraire, *fête nationale du Canada*, l'avenue Sherbrooke se pare de rouge, pour le « défilé des Anglais », en sens inverse de celui de la Saint-Jean... Le 1er juillet est aussi un jour particulier pour une autre raison : bougeotte générale, les Montréalais déménagent, car c'est la date de fin des baux. Partout, vous verrez passer machines à laver et réfrigérateurs...

– *Ligue nationale d'improvisation :* le dimanche soir à partir d'octobre. Infos pour les dates et le lieu : ☎ 849-97-26. Entrée payante. Pour les lecteurs qui ne connaîtraient pas encore, et, bien entendu, pour les vieux fans, cette extraordinaire joute théâtrale entre deux équipes rivalisant par le mime et la chanson à partir de thèmes tirés au sort. Les Québécois inventèrent ce spectacle original et, chaque année, des championnats du monde mettent aux prises une dizaine de pays francophones. En France, le championnat a lieu tous les lundis soir à 21 h à Paris, au *Bataclan,* bd Voltaire, 75011. ☎ 01-47-00-39-12 (M. : Oberkampf).

Dans les environs de Montréal

★ *Le mont Saint-Hilaire :* sur la vallée de Richelieu. Accès par l'université McGill. Les gens du coin prétendent que c'est un volcan endormi, mais quelques mauvaises langues affirment que ce n'est qu'un argument pour attirer les touristes. Autant laisser le mystère entier... Un chemin mène au sommet. Réserve d'oiseaux, centre de recherche de l'université McGill. Au pied du mont, centre de pomoculture. Possibilité de visiter une cidrerie.

★ *Le parc du mont Tremblant :* accessible en voiture par l'autoroute des

Laurentides (à 140 km environ de Montréal). Superbes collines boisées agrémentées de 985 lacs et de cascades. Si vous êtes dans le coin en automne, c'est à ne pas manquer, pour les couleurs fauves et mordorées des arbres. Fantastique ! Et si vous y êtes en hiver, vous pourrez alors aller skier à la station du Mont-Tremblant. Village joli, mais un peu snob.

★ *Le parc Omega* : route 323 Nord, Montebello, J0V-1L0. À 110 km à l'ouest de Montréal. ☎ 423-54-87. Internet : www:parc-omega.com. Ouvert toute l'année. En hiver, téléphoner pour connaître les conditions d'accès. Présente en milieu naturel la faune d'Amérique du Nord. Sur une route de 10 km, découvrez en toute liberté bisons, wapitis, cerfs de Virginie, ours, loups, orignaux, ratons laveurs, castors. Billet d'entrée valable toute la journée. Une bonne étape entre Montréal et Hull. Resto panoramique, aire de pique-nique. Centre d'interprétation des animaux du parc.
– À voir aux environs : le *château Montebello,* « la plus grande construction en bois rond au monde » et le *manoir Papineau,* construit au milieu du XIXe siècle, ouvert en saison. Les courageux iront jusqu'à **Hull** pour visiter le *musée des Civilisations,* chef-d'œuvre architectural et superbe musée. La grande galerie présente six nations amérindiennes de l'Ouest et leurs mâts totémiques. 1 000 ans d'histoire y revivent grâce à une présentation originale et soignée, souvent interactive. Ouvert tous les jours du 1er mai au 30 juin de 9 h à 18 h, jusqu'à 21 h les jeudi et vendredi du 1er juillet au 1er août. Entrée libre le dimanche de 9 h à 12 h.

★ *Les Cantons de l'Est :* intéressant pour ceux qui descendent sur les États-Unis par l'autoroute 10. Une très belle région vallonnée pleine de lacs et de villas d'artistes autour de la ville de Magog. Pas mal d'activités sportives ou autres en été.

Quitter Montréal

En stop

Ici, on dit : « Je vais sur le pouce à... »
■ *Allôstop :* 4317, rue Saint-Denis (angle Marie-Anne). ☎ 985-30-32 ou 30-44. M. : Mont-Royal. Ouvert de 9 h à 18 h les lundi, mardi, samedi et dimanche ; de 9 h à 19 h les mercredi, jeudi et vendredi. Ils mettent en relation conducteurs et stoppeurs. S'y prendre à l'avance pour les grandes distances. Cotisation et participation aux frais d'essence. En général, ça marche très bien, surtout entre Québec et Montréal ; et c'est un moyen de transport économique.
● *Vers le nord et les Laurentides :* métro Crémazie et bus n° 100 jusqu'à l'autoroute des Laurentides.
● *Vers Trois-Rivières* par la rive nord du Saint-Laurent : métro Honoré-Beaugrand, et autobus n° 189 le plus loin possible sur la rue Sherbrooke.
● *Vers Québec :* métro Longueuil, puis se placer sur l'autoroute 20.
● *Vers Sherbrooke :* métro Longueuil, puis autobus n° 6 jusqu'à l'autoroute des Cantons de l'Est.
● *Vers Ottawa, Toronto et l'Ouest :* métro Lionel-Groulx, puis autobus n° 211 jusqu'au bout. Se renseigner auprès du chauffeur pour l'autoroute qui n'est pas loin. Pour Ottawa : métro Crémazie, puis bus n° 100 Ouest pour rejoindre l'autoroute 40.

En bus

Pour beaucoup de destinations il est préférable soit d'acheter ses billets 24 h à l'avance (New York), soit de se renseigner sur les forfaits touristes. Dans les deux cas, il est possible de gagner jusqu'à 40 % de réduction.

Terminus Voyageur (plan II, D3) : 505, bd de Maisonneuve Est. ☎ 842-22-81. M. : Berri-Uqam. Plusieurs compagnies d'autobus grandes lignes pour Sherbrooke, Hull, Ottawa, Trois-Rivières, Québec (environ 3 h de trajet en express), la Gaspésie (pour Gaspé, environ 15 h de trajet !), le Nouveau-Brunswick (Edmundston, Moncton), Charlevoix et la côte nord, etc. *Orléans Express* et *Intercar* pratiquent des tarifs réduits pour les étudiants et les plus de 65 ans. Possibilité d'acheter un *forfait Excursion* valable 10 jours consécutifs que l'on peut prolonger de 6 jours (au moment de l'achat) et valable pour le Québec et l'Ontario.

• *La traversée Montréal-Vancouver :* 2 départs par jour. Compter quand même plus de 72 h de voyage. Pensez à l'appareil photo, car on peut faire de superbes clichés lors des arrêts, ou même en roulant. Si vous expédiez un vélo, il faut l'emballer, et on ne peut pas le caser dans la soute du bus ; il faut l'envoyer par le service colis *Greyhound* (prix en fonction du poids). Il arrivera à Vancouver avant vous. Bref, c'est la grosse expédition, mais il faut bien penser aux fanatiques des *road movies*... Assez cher quand même.

■ *Taxi Philibert :* ☎ 374-52-52. Propose 3 départs par semaine en minibus (11 places) vers Gaspé via Québec et Rimouski. Plus rapide que le bus (compter quand même 12 à 14 h pour Gaspé, arrêts pipi et repas inclus) et moins cher pour ceux qui ne bénéficient pas de réductions. Il est conseillé de réserver quelques jours à l'avance.

En train

Gare centrale (Downtown ; plan II, B3) : 935, rue de la Gauchetière Ouest. Une autre entrée sur University et Belmont. Renseignements : ☎ 989-26-26, de 9 h à 17 h ou 1-800-361-53-90 (Via Rail) ; pour les États-Unis : ☎ 1-800-872-72-45 (Amtrak). Cette gare gère tous les départs vers le reste du Québec et tout le Canada, ainsi que vers les États-Unis.

• *Pour la ville de Québec :* 5 départs par jour (4 le dimanche et le lundi, 2 le samedi). À noter : tarif spécial si la réservation est réalisée cinq jours avant le départ (selon disponibilités).

• *Pour la Gaspésie :* 3 départs par semaine (par Rimouski, Matapédia, Carleton et Percé, terminus) à bord du *Chaleur*. Comptez 16 h pour faire Montréal-Gaspé.

En avion

– **Pour les aéroports Mirabel et Dorval :** *Autocar Connaisseur*. Départ de l'aérogare, au 777, rue de la Gauchetière Ouest. Durée : 1 h environ. **Taxe de départ :** 10 $, que l'on paie juste après avoir passé la douane. Horaires dans la rubrique « Arrivée à Montréal ». Renseignements : ☎ 1-800-934-12-12.

– **Le Club D-7 :** 3607, Saint-Denis. Répondeur annonçant destinations, dates et tarifs : ☎ 843-64-41. Réservations : ☎ 843-44-13. Brade des places de dernière minute sur vols charters à destination du Sud (Cuba, Mexique, Antilles...) et parfois de l'Ouest canadien (Vancouver).

En auto drive-away

– **Wesmount Drive-away :** 345, av. Victoria, bureau 509. ☎ 489-38-61. Dans Westmount. Voitures à conduire vers Toronto, l'Ouest canadien, les provinces maritimes, la Californie, New York. De novembre à janvier, ce sont surtout des voitures à descendre en Floride. Négocier la caution et le coût de l'essence.

MONTRÉAL

BERTHIERVILLE
IND. TÉL. : 514

Sur la route de Montréal à Québec. Intéressant pour ceux qui voudraient éviter de dormir à Trois-Rivières : c'est déjà la campagne québécoise et on trouve deux bonnes adresses dans le coin.

Où dormir dans les environs ?

🛏 *Chez Marie-Christine B & B :* 3120, Rang-du-Ruisseau, à Sainte-Élisabeth. ☎ 759-93-36. Ouvert de juin à septembre. En venant de Montréal, quitter l'autoroute 40 à la sortie 122 en direction de Joliette par la 31 Nord. À Joliette, prendre la 131 Nord, direction Notre-Dame-de-Lourdes et c'est à 2 km à droite après le feu. À 15 mn de Berthierville. De Berthierville, quitter la 40 et prendre la 158 Ouest, direction Joliette. Ensuite, prendre la 345 Nord (à droite), direction Sainte-Élisabeth. Après avoir traversé le village, tourner à gauche, direction Notre-Dame-de-Lourdes. La maison, calme et agréable, se trouve à 4 km du village,

sur la droite. Les 3 chambres sont confortables et très propres. Salle de bains commune. Excellent petit déjeuner et bon accueil de la jeune patronne. Un endroit chaleureux.

🛏 *Gîte Le Cheval Bleu :* 414, route 343, Saint-Alphonse-Rodriguez, J0K-1W0. ☎ 883-30-80. Fax : 883-34-43. Comme pour *Chez Marie-Christine,* aller jusqu'à Joliette. Là, prendre la route 343 Nord, dépasser Sainte-Marcelline. Il y a 34 lacs à Saint-Alphonse-Rodriguez ; vous en profiterez depuis ce gîte, dont la terrasse donne sur un petit lac privé. 5 chambres avec vue sur la forêt. Possibilité de dîner (en prévenant à l'avance).

À voir. À faire

★ *Le musée Gilles-Villeneuve :* 960, av. Gilles-Villeneuve (sortie 144 de l'autoroute 40). ☎ 836-27-14. Ouvert théoriquement tous les jours l'été, de 8 h à 20 h (21 h les 2 dernières semaines de juillet) et de 9 h à 16 h le reste de l'année, mais les horaires varient très souvent. Fermé en décembre et janvier. Entrée payante. Réduction étudiants et troisième âge. Consacré au champion québécois. Originaire de Berthierville, le petit Gilles connut une ascension fulgurante avant de périr en 1982 dans un accident de Formule 1. Outre la projection d'un film sur sa vie, on découvre les souvenirs du pilote, des voitures originales (superbe Ferrari), des photos, des coupes et trophées, ainsi qu'un simulateur et des jeux vidéo. Un hommage à ce pilote d'exception dont le fils, Jacques, a été sacré champion du monde de Formule 1 en 1997.

★ *L'église Sainte-Geneviève :* édifice bicentenaire possédant un bel intérieur.

★ *La chapelle des Cuthbert :* rue de Bienville. ☎ 836-73-36 (en saison). Ouvert de fin juin à début septembre, de 10 h à 18 h. Le premier temple protestant du Québec (1786), qui abrite aujourd'hui le bureau d'information touristique.

SOREL
IND. TÉL. : 514

Juste en face de Berthierville, de l'autre côté du Saint-Laurent. Cette commune était le grand rendez-vous des Hell's Angels, qui lui préfèrent

DE MONTRÉAL À QUÉBEC

aujourd'hui Montréal ou Québec. Une petite anecdote : il y a quelques années, une série de règlements de compte eut lieu entre bandes rivales, et un lascar se retrouva dans un sac de couchage avec du ciment dedans. Depuis, les temps ont changé et Sorel offre aux visiteurs des circuits paisibles à saveur historique ou écologique.

De Saint-Anne-de-Sorel, chemin Chenal-du-Moine, départ des croisières explicatives à travers les pittoresques îles de Sorel qui abritent de nombreuses espèces d'oiseaux. ☎ 743-72-27. Fax : 743-78-07.

Un traversier permet de gagner la rive nord du Saint-Laurent via Saint-Ignace-de-Loyola. Départ toutes les 30 mn l'été, toutes les heures le reste de l'année. La traversée dure 10 mn. Pas de réservations. Renseignements : ☎ 743-32-58 (à Sorel) ou 836-46-00 (à Saint-Ignace).

TROIS-RIVIÈRES   IND. TÉL. : 819

Ville étape, à mi-chemin entre Montréal et Québec, passage obligé pour se rendre au parc national de la Mauricie, Trois-Rivières, ainsi nommée à cause des 3 chenaux que forme le Saint-Maurice à son embouchure, est aussi la capitale mondiale des pâtes à papier (d'où une odeur souvent persistante). Coincée entre les deux plus grosses villes du Québec, la petite cité industrielle aux airs très provinciaux peut sembler endormie. Cette ville ancienne (plus de 350 ans d'existence) possède un centre-ville plutôt mignon. Un important *festival international de la Poésie* s'y tient (généralement en septembre-octobre). Les voyageurs y sont particulièrement bien accueillis, notamment au bureau du tourisme. Trois-Rivières bénéficie aussi d'une situation stratégique pour qui se dirige vers la Mauricie.

Adresses utiles

🛈 *Bureau du tourisme :* 1457, rue Notre-Dame. ☎ 375-11-22. Ouvert de 8 h à 20 h, en semaine seulement l'hiver; l'été, ouvert aussi le week-end. Très bon accueil et nombreux renseignements. Plans de la ville distribués gratuitement. Un autre bureau, ouvert l'été seulement, à l'entrée de la ville sur la 138 Ouest, au n° 6560.

🚍 *Terminus Orléans Express :* 1075, rue Champflour. ☎ 374-29-44.

Où dormir ?

🛏 *Auberge de jeunesse La Flottille :* 497, Radisson. À 500 m du terminal des bus, dans le centre. ☎ 378-80-10. Ouverte toute l'année, de 8 h à 23 h. Dortoirs ou chambres de 4 à 10 lits et 2 chambres doubles. Possibilité de demi-pension. Située dans une agréable petite maison intime. Très propre. Une bonne A.J., bien équipée : cuisine commune, consigne, laverie, infos touristiques, location de vélos, etc. Accueil très sympa.

🛏 *Le Gîte du Huard :* 42, rue Saint-Louis. ☎ 375-87-71. À deux pas du Saint-Laurent, dans le quartier historique du vieux Trois-Rivières, la belle maison centenaire de Nicole Huard abrite 5 chambres des plus confortables (4 doubles, dont un studio au rez-de-chaussée, et une simple). Toutes avec salle de bains et cuisine privées, TV et magnétoscope, chaîne hi-fi, dont lecteur CD. Le petit studio dispose de cuisine et canapé. La charmante hôtesse prépare un petit déjeuner très copieux, avec notamment les fruits et légumes frais de son potager, en saison. Tout ce confort et ces délices pour un prix très raisonnable. Une belle adresse.

▲ *La Maison Wickenden :* 467, rue Saint-François-Xavier. ☎ et fax : 375-62-19. À deux pas de la vieille ville, dans une petite maison de brique sympa. 3 chambres impeccables et pas chères (la plus petite l'est encore moins), 2 salles de bains. Très bon accueil. Accepte la carte *Visa*.

Pour les routards motorisés, 3 bonnes adresses un peu excentrées :

▲ *Gîte Saint-Laurent :* 4551, rue Notre-Dame Ouest. ☎ et fax : 378-35-33. À l'entrée de la ville, au niveau du bureau d'information touristique, prendre la petite rue qui longe le fleuve. La maison, grande et confortable, est un peu plus loin sur la droite, agréablement située dans un jardin avec une belle piscine qui s'étend jusqu'au fleuve.

4 belles chambres spacieuses et climatisées (la Rose, la Lila, la Verte et la Bleue). Salle de bains commune. Accueil charmant de Yolande qui adore cuisiner et confectionne un petit déjeuner pantagruélique avec entrée, plat et dessert. Bref, à ce prix-là, une excellente adresse !

▲ *Gîte Baie-Jolie :* 711, rue Notre-Dame (c'est la 138), Pointe-du-Lac. ☎ et fax : 377-30-56. À 10 km à l'ouest de Trois-Rivières, au bord du fleuve. Jardin avec piscine, cadre calme et reposant. 3 chambres avec salle de bains, petit déjeuner copieux et accueil sympa. Jacques est suisse, Barbara, allemande, et ils se sont rencontrés en Afrique...

▲ *Grand Papa Beau :* 3305, rue Sainte-Marguerite, G8Z-1X1. ☎ 693-03-85. À 10 mn en voiture du centre-ville, près de l'université du Québec. Prendre la sortie 198 de l'autoroute 40, puis bd des Récollets Nord jusqu'au bd Jean-XXIII, à droite. Maison splendidement décorée, ancienne ferme tyiquement québécoise. Carmen et Yvon sont très accueillants. Copieux petit déjeuner. Prix raisonnables.

Où manger ?

Nombreux restos en ville mais beaucoup sont très banals.

I●I *Nord-Ouest :* 1441, rue Notre-Dame. ☎ 693-11-51. Ouvert du lundi au vendredi de 11 h à 2 h, les samedi et dimanche de 9 h à 3 h. Ce café est un des plus sympas du centre-ville. Dans une salle tout en longueur, où se mêlent briques et murs jaune orangé, on peut manger à des prix très corrects une grosse salade ou des plats mexicains.

I●I *Souvlaki :* 338, rue Des Forges. ☎ 371-20-05. Ce restaurant grec est très fréquenté. Dans un grand espace sans réel charme, on vous sert des assiettes bien garnies et vraiment pas chères. Bref, c'est l'endroit idéal pour les gros appétits qui ne veulent pas se ruiner.

I●I *Cabane à sucre Chez Dany :* 195, rue de la Sablière, Pointe-du-Lac. ☎ 370-47-69. Ouvert du vendredi au dimanche seulement, ou sur réservation. Pour y arriver, en venant de Montréal par l'autoroute 40, prendre la sortie 192 vers Pointe-du-Lac (chemin des Petites-Terres), puis à gauche le chemin Sainte-Marguerite, et c'est la rue à gauche. Grande bâtisse en bois au toit rouge. Pour vous goinfrer à volonté, et pour une somme modique, de mets traditionnels et consistants comme les fèves au lard, le jambon à l'érable ou l'oreille de crisse. En plus, l'endroit est agréable.

À voir. À faire à Trois-Rivières et aux environs

★ *Le centre d'exposition sur l'industrie des pâtes et papiers :* 800, Parc portuaire. Le long du fleuve. ☎ 372-46-33. De juin à début septembre, ouvert tous les jours de 9 h à 18 h ; hors saison, les samedi et dimanche de 11 h à 17 h. Histoire de l'industrie papetière (très importante au Canada) et créations originales en papier. Usages insolites, sous-produits, maquettes de machines. Visite guidée : 1 h environ. Bien présenté et instructif. Sachez que Trois-Rivières possède 2 usines de pâtes à papier, une école pour former des ingénieurs, ainsi qu'un centre de recherche.

★ *La vieille ville :* quelques édifices anciens, rescapés de l'incendie qui ravagea la ville en 1908, comme la *cathédrale* (rue Bonaventure), d'un style néogothique sans grand intérêt, le *manoir de Niverville* qui abrite une exposition permanente de meubles anciens, le *manoir de Tonnancour*, du XVIIIe siècle (864, rue des Ursulines ; ☎ 372-46-14), qui accueille aujourd'hui une galerie d'art, et le *monastère des Ursulines* (734, rue des Ursulines) qui fait office de musée (☎ 375-79-22). Le musée est ouvert de mai à octobre du mardi au vendredi de 9 h à 17 h, et les samedi et dimanche à partir de 13 h 30 ; de novembre à avril, du mercredi au dimanche de 14 h à 17 h. Présente des expositions historiques sur Trois-Rivières.

★ *Le musée des Arts et Traditions populaires du Québec :* 200, rue Laviolette, au cœur de la vieille ville. ☎ 372-04-06. Ouvert tous les jours de 10 h à 19 h de fin juin à début septembre ; le reste de l'année, du mardi au dimanche de 10 h à 17 h. Visites guidées possibles. 6 salles présentant des expositions originales et variées, permanentes ou temporaires, sur les mots de la langue canadienne et leurs origines, la vie domestique et les métiers traditionnels (jouets, textiles, mobilier, outils...), l'archéologie et l'arrivée des ancêtres des premiers Amérindiens par le détroit de Béring... Reliée au musée par un passage, l'*ancienne prison* de la ville vous fait découvrir l'histoire de la vie carcérale au quotidien, de 1920 à 1984, à travers le labyrinthe de ses 20 cellules.

★ *Les forges du Saint-Maurice :* 10000, bd des Forges. ☎ 378-51-16. Sur le site d'une des premières entreprises sidérurgiques du Canada. Ouvert tous les jours, de mai à septembre de 9 h 30 à 17 h 30, et en septembre-octobre de 9 h 30 à 16 h 30. Entrée payante. Visites guidées possibles. Dans la Grande Maison, qui servit autrefois d'entrepôt, bureau, magasin, chapelle et logement, un spectacle son et lumière illustre le travail des ouvriers. Le haut fourneau, quant à lui, lieu principal de production de fonte pendant 150 ans, abrite aujourd'hui un centre d'exposition et d'interprétation. On peut aussi aller jeter un coup d'œil à la forge basse et à sa grande cheminée d'affinage, par le sentier piéton.

– On peut faire quelques *excursions en bateau* sur le Saint-Laurent. Sympa. Renseignements : ☎ 375-30-00.

● *Delta Saint-Maurice* propose au départ de l'île Saint-Quentin des *croisières* de 3 h ou de 2 ou 3 jours sur la Saint-Maurice. ☎ 379-89-82.

★ *La cité de l'Énergie :* à *Shawinigan,* à une demi-heure de voiture, prendre l'autoroute 55, sortie 211. ☎ 536-85-16 ou 1-800-383-24-83. Fax : 536-29-82. Durée de la visite : 3 h minimum. A ouvert en 1997. Ancien site industriel hydroélectrique, dont une partie est encore en service, et reconverti en une sorte de cité des Sciences. 4 volets industriels y sont développés : l'hydroélectricité, l'aluminium, les pâtes et papiers et l'électrochimie. Spectacle multimédia sur l'évolution du secteur industriel. Visite de la centrale de la N.A.C. *(Northern Aluminium Company Power Station).* On y apprend tout sur la production d'électricité. Bien présenté et très intéressant. Jeux interactifs très attractifs. Cafétéria avec boissons, sandwiches et plats chauds.

DE MONTRÉAL À QUÉBEC

Fêtes

– *Festival international de l'Art vocal :* fin juin-début juillet. Pendant 6 jours, les rues de la vieille ville s'animent au son des chants sacrés, lyriques, populaires, ethniques et traditionnels. Festival très populaire qui accueille chaque année de plus en plus de monde.
– *Festival international de la Poésie :* fin septembre-début octobre. Plein d'activités autour de la poésie : concerts, expos, films, lectures publiques...

Dans les environs : le parc national de La Mauricie

À 60 km au nord de Trois-Rivières, par l'autoroute 55 (puis sortie 217). Renseignements : *Service canadien des parcs,* district de La Mauricie, 776, 5e rue, C.P. 758, Shawinigan (Québec), G9N-6V9. ☎ (819) 536-26-38.
Près de 550 km² de collines, lacs et cascades, accessibles par de nombreux sentiers pédestres. Beau et sauvage. Hébergement en campings (bien aménagés) ou en gîtes (réservation conseillée en été, ☎ 537-45-55). Si l'on campe, on ne paie pas le droit d'entrée au parc. Activités : randos, bien sûr, mais aussi balade en canot amérindien (Rabaska) avec des naturalistes, pêche, baignade (en été), ski de fond (en hiver), etc. Avec un peu de chance, possibilité d'apercevoir la faune locale (castors, huarts à collier, orignaux...).
Au bord du parc, le village de Saint-Tite, à environ 30 mn de Trois-Rivières, ancienne capitale des bûcherons, accueille du 10 au 20 septembre environ le 2e rodéo du Canada. Cow-boys, chariots et chevaux fougueux sont au rendez-vous.

★ À Grandes-Piles, le *village du Bûcheron* illustre à travers ses 25 bâtiments la dure vie des bûcherons, draveurs et autres pionniers à qui la région doit son statut de capitale mondiale du papier. Ouvert tous les jours en été, de 10 h à 17 h. Visites guidées conseillées. ☎ 538-78-95. On y retrouve les différentes dépendances du camp de bûcheron traditionnel.

★ À Saint-Georges-de-Champlain, le *musée d'Aviation de brousse* retrace l'histoire de l'aviation civile et des pionniers de l'air depuis juin 1919, date à laquelle le 1er avion commercial a amerri au Lac-à-la-Tortue. ☎ 538-66-53. Ouvert l'été de midi à 21 h (17 h le week-end). Visite guidée d'environ 1 h 30 qui vous donnera peut-être envie de faire un tour en hydravion...
Lac-à-la-Tortue : d'où vient ce nom étrange ? D'anciennes mines d'extraction d'un minerai destiné à la fabrication de poêles de chauffage appelés « tortues ». Un jour, la nappe phréatique fut percée, les mines inondées, et le lac apparut, pas plus profond que 50 cm partout, dans un rayon de plusieurs centaines de mètres.

Où dormir ?

🛏 *La Maison Bellemare :* 2760, Principale, Saint-Jean-des-Piles. ☎ 538-23-01. Quitter la route 55 à la sortie 226, puis suivre les indications « Parc de la Mauricie », le gîte se trouve 1 km avant l'entrée du parc. C'est une grande maison au milieu d'un beau parc, au bord de la rivière Saint-Maurice. Tout respire le goût et la simplicité : les 4 chambres (3 doubles et une simple) et le salon à la grande cheminée, où la maîtresse de maison reçoit des pianistes pour des soirées de concert classique en été. Cette famille propose également 4 bungalows dans le parc.

▲ *Maison Trudel :* 543, rue Goulet, Hérouxville (de Trois-Rivières, prendre la route 55 Nord, jusqu'au bout, puis suivre Saint-Tite). ☎ 365-76-24. Fax : 365-70-41. Un accueil très sympathique. Le patron vous conseillera sur les activités des environs (notamment la motoneige). Sa femme Nicole aussi est très sympa. Petit déjeuner pantagruélique de bûcheron : pain perdu, gaufres, sirop, confitures maison, œufs au bacon, gâteau et fèves au lard... Bonne adresse.

▲ *Village Innusit :* à Lac-Édouard. ☎ et fax : 653-20-04. De Trois-Rivières, route 155 ; sortir au km 150. À Lac-Édouard, téléphoner au : ☎ 653-25-09. Vous dormirez dans l'un des six tipis de Vital et Lorraine, des hôtes qui vous permettront de profiter de la nature : randonnées autour du lac, espionnage des castors... et partage d'un tipi, après un dîner préparé par Lorraine. Possibilité de louer des sacs de couchage sur place. Et le prix, en pension complète, est intéressant.

LA ROUTE 138 ENTRE TROIS-RIVIÈRES ET QUÉBEC

Préférer de loin la charmante route 138 qui longe le fleuve à la banale autoroute 40 qui n'a que l'avantage de faire gagner du temps. Les villages le long du Saint-Laurent sont plutôt mignons, bordés de pimpantes maisons : Deschambault (avec une chouette adresse pour y dormir), Cap-Santé et Neuville sont de ceux-là. Reliant Montréal à Québec depuis 1874, le chemin du Roy est la première route carrossable du Canada.

★ *Grondines :* on y trouve le premier moulin banal, l'un des plus anciens moulins à vent du Québec (1674). Ayant servi de phare pour la signalisation fluviale, il est aujourd'hui devenu un centre d'exposition en saison estivale. ☎ (419) 285-46-16. L'église a été érigée entre 1838 et 1840. Classé Monument historique, son presbytère est remarquable.

★ En passant à *Batiscan,* profitez-en pour aller visiter le vieux presbytère, imposant bâtiment de pierre construit en 1816 et situé au 340, rue Principale. ☎ (418) 362-20-51. Ouvert l'été, tous les jours de 9 h à 17 h. Visite avec livret explicatif ou visite guidée (compter 30 à 45 mn).

★ De fin décembre à mi-février, ne manquez pas de passer à *Sainte-Anne-de-la-Pérade :* la rivière Sainte-Anne prend un visage étonnant, se couvrant de 600 petites cabanes, dont les planchers sont percés pour laisser passer... des fils de pêche ! C'est la pêche au *poulamon,* ou « petit poisson des chenaux », qui attire chaque année environ 100 000 Québécois. Quelques-uns ont leur cabane privée ; la plupart les louent, pour des tranches de 10 h, à n'importe quelle heure du jour et de la nuit. C'est, bien entendu, l'occasion d'une fête endiablée...

★ *Deschambault :* le vieux presbytère date de 1815. Au début du XXᵉ siècle, les paroissiens l'utilisaient pour y entreposer la dîme payée en nature. Aujourd'hui, l'édifice abrite une exposition sur l'occupation des Iroquois au XVᵉ siècle. Visite l'été. ☎ (418) 286-68-91. À voir également : le *moulin de la Chevrotière,* situé à l'extrémité ouest de Deschambault.

★ *Portneuf :* la ville, située à l'embouchure de la rivière du même nom, offre le charme typique des agglomérations du fleuve Saint-Laurent. Son quai en eau profonde s'étire sur un kilomètre pour s'arrêter à proximité du chenal maritime. Ici, on pratique la « pêche à la fascine », à l'aide d'un filet installé perpendiculairement à la jetée ; les prises sont principalement constituées d'anguilles. Depuis l'été 1997, un parc touristique attenant au quai accueille des bateaux de plaisance. Beaucoup d'activités y sont possibles : canoë-kayak, planche à voile, ornithologie, chasse et pêche (en saison).

★ *Cap-Santé* : le Vieux-Chemin, connu comme une des plus belles rues du Canada, domine le Saint-Laurent. À voir : la *maison de Mademoiselle Bernard* (1890) et l'église (1752-1768), derniers exemples de l'occupation française.

★ *Donnacona :* reprenant l'ancien tracé du chemin du Roy, la rue Notre-Dame mène au site de la papeterie *Produits Forestiers Alliance,* rouage essentiel de l'économie de la ville. Au début du XXᵉ siècle, les cadres anglophones de la compagnie se sont regroupés le long du boulevard Saint-Laurent dans un secteur surnommé « le quartier des Anglais ».
– La *corporation de restauration de la Jacques-Cartier* opère une passe migratoire de saumons de l'Atlantique où l'on peut observer ces poissons venus frayer et se reproduire. Sur place, un centre d'interprétation initie le visiteur au cycle de la vie du saumon. La pêche est pratiquée du 1ᵉʳ au 30 septembre (permis de pêche sur place, obligatoire). ☎ (418) 285-22-10.

★ *Neuville :* la rue des Érables abrite un riche éventail d'exemples d'architecture ancienne précieusement conservés. À ne pas manquer : maisons Larue et Angers, chapelle Sainte-Anne, église Saint-François-de-Sales. Visites : ☎. (418) 285-46-16.

★ *Saint-Augustin-de-Desmaures :* l'église (construite entre 1809 et 1816) abrite des œuvres remarquables dont deux anges près du maître-autel. Entourant en partie l'église, noter le cimetière clôturé, avec ses symboles uniques au Québec : deux hiboux, gardiens de la nuit. Le calvaire à cinq personnages, édifié en 1880, est orné de statues de bronze importées de France.
– *Érablière le Chemin du Roy :* 237, chemin du lac Nord, Saint-Augustin-de-Desmaures. ☎ 878-50-85. Lieu de tradition québécoise, l'érablière le « Chemin du Roy » tire son nom de l'ancien chemin ancestral qui la traverse. Repas de cabane à sucre typiquement québécois, sur réservation seulement, avec animation musicale traditionnelle et folklorique. Visite de l'érablière de mi-mars à mi- octobre.

Où dormir ? Où manger en route ?

◼ *Gîte Le Saint-Élias :* 951, rue Principale, Batiscan. ☎ (418) 362-27-12. Fax : 362-20-81. Dans une jolie maison de la fin du siècle dernier, face au fleuve. Calme et agréable. 4 chambres très mignonnes, arrangées avec goût. 2 salles de bains. La propriétaire est adorable, le petit déjeuner copieux et bien présenté, et le prix très abordable. Bref, vous l'aurez compris, une bonne adresse !

◼ |●| *Manoir Dauth :* 21, bd de Lanaudière, Sainte-Anne-de-la-Pérade (sortie 236 sur l'autoroute 40). ☎ et fax : 325-34-32. Ouvert toute l'année. Lise Garceau et Yvan Turgeon, les proprios-aubergistes, vous accueillent très chaleureusement dans leur belle maison de pierre de 1842, qu'ils ont récemment restaurée avec beaucoup de raffinement. Belles chambres romantiques, certaines avec lit à baldaquin, qui portent chacune le nom d'un personnage du Sainte-Anne d'antan. Salles de bains toutes neuves et impeccables. Salle de lecture, salon, terrasse à l'ancienne. Petit déjeuner et dîner excellents, cuisine fine. Propose aussi des forfaits traîneau à chiens et pêche. Initiation au kayak de mer en été. L'auberge fait partie de « La Grande Tournée », sorte de circuit historique et patrimonial de ce beau village. Prix moyens à plus chic.

◼ |●| *Relais champêtre Les Santons :* 200, Rapide Nord, Sainte-Anne-de-la-Pérade. ☎ 325-29-07. Fax : 325-31-79. Un peu excentré, mais la table d'hôte y est excellente. Pour y accéder de Sainte-Anne, quitter la route 138 par la 159, direction Saint-Prosper, puis prendre la

354 à droite, direction Saint-Casimir. La route longe la rivière Sainte-Anne, et la maison est à quelques kilomètres sur la gauche. 3 chambres très agréables, l'une d'elles a même une cheminée. Le patron, adorable, est un ancien agriculteur. À table, le soir, il sert les produits tout frais cueillis de son jardin et préparés par ses soins. Et comme il est bon cuisinier, on se régale. Pas de vin, donc apportez le vôtre si vous désirez en boire. Souvent complet le week-end. Ne prend pas de carte bancaire.

🛏 ⏏ *Maison de la Veuve Grolo* : 200, chemin du Roy, Deschambault. ☎ (418) 286-68-31. Le village se trouve exactement à mi-chemin entre Trois-Rivières et Québec. Jolie maison ayant appartenu à une certaine veuve Grolo, proposant 4 belles chambres meublées dans les styles années 30, 50 ou victorien. Belle salle de bains et élégant salon rouge. Donald, le propriétaire, est très sympa. On peut y dîner sur réservation (là encore, apporter son vin). Adresse un peu plus chère que la précédente.

QUÉBEC (LA VILLE)   IND. TÉL. : 418

Si vous arrivez de Montréal avec l'idée que vous allez retrouver le même genre de ville, la surprise sera réelle. Québec ressemble autant à Montréal que Sarlat à Dunkerque. En 1672, le gouverneur Frontenac écrivit à Colbert : « Rien ne m'a paru si beau et si magnifique que la situation de Québec. » Vous nous avez compris, Québec, c'est une vieille ville, très belle, à la taille modérée, et qui puise son originalité dans son décor de film de cape et d'épée, tout à fait unique dans l'Amérique des gratte-ciel et des pelleteuses. Les Yankees ne s'y sont pas trompés d'ailleurs ; ils rappliquent en masse remplir leurs narines d'un authentique parfum d'exotisme. Et nous, on a vite fait d'oublier les inévitables autoroutes qui viennent lécher les murailles séculaires, de se laisser prendre au charme de Québec et d'y retrouver une atmosphère chaleureuse et bon enfant qui manque à tant de nos belles villes de province, historiques soient-elles. Ne ratez vraiment pas Québec, c'est un must (comme dirait Jacques ; pas le bijoutier, l'autre !), même si elle est vraiment très touristique l'été.

Québec viendrait de *Kebec,* mot algonquin signifiant « là où la rivière se resserre », choisi par Samuel de Champlain, en 1608, pour nommer ce lieu.

À quel moment y aller ?

Dans la 1re quinzaine de juillet, au moment du Festival d'été international de Québec (« La » manifestation francophone des arts de la scène et de la rue en Amérique), ou le 24 juin, jour de la fête nationale du Québec. Arrangez-vous pour être à la Saint-Jean à Montréal et ici début juillet, vous aurez deux aspects de la fête. De toute façon, la Saint-Jean, que vous la passiez à Montréal ou à Québec, ça sera un grand moment ! Et le festival, un autre tout aussi extraordinaire. Ces deux occasions vous permettront de vivre la joie immense, la fierté de la population de se sentir québécoise, joie profonde, spontanée, sans fards ni artifices. Notre vieil esprit raisonneur, notre comportement plein de retenue et de scepticisme en prennent un vieux coup et il ne vous faudra pas longtemps pour rejoindre la farandole. Début juillet, Québec appartient aux jeunes de tous âges. Ne loupez pas cette explosion qui ébranlera pour toujours vos certitudes (voir plus loin, la rubrique « Fêtes »).

Les gens

Ce n'est rien de dire qu'ils sont gentils et chaleureux, ils ont quelque chose en plus, indéfinissable, qu'on ressent profondément. Peut-être l'art de faire passer un courant qui distille une amitié sans arrière-pensées. Nous avons été frappés de l'homogénéité et de l'esprit collectif des habitants de Québec, ainsi que d'un certain esprit de clan. Défenseurs acharnés de la langue française, les Québécois sont les premiers à dénoncer haut et fort la dérive linguistique du français en France. Opiniâtres, généreux, amateurs de discussions serrées, extrêmement chatouilleux sur les questions politiques, les Québécois se révèlent accrochés à leur passé mais résolument tournés vers l'avenir.

Adresses utiles

Infos touristiques

🮸 *La Maison du tourisme de la province de Québec* (plan II, C2) : 12, rue Sainte-Anne, près du château Frontenac. ☎ 1-800-363-77-77. Ouverte tous les jours de 8 h 30 à 19 h 30 de fin juin à début septembre ; le reste de l'année, de 9 h à 17 h. On y trouve des cartes routières sur tout le Québec. Elles sont très pratiques. On y trouve aussi une agence de location de voitures et un bureau de change.

🮸 *Office du tourisme de la communauté urbaine de Québec* (plan III, B3,) : 835, av. Wilfrid-Laurier. ☎ 692-24-71. Fax : 692-14-81. De début juin à la fête du Travail (1er lundi de septembre), ouvert tous les jours de 8 h 30 à 19 h 45 ; en avril, mai, septembre et octobre, ouvert du lundi au vendredi de 8 h 30 à 17 h 30 ; le reste de l'année, du lundi au vendredi de 8 h 30 à 17 h. Cet office ne s'occupe que de la ville et ses environs. Accueil très sympa. Possibilité de téléphoner gratuitement aux hôtels. On y trouve toutes les brochures, les cartes et les renseignements sur les activités que propose la ville.

– En été, on trouve aussi dans la vieille ville des points d'information mobiles : ce sont des jeunes de l'office du tourisme à mobylette et signalés par un gros point d'interrogation.

Services

✉ *Poste :* 300, rue Saint-Paul (plan II, B1). Ouvert du lundi au vendredi de 8 h à 17 h 45. Une autre au n° 3, rue Buade.

Argent, change

■ *American Express :* 46, rue Garneau (intra-muros, pas loin de l'hôtel de ville) ; 2740, place Laurier, Sainte-Foy, au magasin *La Baie*. ☎ 658-88-20. Également aux *Galeries de la Capitale* (au magasin *La Baie*). ☎ 627-25-80.

■ Pour retirer de l'argent avec une *carte Visa*, les 7 agences de la *Banque Royale* possèdent pour la plupart des distributeurs. Deux adresses : une au 700, place d'Youville et une autre au 140, Grande Allée Est.

Représentations diplomatiques

■ *Chancellerie de France.* Renseignements et services culturels : 1110, av. des Laurentides. ☎ 694-22-94. Services administratifs : 25, rue Saint-Louis. Même téléphone. Ouvert normalement du lundi au vendredi de 9 h à 12 h 30 et de 14 h à 16 h 30 (sur rendez-vous l'après-midi). Salle de lecture. Les coopérants peuvent apporter aux routards une aide non négligeable (leurs connaissances, leurs appartements).

■ *Délégation Wallonie-Bruxelles :* 43, rue Buade. ☎ 692-16-14. Ouvert du lundi au vendredi de 9 h à 17 h.

■ *Consulat des États-Unis :* 2, place Terrasse-Dufferin. ☎ 692-20-95. Ouvert du lundi au vendredi de 14 h à 16 h, plus les mardi et jeudi matin de 9 h à 11 h.

■ *Consulat de Suisse :* 3293, 1re Avenue. ☎ 623-98-64.

Santé

■ *Pharmacie ouverte 24 h sur 24 :* Brunet, 4266, 1re Avenue, Galeries Charlesbourg. ☎ 623-15-71.

■ *Urgences 24 h sur 24 et 7 jours sur 7 :* ☎ 911 pour tout type d'urgences. Numéro vert (appel gratuit).

Transports

✈ *L'aéroport* de Québec est à Sainte-Foy (20 mn du centre-ville). La compagnie *Feuille d'Érable et Dupont* assure le trajet Québec-aéroport. Une petite dizaine de trajets par jour. 3 seulement en hiver. Horaires à l'office du tourisme.

■ *Air France :* ☎ 529-06-63. Appel gratuit : ☎ 1-800-667-27-47.

■ *Air Transat :* pas de bureau à Québec. Renseignements pour les horaires de départs et d'arrivées : ☎ 872-10-11.

■ *Air Canada :* ☎ 692-07-70. Le bureau de l'aéroport est ouvert de 5 h 30 à 21 h 30 en été (horaires variables l'hiver).

🚃 *Gare ferroviaire (Via Rail; plan III, B1) :* gare du Palais, 450, rue de la Gare-du-Palais. ☎ 524-41-61. Consignes (24 h maxi). Une autre gare est située sur la rive sud à Lévis (destinations : Gaspé, Halifax, Montréal, Vancouver). Accès facile grâce au service de traversier.

🚌 *Gare centrale des bus* (plan III, B1) : gare du Palais, 320, Abraham-Martin. ☎ 525-30-00. C'est le point d'arrivée et de départ de tous les bus des compagnies privées. Bus pour Montréal toutes les heures, à l'heure pile. Consigne. Également 925, rue de Rochevelle à Sainte-Foy. ☎ 650-00-87.

■ *S.T.C.U.Q. :* ☎ 627-25-11. La société de transports en commun de Québec. *Pour les transports en bus,* il faut avoir la monnaie juste avant de monter. À l'unité, le ticket de bus peut s'acheter dans les épiceries ou les tabagies signalées, c'est un peu moins cher ! Trajets illimités pendant 1 journée avec le *Bus Pass* (4 $). On se procure facilement les horaires d'autobus au comptoir d'information de la *S.T.C.U.Q.*, à l'intérieur de la Galerie des Boutiques, au n° 320, rue Saint-Joseph-Est. Ouvert du lundi au vendredi, de 9 h à 12 h et de 14 h à 17 h.

Circuits touristiques

■ *Grayline :* circuits touristiques, en ville et dans la région. ☎ 622-97-22.

■ *Trolleybus :* visites touristiques *Feuille d'Érable et Dupont.* ☎ (418) 649-92-26. 3 véhicules de 45 places, conçus dans le style des anciennes voitures de tramway, relient régulièrement les hôtels de la haute ville aux principaux sites touristiques.

Location de voitures

■ *Hertz (plan II, B2) :* 44, côte du Palais; dans le Vieux Québec. ☎ 694-12-24. Forfait week-end kilométrage illimité. Pour ceux qui veulent se rendre de Québec aux États-Unis en voiture de location, se renseigner ici : ils ont souvent des véhicules qui doivent y retourner... donc pas de frais de rapatriement.

■ *Pelletier :* 5070, bd du Jardin, Charlesbourg. ☎ 621-06-78. 1600, bd Charest Ouest, Sainte-Foy. ☎ 687-54-54. 6385, bd Hamel, Ancienne Lorette. ☎ 872-66-36. *Prix très intéressants :*

■ *Discount :* centre-ville. ☎ 692-12-44. Offre de bons prix.

■ *Tilden :* 295, rue Saint-Paul. ☎ 694-17-27. Bons prix également.

QUÉBEC (la ville) ET ENVIRONS

🛏 **Où dormir ?**

32 Les Corniches
33 Fernlea

34 Chez Stuart et Marie-Paule Fleet
35 Les Chérubins

QUÉBEC (PLAN I)

■ *Via Route :* 2605, bd Hamel Est. ☎ 682-26-60. Assez loin du centre, mais moins cher qu'ailleurs. On peut vous mettre à disposition la voiture là où vous êtes.

Location de vélos

■ *Cyclo Service :* sur le vieux port. ☎ 692-40-52. Accueil très sympa.
■ *Vélo Passe-Sport :* ☎ 692-36-43.

Auto-stop

■ *Allôstop :* 467, rue Saint-Jean ☎ 522-34-30. E-mail : allostop@total.net. Fonctionne bien. N'hésitez pas à y recourir.

Loisirs

– Se procurer l'hebdo *Voir* pour les spectacles. Il est distribué gratuitement en maints endroits (librairies, restos, dans la rue...). Et encore : *Aujourd'hui à Québec, Québec Scope* (mensuel gratuit) ou le guide touristique *Région de Québec* (gratuit).
■ *Maison de la Presse internationale (plan II, B2) :* 1050, rue Saint-Jean (face à la rue Sainte-Ursule). Tous les quotidiens français (*Le Monde, Libé,* etc.). Grand choix de revues et cartes postales.
■ *Bibliothèque Gabrielle-Roy :* 350, Saint-Joseph Est. ☎ 529-09-24. La plus belle de toute la province. Elle comprend un réseau d'une dizaine d'annexes, dont celle du Vieux Québec, 37, rue Sainte-Angèle.
■ *Disques : Archambault Musique,* 1095, rue Saint-Jean, le plus grand disquaire à Québec, avec les meilleurs prix. Disques classiques 3 fois moins chers qu'en France, ceux de la marque Naxos notamment.

■ *Piscine gratuite :* bd Champlain, au sud du Vieux Québec, à 20 mn de marche du traversier, direction ouest. ☎ 692-62-11. Ouverte en été seulement. Fermée de 16 h 30 à 17 h. Bonnet obligatoire.

Divers

■ *Laverie automatique (plan II, B2) :* 35, rue Saint-Flavien. Ouverte tous les jours de 8 h à 21 h. On peut aussi y sécher son linge. Également 17 *bis,* rue Sainte-Ursule. Ouverte de 9 h à 21 h mais fermée le dimanche.

– Attention, attention ! Le *G.D.R.,* qui pense à tout, vous a dégoté les rares magasins de Québec où vous trouverez des *recharges de camping-gaz : Latulipe,* 637, Saint-Vallier Ouest, à l'angle de la rue Marie-de-l'Incarnation. ☎ 529-00-24. Ou *boutique de chasse et pêche,* 1221, bd Duplessis, près du boulevard Hamel. ☎ 871-12-16.

■ *Résidences Vacances :* 51, rue Des Jardins, bureau 302. ☎ 692-58-58. Fax : 692-55-46. Location de belles maisons à la semaine, dans tout le Québec, pour environ 3 000 F la semaine. Une quarantaine d'offres variées ; bon plan pour les familles.

■ Un bon copain à nous : *Gino Poulin,* 751, rue de la Salle. ☎ 522-78-90. Grand voyageur, routard, randonneur, et fin connaisseur du Québec, Gino, étudiant en agro-économie, peut vous donner quelques très bons conseils sur la ville ou sur la forêt (et la nature en général), qu'il connaît bien. Mais ne pas le déranger pour rien.

QUÉBEC (la ville) ET ENVIRONS

Circulation en ville

À Québec, on marche ! C'est assez peu fréquent pour qu'on le signale. Ami automobiliste, toute la Haute Ville se parcourt à pied et c'est tant mieux (pensez tout de même au funiculaire, entre la basse et la haute ville). Il existe un document indiquant les principaux parcs de stationnement. Pratique. À demander à l'office du tourisme. La plupart des parkings sont très « dispendieux », à l'exception de celui situé entre les rues Saint-Paul et Saint-André (60 places).

Il existe par ailleurs une piste cyclable qui permet d'aller du centre de Québec en passant par le vieux port et son marché jusqu'à Montmorency et Sainte-Anne-de-Beaupré. Sur les plans donnés par les OT figurent toutes les pistes cyclables de Québec et de ses environs.

Où dormir ?

En été, c'est un peu difficile de se loger, ainsi qu'au moment du carnaval. Arriver de bonne heure dans les A.J. (avant 10 h) et les hôtels. La rue Sainte-Ursule compte la plus grande concentration d'hôtels, ainsi que la rue Sainte-Anne. Certains préfèrent loger à Lévis : gîtes moins chers, moins surpeuplés et le traversier est très pratique.

Spécial fauchés

🛏 *Armée du Salut* (plan II, B2, 10) : 14, côte du Palais, dans la vieille ville. ☎ 692-39-56. Ferme à 23 h. Réservé exclusivement aux hommes (sauf s'ils sont sous l'emprise de l'alcool ou d'une drogue, précise le règlement !). Propre et vraiment pas cher. Une quarantaine de lits en dortoirs de 10, 8 et 6. Prix imbattables évidemment, mais adresse réservée à ceux qui en ont vraiment besoin. Réveil à 7 h.

Bon marché

🛏 *Auberge de la Paix* (plan II, B2, 11) : 31, rue Couillard, G1R-1V9. ☎ 694-07-35. E-mail : alebeuf@qbc-.clic.net. Ouverte toute l'année. Possibilité de réserver par téléphone mais il faut alors arriver avant 18 h. Ferme à 2 h. 60 lits seulement. L'endroit de loin le plus sympa à notre avis. À côté de la rue Saint-Jean, toujours très animée. Chambres et dortoirs de 2, 3, 4, 6 ou 8 lits. Même prix quelle que soit la grandeur du dortoir. Pas cher et bien tenu. Jean,

■ Adresses utiles	|◉| Où manger ?
ℹ Maison du tourisme de la province de Québec	11 Chez Temporel
✉ Poste	40 Casse-Crêpe Breton
H Hôpital	41 Café-restaurant Le Rétro
	42 Le Petit Coin Latin
🛏 Où dormir ?	43 Les Frères de la Côte
	44 Mikes
10 Armée du Salut	45 Aux Anciens Canadiens
11 Auberge de la Paix	46 Le Saint-Amour
12 Centre international de séjour de Québec	53 Buffet de l'Antiquaire
	54 Le Délice du Roy
14 Manoir des Remparts	55 Pizza Mag
15 La Maison du Général	56 Asia
16 Manoir La Salle	57 Le Saint-Malo
17 La Maison Demers	59 Le Lapin Sauté
18 Château de Léry	60 Poisson d'Avril
19 La Maison Sainte-Ursule	61 L'Ardoise
20 Auberge Saint-Louis	62 Le Péché Véniel
21 La Marquise de Bassano	
22 Auberge de la Place d'Armes	🍸 Où boire un verre ?
23 L'hôtel particulier Belley	Où sortir ?
25 Maison James Thompson	70 Bar-spectacle d'Auteuil
26 La Maison Acadienne	71 Chez Son Père
27 Au Jardin du Gouverneur	72 Les Yeux Bleus
28 Hôtel Manoir d'Auteuil	73 Bar Saint-Laurent
	78 Bistrot Le Pape Georges
	79 Belley
	80 L'Inox

QUÉBEC (la ville)
ET ENVIRONS

QUÉBEC (la ville)
ET ENVIRONS

le patron, donne d'excellents conseils pour visiter la ville et la région. En basse saison, à partir d'une semaine, une nuit gratuite. Draps obligatoires si vous n'avez pas de sac de couchage (ils sont fournis, mais c'est payant). Petit déjeuner compris (à volonté). Carte des A.J. non obligatoire. Location de bicyclettes et V.T.T. Consigne gratuite et

Bassin Louise

NORD

Saint André

int Paul

Sous-le-Cap
Rue des Remparts

Hébert
R. de l'Université

Saint-Jacques

Musée
de la
Civilisation

Rue
St Antoine

Montagne

R. du Porche
Ruelle
de la Place

Parc
Montmorency

Rue Buade

Porte
Prescott

Côte

Rue
Sous le Fort

R. du Marché
Champlain

Château
Frontenac

Mont-
Carmel
Parc des
Gouverneurs

Promenade
des
Gouverneurs

Saint-Laurent

Prince de Galles

Rue Dalhousie

Rue Saint Pierre

Rue du Sault-au-Matelot

Rue Notre Dame

Dauphin

Port

du Trésor

PLACE
D'ARMES

int-Louis

Dufferin

Terrasse

Haldimand

du Petit Champlain

Boulevard Champlain

53
57 61
56
14
80
54
78
59
73
27
21
1
2

200 m

QUÉBEC (PLAN II)

cuisine à disposition. Laverie tout près. Cour aménagée très sympa. Pour manger d'excellentes salades pas chères, allez chez *Temporel*, juste à côté.

▲ *Centre international de séjour de Québec* (plan II, B2, *12*) : 19, rue Sainte-Ursule. ☎ 694-07-55. Fax : 694-22-78. Ouvert toute l'année, 24 h sur 24. C'est l'auberge de jeunesse officielle de la ville. 245 lits en tout. Mêmes tarifs qu'ailleurs. Dortoirs ou chambres de 2 ou 4 lits. Moins cher si l'on a la carte internationale des A.J. 3 dortoirs de 10 à 12 lits (dont 1 mixte). Les chambres de 4 ou de 2 sont un peu plus chères. Réservation possible par téléphone. Oreillers et couvertures fournis. Draps à louer. Carte *Visa* acceptée. On y trouve une grande salle commune avec billard et jeux vidéo. Cafétéria où l'on peut prendre, entre autres, de copieux petits déjeuners bon marché. Les animateurs sont plutôt cool et donnent plein d'infos touristiques. Organisent aussi des tours de ville parfois gratuits. Également disponibles à l'A.J. : cabine téléphonique, casiers, machine à laver (payants), cuisine. Cela dit, la propreté et le confort des dortoirs laissent à désirer, et quelques lecteurs se sont plaints.

▲ **YWCA** *(hors plan III par A3, 13)* : intersection du 865 de l'avenue Hol-

land et du chemin Sainte-Foy, à l'écart du centre-ville. ☎ 683-21-55. Accueille filles et garçons toute l'année. Franchement, on le dit tout net : on vous cite cet immeuble excentré car il offre un grand nombre de lits l'été mais il ne présente aucun intérêt. Glauque, sans âme, cher, et quelle perte de temps pour y aller !

▲ **Université Laval :** ☎ 656-29-21. De mi-mai au 20 août environ. Se renseigner au bâtiment Biermans-Moraud. Loin du centre, peu pratique et pas si bon marché (plus cher que l'A.J.). À 20 mn en bus du centre-ville. En fait, une adresse de dernier recours quand on ne trouve rien d'autre. On la cite mais on ne la conseille pas.

– Nombreuses *chambres à louer (tourist rooms)* un peu partout dans la ville. Assez valable si l'on est deux. Il vaut d'ailleurs mieux se loger dans la vieille ville (à l'intérieur des fortifications).

HÔTELS

Quasiment tous nos hôtels sont intra-muros, ça va de soi...

Assez bon marché

▲ **La Maison du Général** *(plan II, B3, 15)* : 72, rue Saint-Louis. ☎ 694-19-05. À l'entrée de la vieille ville (par la porte Saint-Louis). Certainement l'adresse la moins chère de la

ville. Ici, les prix ne sont pas assujettis à la taxe (étant peu élevés). Chambres passablement vétustes, pas très clean et ameublement dépareillé. Quelques-unes avec douche (plus chères). Pas de petit

■ **Adresses utiles**

- 🛈 Office de tourisme de la communauté urbaine de Québec
- ✉ Poste
- 🚌 Gare centrale des bus
- 🚃 Gare ferroviaire

▲ **Où dormir ?**

- 13 YWCA
- 24 Hayden's Wexford House
- 29 L'Heure Douce
- 30 Le Petit Roi
- 31 Chez Mimi

|●| **Où manger ?**

- 47 Café Sainte-Lucie
- 48 La Piazzetta
- 49 Croque M
- 50 Hobbit
- 51 Chez Victor
- 52 L'Astral
- 58 Le Cochon Dingue
- 63 L'Impasse des Deux Anges

▼ **Où boire un verre ?**
Où sortir ?

- 74 Maurice
- 75 O'zone
- 76 Dagobert
- 77 Le Drague
- 81 Mardi gras
- 82 Dorchester Taverne

QUÉBEC (PLAN III)

déjeuner. Faites-vous raconter l'histoire du général ! Attention : ne prend pas de réservation ; il faut arriver après midi...

🛏 *Manoir des Remparts* (plan II, *C1-2, 14*) : 3 1/2, rue des Remparts. ☎ 692-20-56. Fax : 692-11-25. Tenu par une grande famille d'Asiatiques très sympathique, cet hôtel très calme propose des chambres agréables dont certaines avec vue sur le port (côté industriel...). Petit déjeuner inclus. Très bon rapport qualité-prix. Interdit de fumer. Chambre pour 4 bon marché.

Prix moyens

🛏 *Auberge de la Place d'Armes* (plan II, *C2, 22*) : 24, rue Sainte-Anne. ☎ 694-94-85. Fax : 694-13-15. Numéro d'appel gratuit : ☎ 1-800-465-78-47. En plein centre du Vieux Québec, dans la rue la plus touristique. Chambres à des prix assez étonnants pour l'endroit. Au choix : douche ou bains. Plusieurs niveaux de confort. Chambres pour 4. Restaurant au rez-de-chaussée. Bon accueil.

🛏 *L'hôtel particulier Belley* (plan II, *B1, 23*) : 249, rue Saint-Paul, Carré Parent. Dans la ville basse. ☎ 692-16-94. Fax : 692-16-96. Dans un quartier plutôt agréable, entre la belle gare du Palais et le vieux port. Maison de caractère avec café branché au rez-de-chaussée et chambres confortables à l'étage, entièrement rénovées. Décoration design d'un goût certain, équipement moderne et confort assurés. Plusieurs prix, de la chambre standard (prix moyens) à celle, chère mais spacieuse, équipée d'une cuisine. Toutes avec douche, TV, téléphone et ventilateur, et certaines avec clim. Réductions importantes hors saison (à partir de mi-septembre). De plus, l'hôtel est géré par une sympathique équipe de jeunes. Attention toutefois, si vous devez aller à l'annexe, l'endroit a beaucoup moins de charme.

🛏 *Hayden's Wexford House* (hors plan III, *B3, 24*) : 450, rue Champlain. ☎ 524-05-24. Fax : 648-

89-95. Ancienne auberge irlandaise du XVIIIe siècle qui a récemment retrouvé sa fonction première : accueillir des visiteurs. Un *Gîte du Passant* coincé entre la falaise et le Saint-Laurent. 4 chambres bien décorées et accueillantes avec une salle de bains, ou studio plus cher. Également appartement pour 4. Petit déjeuner compris, servi dans une belle salle à manger en pierre et brique. L'hiver, fait table d'hôte le soir. Accueil extrêmement sympathique de Louise, Françoise et Jean, précédemment restaurateur à Montréal.

🛏 *Auberge Saint-Louis* (plan II, *B3, 20*) : 48, rue Saint-Louis. ☎ 692-24-24. Fax : 663-78-78. Excellent accueil. Chambres récemment rénovées. Confortable, simple et de bon goût. Toute une gamme de prix, depuis la chambre avec lavabo à la suite avec cheminée et salle de bains. Bon rapport qualité-prix, surtout pour celles avec douche. Celles qui donnent sur la rue sont un peu bruyantes. Petit déjeuner servi à la *Crêperie du Château Frontenac*, endroit très agréable.

🛏 *Manoir La Salle* (plan II, *B2, 16*) : 18, rue Sainte-Ursule. ☎ 692-99-53. En face du centre international de séjour. Maison bourgeoise à l'atmosphère *cosy*, propriété d'une dame charmante (Thérèse Lachance) qui vous accueille avec ses quatre chats dont l'apathique Paillasson. Grandes chambres claires avec douche commune, pas chères, très propres, confortables mais un peu tristes. Bel escalier de bois verni. Ne sert pas de petit déjeuner.

🛏 *Château de Léry* (plan II, *C3, 18*) : 8, rue de Laporte. ☎ 692-26-92. Fax : 692-52-31. Numéro d'appel gratuit : ☎ 1-800-363-00-36. Situé près du château Frontenac et face au Saint-Laurent, cet hôtel agréable propose des chambres climatisées avec salle de bains. Celles-ci sont très bien tenues et très calmes. Le petit déjeuner est inclus mais frugal. Les prix, légèrement au-dessus de la moyenne, sont justifiés.

🛏 *La Maison Demers* (plan II, *B3, 17*) : 68, rue Sainte-Ursule. ☎ 692-

QUÉBEC / OÙ DORMIR ? 171

24-87. Vite complet car il n'y a que 8 chambres, certaines avec salle de bains, spacieuses mais vieillottes. Chambres pour 4 très grandes. Accueil moyen. 3 niveaux de prix en tout. Essayez de discuter. Déco un rien kitsch. Parking à disposition (mais loin) et petit déjeuner très simple inclus dans le prix.

▲ *La Maison Sainte-Ursule* *(plan II, B3, 19)* : 40, rue Sainte-Ursule. ☎ 694-97-94. Maison bicentenaire dans une rue tranquille Pas mal de chambres à prix acceptables rénovées. Celles équipées de cuisinette dans la cour intérieure sont en mauvais état.

Plus chic

▲ *Au Jardin du Gouverneur* *(plan II, C3, 27)* : 16, Mont-Carmel. ☎ 692-17-04. Fax : 692-17-13. Au cœur du Vieux Québec, cette grosse bâtisse offrant une belle vue propose des chambres de qualité, toutes avec sanitaires, air climatisé, TV. Petit déjeuner continental inclus, mais pas terrible. Les chambres donnant sur l'arrière sont évidem-

ment les plus abordables, ainsi que celles au 3e étage. Prix variant du simple au double en fonction de la vue et de la taille. Les n°s 102 (pour 2 personnes) et 202 (pour 4) sont les plus chères mais aussi les plus agréables.

▲ *Hôtel Manoir d'Auteuil (plan II, B3, 28)* : 49, rue d'Auteuil. ☎ 694-11-73. À deux pas de la porte Saint-Louis. Belle demeure de caractère. Intérieur feutré, très bourgeois. Chambres confortables, assez luxueuses mais chères (plusieurs niveaux de prix). Édith Piaf descendit dans la n° 8, qui possède une salle de bains superbe. Beaucoup de mobilier des années 30 et 50. Accueil sympa.

▲ *La Maison Acadienne (plan II, B3, 26)* : 43, rue Sainte-Ursule. ☎ 694-02-80. Fax : 694-04-58. Appel gratuit : ☎ 1-800-463-02-80. Grande maison bien située, ce qui en fait la proie d'un grand nombre de touristes. Une quarantaine de chambres. Gamme de prix étendue, allant du simple au double. Chambres sans charme réel mais bien tenues. Parking payant.

CHEZ L'HABITANT

Des adresses un peu excentrées pour la plupart, mais calmes et confortables et à prix très abordables. Il nous semble d'ailleurs préférable de loger à quelques minutes du centre dans un *B & B* que dans un hôtel de la vieille ville souvent impersonnel et cher.

Prix modérés

DANS LA HAUTE VILLE, INTRA-MUROS

▲ *La Marquise de Bassano* *(plan II, C3, 21)* : 15, rue des Grisons. ☎ 692-03-16 ou 561-02-45. Cette jolie maison victorienne située à l'intérieur des murs de la vieille ville, proche du château Frontenac, possède 5 chambres sur deux étages. Toutes sont très douillettes et agréables. 2 d'entre elles sont réservées aux longs séjours (plus de 10 jours), tandis que les 3 autres (dont une avec une magnifique bibliothèque et une chambre mansardée au troisième étage) servent de *Café Couette*. Il y a une salle

de bains à chaque étage. Un copieux petit déjeuner est servi dans une jolie salle à manger avec piano. Accueil excellent et prix très raisonnables. Une très bonne adresse.

▲ *Maison James Thompson* *(plan II, B3, 25)* : 47, rue Sainte-Ursule. ☎ 694-90-42. Greg, anglophone de Toronto, et sa femme Guitta vous accueillent dans cette maison classée Monument historique. Ils possèdent 2 chambres à deux lits doubles et 1 chambre à un lit double ainsi que deux petites sal-

QUÉBEC (la ville) ET ENVIRONS

les de bains. Les chambres, situées sous les toits, sont faites de bois et

on y dort très bien. Le petit déjeuner est copieux. Prix très corrects.

HAUTE VILLE, HORS LES MURS

■ **L'Heure Douce** (plan III, A2, 29) : 704, Richelieu. ☎ et fax : 649-19-35. Située dans le faubourg Saint-Jean-Baptiste, cette maison d'époque récemment rénovée possède à l'étage 2 chambres doubles et 1 chambre pour 4 personnes, ainsi qu'une belle salle de bains, une cuisine et une mini-terrasse. Les chambres ne sont pas toujours très propres, mais elles sont très calmes et pas chères du tout. Des studios clairs et spacieux sont également disponibles.

■ **Le Petit Roi** (plan III, A3, 30) : 445, rue Burton (entre la rue Saint-Jean et le bd René-Lévesque). ☎ 523-31-05. Bâtisse imposante en pierre, aux portes et fenêtres rouges, à 20 mn à pied du centre-ville. 4 chambres doubles et 1 chambre pour 4 réparties sur deux étages. Les chambres sont colorées et bon marché. Salle de bains commune à chaque palier (celle du premier est magnifique). Accueil moyen. Les cartes de crédit ne sont pas toujours acceptées.

■ **Chez Mimi** (plan III, A3, 31) : 70, rue Fraser. ☎ 524-91-61. Fax : 843-76-27. À deux pas de la rue Cartier (cf. « Où boire un verre ? »). 3 chambres doubles et une salle de bains. Parking disponible et énorme petit déjeuner. Un petit peu plus cher que la moyenne, mais Mimi est adorable et son accueil des plus réjouissants.

PLUS EXCENTRÉ

■ **La Maison Lesage** (plan I, C2) : 760, chemin Saint-Louis, G15-1C3. ☎ 682-99-59. Belle maison ancienne aux chambres vastes meublées avec goût. Très propre. Accueil chaleureux, petit déjeuner copieux, fin et soigné. Bon rapport qualité-prix-accueil.

■ **Les Corniches** (plan I, C2-3, 32) : 2052, chemin Saint-Louis. ☎ 681-93-18. Fax : 692-17-13. Dans le quartier Sillery. Grande maison blanche du début du siècle, agréablement située dans la verdure. 2 chambres se partagent une salle de bains à l'étage. L'une, un peu sombre, possède un très grand lit ; l'autre, lumineuse, a un lit « normal ». Si elle n'est pas prise, et pour un prix légèrement supérieur, on vous conseille la 3e, très spacieuse, avec un lit immense et sa propre salle de bains. Petit déjeuner différent chaque matin, servi par une charmante hôtesse. Vraiment très agréable.

■ **Fernlea** (plan I, B3, 33) : 2156, rue Dickson. ☎ 683-38-47. Joyce Coutts est une dame anglaise absolument charmante et très accueillante. Elle habite une jolie petite maison individuelle avec un superbe jardin qui lui a valu les honneurs d'un magazine anglais. Les 3 chambres, vastes, confortables et propres (la blanche et mauve est notre préférée), se partagent une salle de bains. Excellent petit déjeuner et prix très corrects. Une bonne adresse.

■ **Chez Stuart et Marie-Paule Fleet** (plan I, C2, 34) : 1080, av. Holland. ☎ 688-07-94. Dans le quartier de Sillery. Un peu excentré, mais accessible en bus ou en voiture (à 5 ou 10 mn du Vieux Québec). Dans une avenue agréable. Adresse exemplaire pour la chaleur et la gentillesse de l'accueil. Les chambres sont plutôt petites, mais claires et confortables. Idéal pour ceux qui voudront séjourner au calme et à l'écart des foules touristiques du Vieux Québec. Petit déjeuner de qualité. Prix raisonnables. Encore moins cher à partir de 3 personnes. En saison, il vaut mieux réserver.

■ **Les Chérubins** (plan I, C2, 35) : 1185, av. Murray. ☎ 684-88-33. Villa située dans un quartier résidentiel calme, à 25 mn à pied du Vieux Québec. 3 chambres doubles très douillettes se partagent deux salles de bains. Très propre et accueil chaleureux. Bon petit déjeuner.

Où dormir dans les environs de Québec ? Où camper ?

Bon marché

▲ *L'auberge de jeunesse Le P'tit Bonheur :* 183, côte Lafleur, Saint-Jean, sur l'île d'Orléans. ☎ 829-25-88. À une demi-heure de voiture du centre de Québec. Voir « L'île d'Orléans, Saint-Jean », rubrique « Où dormir ? Où manger ? »

Campings

▲ *Camping Juneau :* 153, chemin du Lac, à Saint-Augustin-de-Desmaures. ☎ 871-90-90. Fax : 871-16-42. Ouvert du 15 avril au 15 novembre, mais on peut camper l'hiver en dépannage (électricité, mais sanitaires fermés). À 12 km à l'ouest de Québec, par l'autoroute 40. Prendre la sortie 300 Sud. Un bon camping, agréable et convivial. Au bord du lac et en pleine forêt, une soixantaine d'emplacements bon marché avec tables et foyers. Également des chalets à louer. Terrain correctement équipé : douches chaudes, buanderie, dépanneur, jeux de plein air, snack-bar, location de vélos, recharges de gaz. Activités : pêche, pédalo. Le proprio, M. Juneau, propose (à titre commercial) de visiter sa cabane à sucre et son exploitation et de vous faire goûter la tire d'érable (une friandise). Restaurant dans le camping où vous pouvez déguster la célèbre *poutine.*

▲ *Camping Aéroport :* 2050, route de l'aéroport, à Sainte-Foy. ☎ 871-

15-74. Ouvert du 1er mai au 1er octobre. L'un des plus proches de Québec (10 km). Pour y aller de Québec, route 540 Nord. C'est 5 km après l'aéroport. Bien équipé : resto, épicerie, piscine, etc.

▲ *Camping municipal de Beauport :* 95, rue Sérénité, sur le boulevard Rochette, à Beauport. ☎ 666-22-28. Ouvert de juin à début septembre. À une dizaine de kilomètres au nord de Québec, par l'autoroute 40 ; sortie 321. Du centre-ville, prendre le métrobus n° 800, jusqu'au terminus de Beauport. Ensuite prendre le bus n° 50 ou n° 55. Le chauffeur vous dépose à environ 1 km du camping. C'est le plus facilement accessible en bus. Dans les bois, à proximité d'un lac et de la rivière Montmorency (donc des chutes du même nom). Bon marché et bien aménagé, mais pas très bien entretenu. Snack, laverie, dépanneur, piscine et terrains de sport. Accueil moyen.

▲ *Camping de la base de plein air Sainte-Foy :* rue Laberge, à Sainte-Foy. ☎ 654-46-41. Ouvert de mai à début septembre. Accès par la route 540, puis la rue Laberge. Intéressant surtout pour 4, car c'est le même prix que pour une personne. Assez bruyant (autoroute non loin) et pas de douche. Le séjour au camping donne accès aux activités de la base de plein air (baignade, pêche, planche à voile...).

Où manger ?

C'est aussi la fête gastronomique à Québec. Il y en a pour tous les goûts, tous les prix. En juillet, nombreux festivals du homard dans les restos. Empiffrez-vous-en pour toute l'année.

Nous avons divisé cette rubrique en trois, par souci de clarté, à cause du choix important, suivant les trois grands quartiers gastronomiques de la ville, assez distincts les uns des autres : « Haute ville intra-muros », « Haute ville hors les murs » (vers l'ouest) et « Ville basse ».

DANS LA HAUTE VILLE, INTRA-MUROS

Évidemment, c'est archi-touristique, donc souvent cher...

De bon marché à prix moyens

|●| *Casse-Crêpe Breton (plan II, B2, 40)* : 1136, rue Saint-Jean. ☎ 692-04-38. Ouvert tous les jours de 7 h 30 à minuit. Crêpes... adaptées au goût local, à prix modérés. Pas de la grande gastronomie, mais cadre agréable et clientèle jeune. N'accepte pas les cartes bancaires.

|●| *Le Petit Coin Latin (plan II, A2, 42)* : 8, rue Sainte-Ursule (rue à droite de la rue Saint-Jean, en partant de la porte). ☎ 692-20-22. Ouvert de 8 h (9 h en hiver) à 1 h. Menus convenables (entrée, plat, dessert et café) pas chers du tout, surtout le midi. Bonnes spécialités québécoises. Quiches et sandwiches géants. Pour ceux qui ont très faim, la tarte au sucre (à la crème d'érable) vous laissera cloué au sol pour trois jours. Délicieux petit déjeuner avec crêpes au sirop d'érable, entre autres. La cour intérieure, entourée de verdure, est bien agréable. On peut d'ailleurs se contenter d'aller y prendre un verre ou un snack.

|●| *Café-restaurant Le Rétro (plan II, B2, 41)* : 1129, rue Saint-Jean. ☎ 694-92-18. Ouvert tous les jours jusqu'à 22 h 30. Décor quelconque, bois et plantes grasses. Touristique sans excès. Tables d'hôte intéressantes midi et soir (avec soupe, plat, dessert). À la carte, lasagne, filet de sole aux crevettes, coq au vin, etc. Prix raisonnables. Ambiance un peu molle cependant. Service rapide et souriant.

|●| *Les Frères de la Côte (plan II, B2, 43)* : 1190, rue Saint-Jean. ☎ 692-54-45. Resto-bar sympa, dans les tons ocre, mais un peu bruyant car très fréquenté par la jeunesse québécoise. Pas idéal pour les tête-à-tête en amoureux ! Pizzas classiques ou originales (grecque avec feta et poivrons, ou au camembert !), pâtes, et un choix intéressant d'entrées et de plats du jour qui, comme leur nom l'indique, changent souvent (salade de poivron et chèvre, risotto d'escargots dijonnais, saumon mariné à l'aneth, lapin au gingembre, grillades, etc.). En dessert, on vous conseille la tarte aux poires et chocolat chaud (20 mn d'attente), servie le soir (avec supplément) et préparée à la commande. Un régal !

|●| *Chez Temporel (plan II, B2, 11)* : 25, rue Couillard, à côté de l'*Auberge de la Paix*. ☎ 694-1813. Ouvert de 7 h 30 à 1 h 30 (2 h 30 en fin de semaine). Clientèle de jeunes étudiants et de jeunes tout court. Cool, un rien bab. Salle agréable au 1er étage, toute verte, avec fenêtre sur rue. Soupes épaisses, gâteaux riches, quiches, salades. Pas de véritable « cuisine » mais une série d'en-cas bien faits. Parfait quand on réside à l'A.J. voisine. Sympa aussi pour boire un verre (thé et café).

|●| *Mikes (plan II, B2, 44)* : 1100, rue Saint-Jean. Ouvert à 7 h tous les jours et fermeture assez tard dans la nuit (1 h à 4 h). À mi-chemin entre un restaurant et un fast-food. Grande variété de sandwiches, salades et pizzas. Salle agréable avec mezzanine. Musique d'ambiance un peu ringarde.

|●| *La Caravelle* : 68, rue Saint-Louis. ☎ 694-90-22. Cadre agréable, musique folklorique espagnole. Excellent homard, le moins cher de Québec. Bon menu à prix raisonnables. Chef très accueillant.

Plus chic

|●| *Le Saint-Amour (plan II, B3, 46)* : 48, rue Sainte-Ursule. ☎ 694-06-67. Ouvert tous les soirs jusqu'à 23 h 30 et le midi du mardi au vendredi. Réservation obligatoire. L'un des meilleurs restaurants de Québec où le prix de la table d'hôte reste accessible. Deux salles, dont la plus grande est un magnifique jardin d'hiver. Nappes roses, chandelles et plantes vertes. Cuisine imaginative, savoureuse et copieuse. À la carte, plats élaborés, par exemple (mais ça peut changer) : curry de pétoncles

aux épinards et fenouil, noix de ris de veau poêlée aux langoustines, croustillant d'escargot à la fleur d'ail, etc. Le midi, « *lunch* d'affaires » abordable. Un bémol : le service très lent.

|●| *Aux Anciens Canadiens* (plan II, B3, 45) : 34, rue Saint-Louis ; à l'angle de la rue des Jardins. ☎ 692-16-27. Ouvert tous les jours de 11 h à 22 h, en continu. Installé dans l'une des plus anciennes maisons de Québec (1675), un excellent restaurant de spécialités régionales. Inévitablement touristique (comme toute la ville, à ce compte-là !). Adorable décor d'assiettes anciennes, estampes, beaux objets, salle des Fusils, etc. Atmosphère assez intime. Service impeccable. Des plats délicieux, qu'on trouve peu ailleurs : marmite de fèves au lard, ragoût de pattes de cochon et de boulettes, canard au sirop d'érable, tourtière, caribou braisé, etc. Très beaux menus copieux le soir. Tout de même bien cher. Menu plus abordable le midi.

HAUTE VILLE, HORS LES MURS

C'est avant tout le quartier Saint-Jean-Baptiste, un vieux quartier populaire où les étudiants aiment bien séjourner et qui a du mal à survivre face au béton envahissant. Les restos y sont plutôt moins chers et la clientèle bien moins touristique. L'axe en est le prolongement de la rue Saint-Jean (après l'invraisemblable avenue-saignée Dufferin !). Enfin, la Grande-Allée Est (menant à la porte Saint-Louis) concentre un maximum de restos très touristiques, serrés les uns contre les autres. Pour ceux qui ont la nostalgie de Montmartre !

Bon marché

|●| *Café Sainte-Julie* (plan III, B2, 47) : 865, rue des Zouaves, à côté de l'angle de Saint-Gabriel. ☎ 647-93-68. Ouvert 7 jours sur 7, de 7 h à 21 h. Sans doute l'une des gargotes les moins chères de la ville. Simple mais correct. On vous prépare ce que vous voulez si le menu ne vous convient pas. C'est, bien sûr, un repaire d'étudiants et de marginaux. Musique rock et blues.

|●| *Croque M* (plan III, A2, 49) : 585, rue Saint-Jean (au croisement avec la rue des Zouaves). ☎ 524-78-32. Ouvert de 10 h à 21 h sauf le dimanche. Petit restaurant à l'intérieur bien sympa. Patrice, un Français, y sert toutes sortes de croques à bas prix. Des « classiques » (jambon, poulet) aux « extraordinaires » (saumon fumé, homard...) et « exotiques » (avocat, thon...).

|●| *La Piazzetta* (plan III, B2, 48) : 707, rue Saint-Jean, à l'angle de Sainte-Geneviève. ☎ 529-74-89. Ouvert de 11 h 30 à 23 h 30 la semaine et de 16 h à 23 h 30 le week-end. Clientèle populaire, plutôt jeune, attirée par les bonnes pizzas américaines ou napolitaines, carrées et extra-fines. Salle moderne un peu froide. Plusieurs prix, selon la taille, de bon marché à prix moyens. Goûter par exemple la pizza au parmesan ou, mieux, celle aux trois fromages, délicieuse. Une autre *Piazzetta* identique au 1191, av. Cartier.

|●| *Self et pub de l'université Laval :* bien plus à l'ouest que les adresses précédentes. En voiture, remonter le chemin Saint-Louis puis l'avenue Laurier sur environ 5 km ; tourner ensuite dans l'avenue des Sciences. N'iront que ceux qui sont véhiculés et qui veulent rencontrer des étudiants. Le self est dans les pavillons Polack et Desjardins, indiqués de l'entrée (attention, le campus est immense !). Ouvert le midi, du lundi au vendredi. En fait, 5 ou 6 mini-self à thème. Pas cher du tout. Bien sûr, plein de rencontres à faire. Également un bar-restaurant, *Le Pub*. On y mange bien, et il y règne une bonne ambiance le soir.

D'assez bon marché à prix moyens

|●| *Chez Victor* (plan III, A3, 51) : 145, rue Saint-Jean. ☎ 529-77-02.

Ouvert midi et soir jusqu'à 22 h 30 du mardi au dimanche et jusqu'à 21 h le lundi. Bonne adresse un peu excentrée mais dans un quartier authentique. Cadre *cosy* de pierre apparente et de musique folk pour déguster les meilleurs hamburgers et les meilleures frites en ville. Clientèle d'habitués et de quelques touristes perdus par ici.

|●| *Hobbit* (plan III, B2, *50*) : 700, rue Saint-Jean. ☎ 647-26-77. Ouvert de 8 h à 23 h-23 h 30. Grande salle aux murs de pierre. Clientèle trentenaire intello. Petit déjeuner le matin (*brunch* le week-end), snacks dans la journée (salades, sandwiches) et table d'hôte, à un prix très honnête, comprenant soupe, plat, dessert et café. Les serveurs sont souvent des étudiants en art dramatique.

|●| *Le Cochon Dingue* (plan III, A3, *58*) : 46, bd René-Lévesque Ouest (près de l'avenue Cartier). ☎ 523-20-13. Après avoir traversé la salle intérieure, on arrive sur une immense terrasse couverte vraiment géniale (en été, évidemment !) au milieu de laquelle se trouve une petite fontaine. Du « cochon-mignon »

à la « formule », on trouve sur la carte rigolote des « cochonneries » à tous les prix. L'autre adresse située dans la basse ville, sur le boulevard Champlain, est moins sympa.

Plus chic

|●| *L'Astral* (plan III, B3, *52*) : 1225, place Montcalm, sur Grande-Allée Est. C'est le restaurant panoramique tournant, au dernier étage du luxueux hôtel *Concorde*. ☎ 647-22-22. Le midi, du lundi au samedi, somptueux buffet illimité (boisson en sus). Buffet également le samedi soir. Prix assez élevé mais qui sied à l'endroit. Bien plus cher à la carte. On peut se contenter d'un verre. Bon accueil et service pro. Faut dire qu'il y a surtout des hommes d'affaires... Pas vraiment routard, mais ça vaut le coup d'y aller pour la vue, absolument sublime, sur la ville, le fleuve et les environs. Pour les places près de la baie vitrée, il est préférable de réserver. On peut se contenter d'un verre au bar, mais ce n'est possible que l'après-midi ou en fin de soirée...

DANS LA BASSE VILLE

Un des quartiers les plus agréables de Québec, avec son vieux port, sa gare étrange et ses maisons anciennes... Curieusement peu de touristes, alors que l'on y trouve plein de bons restos et de troquets animés.

Bon marché

|●| *Buffet de l'Antiquaire* (plan II, C1, *53*) : 95, rue Saint-Paul. ☎ 692-26-61. Ouvert l'été, de 6 h à 23 h (6 h à 19 h les samedi et dimanche). Dans ce quartier qui s'est bien « gentrifié », l'un des derniers restos populaires. Petites tables, comptoir et mezzanine. Plutôt sympa. Depuis 20 ans, on sert ici des plats simples et consistants avec purée maison dans un cadre vert acidulé. Belles salades et gros sandwiches. Pas cher du tout.

|●| *Le Délice du Roy* (plan II, C2, *54*) : 33, rue Saint-Pierre. ☎ 694-91-61. Dans ce petit restaurant situé dans une sympathique rue pavée,

on sert de la bonne cuisine québécoise. Préférez les différents menus proposés très copieux.

|●| *Pizza Mag* (plan II, A1, *55*) : 363, rue Saint-Paul, face à la gare. ☎ 692-1910. Ouvert tous les jours de 11 h à minuit. Excellente pizzeria qui a eu, outre la bonne idée de se situer près de la gare, le courage d'inclure toutes les taxes dans ses prix. Pizzas réussies, originales, à la pâte croustillante et bien garnies.

|●| *Asia* (plan II, C1-2, *56*) : 89, rue du Sault-au-Matelot. ☎ 692-37-99. Ouvert le midi de 11 h à 14 h 30 et le soir de 16 h 30 à 21 h 30. Bonne cuisine vietnamienne et thaïlandaise à bas prix. Terrasse très agréable

en été. Réserver pour les menus du soir.

Prix moyens

I●I *Le Saint-Malo* (plan II, C1, 57) : 75, rue Saint-Paul. ☎ 692-20-04. Ouvert tous les jours jusqu'à 22 h 30. Restaurant à la clientèle élégante. Agréable petite terrasse l'été. Cuisine d'inspiration française : boudin aux pommes, cassoulet, bouillabaisse, etc. Table d'hôte à prix corrects pour la qualité.

I●I *Le Lapin Sauté* (plan II, C3, 59) : 52, rue du Petit-Champlain. ☎ 692-53-25. Dans cette rue ultra-touristique, une adresse qu'affectionnent aussi les Québécois. Le décor, qui se veut provençal (!), est réussi, et la terrasse bien agréable. La spécialité maison est le lapin, mais on trouve aussi sur la carte de belles salades et des plats assez originaux. Autre adresse au 120, bd René-Lévesque Ouest. ☎ 523-87-77.

I●I *Poisson d'Avril* (plan II, B1, 60) : 115, quai Saint-André, près du Bassin Louise. ☎ 692-10-10. On y trouve, entre autres produits de la mer, 14 recettes de moules-frites (au bol ou à volonté). Nous vous conseillons les moules saumon fumé, pêcheur, bière ou marinière.

Quelques viandes, pâtes et pizzas pour ceux « qui restent à quai ». Le cadre est plutôt sympa, avec une terrasse ouverte qui donne sur la marina, et le service au point. Carte des vins très variée.

Plus chic

I●I *L'Ardoise* (plan II, C1, 61) : 71, rue Saint-Paul. ☎ 694-02-13. Ses couleurs vives et ses canapés à fleurs donnent à cet endroit un cachet particulier. On y mange, selon nous, les meilleures moules de la ville. Cependant on peut aussi choisir une énorme salade ou les menus, eux-mêmes très copieux. Une bonne adresse.

I●I *Le Péché Véniel* (plan II, B1, 62) : 233, rue Saint-Paul. ☎ 692-56-42. Ouvert de 7 h (service de petit déjeuner) à 23 h en été et de 11 h à 23 h en hiver. Ce restaurant vaut déjà le détour pour sa déco intérieure très réussie : murs moitié en brique, moitié orange, plantes vertes, lumière douce... La cuisine y est d'inspiration française, pas vraiment originale mais raffinée. On y trouve même des hamburgers, mais ce serait dommage dans un cadre pareil...

DANS LE QUARTIER SAINT-ROCH

I●I *L'Impasse des Deux Anges* (plan III, A2, 63) : 275, rue Saint-Vallier Est. ☎ 647-64-32. Tout près du *Mardi Gras* (voir la rubrique « Où boire un verre ? »), un petit resto de quartier qui sert une bonne cuisine, simple et économique, dans un cadre agréable, plutôt à la mode. Ne pas se fier au menu affiché car la table d'hôte du midi est généralement servie le soir. Bien aussi pour un petit déjeuner.

Où pique-niquer dans Québec ?

S'il fait beau, que vous en avez marre des restos ou tout simplement que vous commencez à être fauché, faites comme les autochtones ! On trouve des tables réservées au pique-nique dans le *parc des Champs-de-Bataille,* au sud du Vieux Québec *(plan I, C2).* Le coin est également appelé « les plaines d'Abraham ». Préférez la partie ouest du parc, plus calme et vraiment belle. Vue sur le fleuve. Vous trouverez tout ce qu'il faut chez les dépanneurs. Et ne laissez rien traîner en partant, ici on respecte vraiment l'environnement !

Où boire un verre? Où danser? Où s'éclater en musique?

Comme partout au Canada, il n'y a pas de vraie séparation entre les lieux où l'on boit, ceux où l'on danse et ceux où des groupes se produisent. Certains endroits mélangent allègrement les trois activités ou les combinent selon les soirs. On les indique par quartier et on précise leurs spécialités.

Durant le festival, la musique jaillit de tous les estaminets avec force. On pourrait en citer des dizaines. Essayez-en plutôt un maximum au hasard des notes qui vous parviendront. Entrée libre partout et les orchestres de rock et de blues sont en général bons.

C'est super d'être dans une ville capable d'absorber des milliers de jeunes sans qu'il y ait de présence policière insupportable, ni de racisme antijeunes dans les troquets. Sinon, il y a les boîtes à chansons, nombreuses, et qui ont toujours leur clientèle fervente de folk québécois.

DANS LA HAUTE VILLE, INTRA-MUROS

Rue Saint-Jean et dans les ruelles adjacentes, nombre de pubs et troquets pour jeunes. Vous aurez l'embarras du choix, Québec ne dérogeant pas à l'ordonnancement habituel des vieilles villes touristiques : un resto, un bistrot, un resto, un bistrot... Voici une sélection, notre sélection, mais nous sommes certains que rapidement vous ferez la vôtre.

♟ **Bar-spectacle d'Auteuil** (plan II, A2, 70) : 35, rue d'Auteuil (près de la porte Saint-Jean). ☎ 692-22-63. Ouvert le soir seulement, à partir de 20 h et jusqu'à 1 h ou 2 h. Excellente salle de concerts à l'étage d'une ancienne chapelle. Bons concerts. Au rez-de-chaussée, *La Fourmi Atomik,* bar rock avec terrasse. Clientèle un peu destroy. Parfait pour boire un verre avant ou après un concert au *Bar-spectacle d'Auteuil.*

♟ **Chez Son père** (plan II, B2, 71) : 24, rue Saint-Stanislas, à l'angle de Saint-Jean. Au 1er étage. ☎ 962-53-08. Ouvert jusqu'à 2 h 30-3 h. Salle toute simple : un bar, de grandes tables de cantine et une estrade pour les musiciens (concerts tous les soirs à 22 h). C'était le repaire des nationalistes québécois, venus écouter des chansonniers. Il y a toujours de chouettes chansonniers mais moins de nationalistes. Entrée gratuite. On y boit pas mal. Consos vraiment pas chères et ambiance chaleureuse. À voir de toute façon.

♟ **Les Yeux Bleus** (plan II, B2, 72) : 1117 1/2, rue Saint-Jean. ☎ 694-91-18. Ouvert tous les soirs

jusqu'à 3 h. Au fond d'une allée. Endroit au décor quelconque, où les gens du coin viennent gratter et chanter en toute simplicité. Même genre que *Chez Son Père,* en plus tranquille.

♟ **Bar Saint-Laurent** (plan II, C3, 73) : dans le luxueux *hôtel du Château Frontenac.* Ouvert de 11 h 30 à 1 h 30. Rien à voir avec les adresses précédentes, c'est sûr. Le bar est au fond du couloir, à gauche de la réception (en profiter pour admirer la déco du hall et savourer le moelleux de la moquette). En fait, ça ressemble surtout à un pub anglais. Si la pièce est circulaire, c'est parce qu'on est dans l'une des tours du château! Voûte en pierre superbe. Quelques tables en terrasse au-dessus de la promenade Dufferin. Confortables fauteuils et vue romantique sur le fleuve Saint-Laurent (d'où le nom). Bons cocktails, pas trop chers pour l'endroit. Quelques-uns détonants, comme le *zombie* (rhum brun, grenadine, jus de citron...) ou le *B-52* (Bailey's, Grand Marnier et kalhua!). Chic, plaisant. Une halte cartes postales idéale en fin d'après-midi.

DANS LA HAUTE VILLE, HORS LES MURS

Dans Grande-Allée Est, vous trouverez quelques boîtes particulièrement animées. Clientèle étudiante surtout, avec son lot de touristes du monde entier. En général relax, décontractés, un poil chicos parfois.

– *Maurice* (plan III, B3, 74) : 575, Grande-Allée Est. Drôle de nom pour une boîte ! C'est pourtant l'adresse à la mode à Québec. Et il est vrai que c'est l'une des plus sympas. La boîte se trouve au premier étage d'une vaste maison. La musique y est très différente selon les soirs. Y aller de préférence les jeudi, vendredi ou samedi pour l'ambiance. À la fermeture, les jeunes se retrouvent en face, chez *Ashton*, pour manger une *poutine* (frites à la sauce brune, typiquement québécois) ou un hamburger. À la même adresse, on trouve aussi *Charlotte* où l'on peut fumer quelques bons cigares.

♟ *O'zone* (plan III, B3, 75) : Grande-Allée Est, en face de *Maurice*. ☎ 529-79-32. Vaste lieu moderne et sombre avec bières, billards et bandes de jeunes. Sympa.

♟ *Dagobert* (plan III, B3, 76) : 600, Grande-Allée Est ; à l'angle de Chevrotière. ☎ 522-03-93. Immense boîte ultramoderne dans une maison particulière en brique rouge, avec terrasse. À l'entresol, un grand pub en bois verni avec banquettes confortables, vitraux, vieilles lampes 1900, etc. Vidéo et scène pour les orchestres de passage. En été, c'est vraiment la grande foule. Entrée gratuite.

♟ *Le Drague* (plan III, B2, 77) : rue Saint-Augustin (entre la rue Saint-Jean et la rue Saint-Joachim). Comme son nom l'indique, ici, ça drague, au masculin. Bar de poche, tout sombre. Billard, musique forte, regards qui se croisent. Pour nous les hommes.

DANS LA BASSE VILLE

Pas trop d'animation dans les rues. Ça se passe plutôt dans les cafés. Tendance plus postmoderne, branchée ou chicos.

♟ *Bistrot Le Pape George* (plan II, C2, 78) : rue Cul-de-Sac, petite rue en angle qui va de Champlain à Notre-Dame. Petit bar à vin sympa dans un décor voûté où passent des chansonniers québécois.

♟ *Belley* (plan II, B1, 79) : 249, Saint-Paul. ☎ 692-16-94. Dans une belle maison typique du Vieux-Port. Café très animé. Clientèle margeo et étudiante. Terrasse en été.

♟ *L'Inox :* 37, rue Saint-André (plan II, C-D1, 80). ☎ 692-28-77. Ouvert jusqu'à 3 h. Décor moderne et sombre assez réussi. Trois grands fûts en inox nous indiquent que l'endroit est une micro-brasserie. En effet, ici, la maison fait sa propre bière. La clientèle est assez jeune et souvent bruyante. Deux billards dans la salle de gauche.

DANS L'AVENUE CARTIER (plan III, A3-4)

Quartier beaucoup plus excentré mais très agréable : on y trouve une vraie vie de village. Pas de frime comme dans la vieille ville. L'avenue Cartier, anciennement le fief des étudiants, devient de plus en plus touristique. Cependant, cet endroit a conservé un charme très particulier. Le coin est bourré de troquets animés.

♟ *Café Krieghoff :* 1089, av. Cartier. ☎ 522-37-11. Ouvert de 7 h à minuit-1 h. Terrasse, cour intérieure et petites salles. Clientèle intello et

QUÉBEC (la ville) ET ENVIRONS

branchée. On peut soit y prendre un verre, soit en profiter pour croquer un morceau au menu du jour. Également de bons petits déjeuners. Le soir, on y vient pour boire un verre.

☂ *Le Quartier de Lune :* 799, av. Cartier (presque à l'angle de Saint-Foy). ☎ 523-40-11. Ouvert tous les soirs jusqu'à 3 h. Bar, billard et piste de poche. Atmosphère pas boîte du tout, plutôt troquet de famille, mais on y danse.

– **☂** *Le Merlin :* 1179, av. Cartier. ☎ 529-95-67. L'une des boîtes de la ville qui tient la route depuis plusieurs années. Décor efficace, musique pour danser. Loin d'être notre préférée, mais on y rencontre une certaine jeunesse.

☂ *Java-Java :* 1112, av. Cartier. ☎ 522-JAVA. Un bar à essayer. Sympa et très animé certains soirs.

DANS LE QUARTIER SAINT-ROCH *(dans la basse ville)*

Un ancien quartier ouvrier, sans fard et sans frime, où les prix des loyers figurent parmi les plus bas de la ville. Peu de touristes, quelques marginaux, des artistes, des intellos, des fauchés et des moins fauchés, et quelques bonnes adresses où se retrouvent les jeunes branchés ciné.

☂ *Mardi Gras (plan III, A2, 81) :* 291, Saint-Vallier Est. ☎ 640-15-77. Ouvert du mardi au vendredi de 11 h à 3 h et les samedi et dimanche de 11 h à 3 h (fermé le dimanche en été). Bar assez récent dans ce quartier bien différent des autres. Salle spacieuse à la déco sympa (notamment les fauteuils de bar). Billard, baby-foot et alcools en tous genres. Possibilité d'y casser la croûte.

☂ *Taverne Dion :* 65, rue Saint-Joseph Ouest. Ouvert tous les jours jusqu'à 23 h 30. Ici, la bière ne coûte presque rien. Au Québec, les tavernes sont les derniers remparts du houblon à prix populaire. Chez *Dion*, les filles sont admises (les vieilles lois ont été abolies récemment). C'est d'ailleurs la dernière à l'avoir fait. Enfin ! *Dion*, c'est aussi un vrai petit musée d'ornithologie avec ses vitrines d'oiseaux empaillés ! C'est là que les « petits cousins français » découvriront le Québec profond... Un endroit haut en couleur, assez

exceptionnel. Vraiment une taverne de *brosseux* (comprendre « buveurs ») !

☂ *Dorchester Taverne (hors plan III par A2, 82) :* 251, Dorchester (à l'angle de la rue Prince-Édouard). Ouvert de 8 h à minuit. Fermé le dimanche. Une vraie taverne où de vrais Québécois boivent beaucoup de vraie bière (pas chère). Un lieu authentique en diable, où l'on regarde le base-ball sur un grand écran de télévision, où l'on joue au *schuffle board*, un jeu marrant comme tout, qui est au curling ce que le ping-pong est au tennis, tout ça en buvant une bière, bien sûr. Ethnologues en herbe, vous êtes arrivés.

☂ *Chez Léo :* 449, rue Bagot, à l'angle de Bayard (derrière le boulevard Charest Ouest). ☎ 525-58-05. Ouvert de 10 h à 19 h. Les hot-dogs les moins chers de Québec. C'est tout petit, mais le patron « placote » facilement.

SUR LE CAMPUS DE L'UNIVERSITÉ

D'accord, c'est loin du centre, mais on y trouve un bar sympa. S'adresse surtout à ceux qui séjournent pour une longue période. Lecteur de passage, inutile de vous déplacer. D'autant plus que l'été, c'est assez mort.
Pour s'y rendre, se reporter plus haut (chapitre « Où manger ? Haute ville, hors les murs ») aux indications données pour l'Université Laval.

▼ *Le Pub :* dans le pavillon Polack. Tous les jeunes du campus s'y retrouvent en fin de journée. Ambiance souvent infernale, surtout à la rentrée et en fin d'année universitaire.

À voir

Tout se fera à pied sans problème : la vieille ville a des proportions très humaines. Nous, on a préféré la balade du soir à cause des illuminations et du côté magique, façon décor de théâtre, qu'elles donnent aux places, bâtiments et ruelles. Remarquez l'architecture malouine des rues historiques de la haute ville : maisons de granit à hautes cheminées et chiens assis.

DANS LA HAUTE VILLE

Voici un parcours cohérent (avec quelques petits détours) qui permet, dans la haute ville, de voir tous les sites, musées et attractions principales.

★ *Quelques rues pittoresques* (plan II, B2) : la *rue Couillard*. Pas une inconnue pour ceux qui logeront à l'A.J., elle porte le nom d'un des premiers habitants français au Canada, arrivé en 1613. Plus loin, la *rue Hébert* qui possède une tonalité très française, la *rue Sainte-Famille (plan II, C2)* avec, au n° 15, la *maison Touchet* (milieu XVIIIe siècle), étonnante, dont les combles et la cheminée occupent les trois quarts du volume (attention : on ne la visite pas). Et, pour finir, la *rue Saint-Flavien,* l'une des plus jolies et qui possède aussi d'anciennes demeures.

★ *Le musée de l'Amérique française* (plan II, B2) : 2, côte de la Fabrique. ☎ 692-28-43. Ouvert tous les jours de 10 h à 17 h 30 de fin juin au 1er septembre, et de 10 h à 17 h du mardi au dimanche le reste de l'année. L'ancien musée du Séminaire est devenu un superbe espace consacré à l'histoire au service du savoir. La plupart des objets proviennent des prêtres de l'Université Laval qui enseignaient aux premiers étudiants du continent. On retrace ici trois siècles d'histoire et de présence française. Tous les domaines artistiques et techniques sont donc évoqués par le biais d'expositions tournantes.

★ *Le musée des Augustines de l'hôtel-Dieu* (plan II, B2) : 32, rue Charlevoix. ☎ 692-24-93. Ouvert du mardi au samedi de 9 h 30 à 12 h et de 13 h 30 à 17 h, et le dimanche après-midi aux mêmes horaires. Entrée gratuite. Un petit musée fondé à partir des possessions des augustines de Dieppe qui bâtirent le premier hôpital du pays en 1639. Collection variée de mobilier, de tableaux des XVIIe, XVIIIe et XIXe siècles. Un peu d'orfèvrerie, des objets domestiques et surtout une salle consacrée aux instruments chirurgicaux anciens. Noter la machine à électrochoc à manivelle du siècle dernier, ainsi que la vitrine présentant des corps étrangers extraits des malades qui les avaient ingurgités par inadvertance.

★ *La rue Saint-Jean* est l'artère principale de la vieille ville. Follement animée et touristique. On y voit beaucoup de Japonais. Après la porte Saint-Jean, prenez la *rue d'Auteuil* qui grimpe vers la porte Saint-Louis et la rue du même nom. Elle exprima au XVIIIe siècle toute l'élégance de la ville et aligne quelques belles maisons anciennes, notamment la *maison Péan* (1750) au n° 61.

★ *Le parc de l'Artillerie :* 2, rue d'Auteuil, entre la rue Saint-Jean et la rue Mac-Mahon. ☎ 648-42-05. Ouvert de début avril à fin octobre, théoriquement de 10 h à 17 h (le lundi de 13 h à 17 h) ; le reste de l'année, du lundi au vendredi de 10 h à 12 h et de 13 h à 17 h. Horaires sujets à changement. Entrée payante. Ce lieu est stratégique dans l'histoire de Québec ; des ouvrages de défense s'y élevèrent avant qu'il devienne une cartoucherie.

Aujourd'hui, c'est un centre d'accueil et d'interprétariat des défenses militaires de Québec. Plan-relief de la ville de 1808. Audiovisuel et visites guidées.

À l'angle de la rue d'Auteuil et de la rue Mac-Mahon s'élèvent la puissante et blanche *redoute Dauphine* et ses contreforts. Voir aussi le logis des officiers. Grand *jardin public* et *remparts* accessibles, d'où le coucher de soleil est superbe. *Promenade des Fortifications* au 100, rue Saint-Louis.

★ *Le musée et la chapelle des Ursulines :* 12, rue Donnacona. Petite rue reliant la rue Saint-Louis à la rue Sainte-Anne. ☎ 694-06-94. De septembre à avril, ouvert du mardi au dimanche de 13 h à 16 h 30. De mai à août, de 10 h à 12 h et de 13 h à 17 h du mardi au samedi et le dimanche de 12 h 30 à 17 h. Fermé le lundi. Entrée payante. Réduction étudiants. Intéressant petit musée installé dans le couvent des Ursulines et présentant des souvenirs et témoignages de la vie des religieuses et de nombreuses peintures, estampes, objets d'art, documents des XVIIe et XVIIIe siècles. Parmi les centaines d'objets, on peut dégager un beau piano (1850), une salle d'objets provenant de la colonie qui s'installait à l'époque. Le 2e étage présente de l'art amérindien. Particulièrement remarquables sont les broderies exécutées par les religieuses, notamment un splendide parement de fête de Noël de 1739, un parement du Saint-Esprit et un parement de Pentecôte avec une belle huile au milieu montrant le martyre de sainte Ursule.

À l'extérieur, la chapelle (fermée l'hiver) fut construite en 1902, mais conserva toute son ornementation intérieure du XVIIIe siècle. Mêmes horaires que le musée. Entrée gratuite. À l'entrée, fiche imprimée détaillant tous les points d'intérêt de la chapelle. On notera surtout, au-dessus du maître-autel, une *Nativité* de l'école de Le Brun et une copie de *Jésus chez Simon le Pharisien* par Philippe de Champaigne, l'original étant à Nantes. Chaire et retable sculpté, l'un des plus vieux d'Amérique du Nord. Pierre tombale du marquis de Montcalm.

★ Retour *rue Saint-Louis* où l'on trouve, au n° 25, la *maison du duc de Kent* (vers 1700) et, au n° 17, la *maison Maillou* de 1736. Par la place d'Armes, on rejoint la *ruelle du Trésor* toujours bondée. De nombreux artistes y accrochent leurs œuvres. Comme partout ailleurs, le meilleur y côtoie le pire. Le peintre-graveur Jean Cencig présente, quant à lui, de remarquables estampes (principalement des paysages). Au 22, *rue Sainte-Anne,* petit *musée Grévin* (1re franchise en Amérique du musée Grévin de Paris) présentant les grands événements historiques canadiens et quelques célébrités tels Michel Courtemanche ou Roch Voisine. Au 10, rue Sainte-Anne, *musée du Fort* (ouvert l'été tous les jours de 10 h à 18 h) présentant un diorama sur les grandes batailles de Québec. Dans ce musée, possibilité de voir une *maquette géante de la ville* (ouvert de juin à septembre, de 10 h à 20 h ; le reste de l'année, de 10 h à 17 h). À côté du vieil *hôtel Clarendon*, rue Sainte-Anne, s'élève l'*édifice Price*, de style Art déco, et qui fut le premier gratte-ciel de la ville. Au bout de la rue Sainte-Anne, on rejoint la *place de l'Hôtel-de-Ville.*

★ *La galerie « Aux Multiples Collections » :* 69, rue Sainte-Anne, dans le Vieux Québec. ☎ 692-12-30. Une autre adresse : 43, rue Buade. Voir aussi la galerie Brousseau et Brousseau au sous-sol du château Frontenac. Ouverte tous les jours. Galeries exclusivement consacrées à l'art inuit, dirigées par un vrai passionné.

Même si vous n'achetez pas (c'est tout de même cher), allez faire un tour dans l'une de ces boutiques qui proposent et exposent de véritables chefs-d'œuvre, sculptés de manière traditionnelle dans des os de baleine, de l'ivoire de morse ou en stéatite, pierre facile à tailler.

★ *La basilique Notre-Dame-du-Québec* (plan II, C2): 16, rue Buade, à l'angle de la côte de la Fabrique. ☎ 692-25-33. C'est la plus ancienne paroisse du continent nord-américain si l'on écarte le fait qu'il ne reste plus rien de l'édifice d'origine. Samuel de Champlain y construisit une première église en 1633, incendiée peu après, reconstruite par les jésuites puis détruite lors du siège de Québec en 1759. Rebâtie au XIXe siècle puis dévastée à nouveau par un incendie en 1922. Reconstruite presque aussitôt sur le modèle antérieur. Il en faut plus pour décourager les Québécois... Admirez le baldaquin de style Louis XIII. La lampe du sanctuaire est un don de Louis XIV. Jetez aussi un œil à la crypte des évêques. Le soir, un spectacle son et lumière est organisé, illustrant l'histoire de la ville en 3 dimensions. Appeler pour les horaires.

★ **Le château Frontenac** (plan II, C3) : ☎ 691-21-66. Ouvert du 1er mai au 15 octobre de 10 h à 18 h tous les jours ; du 16 octobre au 30 avril, de 12 h 30 à 18 h les samedi et dimanche. Gigantesque château du genre de ceux que l'on trouve dans les films de Walt Disney, avec des fenêtres et des petites tourelles. Le château Frontenac est à Québec ce que la tour Eiffel est à Paris. Symbole d'une ville, mais aussi d'une époque, ce grand seigneur de l'hôtellerie fait encore l'admiration de tous par son éclat et son élégance incomparables. Représentant la perfection, il se dresse fièrement au-dessus du Saint-Laurent. L'édifice, de style Renaissance française (mais construit il y a moins d'un siècle !), rappelle les extravagantes pièces montées que Louis II, le roi fou, fit construire en Bavière. Une aile toute neuve a été construite pour fêter les 100 ans (en 1993) de l'édifice.
L'aménagement intérieur est grandiose. Visite guidée (payante) d'environ 50 mn par des personnages aux costumes et aux manières très XIXe siècle, un peu style Disneyland quand même. Comme si vous y étiez ! Le grand hall déborde hiver comme été de croisiéristes qui font halte à Québec pour quelques heures. L'hôtel est un village en miniature : il a sa propre blanchisserie, ses ateliers de menuiserie et de réparation électrique. On y dessine les uniformes, coud les tentures et cuit le pain. Ce fut Viollet-le-Duc qui constitua la splendide collection de meubles et d'objets qui décorent les chambres. Mais ce qu'on visite est assez restreint et décevant. Pour terminer, allez écluser un gorgeon au pub, pas si cher, tout compte fait (voir, dans la rubrique « Où boire un verre ? » le bar *Saint-Laurent*).

★ **La terrasse Dufferin :** au pied du château Frontenac. Vue merveilleuse sur le Saint-Laurent. Très animée le soir. Cette longue terrasse en bois est prolongée par la *promenade des Gouverneurs*. Cette promenade longe la citadelle du côté du fleuve. C'est une longue succession d'escaliers (avis aux routards rhumatisants !). Très belles vues. Elle aboutit aux plaines d'Abraham.

★ **La citadelle** : elle fut construite à partir de 1820, en intégrant une redoute de 1963 élevée par les Français, ainsi que l'ancienne poudrière. Musée historique présentant uniformes, armes, etc., de cette époque. En été, ouvert de 9 h à 18 h. Relève de la garde tous les jours à 10 h, de la mi-juin jusqu'à la fête du Travail (1er lundi de septembre). Entrée payante. La retraite a lieu les mardi, jeudi, samedis et dimanche à 18 h en juillet et août, sous réserve de bonnes conditions atmosphériques.

★ **Balade sur les remparts :** il est possible de suivre à pied l'enceinte fortifiée qui protégeait autrefois Québec, à partir de la citadelle. Le chemin est facile à trouver : il suffit de suivre les remparts, dont le sommet – le chemin de ronde, en quelque sorte – est tapissé de pelouse. Ils ont été construits au cours du XVIIIe siècle et sont en excellent état. Mais ils ont eu chaud !
Vers 1870, les urbanistes de l'époque trouvèrent que ces murailles d'un autre temps empêchaient la ville de se développer, et gênaient les déplacements entre la vieux centre et les nouveaux quartiers qui sortaient de terre à l'extérieur des murs. On entama donc la démolition des fortifications, en commençant par les portes de la ville. Mais un certain Lord Dufferin, fraîchement nommé gouverneur, arriva à Québec. Cet homme trouva du charme aux remparts et fit cesser le massacre. Il fit même mieux : il ordonna la

reconstruction des quatre portes qui avaient été abattues. Mais plutôt que de les reconstruire à l'identique, il choisit de leur donner un style romantico-médiéval (genre « Belle au bois dormant ») beaucoup plus à la mode à l'époque. Très éloigné des considérations militaires, c'est l'aspect monumental (voire théâtral) qui l'intéresse. Voici pourquoi les portes du Vieux Québec semblent sortir des cartons à dessin de Disney plus que de ceux de Vauban. C'est pour la même raison que les portes sont plus « frêles » que le reste des fortifications.

Parmi ces portes reconstruites, il y a la porte Saint-Louis. C'est la première porte que l'on franchit en suivant les remparts à pied. De là, un coup d'œil à droite : la rue Saint-Louis et la vieille ville, ses rues étroites, ses calèches et ses trois siècles d'histoire. À gauche : Grande-Allée, son trafic automobile et, tout près, le vaste édifice qui abrite le parlement du Québec. Même contraste entre les époques du sommet de la porte Saint-Jean. Il vous faudra quitter les remparts un peu plus loin, aux environs de la rue Mac-Mahon. Si vous êtes parti du château Frontenac, que vous avez suivi la promenade Dufferin, puis celle des Gouverneurs, longé la citadelle et parcouru les remparts, vous aurez fait les trois quarts du tour du Vieux Québec.

★ *Le parc des Champs-de-Bataille ou plaines d'Abraham :* en sortant du Vieux Québec par la rue Saint-Louis. Un parc magnifique près du Saint-Laurent. C'est là qu'eut lieu la grande bataille, en 1759, où Montcalm perdit la vie. Les Français battus, les Anglais occupèrent Québec. L'année suivante, baroud d'honneur. Les Français gagnèrent l'ultime bataille à Sainte-Foy, mais les renforts tant attendus furent... anglais. Ils ont remis ça, 55 ans plus tard, à la bataille de Waterloo ! Le 24 juillet 1997, 30 ans après le célèbre « Vive le Québec libre », a été inaugurée à cet endroit la statue du général de Gaulle, en bronze, qui côtoie celle de Jeanne d'Arc.

★ *Le musée du Québec* (plan I, C2) : 1, av. Wolfe-Montcalm, parc des Champs-de-Bataille. ☎ 643-21-50. Bus nº 11 (en face de l'hôtel *Concorde*). Ouvert tous les jours en été, de 10 h à 17 h 45 (le mercredi jusqu'à 21 h 45). Entrée payante, sauf le mercredi. Collections de peintures, arts décoratifs, estampes, sculptures, etc. Expositions temporaires toujours très intéressantes. Le musée est composé de trois édifices reliés entre eux ; le *pavillon central,* bâtiment moderne tout en transparence, qui accueille les services (boutique, auditorium et restaurant) ; le pavillon *Gérard Morisset,* à droite, édifice néoclassique à l'origine du musée ; et le *pavillon Baillairgé,* ancienne prison inoccupée depuis 1971 mais bien entendu restaurée et adaptée pour accueillir aussi des expositions temporaires. Cela dit, on visite encore quelques cellules voûtées, en brique rouge. Toujours impressionnant mais bizarrement assez gai.

Le *pavillon Gérard-Morisset* abrite pour sa part une collection d'art québécois ancien, sacré et profane au rez-de-chaussée. Au 1er étage, art québécois des XIXe et XXe siècles dont *L'Apothéose de Christophe Colomb,* vaste peinture allégorique mais inachevée de Napoléon Bourassa. Le reste du pavillon est consacré aux expositions temporaires. Un bien bel ensemble. Aux beaux jours, agréable terrasse avec vue sur les plaines et le Saint-Laurent.

★ *L'observatoire de la capitale* (sic) : 1037, rue de la Chevrotière, à côté du Grand Théâtre. ☎ 644-98-41. Allez jusqu'au 31e étage de l'édifice Marie Guyart. Panorama exceptionnel sur Québec et les alentours. Ouvert de 10 h à 17 h d'octobre à mai et de 10 h à 19 h de juin à septembre. Entrée payante. Gratuit pour les moins de 12 ans. Réduction étudiants et personnes âgées. Centre d'interprétation avec exposition permanente.

★ Pour avoir encore un *panorama* superbe sur la ville on peut aussi monter au restaurant-bar *L'Astral* (voir « Où manger ? »). Pour le prix d'un café, la vue n'est pas mal... Pour y aller, remonter le chemin de Grande-Allée Est.

★ *L'Assemblée nationale du Québec :* Grande-Allée Est. Devant la porte Saint-Louis. ☎ 643-72-39. Construite en 1877, dans un style Second Empire (s'inspirant du Louvre de Napoléon III). Visites guidées et possibilité d'assister aux débats quand il y a session. Ouvert en principe tous les jours de la semaine de 9 h à 16 h 30 de septembre à juin, mais mieux vaut téléphoner avant. Fermé du 1er au 23 juin. Entrée gratuite. Bon resto parlementaire ouvert à tous à midi.

★ Dans la *rue Saint-Jean,* hors les murs, voir, au n° 755, l'*église Saint-Matthew* et son *cimetière* transformé en parc depuis 1987. On y trouve les tombes (avec notice explicative) de beaucoup de gens célèbres de la vie politique québécoise, notamment Alexander Cameron (la plus ancienne), soldat de l'armée de Wolfe, mort en 1759, le frère de Walter Scott, Henry Hope, gouverneur de la province, etc.
Rue Saint-Jean toujours, au n° 669, pittoresque et odorante *épicerie Moisan* qui a conservé sa belle décoration intérieure de bois du XIXe siècle et présente de délicieuses vitrines ringardes.

★ *Québec Expérience :* 8, rue du Trésor. ☎ 694-40-00. Présentation en 3D et en diaporama de la naissance de la ville de Québec. Spectacle en français toutes les 90 mn à partir de 10 h. Dernière séance à 21 h. Prix abordable. Réduction étudiants. Un peu décevant : la mise en scène et les effets spéciaux sont assez ringards. Ravira les petits plus que les grands, qui trouveront mieux à faire à Québec.

DANS LA BASSE VILLE

Empruntez, pour l'atteindre, le funiculaire de la terrasse Dufferin ou descendez à pied par la côte de la Montagne et l'escalier Casse-Cou.

★ *La maison Louis-Jolliet* (plan II, C3) : 16, rue du Petit-Champlain. Elle abrite le funiculaire et fut construite en 1683 pour Louis Jolliet, découvreur du Mississippi. Il y vécut jusqu'à sa mort en 1700.

★ *La rue du Petit-Champlain :* ancienne rue (on dit même que c'est la plus ancienne d'Amérique du Nord) où se réfugiaient, au XIXe siècle, les habitants les plus pauvres de Québec, notamment les immigrants irlandais. Aujourd'hui, entièrement restaurée et très... touristique évidemment.

★ *La place Royale :* une merveille architecturale, magnifiquement restaurée, l'un des plus anciens quartiers homogènes d'Amérique du Nord. Bureau d'information touristique à la maison *Thibaudeau :* 215, Marché-Finlay. ☎ 643-66-31. Ouvert de début mai à fin septembre, de 10 h à 18 h. C'est ici que Samuel de Champlain construisit, le 3 juillet 1608, sa première cabane au Canada (dont l'emplacement a été reproduit sur le sol par un dallage spécial). On trouve tout autour de superbes édifices et demeures des XVIIe et XVIIIe siècles.

★ *L'église Notre-Dame-des-Victoires :* construite en 1688 sur les fondations de la maison de Champlain. C'est l'une des plus anciennes du Québec. En partant de l'église, on trouve successivement les *maisons Marianne Barbel,* la plus haute (1754), *Veuve Rageot* (1762), *Pierre Bruneau* (1791), *Le Picart* et, au coin de la place et de la rue Notre-Dame, la *maison Lambert-Dumont* (1689). Rue Notre-Dame, *maison Milot* (aussi de 1689) et, en face, les fondations des *maisons Soullard* et *Gaillard.* Certaines maisons abritent des centres d'interprétation et des boutiques (dont la *maison des Vins*).

★ *La Batterie royale :* au bout de la pittoresque rue Sous-le-Fort s'élève l'un des principaux éléments de défense de la ville, construit en 1691. Les dix bouches à feu ont été offertes par la France au Québec.

★ *La maison Chevalier :* élégante demeure bourgeoise, édifiée en 1752. Aujourd'hui, elle accueille de fort intéressantes expos sur l'histoire, la civilisation et l'ethnographie au Québec. Ouvert tous les jours, de 10 h à 17 h. Entrée gratuite.

QUÉBEC (la ville) ET ENVIRONS

★ *Le musée de la Civilisation* *(plan II, C2)* : 85, rue Dalhousie. ☎ 643-21-58. Ouvert tous les jours du 24 juin à début septembre, de 10 h à 19 h ; le reste de l'année, de 10 h à 17 h (21 h le mercredi), sauf le lundi. Fermé le 25 décembre. Entrée payante. Gratuit le mardi, mais hors saison seulement. Réduction de 40 % pour les étudiants. Visites guidées à certaines heures. Prévoir pas mal de temps, car le musée est très riche.

Un musée ultramoderne, immense, magnifique, ludique et complètement révolutionnaire dans sa conception. Par civilisation, entendez : histoire, archéologie, sociologie, ethnologie et technologie ! Partout, des vidéos et des ordinateurs dialoguent avec le visiteur : complètement interactif ! Trois expos permanentes « Objets de civilisation », « Mémoires » (du Québec) et « Messages » complétées par des expositions temporaires sur tous les sujets imaginables (par exemple : l'alimentation, les Amérindiens, la photo...), de sorte qu'on peut y retourner tous les ans sans jamais voir deux fois la même chose. Tout cela fait de ce musée un lieu indescriptible, en mouvement perpétuel, bref : toujours d'actualité ! Le contraire du musée traditionnel, trop souvent figé, poussiéreux et emm... Ici, tout le monde s'amuse. Normal, il y en a pour tous les goûts. Personne n'est oublié : intellos, enfants, touristes en vadrouille, ménagères du coin, esthètes, sportifs ou étudiants...

Chaque exposition est un musée d'art à part entière, dédale de salles où s'entrechoquent images et mots, objets anciens et gadgets d'avant-garde, panneaux explicatifs et œuvres d'art, schmilblik hétéroclite et slogans percutants ! À peine est-on entré dans une salle qu'on se trouve transposé dans la caverne d'un Ali Baba du XXIe siècle. Des moyens considérables ont été développés pour que le moindre visiteur – objet à part entière de chaque exposition, à égalité avec ceux qui l'environnent – soit instinctivement et spontanément imprégné du sujet abordé, sollicité qu'il est par les signes et messages du lieu, tous liés entre eux par un même fil conducteur (le thème de chaque expo).

On n'en ressort même pas épuisé : l'aspect ludique de chaque exposition permet à chacun de s'impliquer sans effort apparent, de réfléchir sans même s'en apercevoir ! D'où le succès colossal de ce premier « musée intelligent » de l'histoire, qui recevait pas moins d'un million de visiteurs l'année de son ouverture... au lieu des 300 000 escomptés ! Les experts en muséologie viennent, paraît-il, du monde entier pour analyser le phénomène et prendre exemple sur cette réussite totale. Bon, plus la peine d'en rajouter : vous avez parfaitement compris que cet endroit exceptionnel ne ressemble à rien de connu et qu'il serait inexcusable de ne pas venir jouer comme tout le monde dans ce laboratoire voué à l'intelligence humaine.

★ *La rue Sous-le-Cap :* jusqu'à une date récente, l'une des rues les plus pauvres de la ville. Elle présente une particularité : elle fut aussi la rue la plus étroite du Québec (voire d'Amérique). C'est la seule en tout cas où l'on trouve ces curieux escaliers et passerelles extérieurs en bois. À l'origine, les maisons qui bordaient la rue étaient si proches les unes des autres que des passerelles en reliaient les derniers étages. Aujourd'hui, la plupart d'entre elles, côté falaise, ont disparu (il n'en reste qu'une et quelques vestiges de murs), mais les passerelles ont subsisté. D'ailleurs, de la rue des Remparts, vous en obtenez une vision très intéressante. Noter les agréables terrasses que les nouveaux propriétaires (des antiquaires surtout) ont aménagées !

DANS LE QUARTIER DU VIEUX-PORT

Depuis quelques années, le quartier du Vieux-Port est en train de se métamorphoser de façon radicale. Rénovation des maisons anciennes, des entrepôts, des bâtiments industriels qui abritent déjà aujourd'hui quelques cafés, restos, magasins d'antiquités, appartements, etc. Une transformation intelligente qui sait utiliser au mieux les architectures existantes et allier de façon harmonieuse modernité et passé. Ne pas manquer de déambuler dans les rues Dalhousie, Saint-Paul et Saint-André, de plus en plus animées et branchées. À la pointe de Carcy s'étend *l'Agora,* immense salle de spectacle en plein air où se déroulent tous les grands concerts et récitals.

★ Au cours de la balade, vous pourrez admirer quelques édifices dignes d'intérêt, notamment celui de la *Société du port de Québec,* superbement restauré. Plaque sur le fronton (la Liberté du commerce maritime). Également le nouveau *bâtiment de la douane,* construit en 1856 dans un beau style italien avec une grande colonnade. Autrefois, un escalier menait au fleuve. Façade avec des masques de pierre sculptés. Au 112, *rue Dalhousie,* élégant immeuble moderne, alliance harmonieuse du verre et de la brique. Au n° 94, face à l'antique « poste de pompiers » et sa tour, d'anciens entrepôts ont été transformés en appartements de luxe.

★ *La rue Saint-Paul,* ancienne rue populaire, présente désormais un visage très huppé. Devenue la rue des antiquaires, agrémentée de bistrots à la mode. Curieusement, bien qu'agréable, ce quartier n'a jamais véritablement attiré le tourisme de masse. Tant mieux.

★ Au bout de la rue Saint-Paul, le long du fleuve, voir deux architectures originales : l'immeuble de *Santé et Bien-Être social* avec ses tourelles, clochetons, pignons multiples à lucarnes et son toit en cuivre. Tout à côté, la magnifique *gare du Palais,* d'inspiration victorienne et qui se donne des airs de manoir, avec ses toits immenses à hautes lucarnes. Merveilleusement restaurée, on peut y admirer un hall luxueux.

À faire l'hiver

– *Les glissades de la Terrasse :* devant le château Frontenac, un tobbogan pour luge ancienne de deux personnes. Ouvert tous les jours de mi-décembre à mi-mars, de 11 h à 23 h. Pour un dollar canadien, une super sensation, dans un des plus beaux endroits de Québec, entre le château Frontenac et le Saint-Laurent.

– *Forfaits sports d'hiver-Canada :* 330, rue Saint-Jean, Saint-Marc-des-Carrières, G0A-480. ☎ 268-88-46. Forfaits tout inclus (transferts, hébergement, etc.) : rafting sur neige (1 jour), traîneau à chiens (2 jours), motoneige (2 jours), pêche blanche, dans une cabane au bord de la rivière, et visite de la ville de Québec. Pour ceux qui veulent tout faire sans entreprendre.

À voir. À faire aux proches environs

★ *IMAX :* 5401, bd des Galeries. ☎ 627-46-88. Près du grand centre commercial « les Galeries de la Capitale ». Il faut avoir une voiture (à 15 mn du Vieux Québec). Prendre l'autoroute 40 direction Sainte-Foy, puis l'autoroute du Vallon. Pour ceux qui ne le sauraient pas encore, se cache sous ce nom une société canadienne qui a mis au point les techniques cinématographiques les plus perfectionnées au monde. On vous passe les détails techniques, mais le résultat est impressionnant. Et surtout, IMAX fait aussi du cinéma en relief (on dit : 3D). Cette société exploite de nombreux cinémas, qu'elle nomme « théâtres », qui utilisent cette technologie.
Or il se trouve que le théâtre IMAX de Québec est l'un des plus récents. Il possède le plus grand écran du Canada (20,50 m de haut sur 28,20 m de large, oui, Môôsieur !) et – à quelques centimètres près – le plus grand du monde. Les scénarios et les sujets des films sont souvent un peu gentillets (vie des poissons, migration des papillons...), parfois plus palpitants (la conquête de l'espace, par exemple, même si ce film ressemble à une grande

pub pour la NASA et les États-Unis). La sonorisation de la salle est époustouflante. Mais la climatisation aussi : on vous conseille vraiment de prendre un bon pull ! Le prix, lui, est raisonnable (une place de cinéma en France). Il faut réserver par téléphone avant d'y aller.

★ *Le village de sports :* 1860, bd Valcartier, à Saint-Gabriel-de-Valcartier. ☎ 844-37-25. Du centre de Québec, prendre le boulevard Laurentien (route 73) et passer par Saint-Émile (20 à 30 mn de trajet). L'été, ça ressemble à d'autres parcs de loisirs aquatiques avec piscine à vagues, rivière « d'aventure », toboggans et cascades en résine. Bref, vous avez sûrement mieux à faire de votre temps et de votre argent pendant votre séjour à Québec. Mais l'hiver, ça vaut le coup d'aller y faire un tour. D'ailleurs les Québécois, et pas seulement les enfants, en sont friands. « C'est ben l'fun » : on y dévale les pentes neigeuses assis sur des chambres à air, ou à bord d'un grand bateau pneumatique. On peut y faire du kart sur neige, du ski de fond, du patin à glace. Les toboggans gelés sont en service, le plus vertigineux étant « l'Everest », incliné à 110 % en ligne droite. Les tarifs sont raisonnables, et on peut y passer une très bonne journée.

Admirer Québec pour pas cher

– Prendre le traversier qui relie Québec à partir de la rue des Traversiers, perpendiculaire au boulevard Champlain à Lévis (en face). Départ toutes les 30 mn en général. Appeler la *Société des Traversiers du Québec,* ☎ 644-37-04, pour les renseignements. Aller et retour en 45 mn pour une somme tout à fait modique. Vue splendide à ne pas manquer. Pour les photographes, très belles photos à faire de la vieille ville du traversier. De préférence le matin, à cause de la position du soleil. Superbe lumière rasante sur la ville. Prendre un aller et retour « excursion ».

★ On reste sur le bateau ou on peut descendre et se promener dans *Lévis,* jolie ville résidentielle à l'architecture intéressante. Vous serez loin des hordes de touristes de Québec, tout en jouissant d'une vue panoramique sur le Vieux Québec, et les restos y sont moins chers. À voir, entre autres :

– *La maison Desjardins :* 6 rue du Mont-Marie. ☎ 1-800-463-48-10. Maison victorienne, résidence d'A. Desjardins, fondateur de la première Caisse populaire en Amérique. Ouvert toute l'année du lundi au vendredi de 10 h à 12 h et de 13 h à 16 h 30, samedi et dimanche de 12 h à 17 h. Accès gratuit.

– *L'économusée de l'enseigne sur bois :* 10965, bd de La Rive-Sud. ☎ 838-08-71. Ouvert de juin à septembre du lundi au vendredi de 10 h à 16 h 30. À Lévis, si vous êtes observateur, vous découvrirez de nombreuses enseignes sur bois aux couleurs vives. Poussez la porte de la maison victorienne et découvrez l'atelier de l'artisan. Dépositaire d'une tradition qui date du XVIIIe siècle, il conçoit et fabrique des enseignes sur bois sculptées, peintes à la main et décorées à la feuille d'or. Tout un art !

Et pourquoi pas l'hydravion ?

Bien sûr, assez cher, mais ô combien inoubliable ! C'est en effet un moyen idéal de découverte de ce pays de lacs et de forêts. N'oubliez pas que la bestiole vole en général à basse altitude ; vous imaginez le(s) coup(s) d'œil !

QUÉBEC (la ville) ET ENVIRONS

■ *Roger Forgues Aviation :* lac Saint-Augustin. ☎ (418) 871-44-55. Fax : (été) 871-80-10, (hiver) 622-27-92. E-mail : arf@qbc.clic.net. Prendre l'autoroute 40, en direction de Montréal. Puis la sortie 300 (lac Saint-Augustin), à 15 mn de Québec. La réglementation nouvelle interdit le survol de Québec en hydravion. Cet organisme propose donc désormais une excursion au-dessus des lacs et de la forêt d'une durée de 25 mn et une autre de 3 h, avec arrêt dans une cabane pour pique-niquer. Réduction de 5 % pour les lecteurs du *G.D.R.*

Fêtes

– *Le carnaval :* 1re quinzaine de février. Malgré l'hiver et le froid, le carnaval de Québec « s'éclate » pendant dix jours. Assez commercial. Bals, concerts, concours de sculptures de neige durcie et de patinage, etc. Tradition du bain de neige, en sous-vêtements, gants et chaussures. De joyeux fêtards ont même des cannes creuses dans lesquelles ils transportent leur ration de *caribou* (alcool et vin). Infos : ☎ 626-37-16.
– *Coupe du monde de vélo de montagne :* sur le mont Sainte-Anne, en juin. Pas vraiment une fête, mais compétition très importante ici, et assez marrante.
– *Fête nationale du Québec :* 24 juin. Tout est fermé.
– *Fête du Canada :* 1er juillet. C'est la grande fête du pays tout entier.
– *Le Festival d'été de Québec :* 1re quinzaine de juillet. Les parcs du Vieux Québec sont envahis par des milliers de Québécois... Des dizaines de troupes de théâtre, d'orchestres, des concerts de folk, de jazz, un programme extraordinairement riche : 400 spectacles (presque tous gratuits), 800 artistes, 20 pays représentés. Chanson, variétés, spectacles de rue, animations pour jeune public et même de la musique classique... La fête préférée des Québécois. Ah oui ! Les dates exactes jusqu'à la fin du siècle sont : du 8 au 18 juillet 1999 ; du 6 au 16 juillet 2000. Pour la suite, vous pouvez déjà réserver votre exemplaire du *Guide du Routard,* édition 2001/02 !
Pour plus d'infos : *Festival d'été international de Québec,* 160, rue Saint-Paul. ☎ 692-45-40. Fax : 692-43-84.
– *Le Cirque du Soleil :* tous les 2 ans, les années paires, ce cirque sans animaux revient s'installer pour un de ses spectacles extraordinaires à Sainte-Foy, pour un mois, en juillet. Réservation auprès du Théâtre de la Ville : ☎ 1-800-361-45-95. Musique, mise en scène, costumes et numéros originaux et spectaculaires en font un événement inoubliable qu'on ne peut que vous conseiller vivement. Un must malgré le prix assez élevé.
– *Les fêtes de la Nouvelle-France :* fêtes inaugurées en 1997. Début août. Reconstitutions historiques, chasses aux trésors, défilés, costumes d'époque aident à raconter l'histoire des Amérindiens et des premiers arrivants. Renseignements : ☎ 694-33-11.
– *Les Médiévales de Québec :* tous les 2 ans, pendant 5 jours à la mi-août, le Vieux Québec s'anime de milliers de figurants en costumes d'époque. Défilés, tournois, joutes, concerts, animation de rue... Bain de foule assuré.
– *Fête du Travail :* 1er lundi de septembre. Tout est fermé, sauf certains musées.

Quitter Québec

En stop

– *Allôstop :* 467, Saint-Jean. ☎ 522-34-30. E-mail : allostop@total.net. Fonctionne bien. Très prisé, pratique et pas cher.

QUÉBEC (la ville) ET ENVIRONS

QUÉBEC (la ville)
ET ENVIRONS

• *Vers Montréal, la Beauce :* la route 132, l'autoroute 20 Ouest. Prendre le bus n° 11 jusqu'à l'angle de la rue Lavigerie et du boulevard Laurier ou encore le n° 13.
• *Vers la Gaspésie :* route 132 Est, autoroute 20 de Lévis. Après le traversier, prendre le bus n° 21 jusqu'à la route 132.

LE QUÉBEC

- *Vers le Saguenay, le lac Saint-Jean :* bus n° 32 jusqu'au lac Clément, puis marcher jusqu'au boulevard Talbot.
- *Vers Charlevoix, la côte Nord :* bus n° 3 jusqu'à la place Jacques-Cartier, puis bus n° 53 jusqu'aux chutes de Montmorency. Commencer sur la route 138.

En bus

🚌 *Gare centrale des bus* (plan III, B1) : gare du Palais, 320, Abraham Martin. ☎ 525-30-00.

● *Pour Montréal :* bus toutes les heures à l'heure pile, de tôt le matin à tard le soir.

● *Vers Charlevoix et le Nouveau-Brunswick :* fréquence assez faible.

● Quelques bus pour *Baie-Saint-Paul, Tadoussac, Baie-Comeau.*

En train

🚆 *Gare du Palais* (plan III, B1) : 450, rue de la Gare-du-Palais. Infos et réservations : ☎ 524-41-61.

● *Vers Montréal :* 4 trains par jour en semaine, 2 ou 3 en fin de semaine.

🚆 *Gare de Lévis :* 5995, rue Saint-Laurent, Lévis. ☎ 833-80-56. Pour les départs vers l'Est et le Sud.

● *Pour la Gaspésie :* 3 trains par semaine rallient Percé via Rimouski, Matapédia et la baie des Chaleurs.

● *Pour Halifax :* 3 trains par semaine.

En avion

– *Bus pour l'aéroport :* avec la compagnie *Feuille d'Érable et Dupont.* ☎ 649-92-26. Départ du château Frontenac et, en saison, de certains grands hôtels. Se renseigner par téléphone pour les horaires.

AUX ENVIRONS DE QUÉBEC

★ *WENDAKE – LE VILLAGE DES HURONS*

Réserve amérindienne, à une quinzaine de kilomètres de Québec par l'autoroute 175 Nord (sortie 154). Située sur le boulevard Bastien, en direction de Loretteville. En bus, prendre le n° 801 de la place de Yonville jusqu'au terminus Charlesbourg, puis le bus n° 72 jusqu'au village. Bon, c'est long et très compliqué. On conseille plutôt de louer une voiture pour une journée, en vous groupant.

On est bien ici dans une réserve, mais la visite peut s'avérer décevante si l'on s'attend à l'image d'un village indien conforme à celle répandue par les westerns ! Les Hurons d'aujourd'hui vivent (presque) comme des Canadiens et on peut traverser la réserve sans se rendre compte qu'on est en territoire indien ! Cela dit, la visite peut s'avérer très intéressante d'un point de vue culturel et social... Les plaques de rue en bois sont les seuls éléments qui montrent qu'on est dans la réserve. Celle-ci s'étend sur 1 km de long et environ 500 m de large ; environ un millier d'Amérindiens y vivent. Quitte à ouvrir une porte ouverte, rappelons que tout le monde va et vient à son gré dans et hors de la réserve. Rien à voir avec un ghetto. Simplement, le fait de vivre là donne aux Amérindiens, et ici en l'occurrence aux Hurons, des droits particuliers à ce peuple et des devoirs inhérents à leur communauté. Pour en savoir plus sur ce sujet, lire, plus haut, notre rubrique « Les peuples autochtones dans l'histoire canadienne » au chapitre « Histoire et société ».

La réserve, comme le reste de la ville alentour, est composée de maisons, de petits jardins, de voitures américaines. L'élément touristique principal est le village Huron-Wendat reconstitué (voir plus loin). Beaucoup de touristes viennent également pour l'artisanat huron. Si l'on trouve de-ci, de-là quelques objets fabriqués à Hong Kong ou Taiwan, l'essentiel de la production est authentique. Maquettes, calumets de la paix, chaussures, muraux en poil de caribou... et poupées en plastique. La plupart des boutiques se situent le long du boulevard Maurice-Bastien. On peut y faire un petit tour après la visite du village reconstitué.

La vie de la réserve

La réserve a officiellement le statut de Nation huronne-wendat (prononcer « oua-yendat »). Son drapeau représente un castor, des raquettes et un canot. Elle possède son école et sa propre police. Un grand chef et six autres chefs sont chargés de faire fonctionner cette microsociété, de préserver l'héritage culturel du peuple huron et de défendre les intérêts de la Nation contre le pouvoir « blanc ». Cela dit, tout n'est pas parfait au sein de ce « laboratoire humain » : les effets pervers d'un capitalisme sauvage se font sentir avec l'affluence touristique, et les plus importantes familles du village semblent monopoliser les avantages de cette manne financière...

Où dormir ? Où manger ?

🛏 *La Maison Aorhenché :* 90, François-Gros-Louis, village Huron-Wendat. ☎ 847-06-46. Fax : 847-45-27. Décorées suivant un thème différent, 3 chambres vastes, chaleureuses et impeccables. 2 salles de bains. Accueil charmant. Excellent petit déjeuner. Les prix sont dans la moyenne.

🍴 *Restaurant Nek8arre :* 575, rue Stanislas-Koska, dans le village huron reconstitué, sur la réserve huron-wendat de Wendake. ☎ 842-43-08 ou 847-97-89. Pour s'y rendre à partir de Québec, boulevard Laurentien (73), direction nord, sortie De La Faune, Saint-Émile (154). Ouvert tous les jours de fin juin à mi-octobre, de 12 h à 17 h. Le soir : pour groupes seulement. Réservation conseillée. Ouverture non fixe hors saison (novembre à mai) : téléphoner avant.
Restaurant amérindien dans une cabane en bois traditionnelle reconstituée. Cuisine uniquement à base d'aliments utilisés autrefois par les Indiens hurons-wendat : maïs, fèves, pommes de terre, *banique* (c'est du pain sans levain), courges, haricots, riz sauvage et viande de bois. Et pas n'importe quelle viande ! On mange au choix (et selon arrivage) : bison en sauce (rassurez-vous, la viande vient d'un élevage), brochettes de caribou (lui, il est sauvage !), grillade de chevreuil, truite arc-en-ciel cuite dans l'argile, confit de canard, pain de viande de cerf et chaudrée de lièvre et perdrix. Le menu comprend également une entrée de viandes fumées et des soupes à la citrouille, aux graines de tournesol, aux courges, ainsi que la fameuse *sagamité* (plat national des Hurons-Wendat, composé de fèves rouges, maïs lessivé et quelques morceaux de viande). Pour terminer le repas, on peut déguster un bon dessert typique, accompagné d'une tisane. C'est vraiment bon, et les prix sont très honnêtes pour un repas aussi original. Il existe aussi un menu végétarien. On peut également réserver les services de la troupe de danse ainsi que du conteur de légendes, afin d'agrémenter la soirée. Bref, un lieu vraiment intéressant, qui permet d'en savoir un peu plus sur les Hurons-

QUÉBEC (la ville) ET ENVIRONS

Wendat et sur les Amérindiens du Québec d'aujourd'hui et sur leur histoire. Cela dit, pas d'illusions : l'endroit est évidemment hyper touristique.

À voir dans la réserve

★ **Le village traditionnel huron-wendat Onhoüa-Chetek8e reconstitué :** 575, rue Stanislas-Koska. Site ouvert du 20 avril au 20 octobre, tous les jours de 9 h à 18 h (dernière visite à 17 h), et du 21 octobre au 19 avril de 9 h à 17 h (dernière visite à 16 h). Visite guidée payante en compagnie de guides amérindiens, toutes les 30 mn. Le village s'étend sur 1 ha environ et témoigne de la vie d'autrefois chez les Hurons-Wendat. On visite, dans l'ordre, une « longue maison » traditionnelle en bois et en écorce, un fumoir et un séchoir à viande, une hutte de sudation, des kiosques portant sur la société des Faux-Visages, les premiers contacts avec les Européens, la situation des Premières Nations du Québec et sur la vie contemporaine de Wendake, ainsi que des ateliers de construction de raquettes et de canoës. Le tout est agrémenté de panneaux explicatifs sur l'histoire du peuple huron-wendat.

Après la visite, allez donc déjeuner au restaurant traditionnel (voir ci-dessus). On y trouve également la boutique *Le Huron* et ses nombreux souvenirs, objets d'art et d'artisanat amérindien-inuit, et une échoppe de photos-souvenirs. Plus intéressant : la librairie *Huron-Wendat,* où l'on peut se procurer C.D., cassettes et livres sur les Amérindiens. On conseille notamment des ouvrages qui vous éclaireront ou plus plus sur l'histoire, la philosophie et l'actualité des Premières Nations du Canada. Enfin, la boutique *Le Chamane* vous proposera des herbes médicinales, tisanes, parfums... et « potions magiques ».

★ LA CHUTE MONTMORENCY

Près de Beauport, à environ 8 km au nord-est de Québec, sur la rive gauche du Saint-Laurent, face à l'île d'Orléans.

Pour y aller en voiture c'est facile, Beauport est fléché. En bus, c'est plus compliqué. Prendre dans la basse ville, sur la place Jacques-Cartier, le bus n° 53 (départ toutes les 90 mn) si l'on veut être déposé en bas de la chute et le bus n° 800 puis n° 50 (du terminus de Beauport) si l'on souhaite être déposé en haut. Bon, un peu galère. Là encore, il peut être intéressant de louer une voiture pour une journée à plusieurs, de voir la chute Montmorency puis d'aller voir le village huron reconstitué.

La chute est de 30 m plus haute (83,50 m) que celles du Niagara mais moins impressionnante. Environnement ingrat. Pas mal de touristes. Grand parking payant (assez cher). Kiosque d'information où est présentée la chute. Celle-ci a été exploitée au maximum sur le plan touristique. On y trouve un téléphérique (payant) menant à son sommet, des sentiers dont l'un conduit à une passerelle qui longe la partie supérieure de la chute et qui se poursuit jusqu'à un ancien camp militaire où s'installa le général Wolfe. Belle vue. Possibilité de redescendre par un escalier de 487 marches face à la chute. Impressionnant. Bon, les fauchés pourront se passer du téléphérique et faire la grimpette par l'escalier. C'est vrai, la chute est assez belle mais on n'y passe pas des heures. En hiver, elle est en partie gelée, formant le « pain de sucre », et le spectacle est absolument superbe. On peut d'ailleurs escalader ces cascades de glace. Intéressant pour les amateurs. Inoubliable pour les débutants. ☎ 663-28-77. Stages de 1 à 5 jours. Tarifs honnêtes. Frissons garantis !

Tout près de la chute, le parc des Marches naturelles du côté est de la rivière. Un sentier longe la rivière en amont, dans les bois. On peut s'y baigner, mais l'eau est froide et surtout dangereuse en raison des courants. Les cas de noyade sont hélas fréquents. À quelques minutes du centre-ville, les Québécois vont s'y rafraîchir en été à leurs risques et périls.

Où dormir ? Où manger ?

▲ *Gîte de la Chute :* 5143, av. Royale, Boischatel. ☎ et fax : 822-37-89. Pour y accéder de la route 138, prendre la côte de l'Église et l'avenue Royale à gauche. À deux pas de la chute Montmorency. 2 chambres à l'étage avec vue sur le fleuve et 3 chambres en bas, plus fraîches et moins chères. Calme et agréable ; accueil sympa. Prudent de réserver en été.

▲ ⏹ *Le Petit Séjour :* 394, rue Pichette, Château-Richer. ☎ 824-36-54. Le village est à 15 mn en voiture de Québec, après le pont de l'Orléans vers Sainte-Anne-de-Beaupré. De la 138, sortie Château-Richer,

monter la côte et c'est la 2e rue à droite. Superbe maison ancienne. Accueil chaleureux. Formule *B & B*. Panorama exceptionnel sur le Saint-Laurent, l'île d'Orléans, le cap Tourmente. 5 chambres très agréables décorées avec goût (beaux tableaux). Grands lits. 3 d'entre elles peuvent accueillir 4 personnes. 2 salles de bains communes et une salle d'eau. Au rez-de-chaussée, une grande chambre avec salle de bains privée et petit salon. Excellent petit déjeuner. Un petit peu cher cependant. Réservation recommandée. Fait aussi resto le soir sur réservation (apporter son vin), bon et copieux.

★ LE PARC DU MONT-SAINTE-ANNE

Situé à *Beaupré*, à une quarantaine de kilomètres au nord-est de Québec. Ouvert du 15 mai au 1er novembre. Entrée payante. Une télécabine mène au sommet de la montagne d'où l'on bénéficie d'un chouette panorama sur le Saint-Laurent, le cap Tourmente (réserve d'oiseaux) et l'île d'Orléans. Voir aussi le spectaculaire *canyon des chutes Sainte-Anne,* à Saint-Joachim (sur la route 138 Est, direction Baie-Saint-Paul, 6 km après la basilique), enjambé par un pont suspendu à 55 m au-dessus. Entrée payante. Les chutes sont hautes de 75 m. Des passerelles permettent de traverser le canyon à différents niveaux. Un journal québécois a pu écrire à leur sujet : « Le vocabulaire le plus complet n'est qu'un pauvre secours dans la tentative de décrire la splendeur du site, et rien ne vaut une visite des lieux pour comprendre la richesse de la nature québécoise. » Cela dit, cette excursion très touristique n'intéressera que ceux qui ont vraiment le temps de visiter le Québec ou qui reviennent de la côte Nord. Renseignements : ☎ 827-40-57. Fax : 827-24-92. D'autres chutes *(les 7 Chutes)* à Saint-Ferréol. Site splendide, en pleine forêt, mais l'entrée est chère. On a gardé notre préférée pour la fin : la *chute Jean-Larose,* qui se jette de 68 m de haut en 3 cascades. Beaucoup moins spectaculaire que ses voisines, mais aussi moins fréquentée et... gratuite. De plus, on peut s'y baigner à différents étages dans des petits bassins naturels. On y accède par un sentier qui part du parking du terrain de golf, au pied de la station du Mont-Sainte-Anne.

Le parc du Mont-Sainte-Anne en hiver

Ce sont 54 pistes douces ou abruptes couvrant 63 km sur 3 versants, s'élevant à 800 m pour un domaine skiable de 170 ha. Bien desservie par bus, la station du Mont-Sainte-Anne est très correctement aménagée. Ici la journée ne se termine pas à 16 h, avec le coucher du soleil, il faut se laisser tenter par l'atmosphère toute particulière du ski en soirée (14 pistes éclairées sur

15 km). Forfaits intéressants par rapport à ceux pratiqués en France. Attention, la face nord du mont Sainte-Anne, avec son vent glacé, est vraiment froide.

Où dormir ? Où manger ?

â **Les Arolles :** 3489, av. Royale, Saint-Férréol-les-Neiges. ☎ et fax : 826-21-36. Maison très douillette avec 4 chambres à l'étage qui portent le nom de différentes stations de ski (Méribel, Zermatt, Chamonix et Kitzbühel) et la jolie « suite Honfleur » au rez-de-chaussée. Accueil charmant et prix raisonnables.

l●l *Le Café Colette :* 2190, av. Royale, Saint-Férréol-les-Neiges. ☎ 826-19-63. Ouvert du lundi au samedi de 17 h à 23 h. Petit chalet à l'intérieur accueillant et chaleureux. Cuisine d'inspiration française composée avec néanmoins la viande et les produits locaux : caribou au poivre, filet mignon de bison au madère, cailles vigneronnes... Restaurant de qualité, prix en conséquence.

★ SAINTE-ANNE-DE-BEAUPRÉ

On peut éviter le Lourdes local, qui ne présente guère d'intérêt. C'est une basilique en granit blanc de la région, à la décoration intérieure très kitsch, qui attire énormément de pèlerins et touristes nord-américains... En revanche prendre, derrière l'église Sainte-Anne, l'*avenue Royale* qui continue jusqu'à Québec, parallèlement à l'autoroute longeant le fleuve. Très pittoresque. Jolies maisons traditionnelles, superbes résidences de l'aristocratie québécoise ! Et une adresse sympa où dormir.

Où dormir ? Où manger ?

â **La Maison d'Ulysse :** 9140, av. Royale. ☎ 827-82-24. Une maison bien agréable, pleine de boiseries, dans une rue calme à l'écart du boulevard Sainte-Anne. Jolies chambres décorées dans des couleurs sympa, avec ou sans salle de bains, baptisées « Iliade », « Odyssée », ou « Pénélope ». Petit déjeuner sur la terrasse couverte donnant sur une pelouse.

l●l *Le Montagnais :* 9450, bd Sainte-Anne. ☎ 827-10-71. Grand resto au bord de la route 138. Cadre sans intérêt, mais menus copieux et vraiment pas chers, surtout le midi. Excellents petits déjeuners à prix très doux. Goûtez le « Tentation », vous serez bien calé...

LE PARC DES LAURENTIDES

À ne pas confondre avec la région des Laurentides, il est situé au nord de Montréal. Le parc des Laurentides est l'une des plus grandes réserves naturelles du Québec, couvrant une superficie de plus de 10 000 km². Il se partage désormais en 2 parties : le parc de la Jacques-Cartier et la Réserve faunique des Laurentides. Reliefs variés avec plusieurs sommets atteignant plus de 1 000 m d'altitude. Habitée, vous vous en doutez, par toutes sortes d'animaux sauvages, lynx, ours noirs, loups, orignaux, castors, etc., et 132 espèces d'oiseaux. Avec de la chance, vous en rencontrerez certains.

Possibilité d'y faire des stages de canoë-kayak. Se renseigner aux offices du tourisme de Québec et de Chicoutimi et demander les brochures des trois régions touristiques suivantes : Québec, Charlevoix et Saguenay-lac Saint-Jean. On trouve, le long de la vallée Jacques-Cartier, de nombreux emplacements de camping assez rudimentaires et de chouettes balades à accomplir, à V.T.T. ou à pied, allant de la courte promenade de 30 mn à la randonnée d'une journée. La *Société de gestion des activités commerciales du parc de la Jacques-Cartier* organise, par ailleurs, diverses activités, entre autres, le kayak, le canotage, le camping, la pêche à l'omble, etc. ☎ 848-13-56. Vous pouvez aussi contacter, pour cela, *Faune Aventure* ; ☎ 848-50-99. N'oubliez pas de vous munir d'ANTI-MOUSTIQUES, les bestioles étant par moments capables de vous gâcher le séjour.

À 50 mn en voiture, les Québécois viennent y passer leur week-end. De Québec, prendre la route 175 en direction de Chicoutimi.

– *En bus de Québec : autobus Orléans*. ☎ 525-30-00.

L'ÎLE D'ORLÉANS   IND. TÉL. : 418

> *Pour supporter le difficile*
> *et l'inutile*
> *y'a l'tour de l'île.*
> *Quarante-deux milles*
> *de choses tranquilles*
>
> Félix Leclerc.

Longue de 34 km, l'île d'Orléans, patrie de Félix Leclerc, est un coin de Normandie au Québec. Le tour complet par le chemin Royal fait 67 km. Découverte par Jacques Cartier, elle fut baptisée tout d'abord « île de Bacchus », à cause des vignes sauvages qui y poussaient. L'île compte toujours une trentaine de familles descendant des premiers occupants (il y a plus de 3 siècles). Environ 7 000 habitants. L'île vécut longtemps pratiquement en autarcie. Le pont n'a été construit qu'en 1935. Avant, il fallait s'y rendre en bateau ou, en hiver, à pied sur le Saint-Laurent gelé. Paysage parsemé de maisons de pierre, de vieilles fermes. Églises de pierre et minuscules chapelles de procession, ce qui comblera les fans d'architecture rurale. On compte environ 50 maisons datant du régime français. Malgré l'afflux des gens de la ville, attirés par la douceur du paysage, l'île conserve sa vocation agricole. Ses pommes sont réputées et ses fraises délicieuses. Cueillette en juillet. Possibilité donc d'y trouver un job (surtout à Saint-François). Si c'est la saison, goûtez la fameuse « tire d'érable » dans l'une des nombreuses cabanes à sucre. Peut-être un peu dur à digérer, mais tellement bon.

Le mieux est encore de faire le tour de l'île à vélo et de prendre son temps pour musarder. Cela dit, pas grand-chose à faire sur l'île, si ce n'est respirer l'atmosphère du passé. Certains routards reviennent déçus, d'autres s'y sont bien reposés après la frénésie de Montréal et Québec. On peut y pratiquer, l'hiver, la pêche blanche ainsi que le ski de piste, et se balader en traîneau à chiens.

Pour dormir, ce n'est pas très bon marché. Quelques auberges assez chic, situées dans des endroits très agréables, et des *B & B* un peu partout.

Adresses utiles

🅾 *Kiosque d'information touristique de l'île :* 490, côte du Pont, paroisse Saint-Pierre. ☎ 828-94-11. Le kiosque est à 1 km du pont, en arrivant sur l'île, toujours tout droit, sur le côté de la route. Ouvert de 9 h à 17 h du lundi au jeudi et de 9 h à 19 h du vendredi au dimanche ; l'hiver, du lundi au vendredi de 9 h à 17 h. Brochures disponibles et plan sommaire de l'île avec indications des sites à voir. Location (chère) de cassettes-guides audio. Bon, on peut très bien s'en passer.

■ *Location de vélos :* face à l'office du tourisme, à la *Location-essence Pétro Canada*. Location à l'heure, à la demi-journée ou à la journée.

★ *SAINT-PIERRE*

Le premier village sur votre gauche. À 2,5 km du carrefour après le pont. On y trouve une fort belle *église* classée monument historique, édifiée en 1717. C'est la plus ancienne du Québec encore debout. Un système audio en raconte l'histoire en musique. La décoration intérieure n'a pas bougé depuis près de trois siècles. Étonnant parquet jaune, plafond peint, etc. Noter le chauffage « central ». On peut y voir les longs boxes qui se fermaient sur les côtés et le « banc des marguilliers », box à trois places, bien séparé de l'assistance, et occupé par des fidèles qui secondaient le curé dans l'organisation de la paroisse. Il en était élu un nouveau par an et le renouvellement du « banc » prenait ainsi trois ans, le deuxième marguillier devenant le premier, et le troisième, le deuxième... La fonction était très prestigieuse à l'époque.

Dans le nouveau cimetière (celui situé au 1595, chemin Royal), vous trouverez la tombe de l'immense chanteur Félix Leclerc, mort ici le 8-8-1988. Au pied de sa tombe, des chaussures « orphelines » en mémoire de sa chanson « *Les Souliers* ».

Attenant à l'église, un magasin qui vend de l'artisanat local.

Où dormir ? Où manger ?

🛏 |●| *Au Vieux Foyer :* 2687, chemin Royal. ☎ 828-91-71. Ambiance chaleureuse dans cette adorable fermette rustique qui n'est autre qu'un ancien musée. Lits à baldaquin, piano, beaucoup de meubles en bois dans chaque chambre. Salles de bains privées. Petit déjeuner copieux : yaourt aux fruits, croissant ou crêpe, saucisses grillées, charcuteries diverses, fromages, fruits. Éventuellement, dîner sur demande (soupe aux pois, ragoût de pieds de porc, pudding du chômeur). 2 cabanes indépendantes à louer dans le jardin, dont une avec 2 chambres et une cuisine équipée. Possibilité de transport au départ de Québec, location de vélos, de raquettes, de skis de fond, de motoneige, et de traîneau à cheval. En prime, Daniel, le proprio, qui se définit lui-même comme un personnage « coloré », vous fera peut-être partager ses convictions sur le Québec et la francophonie. Prix corrects. Noter les urinoirs pour hommes dans les chambres.

🛏 |●| *Le Vieux Presbytère :* 1247, rue Royale, derrière l'église Saint-Pierre. ☎ 828-97-23. Fax : 828-21-89. Jolie demeure avec galerie extérieure, en bois, dans un petit jardin. Beau salon avec harmonium et parquet. 5 chambres agréables, certaines donnant sur le fleuve. Prix va-

L'ÎLE D'ORLÉANS

riables selon la taille de la chambre. La plus chère, aux murs de pierre, possède sa propre salle de bains. Dans les champs derrière, bisons et wapitis. On peut louer des V.T.T. à la journée ou à l'heure. Excellente cuisine mais chère. Goûtez l'aumônière de pétoncles ou l'assiette des trois gibiers.

≜ |●| *Maison sur les Pendants :* 1463, chemin Royal (à la sortie de Saint-Pierre en allant vers Saint-Laurent). ☎ 828-11-39. Quelques chambres dans une maison sympa, avec une grande salle à manger. Boiseries, fleurs séchées. Un peu plus cher que la moyenne des autres gîtes, et pas très confortable. Propose aussi une table d'hôte.

≜ *Le Crépuscule :* 863, rue Prévost. ☎ 828-94-25. *Gîte du Passant* plein de charme, aux chambres confortables. Excellent « petit » déjeuner pantagruélique (muffins aux bleuets, crêpes, confiture maison, fèves au lard, fruits, café, jus de fruits, etc.). Louise et Gilles, les hôtes, sont vraiment sympathiques et chaleureux. Elle « placote » facilement et, connaissant parfaitement l'île et la région, vous donne beaucoup de tuyaux.

|●| *Buffet d'Orléans :* 1025, route Prévost. À Saint-Pierre également, près du pont, non loin du kiosque d'infos touristiques, en continuant tout droit. ☎ 828-00-13. Ouvert environ de 7 h à minuit. Spécialités québécoises assez bon marché, et bien lourdaudes comme la tourtière maison avec pommes de terre pilées, la soupe aux fèves rouges, le bouilli canadien, de délicieuses tartes, gâteaux renversés avec crème (pommes, fraises, framboises...). Ouvert depuis 30 ans, c'est l'adresse immuable, avec Formica et serveuses en jupe noire. Accueil plutôt quelconque.

★ SAINTE-FAMILLE

La route suit sans cesse le Saint-Laurent en surplomb, livrant une belle perspective sur la rive nord. Sainte-Famille est la capitale de la fraise et de la framboise. Quelques fermes anciennes, parfois tricentenaires. Architecture des granges remarquable. Adorable chapelle de procession en bord de route. En face, l'une des plus ravissantes maisons de l'île avec galerie extérieure sculptée. Là aussi, une séduisante église à trois clochetons construite en 1749. Intérieur richement décoré, chœur à demi-coupole, encadré de deux élégantes galeries à balustrades. Dans le bas de Sainte-Famille, sur votre droite, superbe maison Canac-Marquis, avec sa grande pelouse fleurie et son toit rouge vif. Le village est l'une des haltes favorites des oies bernaches.

Où dormir ? Où manger ?

🛏 *Le Gîte de la Picardie :* 3547, chemin Royal. ☎ 829-38-32. Maison située dans un grand verger. Très propre. Pour le même prix que les chambres, on vous conseille la « suite vieillotte » au sous-sol, un peu sombre mais fraîche. Accueil adorable de Marcel et de sa femme. Framboises du jardin au petit déjeuner.

🛏 *Le Gîte du Mitan :* 3863, chemin Royal. ☎ 829-34-92. Sans grand charme, mais chambres propres et bon marché. Accueil très sympa.

Pour le petit déjeuner, tout est fait maison, « sauf les œufs : c'est les poules ! », précise la patronne.

🍴 *Cabane à Sucre Le Relais des Pins :* 3029, chemin Royal, à environ 8 km du pont de Saint-Pierre. ☎ 829-34-55. Ouvert de 12 h à 21 h. Grande salle en bois, genre cantine rustique. Cuisine paysanne québécoise typique, pas très chère, comme l'assiette du bûcheron : pâté, patates, fèves au lard. Desserts maison.

★ SAINT-FRANÇOIS

À 15 km de Sainte-Famille, l'un des bouts de l'île. Le fleuve Saint-Laurent s'élargit tout à coup et se prend pour la mer. Vue sur l'archipel de Montmagny, l'île Madame et l'île aux Ruaux. Sur votre gauche, le cap Tourmente et le mont Sainte-Anne.
Église de style breton datant de 1734, la plus petite de l'île. Elle a brûlé en 1988 mais a été restaurée. Noter, derrière l'église, la maison de nos Aïeux : les Québécois vont y retrouver la trace de leurs ancêtres.

Où dormir ? Où manger ?

🛏 *Camping Orléans :* 357, av. Royale, à la sortie de Saint-François. ☎ 829-29-53. Ouvert en principe de mi-mai à mi-septembre. Situé en bord de fleuve dans un site boisé. Bien équipé (douches, buanderie) mais assez cher. Piscine. Également des petits chalets à louer à la semaine, au mois ou à la saison. Location de vélos. Aire de jeux. Belle situation.

🛏 🍴 *Auberge Chaumonot :* 425, av. Royal, à la sortie de Saint-François (direction Saint-Jean). ☎ 829-27-35. Ouverte tous les jours midi et soir. Vaste hôtel-restaurant en bord de fleuve. Style et atmosphère assez chics. Service un peu coincé. Table d'hôte seulement, à prix convenable. En revanche, chambres chères et sans charme. Piscine agréable en terrasse.

★ *SAINT-JEAN*

À 12 km de Saint-François, le village s'étire longuement en un chapelet de très jolies maisons toutes pimpantes, avec balcons fleuris. Importante paroisse fondée en 1679, considérée comme la « capitale » de l'île. Elle produisit autrefois la majorité des pilotes qui remorquaient les gros navires sur le fleuve. En 1834, il y en avait 45 nés et vivant à Saint-Jean. En 1975, le dernier d'entre eux vendit sa maison pour s'installer à Québec. Très romantique *cimetière marin* face au fleuve.

Où dormir ? Où manger ?

🛏️ |●| *Auberge de jeunesse Le P'tit Bonheur :* 183, côte Lafleur. ☎ et fax : 829-25-88. Ouverte toute l'année. En venant de Saint-Laurent, il faut tourner à gauche après un virage, juste avant le petit pont qui enjambe la rivière Lafleur (l'inverse en venant de Saint-François). Après, ça grimpe sec. En haut de la côte, suivre la direction du centre équestre. Carte non obligatoire. Monique Simard a ouvert son A.J. en 1995, et le succès ne s'est pas fait attendre. La maison est mignonne comme tout, et le site génial : grande prairie et vue imprenable sur le Saint-Laurent. D'ailleurs, on peut dormir dans les tipis devant l'A.J. ou au milieu de la forêt, ou encore dans des abris de trappeurs. L'auberge est accueillante. Pas chère du tout (prix des A.J.). On peut aussi y manger à très bon prix, ou choisir de faire sa cuisine. Petit déjeuner très copieux. Monique, qui a la bonne humeur communicative, est dynamique et fourmille d'idées pour occuper ses hôtes. En été : location de V.T.T., de kayak de mer, de *sea-doo*, baptême de deltaplane... En hiver : location de raquettes, de motoneige, balades guidées en traîneau... Le tout à des prix très honnêtes. Pour une mini-pincée de dollars, Monique vient vous chercher à Québec en voiture ou vous y conduit. Si vous restez longtemps, le trajet est gratuit. Une excellente adresse, et à notre avis le meilleur endroit pour dormir sur l'île. Et n'oubliez pas que ce n'est qu'à une petite demi-heure de voiture du centre de Québec. Alors si vous avez envie de vous mettre au vert... n'hésitez pas !

🛏️ Monique Simard dispose aussi, dans une autre maison de *chambres privées*, plus chères (prix d'un *Bed & Breakfast*). Même cadre bucolique, même accueil souriant, mêmes services, mais destinés aux routards plus argentés.

🛏️ |●| *La Maison de Pierres :* 3673, chemin Royal (quitter la route au panneau et prendre le chemin de terre). ☎ 829-11-66. Gîte installé dans une maison du XVIIIe siècle, tout en pierre et au vieux parquet qui craque. Peu de meubles, pour ne pas cacher les murs. Mais le résultat est tout de même chaleureux, grâce à la grande cheminée et à l'atmosphère particulière. À l'étage, 4 jolies chambres douillettes se partagent 2 salles de bains. Outre l'accueil et le cadre, le gîte fait le régal des passants grâce à son arme secrète : le petit déjeuner, très copieux. En réservant 24 h à l'avance, on peut y savourer un excellent dîner : gibier canadien, cuisine asiatique, etc. Réservation conseillée, bien sûr.

|●| *Le Mas de l'Isle :* 1155, chemin Royal. ☎ et fax : 829-12-13. Au sommet d'une collinette dominant le Saint-Laurent. Sympathique maison tout en bois, tenue par un couple qui a ses petites habitudes, ses petites règles, autant le savoir : interdiction de fumer dans toute la maison et petit déjeuner à 8 h tapantes, à prendre tous ensemble dans la salle à manger. D'ailleurs, on vous réveillera ! Très calme. Jolies chambres claires et coquettes. Salle de bains commune. Petit déjeuner compris. Avertissement aux allergiques : il y a un chat !

À voir

★ *Le manoir Mauvide-Genest :* 1451, chemin Royal. ☎ 829-26-30. Ouvert tous les jours de mai à fin août, de 10 h à 17 h 30, puis le week-end seulement jusqu'à mi-octobre. Visite guidée, en costume d'époque. Manoir de style normand construit en 1734 par Jean Mauvide, chirurgien du roi sous Louis XV. Sur la façade, traces de boulets envoyés par la flotte anglaise, en 1759 pendant le siège de Québec. Le manoir abrite aujourd'hui un superbe musée historique et ethnographique. Au rez-de-chaussée, expo d'objets domestiques, de meubles et de divers instruments et outils. Curieux « banc des quêteux ». Au 1er étage, élégant mobilier victorien. Jolies chambres aux vieux meubles paysans (lit à baldaquin du XIXe). Séduisantes chambres des maîtres avec grosses poutres et plancher d'origine. Noter les curieuses lunettes qui permettent de voir les images en trois dimensions. Grille de chauffage pour laisser monter l'air chaud.

★ **SAINT-LAURENT**

À 11,5 km de Saint-Jean. C'est ici, précisément, que débarquèrent Wolfe et ses troupes pour effectuer le siège de Québec. Parmi ses officiers, le célèbre navigateur-explorateur James Cook, découvreur des grandes îles du Pacifique. Le vieux moulin abrite aujourd'hui un restaurant réputé. Depuis Saint-Laurent, départs le week-end pour l'île aux Grues et Grosse Île. *Croisières d'Anty :* ☎ 659-54-89.

Où dormir ?

🛏 *La Vieille Maison Fradet :* 1584, chemin Royal. ☎ 828-95-01. C'est un *Gîte du Passant* bien douillet, installé dans une jolie maison vieille de plus de 150 ans. Plusieurs tarifs, raisonnables, avec petit déjeuner. Certaines chambres ont une salle de bains.
🛏 *La Maison sous les Arbres :* 1415, chemin Royal. ☎ 828-94-42. Maison moderne, complètement dans le style des années 70, à la déco soignée. Petit jardin et vue sur le fleuve. De plus, Germaine est très gentille. Prix habituels pour un *B & B*. L'une des chambres a une salle de bains. Pour non-fumeurs uniquement. Petite piscine adorable, accessible aux clients à partir de 17 h.

🛏 *Gîte du Passant La Nuitée :* 925, chemin Royal. ☎ 829-39-69. Agréable maison au bord du Saint-Laurent. 3 chambres dont une plus grande avec vue sur le fleuve. Accueil très sympa. Le mari de l'hôtesse est capitaine-pilote sur le Saint-Laurent.
🛏 *Gîte de l'Eau Vive :* 909, chemin Royal, G0A-3Z0. ☎ 829-32-70. E-mail : frack@mediom.qc.ca. 3 chambres douillettes, joliment décorées, propres et spacieuses. Agréable jardin. Super petit déjeuner, concocté par Micheline Turgeon, que l'on savoure en contemplant le Saint-Laurent. Excellent accueil.

Où manger ?

◗◀ *Le Moulin de Saint-Laurent :* 754, chemin Royal. ☎ 829-38-88. Ouvert de mai à octobre. Comme son nom l'indique, le restaurant est installé dans un ancien moulin, à côté d'une puissante chute d'eau.

Construit il y a plus de 250 ans, le moulin a été en activité jusqu'en 1930. Salle à manger chicos. Le midi, « repas léger » servi de 11 h 30 à 14 h 30 : soupes, salades, darne de saumon, petit filet mignon, etc. Prix honnêtes pour l'endroit, à midi. Le soir, table d'hôte plutôt chère, de 18 h à 21 h. Quantité de bons plats, comme le feuilleté de ris de veau, l'escalope aux morilles, le filet de porc aux pommes et au calvados, etc. Musique et chanson du jeudi au dimanche.

|●| *Auberge Le Canard Huppé :* 2198, chemin Royal. ☎ 828-22-92.

Fax : 828-09-66. Ambiance feutrée et musique de fond à l'intérieur pour les dîners gastronomiques (pétoncles et asperges aux agrumes, ris de veau à la fondue de poireaux, escalope de requin fumé, sanglier aux gingembre, mangues et bleuets...). Terrasse sympa à l'extérieur pour les repas plus légers du midi (tartare de saumon, mousseline de foies de volaille sur gelée de cèdre, saumon à l'orange et poivre rose...). Évidemment assez cher. Forfait repas du soir, nuit et petit déjeuner en chambre tout confort mais sans charme.

À voir

★ *Le parc maritime de Saint-Laurent :* 120, chemin de la Chalouperie. ☎ 828-23-22. Bien fléché. Sur le site d'un ancien chantier maritime qui s'arrêta en 1967. Dans une petite chalouperie, collection d'outils et infos sur la construction navale. Pas très loin de là, à côté d'un étang où l'on peut pêcher des truites, une érablière est également à visiter.

★ SAINT-PÉTRONILLE

Lieu de résidence privilégié des artistes et des riches Américains au XIXe siècle. Calme et repos total. Par temps clair, vue pittoresque sur Québec. Belles villas enfouies parmi les arbres centenaires. Selon nous, le plus mignon des villages de l'île... D'autant qu'on peut y déguster depuis peu un petit vin blanc local assez doux et tout à fait honorable, issu du croisement entre les vignes sauvages qui peuplaient l'île, très résistantes au froid mais au raisin très amer, et des cépages aurore, chancellor et prince of Wales. Achat et dégustation au *vignoble de Saint-Pétronille :* 1A, chemin du Bout-de-l'île. ☎ 828-95-54. Ouvert tous les jours de mi-juin à mi-octobre, de 10 h à 18 h. Cette petite exploitation a produit 5 000 bouteilles en 1995 et vient de planter 5 000 nouveaux pieds qui ont donné leur première petite récolte en 1998. À suivre.

Ne pas manquer non plus de s'arrêter à la *chocolaterie* pour ses chocolats, bien sûr, mais aussi et surtout pour y déguster des glaces maison remarquables et pas chères du tout. Hmm ! Celle aux bleuets...

– CHARLEVOIX –

*En ce lieu se célèbre
le mariage de la mer
aux levers et couchers de soleil.
Quenouilles, blés de mer
et immortelles
vous tourmenteront jusqu'à ce que
vous les mettiez en gerbe !*

On l'affirme avec force : impossible de voyager au Québec sans rendre visite

à Charlevoix. Cette région splendide est la conséquence d'une série de phénomènes géophysiques exceptionnels : glaciations successives qui ont
creusé, modelé, usé le paysage. La mer de Champlain recouvrit longtemps
les terres, y déposant des couches d'argile. Il y eut jusqu'à une énorme
météorite qui tomba dessus et provoqua un cratère de 56 km de diamètre,
bouleversant le relief et façonnant le paysage de Charlevoix. C'est d'ailleurs

CHARLEVOIX

le plus grand cratère de la planète. Résultat : un paysage d'une douceur
extra qu'il faut aborder avec délicatesse, qu'il faut « consommer », comme si
l'on buvait un château-lafite vieux de trente ans. Partez à la découverte de
l'arrière-pays par les anciens chemins de rangs : *Pis-Sec, Pousse-Pioche,
Main-Sale, Cache-toi-bien, Craque-Raie*... Et puis, Charlevoix a produit de si
belles destinées : *Alexis le Trotteur, Louis l'Aveugle* et *Boily le Ramancheur*.

Si vous êtes sage, on vous contera celle d'Alexis le Trotteur. Surtout, faites-vous raconter les autres. Et puis Charlevoix, c'est une hospitalité légendaire, faite de chaleur et de simplicité.

Charlevoix est également la première région habitée par l'homme à s'être vu attribuer le statut officiel de Réserve mondiale de la biosphère par l'Unesco (novembre 1988). Attention : on ne dit pas « le » Charlevoix, mais « Charlevoix », tout simplement.

BAIE-SAINT-PAUL (G321NI)
IND. TÉL. : 418

Cachée au fond d'une vallée, aux formes et couleurs veloutées, Baie-Saint-Paul va vous livrer ce qu'elle possède au fur et à mesure. Oh ! pas des monuments prestigieux, non, mais une série d'impressions délicates, d'images sereines. D'abord ses clochers argentés, puis ses rues historiques, Saint-Joseph, Saint-Jean-Baptiste et Saint-Adolphe... De-ci, de-là, quelques vénérables constructions anciennes. La *maison Simard,* 87, rue Saint-Joseph ; le *moulin César* (de 1722), plus loin, sur la gauche, par la route 362 Est. Le *moulin Remi* est dans la même direction, à 1 km. C'est aussi une ville réputée pour l'art.

Et chez les artisans, quelques belles choses qui ne sont pas toutes inabordables !

Adresses utiles

◨ *Association touristique de Charlevoix (plan B2) :* 4, rue Ambroise-Fafard (centre d'Art). Derrière l'église. ☎ 435-57-95. Ouvert de 9 h à 19 h tous les jours d'été (ça peut changer !) ; l'hiver, tous les jours de 9 h à 17 h. Accueil très chaleureux et une mine de renseignements. Situé dans le centre d'Art, on y trouve aussi une boutique qui vend des œuvres d'artistes locaux. Il existe un autre centre d'information touristique sur tout Charlevoix : *Belvédère Saint-Paul :* 444, bd Monseigneur-de-Laval (route 138) ; ☎ 435-41-60 ; ouvert tous les jours de 9 h à 21 h.

✉ *Poste (plan B2) :* 9, rue Saint-Jean-Baptiste. ☎ 435-25-41.

🚌 *Terminal des bus (Intercar) :* sur la route 138, centre commercial « Le Village », à gauche de la route direction La Malbaie *(hors plan par A 1).* ☎ 435-65-69. Vente de billets au resto *La Grignote.*

Où dormir ?

Campings

⛺ *Camping du Gouffre :* 439, rang Saint-Laurent. ☎ 435-21-43. Ouvert à partir du 15 mai. À 6 km du centre. Prendre la rue Fafard qui se poursuit par la rue Leclerc ; ensuite à gauche (c'est indiqué), la rue du Gouffre. Le camping, ombragé, est sur la gauche au bord de la rivière, 5 km plus loin. Un peu cher. Piscine, aire de jeux, tennis, sentiers pédestres.

⛺ *Camping Le Genévrier :* 1175, bd Monseigneur-de-Laval, sur la route 138 (direction La Malbaie). ☎ 435-69-76. Plus cher que le précédent et très touristique. Location de chalets. Lac artificiel pour la baignade. Tennis.

Bon marché

⛺ *Le Balcon Vert :* route 362. ☎ 435-55-87. Fax : 435-66-64. Ouvert pour l'hébergement de mi-mai à mi-octobre, mais services (bar, resto, etc.) de mi-juin à début septembre seulement. C'est à la sortie

BAIE-SAINT-PAUL

■ Adresses utiles

- **ℹ** Association touristique de Charlevoix
- **✉** Poste

🛏 Où dormir ?

- **10** Gîte chez Marie-Marthe Bouchard
- **11** Résidence Belley
- **12** Auberge du Passant La Muse
- **13** Gîte du Passant La Chouette
- **14** La Grande Maison
- **15** Motel Royal
- **16** Auberge La Maison Otis

🍴 Où manger ?

- **21** Mouton Noir

🍸 Où boire un verre ? Où sortir ?

- **14** Le Scénario
- **25** Café des Artistes

★ À voir. À faire

- **30** Randonnées Nature-Charlevoix
- **31** Centre d'exposition

de la ville, à gauche, en direction de La Malbaie. Pancarte au début du chemin. De la route, 1 km de montée (raide !). C'est une A.J. faisant également camping. Site vraiment exceptionnel, dominant la vallée et la baie. Le plus beau panorama de la région. Il n'y a pas encore eu de manif de riches pour protester... Si on ne

plante pas sa tente, logement en cabines-dortoirs (de 4 personnes), bon marché ou, pour plus cher, en bungalows privés ou en chambres pour 2 avec salle de bains à l'étage. Confort plutôt sommaire. Formule demi-pension intéressante. Possibilité, quand la demande n'est pas trop importante, de travailler à mi-temps pour l'A.J. en échange des nuits et des repas gratos. Dans la grande salle commune, cafétéria sympa et bon marché où prendre *brunch* et souper (2 menus). On y trouve aussi bar, ping-pong et salle de lecture. Terrain de volley dans le jardin. Sinon, l'A.J. organise plein d'activités très cool : soirées musicales ou de poésie, feu de camp presque tous les soirs et quelques fiestas-méchouis en été. Vous l'aurez compris, un peu bruyant pour ceux qui recherchent le calme absolu.

Prix moyens

▲ *Gîte chez Marie-Marthe Bouchard* (plan B1, 10) : 43, rue Saint-Joseph. ☎ 435-29-27. Maison simple mais accueillante, avec jardin privé. Prix parmi les moins chers. Chambres simples, très propres. On partage la salle de bains. Accueil chaleureux. Dans le jardin, petit bassin et, en guise de nains, on trouve 3 flamants roses sur le gazon.

▲ *Résidence Belley* (plan A1, 11) : 183, rue Saint-Jean-Baptiste. ☎ 435-22-89. Belle maison particulière en bois. Les propriétaires sont des retraités charmants qui adorent bavarder dans leur petit jardin autour d'une bière. Chambres très propres et confortables. Bien moins cher que la moyenne des *B & B*, et petit déjeuner honnête. Possibilité aussi de louer un studio avec kitchenette, mais il faut s'y prendre à l'avance.

▲ *Auberge du Passant La Muse* (plan B1, 12) : 39, rue Saint-Jean-Baptiste. ☎ 435-68-39. Fax : 435-62-89. Ouverte toute l'année. Une magnifique maison centenaire précédée de quatre érables, où l'atmosphère est douce et reposante : gens pressés, s'abstenir ! Chambres (avec salle de bains) simples et agréables. Beau jardin avec terrasse et volley-ball. Le propriétaire a changé récemment, on ne sait pas si les qualificatifs élogieux de l'ancienne édition sont toujours valables. À suivre donc.

▲ *Gîte du Passant La Chouette* (plan B2, 13) : 2, rue Leblanc. ☎ 435-32-17. 4 chambres avec salle de bains aux couleurs des saisons, dans une maison pimpante. Petit salon de lecture, terrasse ensoleillée. Petit déjeuner copieux (crêpes au fromage, framboises fraîches...). Plus cher que les adresses précédentes.

▲ *La Grande Maison* (plan A1, 14) : 160, rue Saint-Jean-Baptiste. ☎ et fax : 435-55-75 Appel gratuit : ☎ 1-800-361-55-75. Le plus vieil hôtel de la ville, fondé en 1920, et récemment rénové. Beau parquet verni conduisant vers des chambres simples mais agréables. Notre préférée est la n° 1, carrément romantique mais plus chère. Fleurs séchées, petite terrasse, baignoire ancienne. Patrons absolument adorables. Petit déjeuner compris. Formule demi-pension possible. Excellent dîner, abordable qui plus est.

▲ *Motel Royal* (plan A2, 15) : 29, rue de la Lumière. ☎ 435-35-40. Un motel tout à fait banal mais très correct, à l'écart du centre, après la rue de l'Hôpital. Pour dépanner.

▲ *Auberge Belle Plage :* 192, rue Sainte-Anne. ☎ 435-33-21. Grosse maison très bien située, au bord du fleuve et un peu plus loin du centre. Terrasse avec vue sur la marina, piscine. Excellent accueil. Petites chambres mansardées au 2e étage, chambres plus spacieuses avec salle de bains au 1er, certaines (plus chères) avec vue sur le fleuve. Prix honnêtes pour cette bâtisse au style d'antan, comme aime à le signaler le patron. Fait aussi table d'hôte.

– Si tout est complet (ça arrive en été et certains week-ends), l'Association touristique de Charlevoix (voir « Adresses utiles ») recommande d'autres bonnes adresses...

Plus chic

▲ *B & B Le Cormoran :* 196, rue Sainte-Anne. ☎ 435-60-30. Superbe maison face à la baie et à la batture. Située à côté de l'*Auberge Belle Plage* et appartenant aux mêmes proprios. À deux pas d'un vieux bateau à la retraite. Accueil tout à fait charmant. Chambres impeccables, toutes avec salle de bains, certaines avec jacuzzi ! Bref, un *B & B* de luxe, meublé de manière moderne avec salle de bains. Bon petit déjeuner compris. Le tout à prix élevés mais tout à fait justifiés.

🛏 *Auberge La Maison Otis (plan B1, 16)* : 23, rue Saint-Jean-Baptiste. ☎ 435-22-55. Fax : 435-24-64. Dans la plus jolie rue de la ville. Un hôtel de charme installé dans une demeure de 1840 traditionnelle. À l'intérieur, piscine, cheminées et beaucoup de belles boiseries. Annexe moderne à côté. Formule demi-pension uniquement. Attention aux suppléments obligatoires (pourboires, etc.). Plusieurs sortes de chambres, de la suite (lit de 2 m, TV, vidéo, hifi, baignoire immense) à la chambre la plus simple. En fin de semaine, boîte à chansons.

Où manger ?

Chic

🍴 *Mouton Noir (plan B2, 21)* : 43, rue Sainte-Anne. ☎ 435-30-75. Cadre plaisant en bois, chaleureux. Table d'hôte le soir. Plats assez élaborés. De quoi faire un bon repas, mais tout de même cher à l'arrivée. Menu du midi bon marché.

Où sortir ? Où boire un verre ?

🍷 *Le Scénario (plan A1, 14)* : 160, rue Saint-Jean-Baptiste. Ouvert tous les jours jusqu'à 3 h. Au sous-sol de *La Grande Maison*. Bar à billard, snooker et fléchettes, où ça guinche en fin de semaine (du jeudi au samedi). Clientèle locale et bières pas chères. L'un des seuls endroits pour sortir à Baie-Saint-Paul.

🍷 *Café des Artistes (plan B1, 25)* : 27, rue Saint-Jean-Baptiste. ☎ 435-55-85. Rendez-vous des artistes de Baie-Saint-Paul. On peut y manger (pizzas, *panini* et salades) mais mieux vaut y boire un verre. Jolie salle avec sièges en osier. Terrasses à l'avant et à l'arrière.

À voir

★ *Le centre d'Art de Baie-Saint-Paul :* 4, rue Ambroise-Fafard. ☎ 435-36-81. Au même endroit que l'Association touristique. Ouvert tous les jours aux mêmes horaires que l'office du tourisme. Entrée payante. Expositions des peintres de Charlevoix. Boutique où l'on trouve l'artisanat local : peintures sur soie, tissage, porcelaine... Tous les étés (en août), se déroule le symposium de la jeune peinture du Canada à l'Arena, derrière le centre d'Art. De jeunes artistes réalisent devant le public une œuvre sur un très grand format, dans une ambiance de fête.

★ Nouveau, *le centre d'Histoire naturelle de Charlevoix :* un musée à l'architecture moderne, où une exposition permanente retrace les origines de ce site et de son cratère ; depuis le centre, vue panoramique sur le site. De juin à septembre, ouvert de 9 h à 19 h tous les jours ; hors saison, de 10 h à 16 h.

★ *Le centre d'exposition de Baie-Saint-Paul (plan B2, 31) :* 23, rue Ambroise-Fafard. ☎ 435-36-81. Ouvert tous les jours de 9 h à 19 h de juin à septembre, jusqu'à 17 h le reste de l'année. Entrée payante. Voici le haut lieu de la peinture de Baie-Saint-Paul. Un hommage aux artistes peintres de Baie-Saint-Paul et de Charlevoix ou à ceux qui ont couché leur amour de la région sur une toile. Essentiellement des expos temporaires et des rétrospectives du symposium annuel. En haut, petite collection des œuvres de Yonne et Blanche Bolduc (ça ne s'invente pas), deux artistes qui réalisent des œuvres alliant la sculpture et la peinture sur bois, avec petit chalet, montagne dans le fond... Manquent juste le baromètre, un petit skieur en relief et un dicton local gravé en dessous pour devenir le souvenir parfait.

★ Dans le centre, avez-vous noté que l'*église* possède 2 tours asymétriques ?

★ *Petit circuit des galeries d'art :* Baie-Saint-Paul possède de nombreuses galeries d'art, dont plusieurs méritent la visite. La plupart sont concentrées dans le cœur de la ville, dans les rues Ambroise-Fafard, Saint-Jean-Baptiste et Sainte-Anne.

★ *La laiterie Charlevoix :* 1151, bd Monseigneur-de-Laval (route 138). ☎ 435-21-84. Un musée du fromage, où vous admirerez les équipements anciens de fabrication, et où vous pourrez acheter toutes sortes de produits fabriqués selon des méthodes artisanales. Si vous arrivez avant 11 h, vous pourrez observer les artisans en action. En saison, ouvert tous les jours de 8 h à 19 h ; hors saison, du lundi au vendredi de 8 h à 17 h 30, et le week-end de 12 h à 16 h. Entrée gratuite.

À faire

– *La Joyeuse Randonnée* propose des balades guidées de 1 h environ pour découvrir les différentes facettes historiques et architecturales de la ville. Renseignements : ☎ 435-66-81.

– *Initiation aux chiens de traîneau et au rafting :* Descente Malbaie, 316, rue principale. ☎ 439-22-65.

– *Les randonnées Nature-Charlevoix (plan B1, 30) :* 41, rue Saint-Jean-Baptiste. ☎ 435-62-75. Ouvert de 9 h à 20 h tous les jours de début juin à mi-octobre. Créé et tenu par deux jeunes ingénieurs forestiers fous amoureux de la région, ce centre offre une foule d'activités. Il organise de fin juin à début septembre, ainsi que les week-ends d'automne, une randonnée (de 2 h environ) à la découverte de la taïga du parc des Grands-Jardins. Pour les personnes non motorisées, un des responsables du centre assure une navette : départ du centre tôt le matin (du parc des Grands-Jardins) et retour en fin d'après-midi (de la Baie-Saint-Paul). Plutôt sympa ! Voir « Aux environs, Le parc des Grands-Jardins ». Ils organisent également une tournée de 2 h en autobus à travers la campagne pour visiter le fameux cratère de Charlevoix. Également une randonnée à vélo autoguidée avec cassette, ou encore, l'hiver, un séjour d'exploration à skis de fond sur la piste du Caribou dans le parc des Grands-Jardins. Les randonnées sont accompagnées par un guide naturaliste. Compétence assurée. Possibilité de louer des vélos et des canots.

Dans les environs

★ *Le domaine Charlevoix :* route 362, 5 km au nord-est de Baie-Saint-Paul. ☎ 435-26-26. Ouvert de mi-juin à mi-octobre. Entrée payante. Immense propriété privée, transformée en centre de randonnée. En tout, 10 km de domaine cyclable et 3 km de sentiers pédestres. Navette pour les fainéants. Location de V.T.T. sur place. Le tout dans un paysage des plus plaisants avec panoramas superbes sur le fleuve. Également : plage, grotte, chutes (très beau parcours des chutes la Magnifique et la Surprenante), expos, terrasses, maison de thé, resto, bar et jeux. Un peu axé business, quand même.

★ *Le parc des Grands-Jardins :* situé à 35 km au nord de Baie-Saint-Paul, à environ 45 mn en voiture, à l'intérieur des terres. Ceux qui ne sont pas véhiculés pourront faire la balade avec les gens de *Randonnées Nature-Charlevoix* (voir plus haut, rubrique « À faire »). En voiture, prendre la route 138 (sur environ 10 km), puis la 381 (qui passe par Saint-Urbain). À l'entrée du parc, s'arrêter au poste d'accueil Thomas-Fortin pour prendre la carte et poursuivre vers Château-Beaumont pour les activités.

Le parc des Grands-Jardins est situé dans l'arrière-pays, sur un haut plateau (750 m) bénéficiant d'un microclimat qui a favorisé le développement d'un paysage de taïga, à savoir une forêt boréale de conifères, avec un épais tapis de lichen. Bouleaux et épinettes noires sont également de la partie. Un véritable îlot de Grand Nord à moins de 120 km de Québec. Il est possible d'y faire de superbes randonnées au cours desquelles on pourra observer un grand nombre d'animaux : canards, hérons, écureuils et parfois même... des ours ! Cependant, ne soyez pas étonné de fouler au cours de vos randonnées des sols calcinés : le parc a subi un terrible incendie en 1991. N'interrompez pas votre visite pour autant, et restez clément face aux avaries naturelles. Voici trois conseils essentiels pour que votre rando se passe agréablement : munissez-vous impérativement d'un produit antimoustiques ; prévoyez à boire et de quoi vous nourrir (chaque emplacement dispose d'un BBQ) ; enfin, n'oubliez surtout pas vos jumelles.

Au site Château-Beaumont, un centre d'interprétation présente le parc (diaporama). Brochures et dépliants concernant les sentiers de randonnée. Le parc est lardé d'une dizaine de boucles de balades de 1 h à 6 h. Si vous ne devez faire qu'une seule rando, on vous conseille celle du mont du Lac des Cygnes (4 h aller-retour) ; on grimpe jusqu'à 1 000 m et la vue est époustouflante (le vent aussi, servi bien frais : prenez votre petite laine !). Certains sentiers sont exploitables seuls, d'autres nécessitent la présence d'un guide. De Château-Beaumont, l'été, départ de balades guidées à 10 h et à 13 h 30. Durée : 3 h. Dans le parc, on trouve également des chalets à louer et 2 campings. Location de canoës également, toujours à Château-Beaumont.

SAINT-JOSEPH-DE-LA-RIVE   IND. TÉL. : 418

Pittoresque et très agréable village coincé entre mer et montagne, à une quinzaine de kilomètres par la route côtière pour La Malbaie. Que vous arriviez de Baie-Saint-Paul ou des Éboulements, deux descentes spectaculaires (la côte de la Misère à 20° et la côte du Port à 18°) vous y plongent avec ravissement. Une anecdote : les vieux du village se rappellent l'époque (années 20-30) où, pour grimper les pentes, il fallait le faire en marche arrière. En effet, en l'absence de pompe, l'essence ne montait plus au carburateur. Lors d'un de nos précédents voyages, les routes étaient encore en terre, imaginez ! Port d'embarquement pour l'île aux Coudres. Saint-Joseph fut l'un des plus importants chantiers navals du Québec.

Où dormir ? Où manger ?

Quelques magnifiques auberges cachées dans les arbres avec de jolis jardins vous attendent. Malheureusement, on ne sait pourquoi, les établissements de Saint-Joseph sont chers.

Prix modérés

|●| *Le Loup Phoque :* 186, rue Félix-Antoine-Savard (rue principale). ☎ 635-28-48. Beau manoir en bois, à tonnelles, avec de curieuses tourelles bleues. Resto seulement. Repas à prix modérés, pris sur une très agréable terrasse en surplomb.

Prix moyens

♦ *L'Auberge de la Rive :* 280, chemin de l'Église. ☎ 635-28-46. Grand bâtiment blanc et mauve qui propose de petites chambres à prix acceptables, petit déjeuner inclus. Le tout n'a pas un charme débordant mais ça reste convenable. Préférez les chambres de l'hôtel à celles du motel, juste en face, plus chères et moins sympa. Petite piscine.

♦ |●| *L'Été :* 589, chemin du Quai. ☎ 635-28-73. Sur la route de l'embarcadère, côté gauche. Ouvert de mai à octobre. Délicieuse maisonnette décorée et meublée avec un goût raffiné. 5 chambres calmes et confortables, 2 salles de bains. Demi-pension obligatoire. Terrasse dans un adorable jardin fleuri. Le midi, salades composées, sandwiches, omelettes, quiches, etc. Le soir, table d'hôte dans la belle salle à manger : gibier en sauce, fruits de mer. Délicieux desserts.

♦ |●| *La Maison sous les Pins :* 352, rue Félix-Antoine-Savard. ☎ 635-25-83. Maison en bois de 6 chambres, toutes avec salle de bains. Bien que décorées sur le thème du voyage, l'atmosphère des chambres nous a semblé un rien triste. Prix assez élevés. Demi-pension exigée (sauf le mercredi : pas de dîner). Heureusement, la cuisine est délicieuse. Un lieu intimiste, un peu froid, au charme particulier. Attention : maison non-fumeurs.

À voir. À faire

★ *La papeterie Saint-Gilles :* 304, rue F.-A.-Savard. ☎ 635-24-30. Ouverte tous les jours de l'année, du lundi au vendredi, de 8 h à 17 h; en été, ouverte également le week-end (mais pas l'atelier) de 9 h à 18 h. Entrée gratuite. Fondée en 1965, cette petite papeterie a acquis une réputation mondiale pour la fabrication du papier chiné entièrement fait main et incrusté de feuilles et fleurs de la région : épervière orangée, salicaire mauve, etc., selon les procédés du XVIIe siècle. Vous assisterez à toutes les opérations : défibrage, tamisage, pressage, séchage et calandrage. Également une intéressante vidéo sur les étapes de la fabrication. Bien sûr, l'occasion aussi de renouveler joliment votre papier à lettres, malgré les prix élevés.

★ *L'exposition maritime de Saint-Joseph-de-la-Rive :* en face de la papeterie. ☎ 635-11-31. Ouverte tous les jours de mi-mai à début octobre, de 9 h à 17 h (de 11 h à 16 h seulement les week-ends de mai, juin et septembre). Entrée payante mais pas chère. L'ancien chantier naval s'est transformé en petit musée de la navigation. Depuis la fin du XVIIIe siècle et jusqu'aux années 70, on a construit des goélettes dans cette région du Saint-Laurent, pour transporter le bois et ravitailler les villages avant que les routes fiables ne soient construites. Il reste aujourd'hui 2 goélettes en parfait état. L'une est réservée pour les croisières, l'autre est ici, sur cale. Le chantier a fermé en 1952. On visite l'ancienne scierie ainsi que l'atelier. Petite expo : anciens outils, maquettes... L'une des embarcations est transformée en musée. Bien fait.

– À côté du musée maritime, un artisan fabrique des *santons de Charlevoix*, à ne pas confondre avec ceux de Provence. Ils sont bien faits, bien que pas donnés. Beaucoup de jolies choses pour Noël.

★ *L'église Saint-Joseph-de-la-Rive :* chemin de l'Église. En été, ouverte tous les jours de 9 h à 21 h. À côté du Saint-Laurent. Décoration intérieure inspirée par les thèmes de la mer.

★ *La plage municipale :* à gauche du quai d'embarquement.

L'ÎLE AUX COUDRES

IND. TÉL. : 418

Petite île pittoresque qui mérite vraiment une visite. Le site, tout en eau et collines, est réellement somptueux, rappelant l'Écosse... Découverte par Jacques Cartier en 1535, lors de son deuxième voyage. L'origine du nom vient du fait qu'il s'était étonné d'y trouver tant de « coudres » (noisetiers). L'île resta longtemps inhabitée et servit uniquement de halte pour enterrer les marins morts en mer. Elle ne fut colonisée qu'à partir de 1720 par des missionnaires. Environ 1 600 habitants, surnommés les « Marsouins » et d'une affabilité légendaire. Ils ont été longtemps constructeurs de goélettes, ces « voitures d'eau » dont il ne reste que quelques exemplaires disséminés autour de l'île. La route qui en fait le tour ne fait que 23 km. Une chouette balade à vélo.

Quelques spécialités culinaires locales : la soupe aux gourganes (grosses fèves rouges), l'éperlan frit, la tourtière grand-mère, le « pâté croche » (en demi-lune) ou à l'éperlan, la tarte au sucre ou à la rhubarbe.

Comment s'y rendre ?

À noter, pour ceux qui viennent en bus de Québec, que celui-ci s'arrête à Baie-Saint-Paul. Donc, pour rejoindre le traversier à Saint-Joseph-de-la-Rive, c'est la débrouille : tendez le pouce ou louez une voiture.

– *Traversier :* gratuit, aller et retour, de Saint-Joseph-de-la-Rive, et on vous distribue même une carte de l'île dans la file d'attente... 15 mn de traversée. *Renseignements :* ☎ 438-27-43. Départ toutes les heures, de 7 h à 23 h, de mi-mai à fin octobre ; en juillet et août, rotations supplémentaires toutes les demi-heures entre 10 h et 17 h, sauf les mercredi et jeudi de juillet ; départs moins fréquents hors saison. Attention : un monde fou le week-end. L'attente peut s'avérer très longue.

Adresses utiles

🄳 *Kiosque d'information :* en haut de la côte à l'arrivée à Saint-Bernard. À gauche, vers la pointe du Bout-d'en-Bas. ☎ 438-25-18. Ouvert tous les jours du 15 juin à fin août, de 9 h à 19 h ; en septembre et début octobre, ouvert uniquement les samedi et dimanche, de 10 h à 18 h. Bon matériel dont une carte de l'île assez complète.

■ *Location de vélos :* chez *Gérard Desgagnes (plan 1)*, 34, rue du Port, Saint-Bernard-sur-Mer. ☎ 438-23-32. À quelques minutes de marche à la sortie du traversier, juste en haut de

la côte, 100 m après avoir passé le carrefour, sur la droite. La location la plus proche du débarcadère. Toutes sortes de bicyclettes (vélos, V.T.T.). Autres adresses : *Vél« O »-Coudres (plan 2)*, 743, chemin des Coudriers, La Baleine. ☎ 438-21-18. En débarquant du traversier, prendre à gauche au feu. C'est 5 km plus loin. Grand choix : V.T.T., randonneurs, tricycles et même quadricycles ! *Harvey-vélos :* 27, rue Principale, La Baleine. ☎ 438-23-43. Bons prix, forfaits pour les groupes, voiturettes pour les enfants, etc.

Où dormir ?

Devenue un haut lieu de tourisme, l'île ne manque pas d'hôtels et motels divers. Cependant certains d'entre eux sont de véritables usines à touristes. Nous vous indiquons les plus calmes et les mieux situés.

Campings

▲ *Camping Sylvie* (plan 17) : 191, Royal Ouest, Saint-Bernard. ☎ 438-24-20. Du quai, prendre la 1ʳᵉ à droite. Faire environ 1,5 km. C'est sur la gauche. Bon emplacement. Sites pour tentes assez bon marché. Équipement limité mais suffisant : w.-c., douches chaudes. Petits chalets modestes à prix raisonnables autour d'une minuscule et adorable étendue d'eau entourée d'arbres. Location de pédalos. Belle pelouse devant. Accueil sympa.

▲ *Camping Leclerc* (plan 18) : 185, rue Principale, La Baleine. ☎ 438-22-17. Belle vue sur le fleuve. Une cinquantaine d'emplacements pour les tentes. Douches chaudes, w.-c., dépanneur (pain frais tous les jours), jeux. Plus cher que le précédent. Loue aussi des chambres de motel pas trop chères, mais sans charme.

Bon marché

▲ Location de petits *chalets* situés près du fleuve, avec cuisine, salon, salle de bains et 2 chambres. Mêmes patrons que *Harvey-vélos*, s'adresser là-bas pour réserver.

▲ *Motel L'Islet* (plan 10) : 10, chemin de l'Islet, sur la pointe de l'Islet, à l'extrémité sud de l'île. ☎ 438-24-23. Du débarcadère, monter la côte, prendre à droite la rue Royale. C'est à 8 km. Gentil motel situé dans un coin sauvage et isolé. Coucher de soleil flamboyant et vue magnifique sur le Saint-Laurent argenté, qu'on savoure devant les bungalows. Simple, propre, bon marché. Accueil sympa. Excellent rapport qualité-prix.

▲ *Motel La Baleine* (plan 11) : 138, rue Principale, La Baleine. ☎ 438-24-53. Petits bungalows tout blancs, chambres mignonnes avec coin cuisine équipé et beau panorama. Bon rapport qualité-prix. Le tout absolument impeccable.

▲ *Motel Le Soleil Couchant* (plan 12) : 48, rue Royale Ouest. À Saint-Bernard, prendre à droite en débarquant du traversier. ☎ 438-29-94 et 23-93. Bien tenu. Chambres simples et abordables sans vue, autour d'un parking derrière le resto. Resto très bon marché (snacks et spécialités locales). Bon « pâté croche » et pâté à l'éperlan. Location de vélos.

▲ *La Marguerite* (plan 13) : 567, chemin des Coudriers. Situé au village de La Baleine. Du débarcadère, aller tout droit, traverser l'île, puis à droite. ☎ 438-22-83. Maison particulière en pierre, avec vue sur le fleuve. Agréable et excellent accueil. Salon à disposition. Chambres spacieuses et propres. 3 salles de bains. Calme assuré. Prix modérés.

▲ *La Riveraine* (plan 14) : 6, rue Principale, La Baleine. ☎ 438-28-31. 5 chambres coquettes, aux couleurs fraîches. 2 salles de bains. Salon agréable où lire et bavarder. Accueil charmant et prix doux. Délicieux et copieux petit déjeuner. Le maître des lieux joue parfois gigues et rigaudons à l'accordéon. Excellent rapport qualité-prix.

▲ *Hôtel Écumé par la Houle* (plan 15) : 808, chemin des Coudriers, La Baleine. ☎ 438-27-33. Bienvenue au royaume d'Horace Pedneaud (nº 1) ! Pour bien comprendre le personnage et sa philosophie, lire avant tout le texte « La Maison-Croche » dans la rubrique « À voir ». Ça y est ? Bon, très bien ! Horace l'original propose quelques chambres dans une sorte de motel, face à son resto, dans un jardin derrière la Maison-Croche. Plusieurs sortes de chambres, de tous niveaux de confort (certaines avec salon et coin cuisine équipé), à prix variables. Seule la déco est immuable. Kitsch et ringard, version 70. On peut aussi dormir dans la fameuse Maison-Croche. Elle dispose de 4 chambres (matelas d'avant-guerre) qui donnent toutes sur un grand salon dont la déco « Spécial-Horace » mériterait à elle seule un chapitre. La salle de bains est un vrai poème. Prix doux. Amateur de douce folie, de parcours parallèles et d'incongruité, vous êtes arrivé.

L'ÎLE AUX COUDRES

■ **Adresses utiles**

🛈 Kiosque d'information
1 Location de vélos, chez Gérard Desgagnes
2 Vél « O »-Coudres

🛌 **Où dormir ?**

10 Motel L'Islet
11 Motel La Baleine
12 Motel Le Soleil Couchant
13 La Marguerite
14 La Riveraine
15 Hôtel Écumé par la Houle
16 Hôtel du Capitaine
17 Caping Sylvie

18 Camping Leclerc

|●| **Où manger ?**

30 Chez Ti-Coq
31 La Mer Veille
32 Hôtel Cap-aux-Pierres
33 Le Clair-Obscur

★ **À voir. À faire**

40 Maison Leclerc
41 Maison Bouchard
42 Moulins de l'Île aux Coudres
43 Musée de l'Île aux Coudres
44 Musée des Voitures d'eau
45 Centre artisanal

Un peu plus chic

🛌 *Hôtel du Capitaine* (plan 16) :
781, chemin des Coudriers, à La Baleine, vers la pointe du Bout-d'en-
Bas. ☎ 438-22-42. Grande maison à
la coquette décoration tout en bois
sombre, façon chalet, en bord de rivière, au milieu d'un adorable jardin

au calme. Chambres confortables,
avec ou sans salle de bains et w.-c.
Choix entre l'hôtel ou les bungalows
à côté. Bonne et copieuse cuisine
traditionnelle québécoise. Propose
la demi-pension à un prix intéressant. Excellent accueil. Piscine
d'eau salée.

Où manger ?

|●| Hôtel-restaurant Écumé par la Houle (plan 15) : 808, chemin des Coudriers, La Baleine. ☎ 438-27-33. Bienvenue au royaume d'Horace Pedneaud (n° 2) ! Ici, c'est le bar-resto. Ouvert tous les jours, midi et soir. Grande salle parquetée, flanquée d'une tour en parpaing, genre forteresse. Terrasse en proue de navire, s'avançant dans le fleuve. Si l'extérieur est cocasse, l'intérieur n'est pas non plus piqué des caribous ! La déco est un mélange cathokitschos de boutique de bondieuseries ringardes et de galerie d'art dont le seul artiste serait Horace, votre serviteur (images pieuses, vieux poêle, goélettes naviguant sur une mer de plumes, tableaux hallucinés...). On mange pour pas cher la cuisine d'ici (« pâté croche », éperlan, tarte au sucre, pudding chômeur...). Menu très abordable le midi.

|●| Chez Ti-Coq (plan 30) : 29, rue du Port. En haut du débarcadère après avoir croisé la 1re route, sur la gauche. ☎ 438-29-44. Ouvert jusqu'à minuit. Petite cafétéria pas chère. La carte mélange allègrement « fast-food » et plats locaux.

|●| La Mer Veille (plan 31) : 160, chemin des Coudriers. Vers la pointe de l'Islet. ☎ 438-21-49. Maison kaki avec véranda face à l'eau et aux couchers de soleil. Snacks et plats traditionnels. Soupe aux gourganes, éperlans rôtis, « pâté croche », salade au homard ou grillades, bons desserts maison (feuilleté du Ruisseau rouge, tarte au sucre). Menus pas chers, mais c'est mieux à la carte.

|●| Hôtel Cap-aux-Pierres (plan 32) : 246, rue Principale, La Baleine. ☎ 438-27-11. Dans un grand hôtel chicos et hyper touristique ; une seule chose intéressante pour les affamés : le buffet-brunch délicieux, varié et abondant... mais seulement le dimanche (de 11 h à 13 h 30) !

|●| Le Clair-Obscur (plan 33) : 631, rue des Coudriers, La Baleine. ☎ 438-26-46. Salle agréable aux couleurs douces. Petite terrasse dehors. Petit déjeuner varié, cuisine rapide le midi, table d'hôte le soir, avec spécialités locales. Bon mais un peu cher, peut-être. Menus enfants. Possibilité de préparation de piqueniques.

À voir

L'île est très riche en sites, musées, architecture ancienne, le tout ponctué de clins d'œil insolites. Notre tour démarre route Circulaire par la gauche. Voilà, dans l'ordre d'apparition à l'écran, ce qu'on peut voir.

★ **La Maison-Croche :** face à l'hôtel-resto Écumé par la Houle. Bienvenue au royaume d'Horace Pedneaud (n° 3) ! En 1963, Horace est une sorte de révolutionnaire. Pour choquer et déranger les habitants bien-pensants de l'île, il bâtit une curieuse maison dont les fenêtres penchent gravement. Sa philosophie est « qu'il ne faut pas s'arrêter à la surface des choses ». En effet ! L'intérieur (qu'on peut visiter, entrée payante mais modique) possède quelques objets historiques (piano, gramophone, un ou deux meubles), mais c'est surtout un musée de la kitscherie avancée : luminaires extravagants, peintures variées du sympathique Horace, cendriers démesurés, chaise baroco-démente. Bref, c'est le Facteur Cheval local. Car, comme dit Horace, « quand on ne meurt pas, faut continuer à vivre ». Ça, c'est envoyé ! Pour les vrais amateurs de ringardises.

★ **La maison Leclerc** (plan 40) : 124, rue Principale. ☎ 438-22-40. Ouverte du 24 juin à début septembre, tous les jours de 10 h à 18 h. Petit droit d'entrée pour cette petite maison en pierre, qui date de 1750. Exposition d'objets anciens de la région.

★ *La maison Bouchard* (plan 41) : à l'entrée de Saint-Louis, sur la droite. Emprunter le chemin du Ruisseau jusqu'au bout. L'une des premières maisons de l'île, construite au début du XVIIIe siècle. Ne se visite pas car la famille Bouchard y demeure toujours.

★ *Les moulins de l'Île aux Coudres* (plan 42) : 247, chemin du Moulin, Saint-Louis. ☎ 438-21-84. Ouverts de mi-juin à début septembre tous les jours de 9 h à 18 h ; à la fin du printemps et au début de l'automne, ouvert de 10 h à 17 h. Entrée payante. Réduction étudiants. Dans un site superbe, deux moulins, la maison du meunier et la forge. Le moulin à vent (1836) prenait en hiver le relais du moulin à eau (1824) et vice versa. Association unique au Québec. Ils cessèrent de fonctionner en 1948. Présentation très vivante et didactique de la vie du meunier et de sa femme (qui s'appelait, ça ne s'invente pas, Desmeules !). Parmi les objets présentés, une émouvante pétition des habitants de l'île pour la construction du moulin, en 1815. On visite et on voit fonctionner les 2 moulins, superbement restaurés. On y fait toujours de la farine, vendue au magasin du musée. Noter les engrenages en bois et les escaliers penchés vers l'avant pour que le meunier ne perde pas l'équilibre.

★ *Le musée de l'Île aux Coudres* (plan 43) : 231, chemin des Coudriers. ☎ 438-27-53. Ouvert de 8 h à 18 h 30 l'été. Entrée payante (chère). Petit musée privé. Histoire et présentation de l'île à l'aide de maquettes entièrement réalisées par Alfred, un insulaire qui y travailla pendant 50 ans. Intérêt très subjectif et accueil pas très chaleureux.

★ *Le musée des Voitures d'eau* (plan 44) : 203, chemin des Coudriers. ☎ 438-22-08. Ouvert de juin à septembre, tous les jours de 9 h à 18 h. Musée remarquable sur la navigation et l'histoire maritime de l'île, aménagé par un ancien capitaine. Une partie du musée a été réalisée avec les restes de bois d'un ancien bateau. Bric-à-brac extraordinaire de souvenirs de la mer, outils, instruments, maquettes de bateaux, « criards à l'air », photos anciennes, etc. Notez la présentation amusante des objets à la première personne : « Je suis un poids d'ancrage... », qui rend la visite très émouvante. À l'extérieur, expo de balises et visite de la goélette *Mont-Saint-Louis*.

Achats

⌂ *Centre artisanal de l'Île aux Coudres* (plan 45) : 605, rue des Coudriers, La Baleine. ☎ 438-22-31. Ouvert tous les jours, de 9 h à 21 h. Ayant dû longtemps vivre en autarcie, les habitants de l'île fabriquaient eux-mêmes leurs vêtements et leur linge de maison. Ces traditions demeurent fortement ancrées. Vous trouverez ici la production de 150 artisans : catalognes, tapis, tissus, chandails de marins, poterie, céramiques. Cela dit, ce n'est pas toujours très beau et c'est plutôt cher. Démonstration de tissage. D'autres boutiques jalonnent également l'île.

LES ÉBOULEMENTS
IND. TÉL. : 418

Très joli et pimpant village s'élevant lentement le long du Saint-Laurent. C'est ici que serait tombée la fameuse météorite. Paysage également modifié par un énorme glissement de terrain, suite à un tremblement de terre en 1663. Le plus beau point de vue sur l'île aux Coudres et le Saint-Laurent s'obtient de la terrasse de l'*Auberge de Nos Aïeux*. Rue Principale, possibilité de visiter, successivement, le *moulin banal* (1790) et le *manoir de Sales-Laterrière* (entrée gratuite). *Forge d'Arthur Tremblay*, atelier centenaire avec tous ses outils. Droit d'entrée. Visite guidée.

Où dormir ? Où manger assez chic ?

🛏 🍴 *Auberge de Nos Aïeux :* 183, route 362. ☎ 635-24-05. Panorama exceptionnel sur l'île aux Coudres. Piscine et prix encore corrects pour les chambres de l'hôtel lui-même. Cependant, deux structures de motel, modernes et sans charme, abritant des chambres plus spacieuses mais bien plus chères, sont venues alourdir le site. Fréquentée, surtout en saison, par des cars de touristes et des personnes âgées (d'où le nom ?). Grande salle à manger. Table d'hôte d'un bon rapport qualité-prix. Joli jardin. Accueil moyen.

🍴 *Le Surouêt :* 195, rue Principale (c'est sur la route 138). ☎ 635-14-01. Un peu après l'*Auberge de Nos Aïeux*. Un très bon salon de thé. Pâtisseries maison et vue sur le fleuve. Resto chicos.

Dans les environs

★ *Cap-aux-Oies :* hameau situé à l'endroit précis où le fleuve Saint-Laurent devient mer. À la plage, on se baigne dans l'eau salée. La descente est assez raide. Arrivé en bas de la pente, à la première patte d'oie, prendre à gauche. C'est à 1 km environ.

SAINT-IRÉNÉE
IND. TÉL. : 418

Suivons toujours la route 362 qui tout à coup nous plonge, en une descente splendide, sur Saint-Irénée, lieu de villégiature assez chic. Longue et belle plage.
La route remonte ensuite dans le bourg à l'urbanisme charmant. Coquette église au toit argenté.

Où dormir ? Où manger ?

Prix moyens

🛏 *La Luciole :* 178, chemin Les Bains. ☎ 452-82-83. Grande maison en bois au bord de l'eau. Lorsque la route principale s'éloigne du fleuve pour monter dans le village, tourner à droite juste avant le pont. Jolies chambres dans les tons pastel. 3 salles de bains. Accueil aimable et bon petit déjeuner.

🛏 🍴 *Le Rustique :* 102, rue Principale (sur la route 362). ☎ 452-82-50. Dans le centre du village. Ouvert de mai à octobre (les patrons prennent les 6 mois d'hiver pour voyager). Belle maison centenaire, avec véranda à colonnade. Resto servant une cuisine classique à bon prix. Jeunes proprios très gentils, qui tiennent aussi un pub à côté. Ils proposent 8 chambres en *B & B* très mignonnes, avec salle de bains commune, certaines, plus chères, avec vue sur le fleuve. Petit déjeuner compris, servi sur la terrasse avec vue sur le Saint-Laurent également.

🛏 *La Cédrière des Thérien :* 267, chemin Les Bains (route 362). ☎ et fax : 452-35-45. Maison qui domine le Saint-Laurent dans la descente sur Saint-Irénée (en venant des Éboulements). 3 chambres banales au sous-sol, très bon marché ; 3 chambres à l'étage bien plus agréables mais plus chères, dont une avec une petite terrasse qui offre une magnifique vue sur le fleuve. Le propriétaire est très sympa.

Très chic

🛌 |●| *Auberge Les Sablons* : 223, chemin Les Bains. Sur la route principale, côté gauche en allant vers le nord, à l'entrée du village. ☎ 452-35-94. Fax : 452-32-40. Luxueux établissement à la séduisante architecture et aux couleurs lumineuses blanc et bleu. Demander les chambres au sud-est pour pouvoir bénéficier du lever du soleil directement de la chambre. Demi-pension obligatoire, gastronomique qui vaut le coup. C'est LE grand hôtel de luxe du village. Très cher. Vue sur le fleuve. Par ailleurs, le proprio a transformé un ancien hôtel en 4 petits appartements avec cuisinette, juste à côté de l'hôtel principal, avec vue sur le fleuve également.

Où manger ? Où boire un verre ?

|●| 🍷 *Le Saint-Laurent café-galerie* : 128, rue Principale. ☎ 452-34-08. Fermé lundi. Jolie petite salle en bois peint dans de chauds tons jaune et vert. Terrasse agréable. Cuisine d'inspiration étrangère, adaptée par un chef inventif et souriant, coiffé d'une superbe toque, et qui est aussi le patron. Plutôt réussi, copieux et pas cher. Table d'hôte certains soirs.

🍷 *Le Rustique* : 102, rue Principale. Cité plus haut. Un chouette pub de brique avec billard et instruments de musique aux murs. Le seul endroit animé du village.

À faire

– *Le domaine Forget* : abrite une académie de musique et de danse qui organise un remarquable *festival international de Musique* du 20 juin au 20 août environ. Renseignements : ☎ 452-35-35. Fax : 452-35-03. Réservations possibles par carte de crédit. Dans le même temps, intéressantes expos artistiques. Entrée payante aux concerts. Théoriquement, concerts les mercredi, vendredi et samedi à 20 h 30, et le dimanche à 15 h (à vérifier). Petite réduction étudiants. Formations classiques évidemment mais également du jazz. *Brunch* musical sur la terrasse le dimanche de 11 h à 14 h, au son de petits ensembles ou d'instrumentistes.

POINTE-AU-PIC   IND. TÉL. : 418

Dominé par le gros manoir Richelieu, destination de villégiature (golf, tennis, piscine quasi olympique) de la bourgeoisie québécoise, des riches Canadiens anglais et des Américains, donc très cher. Évidemment dans un splendide site boisé, jalonné de grosses villas et de luxueuses auberges. D'ailleurs, ici on se croirait un peu en Suisse : suffit de remplacer le Saint-Laurent par le Léman ! Hébergement en général de grande qualité. Cependant le fameux *Manoir Richelieu* se révèle finalement n'être qu'une bâtisse grise et terne, sans trop de charme et très touristique. À sa cafétéria, nourriture d'une extrême banalité.

Où dormir ? Où manger ?

À ceux qui trouveraient le coin un peu trop chicos, nous conseillons d'aller dormir pas loin, à La Malbaie, ou encore à Cap-à-l'Aigle, charmant village sans frime. Voici, pour ceux qui veulent séjourner à Pointe-au-Pic, nos meilleurs rapports qualité-prix.

Bon marché

🛏 *Camping Les Érables :* 69, rang Terrebonne, à l'entrée de Pointe-au-Pic sur la route 362, sur la droite. ☎ 665-42-12. En bord de mer. Site agréable, dans la végétation. Douches chaudes. Étang et jeux pour enfants. Location de petits bungalows de 2 à 5 personnes (☎ 665-27-36).

Prix moyens

🛏 ❘●❘ *Aux Douceurs Belges :* 121, bd des Falaises. ☎ 665-74-80. Ouvert seulement du 15 juin au 15 octobre. Gentille auberge proposant des chambres avec parquet, murs en bois ou en pierre de taille, etc. L'une possède même un petit « causoir », l'autre un balcon avec vue splendide. 4 chambres en tout. 2 avec bains tourbillon (peignoirs fournis). Petit déjeuner compris. Le patron et sa femme Lise sont sympa. Lui est passionné par la Belgique. Il a transformé la salle à manger en authentique brasserie et propose une centaine de sortes de bières ! Au resto, cuisine belge uniquement. Location de vélos.

🛏 *Maison Frizzi :* 8, Coteau-sur-Mer. ☎ 665-46-68. À 2 km après le golf Richelieu, petite rue à droite, et hop, à gauche. La famille Frizzi accueille gentiment les visiteurs dans sa maison toute neuve, bien tenue. 4 chambres sympathiques et spacieuses, dans des tons pastel, nickel et confortables. Deux d'entre elles sont plus chères car avec balcon et vue plongeante sur le fleuve. 2 salles de bains. Tout à fait abordable.

Plus chic

🛏 *La Romance :* 129, chemin des Falaises. ☎ 665-48-65. Fax : 665-49-54. Adresse exceptionnelle. Maison ancienne, immense, aux chambres personnalisées, ravissantes et adorables, toutes avec salle de bains. Disséminés partout, de beaux meubles peints par une artiste locale, mêlés à du mobilier rustique. Salon

splendide, avec cheminée, où l'on peut savourer un cocktail (l'un des rares *B & B* du Québec à posséder une licence d'alcool !). Ce n'est pas tout : on prend le petit déjeuner sur la terrasse du jardin, en choisissant parmi les nombreux plats du buffet ! Et pour ne rien gâcher, le propriétaire est absolument charmant... Bien sûr, les prix sont plus élevés que dans un gîte « classique » mais ceux qui ont les moyens ne le regretteront pas (adresse idéale pour les amoureux)...

🛏 *Auberge Larochelle :* 68, rue Principale. ☎ 665-46-22. Hôtel de charme dans une belle maison en brique et bois, à galeries, au fond d'un jardin. Intérieur très mignon, incroyablement propre et soigné. Un rien américain dans la déco. Patron jovial et disponible, et patronne charmante. 12 chambres, spacieuses et bien arrangées. Épaisse moquette au sol. Quasiment toutes les chambres ont un bain tourbillon dans la chambre même. Amusant et coquin. Plusieurs prix en fonction du confort. La plus chère, réservée habituellement aux jeunes mariés, comprend une cheminée et un bain tourbillon. Petit déjeuner servi dans une grande salle à manger. Au choix : fruits, céréales, fromages, œufs au bacon, *crétons,* croissants, etc.

🛏 *Auberge Au Petit Berger :* 1, côte Bellevue, sur la route 362, en allant vers La Malbaie. Bien fléchée. ☎ 665-44-28. Fax : 665-23-43. Réservation très recommandée. Dans les bois au milieu d'un grand jardin, une maison traditionnelle de 1890 avec véranda. Intérieur à la déco agréable, façon chalet suisse. 5 chambres dans la maison principale, avec salle de bains complète, impeccables, mais meublées sans grande recherche. Chambres également dans les pavillons disséminés autour, toutes avec salle de bains, certaines avec cheminée, bain tourbillon et vue sur le fleuve. Déco rustique chic. Globalement cher, mais le tennis et la piscine expliquent en partie cela.

À voir

★ *Le musée de Charlevoix :* 1, chemin du Havre. Au bord du fleuve. ☎ 665-14-11. Ouvert tous les jours en saison, de 10 h à 18 h ; hors saison, de 10 h à 17 h du mardi au vendredi et de 13 h à 17 h le week-end. Entrée payante. Réduction étudiants. Créé en 1990, on y trouve une exposition permanente présentant des œuvres d'habitants de la région (tableaux, artisanat, figurines, vieux objets...) et plusieurs expos temporaires, toujours en rapport avec Charlevoix, dont l'histoire est également présentée dans la rotonde et la mezzanine de l'immeuble. Belle vue de la terrasse.

À faire

– *Croisière-découverte des phares et de la faune* (même si on a peu de chances de voir la baleine bleue...) : les *Croisières aux sentinelles du Saint-Laurent* vous emmènent sur des bateaux de taille raisonnable, ni trop petits, ni trop grands, pour un prix raisonnable. ☎ 665-36-66. Durée : 3 h. Horaires (mai à octobre) : 8 h 30, 11 h 45 et 15 h.

LA MALBAIE   IND. TÉL. : 418

Petite ville agréable, collée à Pointe-au-Pic, à l'embouchure de la rivière Malbaie. Le site ne plut pas à Champlain qui lui reprochait d'avoir trop de « batture », cette végétation sur sol qui n'est révélée que lors des marées : d'où le nom « Malbaie ».

Adresses utiles

🛈 *Association touristique de Charlevoix :* 630, bd de Comporté. ☎ 665-44-54. Ouvert tous les jours, de 8 h 30 à 21 h l'été, de 8 h 30 à 16 h 30 le reste de l'année. Personnel très compétent (essayez de voir notre copine Luce-Ann, une passionnée) et doc sur toute la région. 🚌 *Gare routière :* Dépanneur OTIS, 46, rue Sainte-Catherine. ☎ 665-22-64. 3 bus par jour pour Québec (environ 1 h 45 de trajet). Pour Tadoussac, 2 bus par jour, un le matin, l'autre le soir.

Où dormir ?

🛖 *Camping des Chutes Fraser :* 500, chemin de la Vallée, à 5 km de La Malbaie. ☎ 665-21-51. Ouvert du 15 mai au 15 octobre. Venant de Pointe-au-Pic, traverser la rivière, puis tourner à gauche. Aller tout droit sur environ 3 km. Entrée du camping sur la droite au commerce *Jovi-P.E. Neron.* Accueil dans l'épicerie même. Venant du nord, tourner à droite avant le pont. Très bien indiqué. Pour les chutes, visiteurs et baigneurs paient un petit droit d'entrée. Piscine du camping accessible aux visiteurs. Camping dans un site absolument remarquable, hélas gâché par les énormes pylônes électriques qui traversent les collines. Assez cher. Grand choix d'emplacements dans les bois. Petites cabines pour 2 ou 4 également, avec cuisinette (avoir son sac de couchage). Piscine et mini-golf. Épicerie, boucherie et buanderie. Aire de jeux, pêche à la truite et site panoramique pour les peintres du dimanche.

■ *Camping Au Bord de la Rivière :* 60, bd Mailloux, sur la route 138. ☎ 665-49-91. Ouvert de juin à début octobre. Piscine chauffée, et une petite ferme avec quelques animaux familiers que les enfants peuvent nourrir s'ils le désirent. Dépanneur et mini-golf. Chalets à louer aussi. Bruyant, car entre deux routes, et propreté relative.

■ *Gîte E.T. Harvey :* 19, rue Laure-Conan. ☎ 665-27-79. Facile d'y aller à pied de la gare des bus. Maison modeste, bien située pour ceux qui sont à pied, tenue par un gentil couple de retraités. 3 chambres simples. Salle de bains commune. Petit déjeuner copieux. Pas cher, surtout par rapport aux prix de Pointe-à-Pic. Jardin et piscine de poche derrière.

Où manger ?

I●I *Restaurant Allegro :* 53, rue Nairn. ☎ 665-25-95. Ouvert midi et soir, de 11 h à 14 h et de 17 h à 22 h. Fermé le midi en fin de semaine. Malgré son côté presque chic, on y sert des plats de pâtes et des pizzas mono-taille pas chères du tout. Déco aseptisée pour une cuisine italienne qui ne l'est pas.

À voir

★ *La forge Riverin :* 218, rue Saint-Étienne. ☎ 665-23-33. Visite de 9 h à 12 h et de 13 h à 17 h. Une vieille forge, petite et discrète, qui reçoit les visiteurs depuis plus d'un siècle. Ici, on est forgeron depuis 3 générations. Le gentil papy qui est là forge surtout des coqs et des oiseaux.

Dans les environs

★ *Les chutes Fraser :* à 5 km de La Malbaie, même entrée que pour le *camping Fraser* (petit droit d'entrée), puis 2 km de route. Pour y aller, itinéraire et champs doucement ondulés dans un paysage harmonieux et reposant. Larges chutes tombant en escalier. Parking en haut et en bas des chutes. Quelques tables de pique-nique.

| CAP-À-L'AIGLE | IND. TÉL. : 418 |

De là fusmes à un autre cap que nommasmes cap à l'Aigle...

Samuel de Champlain.

Charmant lieu de villégiature, en contrebas de la route express. Calme assuré. Village qui a globalement conservé son aspect du XIXe siècle ; seule l'église moderne détonne quelque peu. Habitants très accueillants et ce n'est pas un hasard si, parmi nos trois meilleures auberges, il s'en trouve deux ici. C'est aussi un village à la vocation agricole depuis toujours. Les champs s'élèvent par-derrière sur la colline et livrent de-ci, de-là de belles architectures rurales. Vous aurez déjà découvert, sur le bord de la route, avant d'arriver à Cap-à-l'Aigle, l'élégante *ferme Cabot,* toute blanche et à la forme originale. Dans le village même, voir absolument, au 215, rue Saint-Raphaël, la *grange Bhérer.* Édifiée en 1830, peut-être la plus belle de Charlevoix. Peut se visiter « en tout temps ».

Où dormir ? Où manger ?

Prix modérés à prix moyens

▲ *Chez Claire Villeneuve :* 215, rue Saint-Raphaël. ☎ 665-22-88. Longue maison de bois, blanche et verte, au fond d'un grand espace gazonné. Simple. 5 chambres (et 2 salles de bains) pas chères et propres.

▲ *La Mansarde :* 187, rue Saint-Raphaël (rue principale du village). ☎ 665-27-50. Ouvert de juin à mi-octobre. Une très belle maison vieille de 150 ans, ayant longtemps appartenu à de riches agriculteurs, entourée de 4 ha de terrain. Chambres charmantes avec lavabo ou salle de bains. Pour goûter les douces soirées ou compter les étoiles, une halte parfaite. Pour ceux qui préfèrent plus de simplicité, les proprios louent aussi des chambres dans une autre maison rustique, au nº 451 de la même rue. On aime bien aussi cet endroit-là, plus champêtre et surtout moins cher. Bonne atmosphère.

▲ *La Maison Vert-Tige :* 125, rue Saint-Raphaël. ☎ 665-62-01. Maison agréable avec pelouse devant, proposant 5 jolies chambres, toutes d'une couleur différente, avec ou sans salle de bains. Au milieu de la cuisine, un bon vieux poêle. Bonne petite adresse à prix convenables. Petit déjeuner compris.

Beaucoup, beaucoup plus chic

▲ |●| *L'Auberge des Peupliers :* 381, rue Saint-Raphaël. ☎ 665-44-23. Fax : 665-31-79. L'une des grandes auberges du Québec. Élégante et blanche vieille demeure abritant une très longue tradition d'accueil. Le père Ferdinand Tremblay, l'actuel patron, y tint lui-même une pension pendant plusieurs dizaines d'années. Aujourd'hui, l'auberge a gagné une grande réputation pour la finesse de sa cuisine et le confort de sa salle à manger. Mobilier ancien typiquement québécois. Service impeccable. Excellente table d'hôte proposant le fameux pâté de foie maison, l'artichaut de la métairie en barigoule, le velouté de légumes, puis les aiguillettes de canard au sirop d'érable ou les noix de pétoncles à la marmelade de fruits au cari, etc. Ensuite, fromages affinés, desserts et thé. À la carte, spécialités de coquilles Saint-Jacques et poisson. Quelques chambres à louer également, possédant tout le confort possible. Mais à notre avis, on vient plutôt pour se sustenter. Dans le jardin, tennis, volley et mini-golf. Pour ceux qui séjournent, demi-pension imposée.

PORT-AU-PERSIL

IND. TÉL. : 418

S'arrêter à Port-au-Persil,
c'est faire le détour pour retrouver
le temps qui prend son temps.
Mais, c'est aussi s'arrêter
en soi-même. Retourner à soi.
C'est s'offrir ce lieu où, pour un instant,
tout recommence...

Vous nous avez compris, Port-au-Persil, méprisé, oublié par les automobilistes pressés qui ratent continuellement la petite route qui y mène, Port-au-

Persil se révèle être l'un des plus beaux villages de Charlevoix. Ami lecteur, la voiture se mettra elle-même en 1re dès que s'amorcera la descente. On ne vous décrit pas. Venez! Tout en bas, charmant petit port et amas de gros rochers. Une petite rivière se jette en cascade dedans. Tout à côté, une émouvante chapelle datant de 1897.

Où dormir ? Où manger ?

Prix moyens

▲ *Gîte L'Oasis du Port :* 535, route de Port-au-Persil. ☎ 638-51-01. Si vous rêvez d'une petite maison avec un bout de port devant, de l'eau qui frétille, une vue d'un charme fou, avec sur le côté un îlot mignon avec de gros rochers, posez vos bagages. Un gîte simple, à la coquetterie discrète, aux prix doux comme la lumière du coin, voilà ce que vous propose cette maison de 4 chambres sans salle de bains, ni parfois lavabo. Au rez-de-chaussée, une chambre plus grande avec une large baie vitrée et une salle de bains attenante. Une adresse qu'on aime, pour la vue, pour son calme, pour l'accueil qu'on y reçoit de la part de Nicole.

▲ |●| *Auberge de La Petite Madeleine :* 400, route de Port-au-Persil (direction Saint-Siméon). ☎ 638-24-60. Une délicieuse auberge dominant le Saint-Laurent et offrant depuis sa véranda un magnifique panorama sur le fleuve et les environs. André et sa femme, Diane, pro-diguent une hospitalité hors pair. Tous les gens qui travaillent ici sont des amis, ce qui explique l'atmosphère sereine et familiale. Attention : demi-pension seulement. 15 chambres pas très grandes, mais tellement mignonnes que l'on a envie de s'installer tout de suite. Table d'hôte proposant de bons et copieux plats régionaux. En principe, deux services : à 18 h et à 20 h. Petit déjeuner consistant avec du bon pain fait maison. Soirées douces sous la véranda ou au salon, propices à la rêverie et pour mettre réellement en pratique le petit poème du préambule... Conseillé de réserver.

▲ *Gîte Gens du Pays :* 490, route de Port-au-Persil. ☎ 638-27-17. Avec un peu de chance, on peut apercevoir des baleines de cette jolie maison tranquille au bord de la route. Chambres simples, très propres, à prix doux et accueil sympa. La patronne, Bertrande, vous reçoit à bras ouverts et vous prépare de savoureux petits déjeuners.

À voir

★ Sur la grande route express (la 138), au n° 1001, visiter *la Poterie* de Port-au-Persil. ☎ 638-23-49. Ouverte tous les jours de 9 h à 18 h, de juin à septembre. Très bel artisanat de grès et de faïences, présenté dans un vaste hangar jaune paille.

Dans les environs

★ *Le Centre écologique de Port-au-Saumon :* entre Saint-Fidèle et Port-au-Persil. ☎ 434-22-09. Ouvert tous les jours du 1er juillet au 31 août, de 10 h à 17 h. Le long du Saint-Laurent. C'est une base de plein air assez rustique, offrant des activités très variées et intéressantes : sentiers d'interprétation de la nature, observation du milieu marin, etc.

SAINT-SIMÉON   IND. TÉL. : 418

Carrefour important des routes du Saguenay de la côte Nord et de Québec. Port d'embarquement pour Rivière-du-Loup. C'est également la capitale de l'éperlan, que l'on fête joyeusement à la mi-juillet. À part cela, ce n'est pas un endroit où l'on séjourne. Son charme ne saute pas aux yeux.

Adresses utiles

🛈 *Kiosque d'information touristique :* 135, rue Saint-Laurent (sur la route principale). ☎ 638-24-52. Ouvert tous les jours de fin juin à début septembre, de 9 h à 19 h.

🚌 *Autobus :* vente de billets au garage *Irving,* à la sortie du village direction Chicoutimi. Arrêt du bus au restaurant *L'Horizon,* 775 Saint-Laurent (c'est pratique !). 3 bus par jour pour Québec.

Où dormir ? Où manger ?

– Plusieurs *chambres à louer* le long de la rue principale, pour dépanner seulement.

🛏 *Camping Lévesque :* en bord de mer, à moins de 3 km de l'église de Saint-Siméon, sur la route en direction de Tadoussac. ☎ 638-22-90. Ouvert de début juin à octobre. Prendre le chemin de terre à droite. Endroit assez sauvage. Il est même arrivé qu'on aperçoive des baleines depuis le camping ! Possibilité d'acheter pain, lait, beurre et œufs. Douches chaudes gratuites, w.-c. et laverie. Informations et réservations au 400, rue Saint-Laurent, à Saint-Siméon.

🛏 🍴 *Auberge-sur-Mer :* 109, rue du Quai. ☎ 638-26-74. Au débarcadère, sur la gauche. C'est le grand motel bleu ciel et blanc. Chambres spacieuses, froides mais confortables, avec salle de bains, téléphone et vue sur la baie. À 4 personnes, prix tout à fait raisonnable. Mais insistez pour ne pas dormir dans l'annexe. Grand salon très clair à disposition. En face, le resto de l'hôtel, dans une structure séparée, permet d'attendre le traversier en mangeant un petit morceau. Cuisine pas sorcière. Pas mal de poisson.

🛏 *Rose-Aimée Tremblay :* 429, rue Saint-Laurent. ☎ 638-24-16. *Couette et Café* sur le bord du fleuve, près du port d'embarquement pour traverser le Saint-Laurent. Spacieuse demeure entourée d'un jardin. Chambres joliment décorées. Du salon, vue sur le fleuve et accès au jardin. Parking. Accueil sympathique. « Causeries » maritimes. Petit déjeuner très copieux.

Où dormir à Baie-des-Rochers ?

🛏 *Gîte de la Baie :* 68, rue de la Chapelle. ☎ 638-28-21. Sur la route 138, vers Tadoussac, à 16 km de Saint-Siméon. Route très sympa pour y aller, bordée de petits lacs. Prendre à droite en arrivant à la baie des Rochers ; la maison se trouve sur la droite, quelques centaines de mètres plus loin. Intérieur moderne, confort parfait. C'est Maurice, menuisier de profession, qui a restauré cette maison où il est né, tout comme ses 10 frères et sœurs. Accueil très sympa de sa femme, Judith, qui adore bavarder. Très calme, et pas loin de la jolie baie des Rochers. Pour ceux qui sont en voiture uniquement.

La traversée Saint-Siméon – Rivière-du-Loup

Le Trans Saint-Laurent effectue la traversée en 65 mn. Pour tous renseignements concernant les horaires et tarifs : à Saint-Siméon, ☎ (418) 638-28-56 ; à Rivière-du-Loup, ☎ (418) 862-50-94 (message enregistré) et 862-95-45 ; à Montréal, ☎ (514) 849-44-66. Carte *Visa* acceptée. À bord, petit bureau de tourisme, restaurant, salle de jeux pour les enfants. Pour les voitures, pas de réservation. Embarquement suivant l'ordre d'arrivée. En été, conseillé d'arriver au moins une heure avant. Bien se renseigner car les horaires et le nombre de traversées varient en fonction de la saison. En principe, 5 traversées par jour en juillet et août.

À voir. À faire dans les environs

★ *La baie des Rochers :* à 20 km de Saint-Siméon (vers Baie-Sainte-Catherine). Au cœur du hameau de Baie-des-Rochers, prendre à droite et suivre la route puis le chemin toujours tout droit jusqu'au bout. Petite baie croquignolette et reposante, site naturel agréable, aménagé de plusieurs sentiers de promenade.

– *Le ranch La Licorne :* 1810, route 138, entre Cap-à-l'Aigle et Saint-Siméon. ☎ 638-23-59. Randonnée en forêt avec guide, location de chevaux à l'heure, paddock pour les enfants. Fait aussi gîte.

– *Le Centre d'interprétation et d'observation de Pointe-Noire :* sur la route 138, à Baie-Sainte-Catherine. ☎ 237-43-83. Ouvert de mi-juin à début septembre, tous les jours de 9 h à 18 h ; de début septembre à la mi-octobre, du vendredi au dimanche de 9 h à 17 h. Situé sur un cap, et au cœur du parc marin du Saguenay (au confluent du Saguenay et du Saint-Laurent), sur le site d'un ancien feu d'alignement. Pointe-Noire est reconnu comme étant l'un des meilleurs endroits du globe pour observer les bélugas et les petits rorquals. Panorama impressionnant. Quelques marches mènent à un observatoire. Dans le centre, expo sur les phénomènes de la confluence Saguenay–Saint-Laurent. Le centre organise également des conversations avec des guides naturalistes plusieurs fois par jour l'été. Sentier promenade également, duquel, si l'on a de la chance, on pourra observer des bélugas.

– *L'observation des baleines :* à Baie-Sainte-Catherine, les compagnies *Famille Dufour* (☎ 237-44-21) et *AML* (☎ 237-42-74) proposent en saison des départs de bateaux pour observer les baleines. Ce sont les compagnies de Tadoussac qui passent prendre les gens ici.

L'INTÉRIEUR DE CHARLEVOIX

Ne vous contentez pas de la côte, une balade dans les terres est le complément indispensable à une bonne connaissance de Charlevoix. Paysages vallonnés et boisés dégagent une paix incroyable. Là où la forêt se fait austère, de plantureux pâturages adoucissent le paysage. Artistes, peintres et photographes viennent depuis longtemps puiser leur inspiration dans les longs plateaux de l'arrière-pays, les vallées verdoyantes et fertiles parsemées de pittoresques fermes. Venez vous perdre dans les chemins de rangs autour de Saint-Hilarion, dont beaucoup sont encore en terre battue. Venez retrouver une authenticité des choses et des êtres, merveilleusement intacte...

★ *Le parc régional des Hautes-Gorges-de-la-Rivière-Malbaie :* à 44 km au nord de La Malbaie, une vallée aux parois rocheuses atteignant parfois 700 m. Panoramas superbes et chutes d'eau spectaculaires. D'anciens chemins tracés par les travailleurs forestiers d'antan permettent de chouettes promenades à vélo dans une nature fascinante à la végétation, aux essences et reliefs insolites et variés. On peut également louer des canots sur place. Accessible en voiture depuis la route 138, par Saint-Aimé-des-Lacs, puis une belle route forestière (route de la ZEC des Martres). Ne pas oublier de faire le plein, d'apporter un chiffon pour le pare-brise et un pique-nique, et de bien suivre les indications routières. Devient très boueux par temps de pluie. Toutes infos à l'*Association touristique de Charlevoix* à La Malbaie. ☎ (418) 665-44-54. Croisières possibles sur la Malbaie avec *Croisières Hautes Gorges* de mi-juin à mi-octobre. ☎ 665-75-27.

★ *Monts-Grands-Fonds :* à 15 km de La Malbaie, c'est la montagne de l'arrière-pays, station de sports d'hiver calme et familiale. Paysage splendide. L'hiver, idéal pour le ski de randonnée ; en été, belles balades à pied.

★ *Saint-Aimé-des-Lacs :* par la route intérieure 138 (Baie-Saint-Paul–La Malbaie), on parvient à ce petit centre de villégiature, gaiement éparpillé autour d'un lac paisible. Baignade et planche à voile.

Où dormir ?

🏠 *Gîte Nadeau Provençale :* 193, rue Principale, Saint-Aimé-des-Lacs. ☎ 439-54-02. Située au bout d'un petit chemin, cette maison est au bord du lac. Ses grandes fenêtres ainsi que son intérieur en bois la rendent très claire. La vue sur le lac est saisissante. Elle abrite 3 chambres qui se partagent une superbe salle de bains avec jacuzzi (supplément). Une adresse à ne pas manquer. Tout simplement royal !

★ *Notre-Dame-des-Monts :* délicieuse route secondaire depuis Saint-Aimé-des-Lacs, zigzaguant entre les sommets les plus élevés de la région, plongeant dans d'adorables vallées riantes. Nombreuses fermes et granges en bois typiques. C'est si beau qu'on en oublie le fleuve ! C'est dans le coin que fut tourné le célèbre feuilleton TV *Le Temps d'une paix*. Le village apparaît tout mignon, niché au creux de la montagne.

Où dormir ?

🏠 *Auberge de la Miscoutine :* 62, rang 2, route Notre-Dame-des-Monts, Sainte-Agnès. Sur la portion de route allant de la 138 à Notre-Dame-des-Monts, des Bretons se sont installés et vous réservent un accueil chaleureux. De multiples activités sont proposées. Repas possible. Chambres simples, voire banales. Tout de même un peu cher...

★ *Saint-Urbain :* voir le petit *musée* racontant 160 ans d'histoire du village (route 381, vers le parc des Grands-Jardins, à 6 km au nord du village ; ☎ 639-22-10). Ouvert tous les jours de 9 h à 16 h.
À 15 km du village débute la fameuse traversée de Charlevoix à ski, longue d'une centaine de kilomètres. Renseignements à la *Fédération québécoise de la Montagne :* ☎ (514) 252-30-04 et (418) 639-22-84.

– LE SAGUENAY – LE LAC SAINT-JEAN –

L'une des 19 régions touristiques officielles du Québec, qui s'étend, comme son nom l'indique, le long du fleuve Saguenay et autour du lac Saint-Jean. Un autre aspect, une autre approche du Québec. Jacques Cartier en fit une description très enthousiaste à François Ier, et le territoire fut annexé au royaume. Parmi les attraits touristiques : le fjord du Saguenay, superbe (transformé en partie en parc), une réserve amérindienne, un village fantôme et quelques adorables patelins. Mais le lac Saint-Jean s'avère un peu décevant. En revanche, les deux routes qui y mènent (selon qu'on vient de Saint-Siméon ou de Tadoussac) traversent des coins sauvages bien préservés et offrent quelques panoramas splendides...

DE SAINT-SIMÉON AU LAC SAINT-JEAN

Ceux qui suivent fidèlement l'ordre de présentation de leur guide préféré, et viennent donc de Charlevoix, monteront naturellement par la route 170 et pourront redescendre sur Tadoussac soit par la rive nord du Saguenay en prenant ensuite la 172, soit par le bateau *La Marjolaine.* La route 170 offre, bien sûr, des morceaux de parcours superbes et des haltes à ne point manquer.

L'ANSE-SAINT-JEAN   IND. TÉL. : 418

Passé Petit-Saguenay, verdoyant et fleuri, voici L'Anse-Saint-Jean, une étape bien sympathique. Ce fut le premier village fondé dans le Saguenay par quelques pionniers en 1838. Il s'étire désormais le long de la rivière Saguenay sur plus de 10 km! Voir le grand pont couvert (en 1986, il en a eu marre, il est allé se balader au gré du courant jusqu'au quai de la Marina ; on l'a remis à sa place...). Chouettes balades par le *sentier de la Montagne Blanche,* menant à de jolis points de vue.

Adresse utile

❑ *Kiosque d'information touristique :* 17, rue Saint-Jean-Baptiste. ☎ 272-21-99. Ouvert en été de 7 h à 22 h. L'hiver, composez le : ☎ 272- 26-33 pour savoir où se situe le bureau touristique. Informations sur tout le Saguenay et le lac Saint-Jean.

Où dormir ?

▲ *Camping de l'Anse :* 325, rue Saint-Jean-Baptiste. ☎ 272-25-54 ou 272-26-33. Ouvert du 20 juin au 20 septembre. Au bord du fleuve et au cœur du village. Camping municipal assez luxueux, avec piscines, tennis, bains tourbillons, terrain de croquet, blocs sanitaires et équipe- ment nautique. Attention, peu de place pour les tentes en été.

▲ *Gîte Le Nid de l'Anse :* 376, rue Saint-Jean-Baptiste. ☎ 272-22-73. Vue exceptionnelle. Belle maison aménagée avec goût. 3 chambres. Hospitalité chaleureuse. Petit déjeuner copieux et prix doux.

▲ *La Maison des Lauriers :* 7, chemin Saint-Thomas. ☎ 272-26-95. Sur la rue Saint-Jean-Baptiste (en arrivant de la route 170), prendre le premier pont à gauche. Le gîte se situe tout de suite à droite. Magnifique maison d'une propreté irréprochable. Intérieur harmonieux et délicat. 3 chambres très bien décorées. Prix très raisonnables. Excellent accueil.

▲ *La Ferme des Trois Cours d'Eau :* Gîte du Passant, chez Odile et Marc Boudreault, 6, chemin de l'Anse. ☎ 272-29-44. À l'église, prendre à gauche et passer le pont couvert. Au grand panneau de bois, prendre à droite. Le gîte est 50 m plus loin sur la droite. Marc est intarissable sur les bateaux que l'on peut observer depuis la salle à manger. Odile concocte de savoureux petits plats québécois à des prix fort raisonnables (on peut manger chez eux le soir). À l'étage, 3 chambres simples, tout en bois, pas très chères, avec toilettes sur le palier. Demander la n° 2 pour sa vue sur la rivière Saguenay. Copieux petit déjeuner avec pain et confitures maison, œufs et jambon. Calme assuré. Près du sentier des Caps et des Chutes.

▲ *Le Gîte Le Globe-Trotter :* 131, rue Saint-Jean-Baptiste. ☎ 272-23-53. Au bord de la route, mais l'arrière donne sur un site superbe, une jolie rivière et les montagnes boisées. On est accueilli par André Bouchard, un type sympa et très chaleureux. Il est prof et aime les voyages. Intérieur vaste et lumineux avec 3 chambres très bien arrangées, calmes, où l'on a envie d'oublier le reste du monde. Terrasse et pelouse pour bouquiner au soleil. Très bonne adresse pour ceux qui veulent un peu plus de confort (et le petit déjeuner) à prix sages.

▲ *Gîte L'Anjeannoise :* chez Louise et Michel, 289, rue Saint-Jean-Baptiste. ☎ 272-34-37. Cette très jolie maison de style Mansart (1854), tenue par une gentille dame, abrite des chambres petites et croquignolettes, pleines de charme ancien. Uniquement des grands lits pour deux, et toilettes sur le palier. Excellent petit déjeuner. Amusant : les vieux planchers en pente. À l'arrière, vue sur le pont couvert. Petite galerie d'art au rez-de-chaussée.

Où manger ?

|●| *Club Nautique Anse Saint-Jean :* 335, rue Saint-Jean-Baptiste. ☎ 272-21-44. Ouvert les vendredi, samedi et dimanche seulement. Resto et bar de 8 h à 21 h. Le *brunch* est servi de 9 h à 13 h. Un resto au cadre superbe, salle spacieuse, tout en bois clair, avec poutres... L'accueil est chaleureux, le menu original, et les prix abordables. Moules, maquereaux, truites et saumons (fumés bien sûr !) et bien d'autres choses délicieuses encore.

|●| *La Maison des Cévennes :* 294, rue Saint-Jean-Baptiste. ☎ 272-31-80. Ouverte le soir seulement. Face au pont couvert. Maison centenaire à l'atmosphère rustico-familiale. Bonne cuisine : filet de truite saumonée, sole, langoustines au beurre à l'ail, fruits de mer. Peu de choix, en fait, mais tout est bon.

– *Pâtisserie Louise :* 328, rue Saint-Jean-Baptiste. ☎ 272-26-11. « Pâtisseries de toutes sortes » (sic !) à se damner. Beaux pains cuits au four à bois. En saison, propose aussi des plats cuisinés : tourtières, pizzas, pâtés, fèves au lard...

À faire

Site du « 1 000 Dollars » : non, ce n'est pas un sentier qui mène à la fortune, ni un gag du Loto québécois, ni même une farce ! À 500 m de l'église, en allant vers le lac, sur la droite, à la hauteur du gîte *L'Anjeannoise,* un chemin balisé conduit à un site d'observation et d'interprétation du billet de 1 000 dollars. Ça n'a pas de bon sens ce truc-là? Mais si. C'est de ce site précis qu'a été prise la photo du pont couvert ayant servi de modèle à celui qui figure sur tous les billets de 1 000 dollars canadiens (pas américains).

– *La promenade des chutes :* suivre la rue Saint-Thomas Nord jusqu'au centre d'équitation, puis jusqu'au cimetière. Une pancarte indique le départ pour la promenade. Le joli sentier à travers bois mène à une cascade et un belvédère d'où la vue est superbe.

– *Randonnée à cheval : Centre équestre des Plateaux,* 31, chemin des Plateaux. ☎ 272-32-31.

– *Balades en kayak : Fjord en kayak,* Louis Dubord, marina de L'Anse-Saint-Jean. ☎ 272-30-24. Louis propose de nombreuses excursions, plus ou moins longues, vers l'île Saint-Jean, l'île Saint-Louis, dans le fjord, et même des randonnées de 2 jours. Également location de vélos, kayaks solo et tandem, canoës.

– En hiver, *ski de fond* (au centre Mont-Édouard) et *pêche blanche* (pêche à travers la glace). Renseignements au *Centre d'Hébergement des Gîtes du Fjord :* ☎ 272-34-30.

LE PARC DU SAGUENAY

Entrée du parc à *Rivière-Éternité,* sur la route 170, 65 km avant Chicoutimi. ☎ 544-73-88 (direction du parc, à La Baie). Ouvert de fin mai à fin septembre, de 8 h à 19 h. Entrée payante en juillet et août seulement. S'étendant en gros de la baie des Ha! Ha! (ne riez pas, c'est son nom!) à Tadoussac, ce parc national d'une centaine de kilomètres de long protège l'un des plus beaux sites naturels du Québec : un véritable fjord, profonde vallée gla-

LE SAGUENAY – LE LAC SAINT-JEAN

ciaire où coule la rivière Saguenay, envahie sur plusieurs kilomètres par les eaux (salées!) du Saint-Laurent... Un fjord unique en son genre au Québec puisqu'un phénomène géologique et un phénomène marin s'y rencontrent, créant un décor de toute beauté, resté à l'état vierge, ainsi qu'un fertile brassage des éléments aquatiques qui attire toutes sortes de mammifères marins, dont les grosses baleines (qui ne s'aventurent pas dans le fjord, se contentant de l'abondant plancton généré par l'estuaire aux environs de Tadoussac) et les étonnants bélugas, que l'on aperçoit en nombre dans le Saguenay. Ajoutez à cela les somptueuses forêts qui longent le fjord et vous avez un parc à ne surtout pas manquer, où le « tourisme vert » se pratique avec joie.

Le secteur Rivière-Éternité du parc est sans aucun doute l'endroit où le fjord s'avère le plus spectaculaire : autour de la baie Éternité, les *caps Éternité* et *Trinité* dressent leurs parois abruptes à plus de 300 m au-dessus des eaux, elles-mêmes profondes de 300 m à ce niveau du fleuve. Tracés dans la forêt, des sentiers de randonnées (30 km de pistes en tout) permettent d'accéder à différentes aires panoramiques d'où la vue sur le fjord est, comme on s'en doute, sublime.

Où dormir ? Où manger ?

▲ |●| *Centre d'hébergement touristique de Rivière-Éternité :* bureau à l'entrée du parc. ☎ 272-30-08. Ouvert toute l'année, de 8 h à 21 h. Location de chalets équipés (réfrigérateur, poêle, foyer...) pour 4 à 6 personnes. Prix honnêtes si on est plusieurs, plus avantageux hors saison (de mai à mi-juin et de mi-octobre à mi-décembre). Pour ceux que ça intéresse, 3 forfaits disponibles : pêche blanche, ski ou érablière (pendant la saison de cueillette de l'eau d'érable), avec activités comprises dans le prix de l'hébergement. Intéressant en hiver pour mener une vraie vie de Québécois! Le centre possède également un resto proposant cuisine traditionnelle ou snacks, très correct.

Campings

◼ *Camping Rivière-Éternité :* dans le parc, sur le chemin de Baie-Éternité. Renseignements : *Société de développement touristique de Rivière-Éternité,* 24, rue Notre-Dame, au village de Rivière-Éternité. ☎ 272-30-08. (Vous avez remarqué, toutes

ces répétitions inévitables du mot Éternité?) On y plante sa tente dans un site de rêve, au calme, dans les arbres et au bord de la rivière (Éternité, bien sûr!), à 2 km seulement du fjord. Deux prix différents, avec ou sans services. À disposition : abri chauffé, buanderie et sanitaires. Possibilité d'aller observer les castors à 18 h avec un naturaliste. 16 places. S'inscrire le matin au Centre d'interprétation.

◼ Plusieurs sites de *camping sauvage* et quelques *refuges* chauffés dans le parc. Demander la carte à l'entrée du parc, tout est très bien indiqué dessus, avec les sentiers de randonnées.

À voir. À faire

★ *Le centre d'Interprétation du parc du Saguenay :* dans le parc, à 8 km du centre du village de Rivière-Éternité. Poste d'accueil : 71, rang Notre-Dame, à Rivière-Éternité. ☎ 272-22-67 (accueil). Ouvert de mi-mai à mi-octobre de 9 h à 17 h. Accueil remarquable. Efficace et compétent. Vous saurez tout sur le fjord, la faune et la flore (diaporama). C'est le point de départ du sentier menant à la statue du cap de la Trinité.

– Nombreuses *randonnées* à faire dans le parc, à pied et même à cheval. Se procurer la petite brochure éditée par le bureau du parc. Ne pas manquer le sentier menant à la statue de la Vierge, de 8 m de haut, et au cap Trinité. Faites-vous raconter l'histoire de la statue. Environ 4 h de marche aller et retour. Le long du sentier, beaux points de vue sur la rivière Éternité. Possibilité de rencontrer marmottes, sconses, écureuils, oiseaux multiples, etc. Panorama d'un rare intérêt, qui laisse des souvenirs inoubliables. Le long du sentier, nombreuses sources aménagées. *Refuge* avec une grande cheminée. Pas d'électricité. Prévoir sacs de couchage et crème antimoustiques. La majestueuse vallée de la Rivière-Éternité offre aussi de nombreuses essences d'arbres. Se chausser de bonnes godasses pour se rendre au cap Trinité. Même s'il fait chaud, conserver un gilet ou un truc à manches longues contre un genre de moucheron piqueur et agaçant dont les effets sont voyants.

– *Croisières sur le fjord :* notamment avec certaines des compagnies de Tadoussac (voir plus loin). Sinon, une compagnie locale part de Rivière-Éternité plusieurs fois par jour. Contacter *Croisières du Cap-Trinité :* ☎ 272-25-91. Plusieurs tarifs en fonction de la durée du voyage. On vous conseille la mini-croisière faisant le tour de la baie, qui permet d'admirer les deux caps et leurs falaises spectaculaires.

★ *Site de tournage de « Robe noire » et de « Shehaweh » :* du Vieux-Chemin, Saint-Félix-d'Otis. ☎ 544-80-27. Ouvert tous les jours du 11 juin au 15 août, de 9 h à 17 h et, après le 15 août, uniquement les vendredi, samedi et dimanche. À environ 16 km après Rivière-Éternité, en allant vers La Baie, tourner à droite à 2 km avant d'arriver à Saint-Félix, et suivre une petite route secondaire sur 7 à 8 km. C'est indiqué.
Le site de l'Anse-à-la-Croix, au bord du Saguenay, fut choisi comme lieu de tournage du film *Robe noire,* grand succès au Québec en 1991, et du téléfilm

Shehaweh. 24 bâtiments y ont été construits pour recréer le décor du poste de Québec en 1634 : le fort Champlain, la mission des jésuites, des fermes de colons, un fort iroquois... Après le tournage, au lieu de tout détruire, les producteurs ont conservé les décors que l'on découvre par une visite guidée de 1 h 15. Intéressant, même pour ceux qui n'ont pas vu les films en question.

★ *Les crèches de Noël :* une charmante coutume pousse les habitants de Rivière-Éternité à construire chaque année des crèches grandeur nature devant leur maison. Vraiment curieux à voir si vous passez par là fin décembre! Elles sont édifiées avec les moyens du bord : ici de la neige et de la glace, là du bois d'épave décoré, de l'écorce d'érable et de cèdre, des briques, des cornes d'orignal ou de caribou, des arêtes de morue... De plus, une exposition de crèches miniatures, venant de tous les pays du monde, se tient chaque année dans la salle des fêtes aménagée sous l'église.

LA BAIE

Ville industrielle (papeterie et usine d'aluminium, d'ailleurs responsable de la pollution du Saguenay et du Saint-Laurent, et donc de la disparition croissante des bélugas!). C'est ici qu'Alexis le Trotteur gagna la course en courant contre son père qui, lui, remontait en bateau le Saguenay. Il effectua le parcours en 12 h et arriva le premier pour saisir les amarres du bateau!

Adresse utile

🏢 *Bureau du tourisme :* 1171, 7ᵉ Avenue. ☎ 697-50-50 ou appel gratuit au : ☎ 1-800-263-22-43. Ouvert l'été, tous les jours de 8 h à 20 h et l'hiver, de 8 h 30 à 16 h 30 (fermé le week-end). Hors saison, si le premier numéro ne répond pas, essayez le : ☎ 697-51-77.

Où dormir? Où manger?

– Le Bureau du tourisme délivre un bon nombre d'adresses de *gîtes touristiques* où passer la nuit. Mais, honnêtement, on ne voit pas beaucoup de raisons de s'attarder à La Baie...

🛏 |●| *Auberge des Battures :* 6295, bd de la Grande-Baie Sud. ☎ 544-82-34. Fax : 544-43-51. À une vingtaine de kilomètres de Chicoutimi, entre La Baie et le parc du Saguenay. Bien située et bien tenue. L'auberge surplombe le fjord et ses cabanes de pêche blanche. Nombreuses activités organisées par Georges, le sympathique patron. Bonne table. Petit déjeuner copieux non compris dans le prix de la chambre. Assez cher.

|●| *Auberge des 21 :* 621, rue Mars, La Baie. ☎ 697-21-21. Fax : 544-33-60. Marcel Bouchard, chef réputé, propose un savoureux échantillon de la haute gastronomie régionale qui se développe au Québec.

À voir

★ *Le musée du Fjord :* 3346, bd de la Grande-Baie Sud. ☎ 697-50-77.

Ouvert du 24 juin au 5 septembre de 8 h 30 à 17 h sauf les samedi et dimanche matin ; en hiver, de 8 h 30 à 12 h (sauf les samedi et dimanche) et de 13 h à 17 h. Musée d'art et d'ethnographie.

Spectacle

– *La Fabuleuse Histoire d'un royaume :* réservations, ☎ 1-800-667-45-82 ou (418) 697-51-51. 250 comédiens bénévoles et passionnés font revivre chaque été l'histoire du lac Saint-Jean et de ses habitants à travers un spectacle haut en couleur qui connaît un succès fou dans la région. En se présentant aux guichets quelques minutes avant le spectacle, on a une chance (si l'on n'a pas de réservations) de trouver de la place.

CHICOUTIMI
IND. TÉL. : 418

Grande ville du Nord, moderne et animée. Les gens sont là aussi très sympas, possèdent beaucoup d'humour et également un grand sens de la fête. Pas grand-chose à voir néanmoins en dehors de juillet et août.

Adresses utiles

🅸 *Kiosque d'information touristique :* bd Saguenay ; en plein centre, dans la zone portuaire. ☎ 698-32-54. Bureau saisonnier, très pratique pour les non-motorisés, ouvert tous les jours du 22 juin (environ) au 3 septembre, de 9 h à 19 h, y compris les samedi et dimanche. Doc sur la ville. Liste d'une trentaine de *Gîtes du Passant* avec possibilité de téléphoner pour réserver.
🅸 *Office du tourisme (hors plan I, B4, 1) :* 2525, bd Talbot. Loin du centre, au croisement des routes 175 et 170. ☎ 698-31-67. Ouvert tous les jours en été, de 8 h 30 à 19 h ; hors saison, de 8 h 30 à 12 h et de 13 h à 16 h 30. Plein de doc sur la région.

🅸 *Association touristique du Saguenay-Lac Saint-Jean (plan II, B2, 2) :* 198, rue Racine Est, bureau 210. ☎ 543-97-78. Appel gratuit : ☎ 1-800-463-96-51. Ouvert de 8 h 30 à 19 h. Fermé les samedi et dimanche. Face à l'hôtel de ville. Très compétent et bon matériel touristique.
■ *L'Aventurier (plan II, B2, 3) :* 250, rue Racine Est. ☎ 545-22-51. On y trouve tout le nécessaire pour la vie au grand air. Ils organisent aussi des excursions et activités sportives (raft, kayak, pêche, etc.).
■ *Transports urbains :* ☎ 545-CITS.
■ *Location de vélos :* sur la zone portuaire, tous les jours de 9 h à 18 h.

Où dormir ?

Bon marché

🛏 *L'Auberge du Centre-Ville (plan II, B2, 10) :* 104, rue Jacques-Cartier Est. ☎ 543-02-53. Petit hôtel populaire sans charme particulier. Très central. Au-dessus d'un bar-salon-disco (le week-end, demander une chambre à l'écart du bruit !).

Chambres avec salle de bains refaites à neuf. Quelques-unes avec lavabo. L'un des hébergements les moins chers de la ville.
🛏 *Services des résidences du collège de Chicoutimi :* ☎ 549-95-20 pour savoir s'il y a des chambres libres. En été seulement.

Prix modérés

▲ *Gîtes La Maison sur la Butte*
(plan I, A1, 11) : 684, bd Saguenay
Ouest. ☎ 549-71-28. Sortir de la
ville vers Jonquière, route 3720. La
maison est située sur une butte, à
gauche de la route, à environ 2 km
de Chicoutimi-Centre. « Ici on se
sent gîtement bien ! », dit la réclame.
C'est vrai. Nycol et Marthe reçoivent
leurs hôtes avec beaucoup de gentillesse et d'attention. Intérieur pro-
pret et chaleureux. 4 chambres (3 en
haut, 1 en bas) dont 2 à deux lits. Ne
pas s'inquiéter de la proximité d'un
haut pylône électrique ni de la route
qui passe au-dessous, car on n'entend presque aucun bruit la nuit à
Chicoutimi. Une bonne petite
adresse, de préférence pour les motorisés.

▲ *La Villa au Pignon vert* *(plan II,
C2, 12)* : 491, rue Jacques-Cartier
Est. ☎ 545-02-57 ou 1-800-499-
02-57 (gratuit). Fax : 545-61-84. Au
cœur de Chicoutimi, cette grande
maison possède 10 chambres pour
2 personnes très confortables, réparties sur trois niveaux. L'accueil
est chaleureux et le petit déjeuner
copieux, le tout à un prix très raisonnable.

▲ *Gîte Bouchard* *(plan II, D1, 13)* :
892, Saguenay Est. ☎ 543-17-51 ou
674-22-55. Pour y aller : prendre le
boulevard Talbot direction Chicoutimi-Centre, le suivre jusqu'au bout ;
puis tourner à gauche sur la rue
Jacques-Cartier ; passer deux feux,
tourner à droite sur la rue du Séminaire, descendre cette rue jusqu'au
bout, tourner à droite sur la rue Racine Est ; continuer jusqu'à longer la
rivière. C'est une maison blanc et
noir, abritant seulement 2 chambres,
simples et pas onéreuses. Mieux
vaut téléphoner avant de s'y rendre.
Attention, si vous êtes côté rue, circulation importante ! Copieux petit
déjeuner avec des œufs, des rôties,
du bacon, etc.

Prix moyens

▲ *Hôtel Chicoutimi* *(plan II, C2,
14)* : 460, rue Racine Est. Appel gratuit : ☎ 1-800-463-79-30 et 549-
71-11. Fax : 549-09-38. Chambres
impeccables avec salle de bains, TV
et téléphone, dans un grand hôtel
moderne mais moche d'aspect, plein
de représentants. Trois prix en fonction du confort. Uniquement pour
ceux qui ne veulent pas loger chez
l'habitant.

Où manger ?

Bon marché

– Dans la *rue Racine,* l'embarras du
choix pour les petites brasseries et
autres cafétérias pas chères.

I●I *La Cuisine Café-Resto* *(plan II,
B2, 20)* : 387, rue Racine Est.
☎ 698-28-22. Café-bar-pâtisserie.
Décor moderne. Bons gâteaux.

I●I *Café Mont Royal* *(plan II, A2,
21)* : 6, rue Jacques-Cartier Est.
☎ 543-64-27. Dans le coin de
Sainte-Anne. Petit resto pas cher et

CHICOUTIMI (PLAN I)

■ Adresses utiles

🛈 2 Association touristique du Saguenay-Lac Saint-Jean
3 L'Aventurier

⬘ Où dormir ?

10 L'Auberge du Centre-Ville
12 La Villa au Pignon vert
13 Gîte Bouchard
14 Hôtel Chicoutimi

|●| Où manger ?

20 La Cuisine Café-Resto
21 Café Mont Royal
22 La Sauvagine
23 La Tour (Saint James Bar)

▼ Où boire un verre ?

40 Guinness Pub

★ À voir

51 Le musée du Saguenay

très copieux. Viandes et snacks. Spécialité de fèves au lard.

Prix moyens à plus chic

|●| *La Tour (Saint James Bar ; plan II, C1, 23) :* 517, rue Racine Est.

☎ 543-15-34. En face de la cathédrale. Grande maison avec véranda, qui connaît deux clientèles dans la journée. Le midi, employé(e)s du coin et hommes d'affaires pour une table d'hôte pas chère, sandwiches,

CHICOUTIMI (PLAN II)

salades diverses, poulet, grillades, etc. Repas très agréable en terrasse. Le soir, clientèle beaucoup plus chics au restaurant et une masse de jeunes venus uniquement pour boire un verre et jaser au bar ou sous la véranda. Atmosphère animée en soirée.

|●| *La Sauvagine* *(plan II, B2, 22)* : 122, rue Jacques-Cartier Est. ☎ 690-22-55. Agréable terrasse à l'arrière. La carte n'est pas très originale et un peu chère. En revanche, les tables d'hôte valent en général le détour : cuisine inventive et abordable avec en prime de bonnes pâtisseries.

Où dormir (et parfois manger) dans les environs ?

AU SUD DE LA RIVIÈRE SAGUENAY

🛏 *Gîte de la Bernache* *(hors plan I, par D1, 30)* : 3647, rang Saint-Martin. ☎ 549-49-60. À une dizaine de kilomètres du centre-ville.

Prendre le boulevard Talbot, puis le boulevard de l'Université Est, le Saguenay sur 800 m; on trouve à droite le rang Saint-Martin qu'il faut suivre tout droit sur 7 km. 3 chambres dans une maison accueillante en bordure du fjord du Saguenay où les bernaches séjournent 2 fois par an au cours de leur migration (d'où le nom du gîte). Petit déjeuner copieux et prix très raisonnables. Salle de bains commune.

▲ *Gîte du Passant Le Goût de l'Eau (hors plan I par D1, 31)* : 3483, rang Sainte-Famille. ☎ 543-63-06. Sur la route 170. À environ 5 km du centre de Chicoutimi. Cadre très agréable, au bord d'une rivière. Maison joliment décorée. 2 chambres très propres. Accueil chaleureux de Ruth. Petit déjeuner copieux.

▲ *Gîte chez Monique Otis (plan I, B3, 32)* : 1393, rue des Maristes. ☎ 549-47-65. Monique et son mari sont installés dans un quartier résidentiel. À 3 km de Chicoutimi. Le charmant couple âgé vous propose 3 chambres avec une salle de bains au sous-sol de leur maison. Elles sont simples et possèdent de toutes petites fenêtres mais ne sont pas chères du tout.

▲ *Le Montagnais (plan I, C3, 33)* : 1080, bd Talbot. ☎ 543-15-21. Appel gratuit : ☎ 1-800-463-91-60. À 2 km de Chicoutimi, route 175, dans la zone commerciale, place des Congrès. Ce grand motel de 300 chambres offre piscines intérieure et extérieure, sauna, tennis, grandes chambres avec salle de bains, sans charme mais correctes. Prix raisonnables, vu le confort et les services.

AU NORD DE LA RIVIÈRE SAGUENAY

▲ |●| *La Maraîchère du Saguenay (hors plan I, par C1, 34)* : 97, bd Tadoussac, à Saint-Fulgence. ☎ 674-22-47. À 8 km du pont Dubuc de Chicoutimi. Sur la gauche (en venant du lac Saint-Jean), à 400 m après la station Esso. Dans une étonnante maison centenaire, recouverte de lattes de bois, gîte et petit déjeuner. Assez bruyant car sur la route 132. *La Maraîchère* est très renommée pour la fraîcheur de sa cuisine et la grande gentillesse de l'accueil. Tous les produits viennent du jardin et tout est fait maison. Mais la patronne, malade, ne peut plus faire à manger que pour les hôtes du gîte et pas tous les jours. Téléphoner avant. En revanche, si vous réussissez à composer un groupe de 6 personnes, possibilité de réserver en soirée pour une « table champêtre ». Grand moment culinaire ! Pour un prix tout à fait raisonnable, un menu royal : mousse de foies de volaille aux cœurs d'artichauts, soupe aux gourganes, *maguchan* (fricassée de pommes de terre avec truite et oseille), plat typique des Indiens montagnais, tarte aux petits fruits, etc. Quant aux chambres, celle située sous le toit (dans le grenier) a tout d'une petite merveille d'originalité avec plein de trucs astucieux joliment arrangés par le sémillant Rodrigue Langevin qui déambule, pipe au bec, avec une allure de romancier-artiste des forêts lointaines !

▲ *Gîte du Passant Pierroly (hors plan I, par C1, 35)* : 119, pointe aux Pins, Saint-Fulgence. ☎ 674-23-82. Fax : 674-10-91. À 20 km du pont de Chicoutimi, direction Tadoussac. Après Saint-Fulgence, à 1 km de l'*auberge de La Tourelle,* prendre à droite, direction parc Jaseux, puis 1 km de route non goudronnée. Petit chalet typique réservé aux visiteurs, perché sur une colline et niché dans les arbres et la verdure. Vue somptueuse sur le Saguenay. 3 chambres très confortables à l'étage avec une cuisine au rez-de-chaussée. Petit déjeuner avec omelette au sirop d'érable. Nombreuses activités possibles été comme hiver. Prix raisonnables. Une bonne adresse.

▲ *Gîte du Passant Au Compte-moutons (hors plan I par B1, 36)* : 1141, Hôtel-de-Ville, à Saint-Honoré. À 12 km de Chicoutimi. ☎ 673-74-00. À Chicoutimi, traverser le pont Dubuc et continuer tout droit sur la 172 Ouest, jusqu'au panneau indicateur de Saint-Honoré (environ 3 km) ; à Saint-Honoré, tourner à gauche devant l'église pour prendre la rue de l'Hôtel-de-Ville. Calme et discrétion. Maison centenaire tenue par des dames très gentilles. Un bel intérieur en lattes de bois peint. Plantes vertes et poêles à bois. Petit déjeuner copieux : *crêtons,* œufs frais, yaourts, muffins, confitures et gelées maison. Adresse idéale en hiver car Maurice organise de superbes balades en traîneau à chiens sur les rivières gelées, à travers les forêts de bouleaux, dans des paysages magnifiques (Maurice s'occupe du Chenil du Roy).

▲ *La Maison du Passant, chez*

Marie Gagné (hors plan I, par B1, 37) : 2605, bd Sainte-Geneviève, Chicoutimi-Nord. ☎ 543-39-23. Chambres confortables dans une agréable maison. Accueil vraiment chouette de Marie qui propose aussi des excursions (vélo de montagne, traîneaux à chiens, motoneige). Marie et Roger sont toujours prêts à faire « un brin de jasette » avec leurs visiteurs, leur raconter le pays et ses traditions.

Où boire un verre ?

🍸 *Guinness Pub (plan II, C2, 40)* : rue de l'Hôtel-Dieu, à l'angle avec la rue Saint-François-Xavier. Grande salle boisée autour d'un bar central. Nombreuses bières proposées à une clientèle plutôt jeune. Grosse ambiance le samedi soir.

À voir

★ *La pulperie (plan I, A2, 50)* : 300, rue Dubuc. ☎ 698-31-00. Visite guidée de mi-juin à mi-septembre, tous les jours de 9 h à 17 h. Départ toutes les 30 mn (durée : compter 2 à 3 h). Rendez-vous à l'édifice 1921. Un peu décevant, la plupart des machines ont disparu. Située près d'une chute de la rivière Chicoutimi. Cadre assez sauvage avec ses flots furieux et ses vieux bâtiments industriels, massifs et austères, témoignage de ce qui fut la première industrie régionale : la pâte à papier. L'usine fut fondée en 1896 et devint en 1910 le plus grand producteur canadien. Avec la crise économique et à cause de grandes manœuvres de concentration style « Dallas », elle ferma en 1930. Le site fut sauvé de la démolition en 1978 et les bâtiments classés. Un vaste plan de restauration a été amorcé pour leur mise en valeur. Malheureusement les inondations de 1996 ont provoqué de nombreux dégâts. De nombreuses activités culturelles s'y tiennent aujourd'hui. Demander le programme à l'office du tourisme.

★ *La maison du peintre naïf Arthur Villeneuve (plan I, A2, 50)* : 300, rue Dubuc. ☎ 545-94-00. Se renseigner sur les horaires d'ouverture. La maison de Villeneuve, inaugurée en 1996, se distingue de toutes les autres grâce à l'originalité de l'artiste qui en a fait un tableau devenant une œuvre d'art unique. Les murs de cette maison devenus fresques illustrent non seulement l'histoire régionale mais présentent aussi le monde, vu par le regard du barbier ou du visionnaire. Ne s'arrêtant pas à sa maison, Arthur Villeneuve peindra près de 4 000 toiles, et ce, jusqu'à sa mort, en 1990.

★ *Le musée du Saguenay (plan II, C2, 51)* : 534, rue Jacques-Cartier Est. Dans le collège. ☎ 545-94-00. Ouvert du lundi au vendredi de 8 h 30 à 12 h et de 13 h à 17 h ; les samedi, dimanche et jours fériés, de 13 h à 17 h. Musée d'histoire, d'ethnologie et des arts. En particulier, très intéressante section sur la vie des Amérindiens. Explications didactiques sur la vie domestique, les techniques de chasse, etc. Belles photos. Section sur les instruments agraires des pionniers et sur la vie d'Alexis le Trotteur, qui passe d'ailleurs désormais au musée de paisibles jours. Au rez-de-chaussée, collection d'objets d'art parfois étonnants (calvaire fait de bouteilles, lyre en cire, sculptures sur bois de style naïf, etc.). Reconstitution d'ateliers d'artisans et des différentes pièces d'une maison canadienne au début du siècle.

★ *Le village de sécurité routière* (hors plan I, par B1, *52*) : 200, rue Pinel. ☎ 545-69-25. Ouvert du 15 juin au 15 septembre, tous les jours de 10 h à 17 h. Entrée payante (pas chère du tout). Peut intéresser les enfants car tout a été prévu à leur mesure pour apprendre à conduire. Des petites voitures sont à leur disposition, qu'ils peuvent conduire eux-mêmes. Ils sillonnent les rues d'une ville bâtie à leur mesure.

Fête

– *Le carnaval souvenir :* se déroule en général en février, pendant une dizaine de jours. Renseignements : ☎ 543-48-84. Tous les habitants se déguisent avec les habits de leurs ancêtres. Une très grande fête comme on n'en fait plus, chez nous. Si vous êtes au Québec à cette époque, ne la manquez surtout pas. Un retour complet 100 ans en arrière : crinolines, « capots » bordés de fourrure, pelisses et hauts-de-forme de castor ; recettes de cuisine ancestrales ; procès à l'ancienne ; vente de bric-à-brac... Grand souvenir que d'avoir rencontré dans une folle ambiance tous ces « placoteux », « gigueux » et « bûcheux », revenus à la vie après un siècle.

Quitter Chicoutimi

En bateau

Possibilité de rejoindre Sainte-Rose-du-Nord en effectuant une croisière de 4 h sur *La Marjolaine*. Il faut s'inscrire la veille au bureau des réservations sur les quais (c'est indiqué partout). Vous partez le matin et vous descendez le Saguenay, large rivière qui se jette dans le Saint-Laurent. Véritable fjord d'une longueur de 104 km, et paysage absolument remarquable. Important : si le matin le temps est gris, n'hésitez pas à annuler la croisière, car vous auriez payé pour rester 4 h dans le restaurant du bateau, à regarder la brume par les fenêtres.

Par beau temps, vous admirerez les caps Trinité et Éternité, le Tableau, une impressionnante muraille de 150 m de haut, etc. Visite de *Sainte-Rose-du-Nord,* le plus beau petit village du Saguenay.

– *Informations et réservations :* croisières *Marjolaine*, bd Saguenay Est, au port. ☎ 543-76-30. De juin à fin septembre seulement. Départ à 8 h 30 de Chicoutimi. Escale à Sainte-Rose-du-Nord pour le déjeuner (non compris). Assez cher quand même, et vérifiez bien le trajet : certains bateaux s'arrêtent avant, dans des coins perdus, et vous ne pouvez que revenir à Chicoutimi. Une autre croisière part de Sainte-Rose-du-Nord vers les caps.

En bus

🚌 *Gare routière :* 55, Racine Est. Autobus Laterrière. ☎ 543-14-03. La compagnie *Jasmin* assure des liaisons locales et régionales :
– *Pour Montréal et Québec :* Intercar Saguenay (Québec seulement).
– *Pour La Malbaie :* Intercar Côte Nord.
– *Pour Tadoussac :* Tremblay et Tremblay.
– *Pour les environs du lac Saint-Jean :* les bus *Jasmin* se sont associés pour desservir Roberval, Dolbeau, Peribonka et Côte Nord. ☎ 543-14-03. Les bus *Fournier* desservent également le lac Saint-Jean au départ de la gare routière d'Alma. ☎ 662-54-41.

JONQUIÈRE   IND. TÉL. : 418

À 15 km à l'ouest de Chicoutimi, ville moderne aux larges avenues, morceau d'Amérique du Nord avec la touche Nouvelle France, Jonquière devait sa relative prospérité à l'usine Alcan, la plus grande usine d'aluminium au monde. Mais celle-ci a fermé ses portes et l'entreprise a ouvert une usine presque entièrement automatisée à Laterrière, faisant du même coup de Jonquière, qui se serait volontiers passée de cette distinction, la capitale du chômage au Québec. Le soir, la ville reste néanmoins beaucoup plus animée que Chicoutimi. Les meilleurs cafés, restos, boîtes de nuit se trouvent à Jonquière. Allez-y pour vous amuser. Il y a plein de jeunes. Ambiance vraiment sympa.

Adresse utile

🛈 **Bureau du tourisme :** Centre des Congrès, 2665, bd du Royaume. ☎ 548-40-04. Appel gratuit : ☎ 1-800-561-91-96. Ouvert tous les jours, de 8 h à 20 h l'été, de 8 h à 12 h et de 13 h 30 à 16 h 30 hors saison. Également au 3885, bd Harvey. ☎ 542-79-74. De mi-juin à fin août, tous les jours de 8 h à 20 h.

Où dormir ?

Bon marché

🛏 **Auberge de jeunesse du Vieux Saint-Pierre :** a brûlé en 1998. On peut se rabattre sur le *CEGEP,* situé à 1 km. ☎ 547-21-91. Fax : 547-33-59.

🛏 **Camping Jonquière :** 3553-122, chemin du Quai. À 5 km du centre-ville, au bord du lac Kénogami. ☎ 542-01-76. Ouvert de juin à mi-septembre. 120 emplacements, terrain de jeux pour les enfants. Plage.

Prix modérés

🛏 **Gîte de la Rivière-aux-Sables :** 4076, rue Des Saules, G8A-2G7. ☎ 547-51-01. Située dans un quartier résidentiel calme mais non loin du centre-ville, cette adresse est exemplaire pour l'accueil de Marie et Jean-Eudes. Il vaut à lui seul le détour. 4 chambres très agréables. La maison possède en outre un joli jardin avec une plage donnant sur la Rivière-aux-Sables. Chaloupe, pédalo, pêche et piste cyclable à proximité.

🛏 **Le Mitan :** 2840, bd Saguenay. ☎ 548-73-88. Maison très coquette et chaleureuse avec 2 chambres et une salle de bains au sous-sol. Denise est très sympathique. Cependant on se sent un peu enfermé dans ces pièces qui possèdent comme seules fenêtres des vasistas. C'est dommage...

Où manger ?

De bon marché à prix moyens

🍴 **Les 400 Coups :** 2350, rue Saint-Dominique, à l'angle du boulevard Harvey. Dans le centre. ☎ 542-04-00. Ouvert jusqu'à minuit. Cadre soigné inspiré par le 7e Art en général et Truffaut en particulier. Clientèle de yuppies et d'employés du quartier, attirés par le menu de midi, pas très cher. Bonne cuisine : plats de poisson, pâtes ou viande.

|●| *Le Puzzle resto-bar :* 2497, Saint-Dominique. ☎ 542-77-14. Menu original, dans un beau décor design. Endroit agréable. Clientèle jeune et branchée.

|●| *Le Barillet :* 2523, rue Saint-Dominique. ☎ 547-26-68. Grande salle sans charme. Spécialités : buffet chinois et canadien. Menu à la carte. Prix abordables.

Plus chic

|●| *Le Bergerac :* 3919, rue Saint-Jean. ☎ 542-62-63. Cadre agréable. Prix assez élevés mais cuisine fine et inventive (carpaccio de caribou, médaillon d'autruche au vin rouge...). Les menus de midi sont plus abordables, mais cela reste chic.

Où boire un verre ?

La plupart des cafés, bars et discothèques sont dans le centre-ville, dans la rue Saint-Dominique, autour du croisement avec Saint-Thomas. *Le Puzzle, L'Audace, Le Singapour* et *l'Envol,* notamment, sont bondés, surtout pendant les festivals de musique (tous les week-ends de fin juin à août). La « Saint-Do » devient alors piétonne et des concerts gratuits sont organisés sur des scènes en plein air.

À voir. À faire

★ *Centre d'interprétation William-Price :* rue Price, entre les rues Ball et Bradet. En été, ouvert du jeudi au lundi de 10 h à 18 h, le mardi de 17 h à 21 h. Le reste de l'année, ouvert « aux heures de bureau ». Situé dans une ancienne chapelle anglicane, le musée retrace le développement du secteur Kénogami ainsi que la vie de son fondateur William Price. Possibilité également de croisière sur le lac Kénogami, pour comprendre « le Déluge du Saguenay » (les inondations de 1996, voir ci-dessous), et de balade dans le parc Price.

★ *Circuit d'interprétation du « Déluge du Saguenay » :* presbytère du Sacré-Cœur, 244, rue Bossé. Information : ☎ 698-31-67. Les 19, 20 et 21 juillet 1996, la région du Saguenay a vécu de terribles inondations. Pour faire voir et comprendre les répercussions de cet événement, cinq municipalités se sont associées, dont Chicoutimi. Le circuit présente photographies, graphiques, cartes et textes où sont décrites les particularités propres à chacun des sites.

★ *Centre national d'Exposition :* 4160, rue du Vieux-Pont. ☎ 546-21-77. Entrée gratuite. Situé à flanc de montagne, un beau panorama vous y attend. Trois expositions itinérantes majeures à caractère scientifique, artistique ou écologique.

★ Possibilité de visiter la *centrale hydroélectrique.* ☎ 699-15-47. S'adresser aux bureaux du tourisme. Visite tous les après-midi en semaine. Bâtiment Art déco construit pendant la Seconde Guerre mondiale. Également, visite intéressante (et gratuite) de l'*usine de pâte à papier Price.*

★ *Parc de la Rivière-aux-Sables :* situé en plein cœur de la ville. La rivière est un important témoin de l'histoire jonquiéroise. Halles, aires de jeux d'eau et de détente, piste cyclable, promenade piétonne, place publique, parc de la Francité. Location d'embarcations, d'équipements de pêche, de vélos.
– *Stages de canoë, de voile, de tennis, de ski, de rafting, de motoneige, etc. :* au centre *CEPAL,* 3350, rue Saint-Dominique. ☎ 547-57-28. Fax :

547-48-82. Ces stages permettent de découvrir la nature avec des accompagnateurs très qualifiés et de rencontrer des gens du pays. Héberge-ment (obligatoire) dans le centre, très bien équipé.

– *Les croisières du Cyriac :* ☎ 548-01-22. Croisière sur le lac Kénogami, magnifique plan d'eau à la belle nature. Possibilité de croisière d'inter-prétation ou de groupe.

– *Le domaine de la Truite mouchetée :* 2861, route Brassard, Shipshaw. ☎ 542-86-00. Magnifique domaine où l'on peut pratiquer la pêche en étang, été comme hiver. Tout l'équipement est disponible et l'on peut y déguster ses prises. Forfaits groupe ou individuel.

– *Festivals de musique :* en été. Voir « Où boire un verre ? »

METABETCHOUAN

Au bord du lac Saint-Jean, dans sa partie sud-est, un petit village dont le nom signifie « lieu de rencontre » en langue montagnaise. Escale sympa à cause de la plage de sable beige.

Où dormir ?

▲ *Gîte Au Soleil Couchant :* 31, 2ᵉ rue Foyer-du-Lac. ☎ 349-21-38. Maison au bord du lac, fleurie et très calme, tenue par une dame ado-rable. Demandez la chambre au ciel étoilé au moment de réserver : sur-prise ! Petit déjeuner avec tartes et muffins aux bleuets.

▲ *Gîte chez Christiane et Guy Voyer :* 34, 2e rue Foyer-du-Lac ; voisin du gîte précédent. ☎ 349-29-29. Au bord du lac, la pelouse descend en pente douce jusqu'à l'eau. Belle maison, spacieuse, très bien équipée. Chambres confor-tables. Accueil excellent de Chris-tiane et Guy qui aiment bien discuter et donner des tuyaux sur leur région. Bon petit déjeuner, très copieux. Ex-cellent vin de bleuet et super cou-cher de soleil sur le lac Saint-Jean quand le temps le permet.

Où manger ?

|●| *Le Saint-Martin :* 118, rue Saint-André (au croisement avec Saint-Antoine). Dans une salle très ba-nale, une très grande variété de sandwiches, pizzas et *sous-marins* sont servis à des prix raisonnables, mais c'est vraiment parce qu'il n'y a pas grand-chose pour manger dans cette ville que nous vous donnons cette adresse.

LE LAC SAINT-JEAN   IND. TÉL. : 418

Son nom indien est *Piekouagami :* le « lac Plat ». C'est une mer intérieure, ancienne cuve glaciaire nourrie par les eaux d'une dizaine de rivières. Relief pas vraiment spectaculaire de dunes et de plages sablonneuses. Mais la région est réputée pour la chaleureuse hospitalité de ses habitants et quel-ques sites touristiques originaux que nous détaillons dans les chapitres sui-vants.

– Nombreuses manifestations artistiques et festivals populaires. Citons entre autres : la *traversée du lac Saint-Jean à la nage,* vers fin juillet-début août, précédée d'une grande fête qui dure huit jours. Fin août, *fête du Bleuet* à Mistassini (dont c'est la capitale mondiale!). Occasion de goûter au fameux petit vin de bleuet, dont vous ne manquerez pas de rapporter quelques bouteilles à vos amis. Bonnes spécialités : tourtière (pâté de viande), tarte aux bleuets, et le saumon d'eau douce, pêché dans le lac.

▪ Sur l'*île du Repos* (la bien-nommée!), vous avez l'*auberge de jeunesse de Sainte-Monique-de-Honfleur,* que nous vous conseillons vivement si vous comptez dormir au bord du lac (voir plus loin, « Peribonka »).

– Si vous campez au bord du lac Saint-Jean, en juillet et en août (jusqu'à mi-août), gare aux moustiques, très nombreux!

Où dormir à Alma ?

▴ *La Ressource :* 6840, rang Melançon, à 9 km environ du centre d'Alma. ☎ 662-91-71. Fax : 662-14-98. Amoureux de la nature, vous êtes arrivés! À deux pas du lac Saint-Jean, Paulette et Jean-Guy vous accueillent dans ce cadre exceptionnel. La maison est nichée au cœur d'un vaste sous-bois où de magnifiques sentiers vous invitent à aller découvrir ce lieu enchanteur. En hiver, on peut y faire du ski de fond ou des balades en raquettes. Les chambres sont assez simples mais agréables. Les prix sont raisonnables. Bref, une excellente adresse qui vaut le détour.

À faire autour du lac Saint-Jean

Il existe de multiples activités à pratiquer autour du lac, selon la saison. En hiver, traîneau à chiens, motoneige, pêche blanche, randonnée en raquettes, etc. ; en été, observation de la nature et des animaux, kayak de mer, rafting... Plutôt que d'en faire ici une liste exhaustive, et un peu fastidieuse, nous avons préféré vous révéler nos bonnes adresses au fur et à mesure des étapes. Comme cela, vous trouverez sans difficulté votre bonheur quelle que soit votre destination...

LE VILLAGE FANTÔME DE VAL-JALBERT   IND. TÉL. : 418

Situé à 105 km de Chicoutimi et 9 km de Roberval, sur la route 169. Ouvert du 16 juin au 5 septembre, tous les jours de 9 h à 19 h (17 h hors saison, du 20 mai au 15 juin et du 6 au 25 septembre). ☎ 275-31-32. Entrée payante. Pour se rendre au village, possibilité de faire l'aller et retour de Chicoutimi en bus. Contacter les compagnies citées plus haut (« Quitter Chicoutimi »).
Val-Jalbert a été créé autour d'une importante pulperie, au début du siècle (usine de production de pulpe de bois destinée à la fabrication de papier). La belle chute d'eau de 72 m (21 m plus haut que la chute du Niagara) que l'on voit à côté des ruines assurait son fonctionnement. Un téléphérique (payant, en plus du billet d'entrée) conduit au belvédère dominant la chute (on aime ou non ce moyen moderne ; cela dit, c'est quand même très impressionnant). Les courageux grimperont doucement les 750 marches en admirant le paysage. Vue superbe sur le lac Saint-Jean. De là-haut, passerelle qui mène à la chute Maligne.
Le village logeait les ouvriers et leurs familles. En 1926, il comprenait 80 maisons et environ 950 habitants. La crise économique et les concentra-

tions dans les industries papetières amenèrent la fermeture de la pulperie en 1928. Le village vivait pratiquement en autarcie et devint même officiellement municipalité en 1915. Visite très intéressante à plusieurs titres, malgré tous les cars de touristes. Mais d'abord il faut disposer de temps. Ça serait dommage de ne pas réaliser toute la promenade (en tout, 2,5 km). Car si la vision de ces baraques abandonnées dégage une certaine mélancolie, il y a aussi tout l'aspect historique et social. Des panneaux aux textes assez remarquables livrent des tranches de vie de cette communauté ouvrière et il faut, bien sûr, avoir le temps de les lire. La condition de mère de famille ou de malade, par exemple, n'était pas triste à l'époque !

À l'entrée du parc, on vous remettra un plan détaillé des différents sites, mais ne manquez pas de lire *Le Ouiatchouan,* journal de Val-Jalbert (2,5 $), bourré d'anecdotes et de faits insolites.

Où dormir ? Où manger ?

Pour toutes les formes d'hébergement au village, renseignements et réservations, s'adresser à : *Village Historique de Val-Jalbert*, case postale 307, Chambord G0W-1G0 (Québec). ☎ (418) 275-31-32.

🛏 Grand *camping* à proximité du village. Avec ou sans services (c'est moins cher). Buanderie à disposition. Attention : en mai et juin, moustiques et mouches noires pullulent.

🛏 *Hôtel :* dans une belle maison d'époque, à l'atmosphère de western, située dans la rue principale, à l'entrée du village. Chambres avec douche et toilettes. Pas trop cher pour l'endroit mais plus qu'un gîte habituel dans le pays.

🛏 *Mini-chalets :* la plupart sont assez bon marché. Plus proche du camping que de l'hôtellerie. Certains ont leurs sanitaires et un petit réfrigérateur, pour le même prix que l'hôtel (mais à 4 personnes). Possibilité d'utiliser les sanitaires du camping. Le prix comprend la visite du village historique.

🛏 Encore mieux : des *maisons* du village ont été rénovées pour être louées aux visiteurs. Sur deux étages, avec de beaux parquets. Dans chacune, cuisine, salle de bains, salon, salle à manger et 2 chambres ! Super pour les petits groupes d'amis qui voudraient s'offrir pour un prix très raisonnable un retour dans le temps... En hiver, atmosphère un peu magique. Piste de ski de fond à côté.

🍽 *Restaurant de l'Ancien Moulin :* près de la chute. Menu du jour bon marché et snacks.

🍽 *Restaurant Jalbert :* avant l'entrée du village, à côté du croisement avec la route 169. Cuisine typiquement canadienne (tourtière, tarte aux bleuets...). Uniquement sur réservation au : ☎ 275-55-23.

Où dormir à Chambord ?

🛏 *Gîte du Passant :* chez Martine Fortin, 824, route 169, à 1 km seulement de l'entrée du site de Val-Jal-

bert. ☎ 342-84-46. Chambres simples à prix doux pouvant accueillir 3 ou 4 personnes. Petit déjeuner copieux.

À voir

★ Les *avenues Labrecque* et *Tremblay* sont particulièrement émouvantes.

★ La grimpette de 750 marches pour accéder au *belvédère* vaut vraiment l'effort (les paresseux ont droit à un téléphérique). Splendide point de vue sur le lac Saint-Jean, Roberval, Pointe-Bleue, l'île aux Couleuvres, Pointe-Taillon, Chambord, etc.

★ Voir aussi le petit *cimetière* local où sont enterrées les victimes de la grippe espagnole de 1918.

★ Sinon, la vieille *usine désaffectée* (entrée par le resto, avant l'accès au téléphérique), permet de mieux comprendre ce qu'était l'industrie du début du siècle. Beau point de vue sur la chute d'eau voisine à travers les grandes fenêtres.

ROBERVAL
IND. TÉL. : 418

La plus grosse ville au bord du lac Saint-Jean. Tout y est pourtant très paisible. Quelques belles maisons anciennes dont la *maison Donaldson* (1873), ancien magasin général au 464, bd Saint-Joseph. La ville, avec ses jardins léchés par les vagues du lac, porte le nom du premier vice-roi de la Nouvelle-France, Jean-François La Rocque de Roberval, qui tenta sans succès de pénétrer au Saguenay dès le XVIe siècle. Amateurs de ouananiche, tous à vos cannes! Ouananiche? Une sorte de saumon d'eau douce qui a colonisé les eaux du lac.

Par ailleurs, un petit tuyau pour se repérer : en venant de Val-Jalbert, la route 169 devient tour à tour le boulevard de l'Anse, le boulevard Marcotte, puis le boulevard Saint-Dominique.

Où dormir ?

▣ *Gîte L'Eden :* 2143, bd Saint-Dominique. ☎ 275-40-33. Ce gîte est situé sur la route 169, mais n'est pas excessivement bruyant. 2 chambres banales mais bon marché, d'un côté, et une jolie suite, chère pour 2 mais intéressante à 4, de l'autre, s'y partagent une jolie salle de bains.

▣ *Motel Roberval :* 256, bd Marcotte, ☎ 275-39-57. L'un des moins chers de la ville (sauf si l'on prend une chambre avec bain tourbillon, bien sûr!). Restaurant.

Où manger ? Où boire un verre ?

|●| *Brochetterie Chez Gréco :* 979, bd Marcotte. ☎ 275-57-05. Spécialités grecques bien sûr, mais aussi poissons, viandes et fruits de mer qui ne sont pas qu'hellènes. Copieux mais assez cher, sauf le lundi à partir de 16 h, où les plats principaux sont à moitié prix (ce jour-là, ne pas s'étonner d'avoir à attendre un petit peu...).

|●| *Restaurant de l'hôtel Le Château de Roberval :* 1225, bd Marcotte. Cuisine assez élaborée, mais à des prix assez élevés. Mais enfin il n'y a pas grand-chose dans le coin...

♈ *Bistro 679 :* 679, bd Saint-Joseph. ☎ 275-64-07. Petit bar branché. Souvent du monde, en particulier des jeunes de la région.

À voir

★ *Le Centre historique aquatique :* 700, bd de la Traversée. ☎ 275-55-50.

Ouvert de 10 h à 20 h du 24 juin au 31 août, de 12 h à 17 h du 7 au 23 juin et du 1er au 7 septembre. Entrée payante. À la fois musée et centre écologique très moderne. Aquarium où évolue la faune du lac Saint-Jean. Animation audiovisuelle et une curieuse salle de projection en forme de sous-marin, qui présente l'histoire de la région. Ne pas manquer les ouananiches !

MASHTEUIATSH (POINTE-BLEUE)   IND. TÉL. : 418

Intéressante réserve indienne créée en 1856 par le gouvernement canadien, habitée par des Montagnais. Mais ne vous faites pas d'illusions : ça ressemble à n'importe quel village québécois. Tout l'intérêt de l'endroit ce sont évidemment ses habitants, avec lesquels il faut chercher à communiquer pour mieux comprendre l'importance de leur culture et de leur philosophie, encore axée sur la beauté de la nature... Mais cela prend du temps. Il est difficile de s'enrichir au contact d'une autre culture lorsque l'on n'a que 24 heures à lui accorder. D'autant plus que les Montagnais ne sont pas d'un naturel bavard, et ne se livrent pas au premier touriste venu.
D'excellents guides indiens proposent des excursions de pêche ou de chasse dans la région. Quelques boutiques dans la réserve vendent de superbes fourrures et un bel artisanat : sculptures, raquettes, mocassins. Voir notre rubrique « À voir. À faire ». Attention cependant : ce n'est pas très bien desservi. Il y a 6 km depuis Roberval mais le « pouce » depuis le terminus Voyageurs ne présente en général pas trop de difficultés. Sinon, appeler un *taxi* à Pointe-Bleue : ☎ 275-07-85.

Adresse utile

🏢 *Office du tourisme :* 1516, rue Ouiat-chouan, la rue principale. ☎ 275-72-00. Un office du tourisme similaire à ceux que l'on trouve tous les cinq kilomètres dans la région...

Où dormir ?

🛏 *Auberge Kukum :* 1899, rue Ouiat-chouan. ☎ 275-06-97. Ouverte toute l'année. À environ 4 km du centre, sur la gauche en venant de Roberval. *Kukum* signifie « grand-mère » en amérindien. Hommage à la grand-mère de Michel, l'ex-mari amérindien de la maîtresse des lieux. Cette dernière, Guylaine, une Française d'origine, fut la première à développer l'activité touristique à Mashteuiatsh lorsqu'elle y arriva en 1985, en créant la *Société touristique de Pointe-Bleue.* Celle-ci n'existe plus aujourd'hui. *Kukum,* ce n'est ni une auberge, ni un simple gîte. C'est avant tout la maison de Guylaine, qui reçoit ses hôtes comme sa propre famille, et d'Adam, son fils qui s'occupe quant à lui des enfants des couples de passage. C'est un endroit particulier, tout en bois, protégé par l'esprit bienveillant de « Grand-mère ». On y dort dans de petites chambres rustiques, mais bien tenues, pour une somme dérisoire. Le petit déjeuner, très simple, est inclus, et l'on peut aussi y dîner, si l'on prévient à l'avance.

Par ailleurs, *Kukum* est aussi, à notre avis, le meilleur moyen de découvrir la vraie culture montagnaise : Guylaine est bien intégrée à sa communauté d'adoption, et aime bien bavarder avec les routards de passage, même s'ils ne dorment pas sous son toit.

À voir. À faire

★ *Le Musée amérindien :* 1787, rue Amishk. ☎ 275-48-42. Du 1ᵉʳ juin au 30 septembre, ouvert du lundi au dimanche de 9 h à 18 h ; le reste de l'année, du lundi au vendredi de 9 h à 16 h. Expositions sur l'histoire, la vie et l'évolution, sous tous leurs aspects, des Indiens montagnais. Films et diaporamas. Musée vraiment intéressant et très bien fait. Reçoit également des expos temporaires concernant d'autres peuples indiens.

★ Ne manquez pas d'aller faire un tour au *magasin d'artisanat* de la famille Gérard Siméon. C'est lui-même qui tient sa boutique-musée et il a toujours une anecdote à raconter sur ses ancêtres. À 200 m de l'auberge. Suivre la flèche rouge « Artisanat ». Un peu plus loin sur la même route, le fils, Thomas Siméon, réalise des sculptures sur pierre et sur bois.

– Comme nous le soulignions en introduction, ce qu'il y a de plus intéressant à Mashteuiatsh, ce sont les gens qui y vivent. Partir en forêt à la découverte de leur culture, de leur vie quotidienne (canot, pose de pièges, portage, fumage de viande, pêche blanche, etc.), voire même de leurs croyances spirituelles, peut constituer une expérience inoubliable. Il existe selon nous deux moyens principaux d'aborder cette culture.
Le premier est de passer quelque temps à l'auberge *Kukum* avec Guylaine (voir « Où dormir ? ») et de discuter avec elle. Elle est un intermédiaire qui peut vous éviter un « choc des cultures », souvent stérile parce que trop frontal.
Le deuxième est de passer par les organismes qui ont centralisé les activités générées par le tourisme : *Mikuan II* pour la forêt, l'*Ilnu Tepiskau* d'août à octobre pour diverses traditions, le *centre d'interprétation de la fourrure*... Toute la doc est disponible à l'office du tourisme. C'est plus « sûr », mais à notre avis beaucoup moins vrai et, en tout cas, cela vous coûtera cher. Nous ne tenons pas à nous étendre sur les dérives occasionnées chez certains par la prise de conscience de l'existence de « la poule aux œufs d'or » (le tourisme...) À vous de voir et de choisir.

SAINT-FÉLICIEN

IND. TÉL. : 418

Ville carrefour située sur la rivière Chamouchouane. *Théâtre d'été* (☎ 679-02-57) et célèbre parc zoologique.

Adresse utile

🏠 *Bureau du tourisme :* 1209, bd Sacré-Cœur. Ouvert de mi-juin au 1ᵉʳ lundi de septembre, tous les jours de 8 h à 20 h. Hors saison, s'adresser au *Service des loisirs de l'hôtel de ville* (même rue). ☎ 679-02-57.

Où dormir à Saint-Félicien et dans les environs ?

🏠 *Camping Saint-Félicien :* 2230, bd du Jardin. À proximité du zoo, non loin de la route 167. ☎ 679-17-19. Ouvert de mi-juin à début septembre. Grand et bien équipé. Sur place, baignade et équipements sportifs.
🏠 *Aux Berges de Saint-Félicien :* 610, bd Sacré-Cœur ; ☎ 679-

33-46. À 3,5 km de Saint-Félicien, sur la route de Roberval. Sans charme mais pratique pour les motorisés. Chambres assez spacieuses, propres, avec douche, w.-c. et TV. Prix des motels au Québec, donc plus élevés que les *Gîtes du Passant*.

Gîtes du Passant

🛏 *Gîte Au Jardin Fleuri :* chez Thérèse et Jean-Marie Tremblay, 1179, rue Notre-Dame. ☎ 679-02-87. Des sept adresses de gîtes de Saint-Félicien, celle-ci est la moins éloignée du centre-ville. Non loin du terminus d'autobus et du kiosque d'information, le gîte se trouve à 300 m du centre, sur la gauche de la route. La présence de la voie ferrée voisine ne doit pas vous affoler car il n'y passe guère qu'un train par jour. Seul inconvénient : 1 salle de bains commune pour 5 chambres. Ces dernières, toutes simples et propres, donnent sur le côté de la maison. On y a bien dormi, sans être dérangé par la route. La maîtresse de maison, une dame très gentille, prépare les petits déjeuners savoureux avec des crêtons maison, de la confiture (framboise et bleuet), du pain (maison aussi). Son mari est l'un des 86 000 descendants de Pierre Tremblay, un pionnier du Canada originaire d'un village du Perche (Orne) au nom prédestiné : Randonnai. Belle randonnée en effet !

🛏 *Gîte Ferme Dallaire :* chez Gisèle et Fernand Dallaire, 678, rang Double Sud. ☎ 679-07-28. À environ 4 km du centre. Prendre la rue Notre-Dame sur 2,5 km ; tourner à gauche au rang Double Sud ; continuer 1 km : ferme à gauche. 3 chambres impeccables et calmes, à prix sages, dans une maison accueillante. Bien pour motorisés.

🛏 *Au Domaine Tremblay :* 677, rang Double Sud. ☎ 679-01-69. En face de la précédente, cette ferme en pleine campagne est tenue par un couple âgé très souriant. Lucienne et Robert proposent 3 chambres doubles et une chambre à deux lits. Celles-ci n'ont rien d'exceptionnel, mais on se sent bien dans ce gîte simple et sans artifice. Une excellente occasion de rencontrer des gens très sympathiques.

🛏 *Gîte des Peupliers :* 21, rang Saint-Isidore, Girardville, G0W-1R0. ☎ 258-38-89. Fax : 258-35-29. Dans la région de Dolbeau, au nord du lac Saint-Jean. Chambres très confortables, sanitaires impeccables, nourriture « plaisante », repas typiques partagés avec toute la famille de Céline et Réal. Ambiance très sympa et prix raisonnables. L'intérêt essentiel de cet endroit réside dans la possibilité de faire du canoë en été, et des balades en traîneau à chiens en hiver. C'est Gilles, le guide, originaire de Marseille, qui vous emmènera découvrir l'immensité des espaces de la région. Il paraît que les propriétaires viennent aussi chercher leurs clients et les reconduisent à l'aéroport de Montréal.

Où manger ?

🍴 *Le Café du Boulevard :* 1036, bd Sacré-Cœur. En face du supermarché *Provigo*. Entrée côté rivière. Ouvert jusqu'à 23 h (minuit du jeudi au dimanche). Sorte de salon de thé proposant des petits déjeuners excellents et variés et, le midi, un menu québécois bon marché avec potage, tourtière, tarte aux bleuets et café.

Également un grand choix de sandwiches, sous-marins, salades et pâtisseries.

– *Pâtisserie Grand-Maman :* 1883, bd du Jardin (ex-Onésime-Gagnon). ☎ 679-06-01. Spécialités typiques et délicieuses : tourtières et tartes aux bleuets. Une institution dans le coin.

À voir

★ *Le parc zoologique de Saint-Félicien :* prendre la route 169 vers Chibougamau puis, du boulevard Saint-Félicien, tourner dans le boulevard du Jardin (167 Nord). ☎ 679-05-43. Appel gratuit : ☎ 1-800-667-LOUP (56-87). Internet : www.d4m.com/zoosauvage. Ouvert de fin mai à mi-octobre, tous les jours de 9 h à 17 h et le reste de l'année sur réservation. Dernier départ pour les sentiers de la nature à 16 h 15. Demandez au chauffeur de bus de vous arrêter à l'entrée du zoo. Reconnu comme le plus beau du Québec. Le zoo est en deux parties : l'une traditionnelle, l'autre plus originale, dans laquelle les animaux évoluent en pleine liberté. Ce sont les humains que l'on retrouve derrière le grillage d'un petit train circulant au milieu de la société des animaux. On y découvre presque toute la faune de la forêt canadienne, y compris des loups, des orignaux et des bisons. Sur le parcours : une ferme de colons, un camp de trappeurs, un poste de traite et un village amérindien. À voir aussi : la fosse aux ours blancs, partagée en deux par une grande baie vitrée qui permet de voir les ours en plongée lors des trois repas journaliers. Horaires de « collation » annoncés par haut-parleur. Durée : un peu plus d'une heure en train mais au minimum une demi-journée pour l'ensemble. Entrée assez chère, mais vaut vraiment le coup.

À voir. À faire dans les environs

★ *La Doré :* connue pour sa grande fête, le *festival des Camionneurs,* qui a lieu fin juin. Voir le *moulin des Pionniers.* Situé à 12 km du zoo de Saint-Félicien. Ouvert de 9 h à 17 h en semaine, jusqu'à 19 h du vendredi au dimanche. Construit en 1889. Site très agréable. Visites guidées en costume d'époque. À côté du moulin, une passe migratoire pour les *ouananiches* (saumons d'eau douce).

★ *Les Grands Jardins de Normandin :* 1515, avenue du Rocher-Normandin. ☎ 274-19-93. Ouvert tous les jours de la mi-juin à la fin septembre, en juin et septembre, de 10 h à 17 h ; en juillet et août, de 9 h à 20 h. Entrée payante. Grand ensemble de jardins d'agrément qui propose en particulier une illustration de l'évolution de l'art des jardins et, entre autres, une brochette de parterres à l'européenne.

Activités hivernales :

– *Les Randonnées du Nord :* 910, rang 10 à Saint-Edmond-des-Plaines. ☎ 274-35-02. Situé en pleine forêt et chauffé par un poêle à bois, le point de départ est le chalet de Gaétan Turcotte et de sa famille. La principale activité est la randonnée en traîneau à chiens (il en possède 40), de durée variable selon vos désirs et moyens. Il existe également d'autres activités (randonnées en raquettes, à motoneige...). Possibilité d'hébergement et de restauration. En fait, on vous concocte un séjour sur mesure, pour moins cher que ce que proposent les grosses organisations, mais cela reste un budget important.

– *Aventures Maria Chapdelaine :* 914, rang Saint-Louis à Mistassini. ☎ 276-56-45. Fax : 276-96-71. Surtout pour la motoneige, mais Romuald propose aussi d'autres activités (traîneau à chiens...). Tout comme pour l'adresse précédente, cela peut paraître une aventure onéreuse, mais il faut réaliser que cela comprend l'hébergement et la restauration, la location du matériel et même le prêt de l'équipement « grand froid ».

CHIBOUGAMAU

« C'est creux ! » (C'est loin, en langue québécoise.) C'est même très loin, là-bas vers le Grand Nord...

La rivière *Ashuapmuschan* sert de réservoir aux eaux de la réserve Chibougamau. Elle doit son nom (« là où l'on guette l'orignal ») au fait qu'elle était la voie de retour des expéditions de la baie d'Hudson. Quant à *Chibougamau*, c'est le « rendez-vous » en amérindien. Cet immense territoire de collines basses et ondulées est une riche réserve de gibier et de poissons. Vraiment un coin superbe. Pour ceux qui disposent de temps, bien sûr, car c'est à 232 km au nord-ouest de Saint-Félicien.

SAINTE-JEANNE-D'ARC   IND. TÉL. : 418

Gentil village méritant qu'on s'y arrête pour son vieux et pittoresque *moulin à bois*. Construit en 1907, il fonctionna jusqu'en 1974. Ouvert de mi-juin à fin août, de 10 h à 17 h tous les jours et jusqu'à 19 h le vendredi et le samedi. Visite guidée gratuite qui dure 30 mn environ. Toute la machinerie est restée en l'état. Renseignements. ☎ 276-31-66. Brochure vivante et détaillée avec photos.

Où dormir ?

▪ *Gîte La Chute aux Mûres-Mûres :* 514, rue Principale. ☎ 276-12-49. Tout près du lac Saint-Jean, ce gîte est un véritable « home sweet home ». Cadre et accueil des plus chaleureux, petites chambres mansardées en bois, table de petit déjeuner délicieuse et Suzanne est une vraie maman pour tous ceux qui s'arrêtent à *La Chute aux Mûres-Mûres.*

PÉRIBONKA   IND. TÉL. : 418

*Tout parlait d'une vie dure dans un pays austère,
mais... ces hommes appartenaient à un pays pétri d'allégresse.*
Louis Hémon.

On y trouve l'un des musées les plus littéraires du Québec : le musée Louis-Hémon. L'auteur, né à Brest en 1880, mort en 1913, popularisa le nom de Péribonka dans le monde entier grâce à son célèbre roman *Maria Chapdelaine.* Pourtant, Louis Hémon ne vit pas son œuvre publiée puisqu'il mourut accidentellement le 8 juillet 1913 à Chapleau (Ontario). Alors qu'il venait de quitter Montréal pour Winnipeg dans l'espoir de « faire la moisson », il fut heurté par une locomotive du Canadien National. Quelques jours auparavant, il avait posté une copie de son manuscrit au journal *Le Temps,* à Paris, qui le fit paraître en feuilleton, début 1914. À regarder de plus près l'existence brève de Louis Hémon, tout apparemment le rapproche des écrivains-voyageurs d'aujourd'hui. Il fut, à sa manière, une sorte de routard errant, sans domicile fixe, sans attaches, un Breton toujours attiré par l'Ouest, et un vrai artiste nomade...

Adresse utile

■ *Les Excursions Ô hameau :* 119, chemin Plein-Air, à Péribonka. Cet organisme propose une variété d'aventures douces : observation des oiseaux migrateurs sur l'île Bou-lianne (fin avril à fin mai), kayak de mer sur les lacs Saint-Jean et Péribonka, descente de rivières ou encore, en hiver, traîneau à chiens dans les environs.

Où dormir ?

▲ *Au Petit Bonheur :* 374, rue Plante. ☎ 374-23-28. Au cas où vous ne voudriez pas vous arrêter à l'*A.J. de l'île du Repos* (voir ci-après), ce gîte se situe à Péribonka même. La maison est sympathique, mais la déco un peu vieillotte, et les prix sont plus élevés qu'ailleurs.

Où dormir ? Où manger dans la région ?

▲ |●| *A.J. de l'île du Repos :* à Sainte-Monique-de-Honfleur. ☎ 347-56-49. Ouverte toute l'année. Située à l'embouchure de la rivière Péribonka. À notre avis, l'adresse la plus sympa pour les routards qui voudraient manger (le resto *Au P'tit Creux* est ouvert de 8 h à 14 h pour tous, y compris les non-Ajistes) ou dormir au bord du lac Saint-Jean. Imaginez une île (à laquelle on accède par des passerelles en bois) avec ses plages de sable et sa petite forêt, où l'on a éparpillé des chalets-dortoirs, des chalets plus confortables (douche et w.-c.) et des emplacements pour tentes (avec feu de camp). Un endroit tranquille (l'île porte bien son nom), géré par une équipe de jeunes vraiment gentils. Bien sûr, on peut se baigner, mais aussi jouer au volley-ball, au croquet, ou louer des vélos. De plus, nombreuses activités culturelles en été, dont des concerts de jazz, de rock ou de chansonniers. Grand méchoui pour l'ouverture annuelle et buffet gastronomique suivi d'un rallye théâtral amusant pour clore la saison ! Parmi les services de l'A.J. : buanderie et resto servant le petit déjeuner et le repas du soir. Au bar, sandwiches divers, etc. Possibilité de forfaits (demi-pension) pour le camping comme pour l'hébergement en bungalows. À vous de voir. L'A.J. possède une autre île accessible uniquement en canot, super pour camper au calme... En hiver, on peut s'adonner aux plaisirs du froid : raquettes, patinage, ski de fond, et motoneige.

À voir

★ *Le musée Louis-Hémon :* 700, Maria-Chapdelaine (sur la route entre Péribonka et Sainte-Monique). Ouvert tous les jours, de 9 h à 17 h 30 de juin à la fête du Travail (1er lundi de septembre) ; de 9 h à 16 h le reste de l'année. ☎ 374-21-77. Entrée payante.
Le musée se compose de 3 parties. On visite, notamment, la *maison Samuel-Bedard,* où l'écrivain travailla comme garçon de ferme pendant presque 6 mois. Ensuite, un musée, installé dans la bâtisse moderne qui sert de pavillon d'accueil, évoque toute sa vie sous forme de photos, lettres, objets personnels. C'est à l'hôtel *Tremblay* de Saint-Gédéon qu'il écrivit son

roman. Fort belle et didactique présentation. Où l'on s'aperçoit que Louis Hémon était un homme très attachant et plein d'humour. En balade sur une plage, il écrivait à sa sœur : « Il ne manque que toi pour donner à cette foule un dernier cachet d'élégance ! » Anecdote curieuse : étudiant, il avait obtenu un diplôme en vietnamien en vue de partir en Extrême-Orient. Enfin, le bâtiment principal présente des œuvres d'artistes québécois, canadiens, voire étrangers.

Dans le bâtiment de réception, on trouve une boutique d'artisanat.

Manifestations

– Péribonka est le point de départ de la fameuse ***traversée internationale à la nage du lac Saint-Jean,*** qui se déroule fin juillet.

LE PARC DE LA POINTE TAILLON

Ô surprise ! Voici un petit morceau de Québec (92 km^2, qu'est-ce au regard de l'immensité de la « Belle Province » !) réunissant à la fois des paysages de forêt, de rivière, de lac et de plage (en eau douce). Ajoutez-y quelques étendues de dunes, des tourbières qui fourmillent d'orignaux et des marécages, et vous comprendrez pourquoi ce coin de la carte nous a bien plu. Ce parc couvre une presqu'île qui forme une vaste et longue bande de terre basse s'avançant telle une grosse langue (d'orignal probablement) dans les eaux du lac Saint-Jean. Une nature belle, sauvage, intacte et protégée. Ici pas de collines, aucune montagne, mais 6 km d'une plage de sable fin (côté sud) et la merveilleuse rivière Péribonka (côté nord) qui décrit une courbe si gracieuse, avant de se jeter dans le lac qu'on dirait un dessin de saxophone (observez bien la carte du parc et vous verrez que la nature fait parfois des clins d'œil musicaux...)

Il fait bon s'y arrêter, souffler, se détendre un peu, après les surdoses de kilomètres et l'ivresse des routes interminables. Là, on peut camper « rustiquement », marcher, faire du vélo tout-terrain ou du canoë-kayak, faire trempette dans le lac (en été car en hiver il est gelé) et que sais-je encore...

En 1885, les premiers pionniers trouvèrent le site si sauvage qu'ils l'appelèrent Pointe-à-la-Savane. Oh, ce n'est ni la savane africaine ni le Grand Nord, mais le « Petit Nord » en somme, symbiose très sympa d'arbres et d'eau. Les arbres ? Des épinettes bien sûr, beaucoup de sapins et même des pins, des bouleaux, et des peupliers. Par moments on se croirait en Finlande. Mais attention, dans ce petit paradis, les moustiques attaquent sec ! N'oubliez pas de vous munir de quoi faire fuir ces charmantes petites *bibittes.*

Adresse utile

– ***Parc de la Pointe-Taillon :*** 825, rang 3 Sud, Saint-Henri-de-Taillon. ☎ (418) 347-53-71 (en saison).

Comment y aller ?

– ***De Sainte-Monique-de-Honfleur :*** on y accède par la route 169 en empruntant le rang 6. On arrive à un poste d'accueil puis à un sentier de randonnée exclusivement réservé aux marcheurs et aux cyclistes, qui traverse du nord au sud la presqu'île en passant par le « delta digité ».

– *De Saint-Henri-de-Taillon :* par la route 169, puis par le rang 3. Par cette entrée sud, accessible aux voitures, on arrive à un autre centre d'accueil et à la plage Taillon.

Où dormir ?

▪ *Auberge de jeunesse de l'île du Repos :* voir à Péribonka, plus haut. Très bonne adresse pour routard solitaire ou en duo, ainsi que, on vous le rappelle, pour les couples avec un ou même deux enfants. Il n'y a pas de limite d'âge, comme dans toutes les A.J. du pays et, en outre, on y trouve des petits bungalows aménagés pour les familles (pas trop nombreuses quand même).

▪ *Campings « rustiques » :* il y a 2 sites dans le parc pour camper presque sauvagement. Ils ne sont accessibles que par la piste cyclable (tant mieux !). Le *site du Castor*, à 2 km du pavillon de la plage, se trouve face au lac, dans un coin où l'on peut observer des castors, avec un peu de chance. Le *site du Prospecteur* se trouve à 4,5 km du pavillon de la plage, toujours face au lac, sur la piste cyclable.

▪ *Chalets du Centre touristique Sainte-Monique :* 900, rang 6 Ouest, Sainte-Monique. ☎ (418) 347-31-24 ou 35-92. À l'entrée nord du parc, 8 chalets entièrement équipés avec sanitaires et cuisine. Bien pour les routards avec enfants, désireux de passer quelque temps dans le coin.

À voir. À faire

★ *La plage :* en fait, la quasi-totalité de la rive sud de la presqu'île ne forme qu'une seule longue plage dont la partie la plus « civilisée », vers Saint-Henri-de-Taillon, mesure 6 km. Après, plus on avance vers l'embouchure de la rivière Péribonka, plus c'est sauvage et peu fréquenté. Finis les pédalos, les dériveurs légers, les planches à voile. Commence alors un monde secret et touffu où se cachent des castors, des orignaux, des bernaches et des sauvagines.

★ *Observation de castors :* en théorie on peut observer ces gentilles bébêtes près des cours d'eau et des petits lacs situés derrière la plage, comme le lac à la Tortue, le canal à Bélanger ou le canal Adélard. Mais, d'après notre copain Gino qui a mis son long nez dans tous les bois du Québec, ce serait plutôt le long de la rivière Péribonka (au bout de la piste cyclable) que l'on a le plus de chance d'en voir à l'œuvre... au crépuscule. Cela dit, ces charmantes bestioles avancent pour trouver de nouveaux arbustes à grignoter. Alors pas la peine de nous insulter s'ils ne sont plus là où on l'indique !

– *Randonnée à bicyclette :* le moyen le plus pratique pour circuler dans le parc reste le vélo tout-terrain. Il y a 30 km de pistes cyclables. Une piste de 12 km longe le lac et la plage. Mais on peut aussi suivre le sentier de la Tourbière ou celui qui traverse le « delta-digité ». Location de V.T.T. sur place en s'adressant à l'un des deux bureaux d'accueil.

ENTRE LE PARC DE LA POINTE TAILLON ET SAINTE-ROSE-DU-NORD

Où dormir ?

Afin de ne pas trop nous répéter et pour éviter d'être taxés de favoritisme ou de piètre performance littéraire, nous vous renvoyons à « Où dormir (et parfois manger) aux environs ? Au nord de la Rivière Saguenay », à Chicoutimi, où vous trouverez beaucoup de bons toits sous lesquels vous pourrez passer vos nuits, que cela soit à Chicoutimi-Nord, Saint-Honoré ou Saint-Fulgence.

À faire

■ *Les chiens et gîte du Grand-Nord :* au lac Durand, lot 18, embranchement n° 2, à Saint-David-de-Falardeau. ☎ 673-77-17. À Falardeau, prendre à droite de l'église, puis le 3ᵉ chemin à droite. Frédéric et Valérie Dorgebray sont installés au Québec depuis 1994, mais pratiquaient déjà les activités liées à « l'or blanc » dans le Queyras. Ils font maintenant partager leur passion aux visiteurs de passage. C'est sans aucun doute l'une des meilleures adresses pour vivre une aventure en traîneau à chiens. On peut également comme un peu partout, y pratiquer d'autres activités (motoneige, raquettes, pêche

blanche...). L'hébergement est disponible toute l'année dans leur chalet, avec possibilité de table d'hôte.
■ *Cascade Aventure :* Chute-aux-Galets, à Saint-David-de-Falardeau. ☎ 673-49-49. Appel gratuit : ☎ 1-800-420-2202. Envie de rafting? Si vous poussez jusqu'à Falardeau, vous pouvez en faire 3 h (de fin avril à mi-octobre), tout équipement inclus (et même le repas!), avec guide et retour assuré en navette, et tout ça pour une somme inférieure à ce que vous pourriez dégotter en France. Une aventure à tenter, si votre budget vous le permet... Possibilité également de faire du camping (de mi-juin à début septembre).

SAINTE-ROSE-DU-NORD   IND. TÉL. : 418

À 3 km de la route 172. On pèse nos mots, voici le plus beau village du Saguenay. Une quarantaine de blanches maisons blotties autour de la route principale, au milieu d'une vaste cuvette d'un vert incroyablement velouté, dominées par de hauts pitons rocheux couverts de forêts. Tout au bout, un port de poche. Paysage d'une pureté et d'une sérénité... par... para... paradisiaque, c'est cela! Malheureusement, le tourisme y cause des dégâts : cars de touristes l'été et nombreuses boutiques de souvenirs ou baraques à frites...
Du plus haut piton, panorama époustouflant sur le fjord et la cuvette.

Où dormir?

▲ *Camping de la Descente des Femmes :* 154, rue de la Montagne. ☎ 675-25-00. En plein centre du village, sur le chemin menant au musée de la Nature. Douches, w.-c., laveuse-sécheuse, (machine à laver sèche-linge) bois disponible, dépanneur à 200 m.
▲ *Chambres d'hôte du musée de la Nature :* 197-199, rue de la Montagne. C'est bien indiqué, sur la droite en entrant dans le village. ☎ 675-23-48. Appel gratuit : ☎ 1-800-463-96-51. Très propre. Cham-

bres simples, un peu austères, bien tenues, l'une avec une très belle vue sur la vallée. Salle de bains commune. Petit déjeuner inclus dans le prix. On vous fait visiter gratuitement le musée de la Nature qui occupe une partie de la maison; cette passion dévorante envahit trois pièces et un sous-sol.
▲ *Chambres chez Réjeanne et Jean-Paul Coude :* 288, rue du Quai. ☎ 675-23-07. Une des premières maisons (vert et blanc) à gauche en arrivant au village.

Confort simple, mais bon accueil. Jean-Paul, bûcheron professionnel, vous parlera de la forêt avec passion. Il a bien bûché ! Prix moyens. Petit déjeuner copieux. Si Réjeanne n'est pas là, elle est à la boutique « Artisanat Indien », à l'entrée du village à droite.

Plus chic

🛏 *Auberge Le Presbytère :* 136, rue du Quai. ☎ 1-800-463-96-51 (gratuit) ou 675-25-03. Dans une bâtisse pleine de charme, de jolies chambres, malheureusement assez chères pour le confort proposé. Celles du rez-de-chaussée n'ont pas de vue. Celles du 1er étage ont la salle d'eau sur le palier. Mais c'est calme, propre, et il y a une grande terrasse ouvrant sur le fjord, où l'on peut grignoter de petits plats de 11 h à 18 h. Le soir, table d'hôte (sur réservation). Bonne cuisine, un peu chère cependant. Superbe vue sur le Saguenay. Accueil moyen.

Où manger ?

|●| *Café de la Poste :* 163, rue des Pionniers. ☎ 675-10-53. Jolie maison en bois jaune et bleu, à l'intérieur chaleureux qui fait office à la fois de café et de boulangerie. On y mange, à des prix très corrects, de bonnes tourtières, quiches et pizzas faites maison.

À voir

★ *Le musée de la Nature :* au-dessus du village ; même adresse, même téléphone que les chambres d'hôte citées plus haut. Ouvert tous les jours de 8 h 30 à 21 h. Entrée payante. Étonnant petit musée d'une richesse insoupçonnée, proposant un éventail complet de la flore et de la faune locales. Dans cinq petites pièces, Jean-Claude Grenon a engrangé toutes les trouvailles qu'il a faites au cours de ses longues promenades : racines aux formes bizarres, splendides loupes d'arbres, « balais de sorcières », champignons, nombreux oiseaux et animaux naturalisés, etc. Présentation vivante et colorée.

ENTRE SAINTE-ROSE-DU-NORD ET TADOUSSAC

Une route délicieuse en pleine nature sauvage : forêts, rivières, pitons rocheux...

★ *Zec de la rivière Sainte-Marguerite :* une dizaine de kilomètres avant Sacré-Cœur, vallée splendide où coule la Sainte-Marguerite, paradis des pêcheurs de truites et de saumons. Deux fosses à saumons (la 23 et la 46) ont été aménagées pour l'observation. Au site de *Bardsville,* possibilité de louer des chalets. C'est dans le coin que les saumons prennent de véritables bains de soleil au fond de l'eau.

★ *Sacré-Cœur :* un village à 14 km de Tadoussac.

Où dormir ?

🛏 *Camping Sacré-Cœur :* 70, rue Jourdain, au centre de la ville. ☎ 236-91-31. Ouvert de mi-juin à début septembre. Peu de services (lessiveuses et sécheuses en tout cas).

🛏 *La ferme de Camille et Ghislaine Gauthier :* 243, route 172 Nord. ☎ 236-43-72. Dommage que les chambres soient en sous-sol. Sombre et humide. Bon accueil. Propre.

🛏 *Ferme Cinq Étoiles :* 465, route 172, Comté Saguenay. ☎ 236-45-51. Une très grande ferme entourée de champs et de bois. On y trouve toutes sortes de logements : chalets entièrement équipés à des prix variables, 4 chambres (formule *Gîte du Passant*) avec petit déjeuner inclus, camping ou encore hébergements collectifs. Les activités proposées sont multiples : tennis, piscine, randonnées pédestres. L'hiver, on peut y faire du ski de fond, des balades en raquettes ou à motoneige. De plus, cette ferme représente un excellent endroit pour observer diverses espèces d'animaux sauvages et domestiques : bisons, chevreuils, faisans, lièvres, etc. Bonne adresse pour couple avec enfants à la recherche d'espace, été comme hiver.

À faire

■ *Les Croisières Anse-de-Roche :* 346, Anse-de-Roche, à Sacré-Cœur. ☎ 236-45-62 ou 236-48-77. Croisières de 3 h en voilier-catamaran à la découverte du fjord, de sa faune et de sa flore. Un marin confirmé vous guide.

■ *Aventure Plein Air :* 88, rue Principale, à Sacré-Cœur. ☎ 236-95-66. Multiples activités proposées pour des prix raisonnables : observation d'animaux terrestres et marins, vélo, pêche...

TADOUSSAC   IND. TÉL. : 418

Port tout mignon à l'embouchure du Saguenay. Plein de maisons ravissantes, surtout du côté du port. Certaines rappellent que Tadoussac a été le premier comptoir à fourrures de la vallée du Saint-Laurent... Les premiers touristes, Jacques Cartier et Champlain, y débarquèrent pour le plaisir. Depuis, il y en eut beaucoup d'autres et, malgré cela, Tadoussac (« mamelon » en montagnais) a gardé l'apparence d'une petite bourgade paisible.
Phénomène curieux lorsque la marée descend dans le Saint-Laurent : les flots noirs du Saguenay s'y précipitent si vite que les bateaux de plaisance renoncent à s'aventurer dans l'embouchure du fjord. Autre phénomène, sans doute lié au premier : l'abondance de plancton à cet endroit du fleuve. D'où les rassemblements de mammifères marins au large des côtes, qui font du coin le paradis des observateurs de baleines...

Un tourisme écolo

Il y a 20 ans, personne n'aurait eu l'idée d'organiser des « croisières aux baleines »... Ça a commencé par hasard : un pêcheur de Tadoussac proposa un jour à des clients de l'A.J. de les promener sur le fleuve à bord de sa vieille chaloupe. Ils revinrent emballés par ce qu'ils avaient vu, au grand étonnement de l'autochtone, pour qui les monstres marins étaient tout aussi habituels que les embouteillages pour un Parisien ! Par le biais du bouche à oreille, la demande se fit plus forte et le pêcheur continua les promenades d'observation, ravi d'amuser les Européens en échange d'un petit pourboire lui permettant d'acheter son tabac ou sa bière...

Quelques années plus tard, les Zodiacs apparurent et une compagnie proposa à son tour des excursions sur le fleuve pour observer les baleines. Mais le pionnier du genre fut contraint d'arrêter ses « croisières », les autorités ayant jugé son embarcation en bois non conforme aux normes de sécurité... Désormais, le business des baleines rapporte des millions de dollars aux diverses compagnies de Tadoussac et fait vivre à lui seul la petite ville ! Remarquez, ce commerce juteux a un gros avantage : après avoir vu les grosses bêtes folâtrer paisiblement dans les eaux du fleuve, les touristes se retrouvent ensuite, à tous les coups, dans le camp des défenseurs des baleines...

Trop de bateaux pour trop peu de baleines

Avec le développement du tourisme dans cette région et la rentabilité économique énorme des croisières aux baleines, on en arrive aujourd'hui au paradoxe suivant : l'été, il y a trop de bateaux sur l'eau à la fois, finissant par gêner l'évolution des baleines qui sont là, rappelons-le, pour constituer leurs réserves de graisse pour passer l'hiver. Les autorités locales, bien conscientes du problème, ont édité une sorte de guide d'approche des baleines que sont censés respecter les bateaux, qu'ils soient indépendants ou appartenant à une société. Reste que la navigation est libre sur le Saint-Laurent et on voit mal comment on pourrait réguler le trafic. Un code de bonne conduite ne peut aller que dans le bon sens mais quand on voit le nombre de bateaux et de motonautiques sur l'eau au milieu de l'été, on se dit que le problème est bien réel. Comment ne pas gêner les baleines tout en continuant à proposer cette merveilleuse excursion, telle est la question que commencent à se poser les gens de Tadoussac. En ce qui nous concerne, nous préférons les « croisières aux baleines » au départ de Grandes-Bergeronnes ou des Escoumins. On y est plus au calme et l'on paie moins cher. Nous donnons quand même des précisions pour chaque ville. À vous de voir.

Des baleines de toutes les couleurs

Tout le monde le sait : les baleines sont des cétacés. En revanche, on a souvent tendance à confondre les différentes espèces. Les cétacés se divisent en deux groupes : ceux à fanons (les mysticètes) et ceux à dents (les odontocètes). Les *mysticètes* se divisent en gros en 8 familles, que nous énumérerons par ordre de taille (croissant) : petit rorqual (une dizaine de mètres), baleine grise, baleine franche, baleine noire, rorqual à bosse (qui fait des bonds étonnants en dehors de l'eau), rorqual boréal (une vingtaine de mètres de long), rorqual commun et enfin le rorqual bleu, sans doute la plus grosse créature ayant jamais existé sur terre ! La baleine bleue peut atteindre 35 m de long (10 m de plus qu'un dinosaure !) et peser jusqu'à 145 t (soit 30 éléphants) ! Tous les chiffres la concernant dépassent l'entendement : sa langue, à elle seule, pèse en moyenne 4 t, sa nourriture quotidienne se compose de 3 t de plancton et crustacés, elle propulse son célèbre jet d'eau à 6 m de haut et peut rester au moins 1 h sans respirer, à une profondeur maximum de 200 brasses... Selon les estimations, il n'en resterait même pas 2 000 individus dans les mers du globe, ce qui diminue considérablement leurs chances de reproduction, la gestation d'une baleine bleue étant de presque un an...

Le deuxième groupe de cétacés, les *odontocètes,* réunit toutes les espèces à dents : narval, marsouin, dauphin, béluga, globicéphale, épaulard (le seul à se nourrir de baleines : il raffole de leur foie !) et enfin le plus gros d'entre eux, le cachalot. Ce dernier, deux fois moins grand qu'un rorqual bleu (« seulement » 15 m en moyenne), n'en possède pas moins le plus gros cerveau du monde et plonge jusqu'à 1 000 m de profondeur. Sa mâchoire redoutable inspira de tout temps la pire frayeur à l'homme. Sans doute est-ce à cause de lui que la mythologie prêta aussi longtemps de mauvaises intentions aux baleines. D'ailleurs, la fameuse *Moby Dick* de l'écrivain Herman Melville était un cachalot... On sait désormais qu'il n'attaque jamais l'homme (pas plus qu'aucune autre baleine)... à moins d'avoir été harponné, ce qui, on le comprend, le met dans une colère noire !

L'homme : leur pire ennemi

L'homme chasse les baleines depuis toujours, mais ce qui n'était qu'un simple moyen de survie s'est transformé en véritable industrie à partir du XIIe siècle, notamment sous l'impulsion des Basques, pour qui les tonnes d'huile fournies par les cétacés étaient une véritable aubaine (leur cuisine étant surtout composée de fritures)... Les providentielles baleines permettaient de produire bien d'autres produits : savon, lubrifiant (l'huile de leur foie fut longtemps utilisée en horlogerie pour son incomparable finesse !), graisse d'éclairage (plus rentable que la cire et plus performante que le suif), mais aussi ivoire, cuir, spermaceti et ambre gris. Leur lard était même vendu à Paris ! En fait, plusieurs villes d'Europe doivent leur prospérité à l'industrie baleinière et les grandes expéditions maritimes furent presque toutes faites sous couvert de chasse à la baleine...

C'est seulement au XIXe siècle que la chasse se transforme en massacre généralisé, avec l'apparition des premiers vapeurs et surtout du canon-harpon. Avant, le baleinier était un véritable héros populaire, chassant au péril de sa vie, dans un combat à égalité avec la bête. Mais désormais la baleine n'a plus aucune chance : les pays industrialisés demandent de plus en plus d'huile, les Américains entrent en jeu, construisant des bateaux de plus en plus rapides et employant jusqu'à 70 000 personnes dépendantes de la chasse... Les Scandinaves, les Russes et les Japonais se lancent ensuite dans la compétition : de gigantesques navires-usines (100 à 160 m de long) vont permettre, au cours du XXe siècle, d'abattre près de 1,5 million de baleines, dont l'huile sert désormais à fabriquer des cosmétiques, et la chair des conserves pour chats et chiens !

Devant un tel fléau, certaines nations (dont curieusement les États-Unis, sous la pression de l'opinion publique) décident en 1948 la création d'une commission internationale baleinière visant à réglementer la chasse pour éviter l'extinction des espèces les plus menacées. Excellente idée ! Problème : certains pays refusent pendant longtemps d'adhérer à la commission. Des menaces de boycott les font finalement fléchir. Bravo ! Mais de petits vicieux (les Japonais, pour ne pas les nommer) continuent encore aujourd'hui à violer ouvertement les interdictions, prétextant des recherches « scientifiques » !

Les combattants de l'arc-en-ciel

Juste retour des choses, les chasseurs sont désormais traqués... Selon une vieille légende indienne : « Un jour arrivera où l'homme blanc aura achevé de souiller notre mère la terre. Alors, les combattants de l'arc-en-ciel (« Rainbow Warriors » !) se rassembleront pour mettre fin aux agressions perpétrées contre la vie. » Les Indiens ne se sont pas trompés. D'importantes organisations pacifiques et écologiques ont vu le jour au cours des dernières décennies, parmi lesquelles nos amis de *Greenpeace* (justement d'origine canadienne !), qui ont fait de la protection des baleines l'un de leurs chevaux de bataille. Leurs militants sont même allés jusqu'à risquer sérieusement leur vie en s'interposant plusieurs fois entre les baleines menacées et les harpons (explosifs, s'il vous plaît !) des navires soviétiques ou japonais. Ces démonstrations de passion et d'acharnement n'ont pas servi à rien : après un risque d'accident mortel (le harpon était passé à quelques centimètres de la tête du fondateur de l'association !), les Russes ont finalement abandonné la chasse... Reste le problème japonais : leurs navires-usines continuent aujourd'hui à débiter des milliers de tonnes de baleines (et leurs bulldozers les forêts tropicales, mais c'est une autre histoire !), menaçant même de s'en prendre aux dauphins pour ne pas perdre d'argent ! Tout n'est plus qu'une question d'années : les scientifiques prévoient une extinction définitive des baleines bleues (dans un premier temps) d'ici la fin de la décennie...

Adresses utiles

◻ *Maison du tourisme de Tadoussac et de la côte Nord* (plan A2) : 197, rue des Pionniers. Dans le centre, tout près du motel *Le Beluga*. ☎ 235-47-44. Fax : 235-4984. Ouvert toute l'année, tous les jours ; de septembre à mai, de 9 h à 17 h ; en juin, juillet et août, de 8 h à 22 h. Efficace et compétent. Beaucoup de documentation sur la ville, ainsi que sur toute la côte Nord qui s'étend de Tadoussac à Blanc-Sablon, limite du Québec et du Labrador.

– Plein d'infos touristiques également à l'*A.J.* (voir plus bas). Ce n'est pas vraiment leur rôle mais leur maison étant située juste après le débarcadère du traversier (à droite), beaucoup de routards vont les voir en premier. Les responsables ont donc l'habitude et n'ont jamais refusé un renseignement, même si on ne dort pas chez eux...

■ *Caisse Populaire :* rue des Pionniers. Distributeurs acceptant la carte *Visa*. Fait le change.

🚌 *Gare routière :* sur la route 138, à un petit kilomètre du traversier, sur la gauche, à la station Pétro-Canada. ☎ 235-46-53. *Vers Québec et Montréal :* 2 fois par jour en saison. *Pour le lac Saint-Jean :* 1 ou 2 bus par jour en saison. *Vers Baie-Comeau :* 2 ou 3 bus en saison. En principe, ils font un arrêt devant l'A.J.

■ *Location de vélos :* chez *Clauphi* (voir « Où dormir ? »).

■ *Aviation du Fjord :* 231, rue des Pionniers. ☎ 235-46-40. Petite agence dynamique, qui propose des survols en hydravion, par groupe de 7 en général, de la région de Tadoussac. Durée : 30 mn, dont 20 dans les airs. Environ 60 $ pour le tour. Merveilleuse promenade où l'on admire l'embouchure du Saguenay, l'arrière-pays, le fleuve Saint-Laurent.

Où dormir ?

Un conseil : en juillet et août, la plupart des gîtes et des hôtels affichent complet. Il est plus prudent de réserver au moins 2 jours à l'avance.

Campings

🏕 *Camping Tadoussac* (plan B1, 2) : 428, rue du Bateau-Passeur. ☎ 235-45-01. Ouvert de mi-mai à mi-octobre. Sur la route 138, à 800 m du traversier, côté droit. Bruyant : toutes les 30 mn, les camions venant du traversier passent sur la route voisine, et ce, également durant toute la nuit. 200 emplacements, certains avec superbe vue sur le fleuve. Douches payantes, toilettes, laveuses-sécheuses, bois de chauffage.

🏕 Si c'est complet, ou tout simplement si vous préférez un endroit moins touristique, rendez-vous au *camping Bon-Désir* de Grandes-Bergeronnes (voir plus loin).

Bon marché

🏕 *Auberge de jeunesse La Maison Majorique* (plan A2, 3) : 158, rue Bateau-Passeur, C.P. 253, G0T-2A0. À 200 m en sortant du traversier, côté droit. ☎ 235-43-72. Fax : 235-46-08. Ouverte toute l'année. Récemment réaménagée dans un bâtiment tout neuf, l'auberge n'a pas perdu son âme pour autant. Possibilité de planter la guitoune. Sinon, dortoirs classiques (de 4, 6 ou 10 personnes). En tout, 8 couchettes de 2, réunies dans un dortoir. Un peu plus cher : un grand mobil-home aménagé dans le jardin pour les familles et accessible aux handicapés. Certains trouveront peut-être l'A.J. un rien bruyante, mais l'ambiance qui y règne est sympa. Un peu cher toutefois. À deux, préférez un B & B. Même si l'on n'y dort pas, on peut y dîner. Mais attention : le hasard déterminera les deux malheureux (parfois sur 20) qui devront se payer la corvée de plonge !

L'A.J. organise des tas d'activités, à commencer par des randonnées avec observation des castors, des visites de la région avec le minibus de la maison, ou encore toutes les activités hivernales classiques (motoneige, raquettes...). L'A.J. possède également une annexe rue des Pionniers : *La Maison Alexis*. Bon à savoir quand c'est complet ici. Même style d'ambiance. 32 lits en dortoirs de 3, 4, 6 et 8.

Prix moyens

▲ *Le Gîte des Sentiers du Fjord* (plan A2, *4*) : 148, Coupe-de-l'Islet. ☎ 235-49-34. Situé dans la partie basse de Tadoussac, à 1 mn du port et de l'embarcadère pour les croisières à la baleine. Il s'agit d'une maison blottie au bout d'une ruelle paisible, juste au début du sentier de la Coupe, dans un coin vraiment mignon et très verdoyant. On y parle le québécois, l'anglais et même l'espagnol. Accueil très chaleureux et ouvert d'Élisabeth et Xavier Mercier et d'Astrid, leur fille. Ils donnent, parfois avec un peu trop d'insistance, toutes sortes d'informations sur la région (possibilités d'excursions...). Au 1er étage, 4 chambres très, très petites, mal insonorisées. Petit déjeuner, excellent, inclus.

▲ *Le Gîte du Passant Maison Fortier* (plan A2, *5*) : 176, rue des Pionniers. ☎ 235-42-15. Face au *Dépanneur Murray*. Très central. 6 chambres en tout. Mme Fortier est adorable et chaleureuse. Ne loupez pas le petit déjeuner ! Œufs, rôties, jus d'orange, thé, café, chocolat, céréales, confiture, fromage et *crêtons*...

▲ *Maison Clauphi* (plan A2, *6*) : 188, rue des Pionniers. ☎ 235-43-03. Chambres en *B & B* avec vaste salle de bains commune. Bien tenue et petit déjeuner copieux (servi en été seulement). Prix intéressants hors saison. L'été, prix très variables car il existe plusieurs types d'hébergement : propose aussi un motel (salle de bains privée) et des chalets pour un bon rapport qualité-prix. Aménagement intérieur minimal. Organise des excursions et des week-ends plein air. Location de vélos (avec circuits).

▲ *Maison Hovington* (plan B2, *7*) : 285, rue des Pionniers. ☎ 235-44-66. Fax : 235-48-97. Cette jolie demeure en bois, avec une très belle véranda et son morceau de pelouse devant, est l'une des six plus vieilles maisons du village (1800). Ses propriétaires, Lise et Paulin Hovington, descendent d'une famille de navigateurs. Si vous branchez Paulin sur le sujet, il vous dévoilera les secrets de sa ville et du Saint-Laurent à l'époque de la Canada Steamship Lines. Intérieur *cosy*, arrangé avec goût. Chambres colorées aménagées simplement, confortables, toutes avec douche et toilettes et une vue très chouette sur la baie de Tadoussac. Petit déjeuner continental.

▲ *Le Gîte du Goéland* (plan B2, *13*) : 261, rue de l'Hôtel-de-Ville. ☎ 235-44-74. Formule intermédiaire entre le gîte traditionnel et l'hôtel. Bien situé et calme. 5 chambres propres et coquettes avec lavabo seulement. Salle de bains dans le couloir. Entrée individuelle sur le côté de la maison. La patronne, Georgette Gagnon, tient le salon de coiffure au-dessous. Son mari, Guy Bouchard, est un excellent joueur de hockey. Prix corrects mais petit déjeuner sacrifié. À ne pas confondre avec *La Maison du Goéland*. Décidément, on aime ce genre d'oiseau à Tadoussac.

▲ *Auberge La Mer Veilleuse* (plan A2, *9*) : 113, rue Coupe-de-l'Islet.

☎ 235-43-96. 4 chambres impeccables avec lavabo. Vous prendrez le petit déjeuner avec vue sur le port. Accueil sympa. Prix très raisonnables pour l'endroit.

▲ *La Maison du Goéland (plan A2, 8)* : 123, rue Saguenay, près de la plage et du port. ☎ 235-43-70 ou 235-45-86. Ouverte toute l'année. Informations à côté, à l'*épicerie Jocelyne*. Petite baraque simple, propre et pas chère, idéale pour 2 personnes plutôt que pour un voyageur solitaire. Chambres avec lit double et lavabo, douche et toilettes sur palier. Petit salon et cuisine à disposition. Les propriétaires n'y habitent pas. Il n'y a donc ni table d'hôte ni petit déjeuner (seule une petite ration par chambre dans le réfrigérateur). Bien pour une nuit, ou même plus, car on y est autonome. Pas très bien insonorisé cependant.

▲ *Boutique chez Julie (plan B2, 10)* : 251, rue des Pionniers. ☎ 235-43-80. Excellent accueil. Chambres correctes. Kitchenette équipée à disposition. Accepte la carte *Visa*.

▲ *Hôtel Le Pionnier (plan B2, 11)* : 263, rue de l'Hôtel-de-Ville. ☎ 236-92-71. Trois bâtiments distincts, dont l'un occupe l'ancienne mairie ! Les autres, tout neufs, ont moins de charme ; on y trouve cependant des chambres simples mais avec salle de bains et TV, pour un prix très correct. Gamme de prix étendue (en fonction du confort et de la taille). Beaucoup moins cher (évidemment) hors saison. Petit déjeuner non compris. Prix avantageux pour les chambres de 3 à 4 personnes.

▲ *La Maison Simard (plan B2, 12)* : 256, rue Montagnais. ☎ 235-43-19. Dans cette maison où l'on se sent comme chez soi, la charmante Huguette Simard propose un véritable studio indépendant au rez-de-chaussée, avec deux grandes chambres, une salle de douche, et un salon TV. Également une chambre double à l'étage. Petit déjeuner classique mais très correct. Très bon rapport qualité-prix, même pour le studio.

▲ *Auberge La Maison Gagné (plan A2, 14)* : 139, rue Bateau-Passeur. ☎ 235-45-26. Ce gîte est ouvert toute l'année. Claire Gagné y propose 10 chambres très colorées avec salle de bains privée et TV, dont 2 qui possèdent un balcon très agréable. L'accueil est excellent et le petit déjeuner délicieux. Les prix sont tout de même un peu au-dessus de la moyenne.

▲ *Gîte de la Falaise (plan B2, 15)* : 264, rue de la Falaise. ☎ 235-43-44. Chambres grandes et confortables à des prix très corrects. Du séjour, vue splendide sur le Saint-Laurent et le Saguenay. Accueil très sympatique.

■ **Adresse utile**

  🅱 Maison du tourisme de Tadoussac et de la côte Nord

▲ **Où dormir ?**

  2 Camping Tadoussac
  3 Auberge de jeunesse La Maison Majorique
  4 Le Gîte des Sentiers du Fjord
  5 Le Gîte du Passant Maison Fortier
  6 Maison Clauphi
  7 Maison Hovington
  8 La Maison du Goéland
  9 Auberge La Mer Veilleuse
  10 Boutique chez Julie
  11 Hôtel Le Pionnier
  12 La Maison Simard
  13 Le Gîte du Goéland
  14 Auberge La Maison Gagné
  15 Gîte de la Falaise

  16 Hôtel-motel Le Béluga
  17 La Maison Harvey-Lessard

|●| **Où manger ?**

  20 Le Bateau
  21 Le Gilbard
  22 Au Père Coquart Café
  23 La roulotte à patates
  24 Café du Fjord
  25 Resto du motel Chantmartin
  26 La Bolée
  27 Resto du motel Chez Georges

★ **À voir**

  30 Chapelle des Indiens
  31 Grand Hôtel Tadoussac
  32 Maison Chauvin
  33 Centre d'interprétation des mammifères marins (C.I.M.M.)
  34 Centre de pisciculture

TADOUSSAC

Coin cuisine à disposition. Petit déjeuner excellent et convivial.

🏠 *Auberge de la Sainte Paix :* 102, rue Saguenay, G0T-2A0. ☎ 235-48-03. E-mail : sainte-paix@m@ilfjord-best.com. Chambres grandes et douillettes, avec vue sur le fjord. Patrons jeunes, très accueillants. Petit déjeuner copieux, crêpes succulentes. Prix très raisonnables.

Plus chic

🏠 *La Maison Harvey-Lessard* (plan A1, 17) : 19, rue des Forgerons. ☎ 235-48-02. Ce gîte est idéalement situé sur les hauteurs de Tadoussac. Où que l'on soit dans la maison, on y aperçoit la baie et le fjord du Saguenay. 3 chambres avec salle de bains et une magnifique suite avec jacuzzi. Les chambres possèdent toutes un balcon qui vous invite à apprécier la superbe vue. Les prix sont certes élevés (surtout pour la suite) mais si vous en avez les moyens, n'hésitez pas.

▲ *Hôtel-motel Le Béluga (plan A2, 16)* : 191, rue des Pionniers. ☎ 235-47-84. Fax : 235-42-95. Ouvert toute l'année. Neuf mais pas dé-

plaisant. Chambres confortables, avec salle de bains et TV, à un prix raisonnable, compte tenu du confort. Pas de climatisation mais un ventilo un peu bruyant pour les nuits chaudes de l'été. Un peu moins cher en motel que dans le bâtiment principal. Resto attenant, *L'Auberge du Lac,* à prix modérés.

Où manger ?

Bon marché

|●| *Le Bateau (plan B2, 20)* : 246, rue des Forgerons (perpendiculaire à celle des Pionniers). ☎ 235-44-27. Ouvert de 11 h à 14 h 30 et de 17 h à 21 h 30 (20 h hors saison). Le soir, arriver au début du service, vers 17 h-18 h, pour éviter la queue (surtout en été !). Très populaire auprès des autochtones comme les touristes pour son buffet permanent, garni de généreux plats québécois. « C'est la cuisine que nous mangeons dans nos maisons », dit la carte. Pas cher du tout, surtout le midi ; le soir, buffet à volonté, plus complet, comprenant de nombreux plats travaillés. On se sert parmi les plats suivants : soupe aux pois, salade de chou, pâté au saumon, fèves au lard, tarte aux pommes, tarte à la farlouche (raisins) et même tarte au vinaigre (très peu aigre, on a goûté). Si vous avez apprécié, vous pourrez acheter leur livre de recettes avec des plats proposés sur le buffet, pas cher.

|●| *Le Gibard (plan A2-3, 21)* : 137, rue du Bord-de-l'Eau. ☎ 235-45-34. Ouvert tard le soir. Aux dernières nouvelles, ils ne serviraient plus que des pizzas. Adorable maison rose et noire, en bois, toute petite et conviviale. Musique variée. Bonne atmosphère. En sortant, coup d'œil à cette pancarte insolite à l'extérieur : « Attention sortie de gars chauds. » Vous avez compris ?

|●| *Au Père Coquart Café (plan A2, 22)* : 115, rue Coupe-de-l'Islet. ☎ 235-43-42. Cadre intérieur agréable en bois, avec vue sur le Saint-Laurent. Terrasse. Nourriture simple et bon marché (*sous-marins,* sandwiches...). On y sert aussi du

gibier, mais c'est beaucoup plus cher. On peut y boire un verre, différentes bières de la région sont proposées.

|●| Ne manquez pas la *roulotte à patates* de Claude Lapointe *(plan B1, 23)*, située au 452, rue Bateau Passeur. À la sortie de Tadoussac, après le camping. Il y a les hot-dogs et les hamburgers, ainsi que « la meilleure frite du Canada » (officiellement couronnée en 1979 !) que l'on peut manger sur des tables de pique-nique au bord de la route. Bon, depuis elle s'est un peu ramollie. Mais surtout il y a le personnage de Claude, surnommé « le Blond », connu de tout le village. Écologiste avant l'heure, ancien marin, il vend ses frites depuis 15 ans et raconte ses histoires aux touristes.

Prix moyens

|●| *Café du Fjord (plan A2, 24)* : 154, rue Bateau-Passeur. À côté de l'A.J. ☎ 235-46-26. Le patron, André Tremblay, est amoureux de Tadoussac. Il édite un petit journal rigolo, *Fjord Express,* dans lequel vous trouverez plein d'infos sur le village. Il a également fait de son café-resto un lieu particulièrement dynamique, rendez-vous de tous les jeunes. Le soir, buffet à volonté de crudités, soupes, salades, pâtés, feuilletés de poisson et desserts. Prix fixe. Par ailleurs, buffet de poissons divers (fumé, cuit, mariné) et de fruits de mer, qu'on paie au poids. Attention à la tentation, l'addition monte vite ! Pour éviter de mauvaises surprises, choisissez un des deux buffets. En ce qui nous concerne, nous avons préféré celui de poisson.

|●| *Resto du motel Chantmartin* *(plan B1, 25)* : 412, rue Bateau-Passeur, sur la route 138, à 1 km de Tadoussac, sur la droite (direction Forestville). ☎ 235-47-33. Ouvert de 7 h à 23 h (21 h hors saison). Cadre banal (très ricain), mais grand choix de plats bon marché : salades, frites, poisson frais, viandes, pizzas, poulet, etc. Simple mais bon et copieux.

|●| *La Bolée* *(plan A2, 26)* : 164, rue Morin. Derrière l'A.J. ☎ 235-47-50. Ouvert de 11 h à 14 h et de 17 h 30 à 21 h 30 en saison. Grosse bâtisse aux couleurs vives. Boulangerie au rez-de-chaussée et resto à l'étage. Géré par des Français et des Québécois. Cuisine de bonne qualité. Le midi, plats du Québec, prix moyens. Beaucoup de grillades (bœuf). Pas une adresse pour les amateurs de poisson.

Un peu plus chic

|●| *Resto du motel Chez Georges* *(plan A2, 27)* : 135, rue Bateau-Passeur. Pas loin du traversier. Resto réputé ; bonne viande, homards et bon poisson. Intérieur chic et service impeccable.

Où boire un verre ?

♆ *Café du Fjord :* voir « Où manger ? ». Concerts fréquents en fin de semaine (les jeudi, vendredi et samedi) : rock, blues, jazz. Bonne musique et spécialités de cocktails. L'endroit idéal pour faire des rencontres et sentir à quel point le village de Tadoussac, minuscule, est malgré tout animé...

♆ *Le Gibard :* voir « Où manger ? ».

♆ *Au Père Coquart Café :* voir « Où manger ? ».

À voir

Tous les souvenirs du village de pêcheurs (l'un des plus vieux du Canada !) sont concentrés autour de la baie de Tadoussac, notamment dans la rue Bord-de-l'Eau.

★ **La chapelle des Indiens** *(plan B2, 30)* : dans la descente menant au port, après l'église en pierre. ☎ 235-43-24. Ouvert de fin juin à septembre, de 9 h à 21 h. Entrée payante (seulement un petit dollar). Construite en 1747 par un missionnaire jésuite, c'est, paraît-il, la plus ancienne d'Amérique du Nord. Absolument adorable, tout en bois rouge et blanc, comme l'hôtel de style qui lui fait face. À l'intérieur, une cloche, la plus ancienne du Canada, dit-on, apportée de France au XVIIe siècle pour inviter les « sauvages » à la prière ! Encore plus curieux : un petit Jésus offert par Louis XIV, dont la robe de satin aurait été confectionnée par Anne d'Autriche en personne ! Mais, selon un expert, elle ne daterait que de la seconde moitié du XIXe siècle...

★ Admirer le **Grand Hôtel Tadoussac** *(plan B2, 31)*, au toit rouge à clocheton et à la ligne superbe. De plus, pelouse de rêve parsemée de parasols et de transats délicieusement assortis à l'ensemble... On comprend qu'il ait servi de décor au film *Hôtel New Hampshire,* adapté du roman de John Irving. Ancienne propriété de la Canada Steamship Line, c'était l'escale de choix des riches Anglais en croisière sur le fleuve dans de grands paquebots blancs... Il appartient désormais à la célèbre famille Dufour, qui propose également des croisières à bord de sa magnifique goélette... aux couleurs de l'hôtel ! Pour ceux qui seraient tentés d'y faire dodo, ☎ 235-44-21 (rue du Bord-de-l'Eau). Cependant si vous avez de l'argent à dépenser, nous vous conseillons *La Maison Harvey-Lessard* (voir « Où dormir ? »).

★ **La maison Chauvin** *(plan B2, 32)* : 157, rue Bord-de-l'Eau. ☎ 235-46-57.

Ouverte tous les jours de fin mai à octobre. De 9 h à 20 h 30 de mi-juin à mi-septembre ; de 9 h à 12 h et de 15 h à 18 h le reste du temps. Entrée payante (pas chère). Reconstitution de la première maison (entièrement en bois) du Canada, construite en 1600 par un dénommé Pierre Chauvin qui venait de Dieppe, mandaté par le roi Henri IV. Également premier poste de traite du pays, on y troquait des fourrures entre Français et Amérindiens. À voir à l'intérieur : un comptoir de traite avec outils, une belle panoplie de fourrures, une expo sur les Indiens montagnais et plusieurs documentaires vidéo passionnants sur les ours, les Indiens et l'histoire du Québec à travers le village. On y apprend que la fourrure de castor servait à faire des chapeaux, que le tabac, vieille coutume amérindienne, fut découvert par Jacques Cartier avant d'être introduit en Europe, que l'huile de phoque servait entre 1800 et 1850 à l'éclairage (avant le pétrole et l'électricité !), que la première rencontre de Champlain avec les Indiens de Nouvelle-France eut lieu le 27 mai 1603 sur les rives du Saguenay et qu'elle dégénéra en tabagie...

★ *Le C.I.M.M. (Centre d'interprétation des mammifères marins ; plan A3, 33)* : rue de la Cale-Sèche, face à la marina du port. ☎ 235-47-01. Ouvert tous les jours de 9 h à 20 h de début juin à fin septembre ; horaires variables en mai et octobre mais au moins ouvert de 12 h à 18 h. Entrée payante. Projection d'un documentaire en continu, toute la journée. C'est en quelque sorte un musée des baleines, consacré essentiellement aux mammifères du Saint-Laurent : rorquals et bélugas. On peut y parrainer une baleine. Belle maquette de rorqual à l'échelle 1/2. Mâchoires de baleines, jeux interactifs sur les cétacés, des panneaux instructifs et, bien sûr, plein d'informations sur la dégradation de l'environnement. On y apprend par exemple que le pauvre béluga (gros cétacé blanc dont la tête souriante plaît beaucoup aux enfants) se meurt de pollution : il s'en échoue 15 à 20 par an sur les rives du Saint-Laurent, malades de cancers ou d'ulcères dus aux rejets toxiques des usines !

Le C.I.M.M. est géré par deux associations dynamiques (le G.R.E.M.M. et la S.I.M.M.), toutes deux très utiles pour la science et l'écologie marine. Elles animent certaines croisières d'observation des baleines.

★ Curieuse **chapelle** protestante, toute verte, dans la rue des Pionniers, face à l'hôtel-motel *Le Béluga*.

★ *Le Centre de pisciculture (plan A2, 34)* : rue du Bateau-Passeur, entre le traversier et le motel *Chez Georges*. ☎ 235-44-34. En principe, visite tous les jours, de 8 h à 12 h et de 13 h à 17 h. Station d'élevage de saumons de l'Atlantique. On observe les poissons dans des bassins. Certains sont impressionnants.

★ Jolie *vue* sur Tadoussac du quai du petit port.

Festival

– *Festival de la Chanson :* chaque année à la fin de la 2e semaine de juin. Pendant tout le festival, des concerts rock, jazz et blues dans la plupart des cafés du village (*du Fjord, Marina, hôtel Tadoussac, Au père Coquart*, etc.). Super ambiance. On ne paie qu'une poignée de dollars pour assister à plein de petits concerts. Pour les plus grosses pointures, il faut payer à nouveau.

À faire

Petites balades sympas

– Plusieurs **sentiers pédestres** dans le village même, notamment dans le parc du Saguenay.

● *Sentier de la Coupe :* on le gagne du bureau d'accueil du parc ou encore de la rue Coupe-de-l'Islet (qui donne dans la rue Bord-de-l'Eau). Le sentier fait ensuite une boucle dans le parc et offre de beaux panoramas sur le village et le fleuve. Durée de la boucle : 20 mn.

● *Sentier de la Pointe :* départ de la boutique *La Marée* (près du C.I.M.M.) ou de l'extrémité du quai. Il longe la côte déchiquetée jusqu'à la pointe de l'Islet et contourne toute la presqu'île. Circuit en boucle de 25 mn environ. Il arrive de voir des baleines au large de la pointe. On est là exactement à l'endroit où les eaux du Saguenay rencontrent celles du Saint-Laurent.

– *Balade à Pointe-Rouge :* prendre la rue des Pionniers vers les dunes. S'arrêter au golf et emprunter le sentier du parc Languedoc. Marche de 15 mn jusqu'à la pointe. Bon point d'observation (gratuit) pour les baleines.

Grande randonnée

– *Sentier du Fjord :* départ du centre de pisciculture. Là, il s'agit d'une vraie randonnée ; compter une bonne journée rien que pour l'aller. Le chemin remonte le lac de l'Anse-à-l'Eau et suit une partie du fjord du Saguenay à travers le parc et se termine à l'Anse de la Passe-Pierre. Comme cette randonnée ne décrit pas une boucle et qu'elle est longue, on conseille de se faire accompagner et de ne faire que le retour. Pour plus d'infos, voir à l'office du tourisme.

L'observation des baleines

À la hauteur de Tadoussac (mais également plus au nord), le Saint-Laurent accueille chaque été une dizaine d'espèces de baleines, de la plus petite à la plus grosse du monde ! Il y a beaucoup moins de chances d'en voir au printemps (surtout avant juin), même si des excursions sont déjà organisées. Parmi ces baleines, le béluga, très rare ailleurs et malheureusement déjà en voie d'extinction dans le Saint-Laurent, et la mythique baleine bleue, que l'on n'aperçoit qu'avec beaucoup de chance ! On voit également pas mal de phoques dans le coin mais, bien sûr, c'est moins impressionnant... Avant de partir en excursion pour observer les bébêtes tant attendues, on vous conseille de passer faire un tour au *C.I.M.M.* (références plus haut, dans « À voir »), histoire de mieux comprendre ce qu'est un cétacé et surtout de commencer à pouvoir distinguer chaque espèce.

À Tadoussac, tout le monde vous proposera des croisières d'observation, à commencer par votre hôtelier... Toutes les compagnies pratiquent le même tarif, soit environ 33 $ par personne pour une balade de 3 h. C'est le même prix en Zodiac (une seule compagnie le fait à Tadoussac). On note toutefois des différences de prix pour les enfants. Les gros bateaux sont plus confortables, on y attrape moins froid, mais on se retrouve avec des groupes de touristes. Là, c'est une question de goût. La solution est peut-être de faire cette excursion d'un peu plus haut (Grandes-Bergeronnes, Escoumins...), comme nous vous le disions dans notre rubrique « Un tourisme écolo » en début de ce chapitre (vous l'avez lu, n'est-ce pas ?). Il est recommandé de vérifier les horaires par téléphone auprès de la compagnie choisie.

Dernier détail : il est conseillé de réserver plusieurs jours à l'avance en saison touristique mais vous avez le droit de décommander si le ciel est trop sombre le jour de votre départ. C'est même conseillé : sinon vous ne verrez rien sur vos photos ! Ah ! encore une précision : aucune crainte à avoir, les baleines ne renversent pas les bateaux et n'ont jamais mangé personne ! Vous verrez, elles sont d'une douceur incroyable... Le philosophe Aristote l'avait déjà remarqué, notant, entre autres, dans une étude qu'il avait consacrée aux baleines (eh oui !) qu'il ne connaissait pas d'animal plus affectueux... Enfin, si vous préférez être tranquille, partez le plus tôt possible dans la matinée, vous serez sur un des seuls bateaux sur les lieux.

■ *La Compagnie de la Baie :* 145, rue Bord-de-l'Eau. ☎ 235-45-48. On peut également réserver depuis l'A.J., qui travaille beaucoup avec eux. Une des seules compagnies à utiliser des Zodiac. Avantage : on est plus au ras de l'eau. Inconvénient : on est trop au ras de l'eau et l'angle de vue est réduit. Quand il fait très froid, on vous habille de la tête aux pieds (c'est inclus dans le prix).

■ *Croisière Navimex :* 175, rue des Pionniers. Départs de mi-mai à fin octobre du quai de Tadoussac, tous les jours de 9 h 45 à 18 h 15, ou 15 mn après, du quai de Baie-Sainte-Catherine. Réservations : ☎ 692-46-43 (à Québec) ou ☎ 237-42-74 en saison. Excursions classiques en croiseur à moteur. Propose aussi bien le fjord du Saguenay (paysages splendides mais on n'y voit que des bélugas ou de petits rorquals) que le fleuve Saint-Laurent.

■ *Les Croisières Express :* 161, rue des Pionniers. ☎ 235-47-70 l'été et ☎ 235-42-83 l'hiver. De 8 h à 21 h. Bateaux plus petits (12 places) que ceux de *Navimex.* Avantage : on est moins nombreux à bord. Un tout nouveau : *l'Explorator* (48 places).

■ *Excursions Famille Dufour :* *Grand Hôtel Tadoussac,* 165, rue Bord-de-l'Eau. ☎ 235-44-21. Appel gratuit : ☎ 1-800-463-52-50. Les propriétaires du plus bel hôtel de Tadoussac possèdent aussi (on est jaloux) 4 bateaux de croisière dont un classé monument historique ! C'est la somptueuse goélette *Marie-Clarisse,* construite en 1922 et plusieurs fois restaurée depuis. Deux mâts, 4 voiles, 130 pieds de long et 7 membres d'équipage ! Un must au même prix que les autres croisières d'observation, ni très pratique ni très rapide pour approcher les baleines, mais quel charme de voir ce magnifique bateau se déplacer ! Avec ses 4 bateaux, la famille propose 3 départs par jour pour le Saguenay et 4 départs pour le Saint-Laurent. Un plus : ce sont des naturalistes du G.R.E.M.M. (on en parle plus haut à propos du C.I.M.M.) qui assurent les commentaires sur la faune marine.

■ *Croisières à la baleine et au Saguenay :* 171, rue Bord-de-l'Eau. ☎ 235-48-79. 3 départs par jour l'été, sur un beau bateau, pas trop grand, d'une centaine de places. Tarif intéressant pour les étudiants.

– *Voir les baleines de la terre ferme :* c'est possible à l'aube ou à la tombée de la nuit, en allant sur les rochers de Tadoussac (autour de la ville). Les baleines peuvent venir à 15 m du rivage. On entend bien leur souffle puissant.

– Un truc : vous êtes fana de baleines, mais vous n'avez plus assez d'argent pour vous payer une croisière. Allez en stop au *cap de Bon Désir* (à 24 km de Tadoussac) au nord, près de Grandes-Bergeronnes. Il y a là de superbes falaises avec un paysage splendide... Et, avec un peu de chance, on voit les baleines ! Il faut payer pour accéder au site, mais c'est beaucoup, beaucoup moins cher (location de jumelles). L'été, il y a même un guide et un petit écomusée.

Dans les environs

★ *La maison des Dunes :* à 5 km à l'est du village, dans le prolongement de la rue des Pionniers. Ouverte tous les jours de début juin à mi-octobre, de 9 h à 17 h. Maison de pierre du début du siècle. On y trouve le *Centre d'inter-*

prétation du parc du Saguenay. Site splendide. Panneaux explicatifs inter-actifs. Vidéo. Dehors, tables de pique-nique et sentier de balade qui démarre de la plage et revient vers l'*hôtel Tadoussac*. Ce circuit passe par la pointe Rouge, d'où l'on peut observer des petits rorquals. Durée de la balade : 2 h.

GRANDES-BERGERONNES   IND. TÉL. : 418

À une vingtaine de kilomètres de Tadoussac. Bourgade qui s'accroche aux flancs des collines surplombant la vallée. Son nom lui vient de Samuel de Champlain. Il avait vu des hirondelles de mer sur la plage, qui évoquaient les bergeronnettes de France. Beaucoup moins connu (donc moins touristique et moins cher) que Tadoussac, le village de Grandes-Bergeronnes est en fait un lieu idéal d'observation des baleines. Elles sont plus faciles à observer de Grandes-Bergeronnes, le village étant situé face à une profonde fosse marine très propice à leurs déplacements... Bien souvent les bateaux partant de Tadoussac viennent ici pour observer les baleines ! D'où des excursions plus longues d'une heure, et donc plus chères. Conscient de ce manque à gagner, le village a décidé de se faire mieux connaître et offre désormais plus d'excursions.

Où dormir ?

▲ *Camping Bon-Désir :* 160, route 138, en direction des Escoumins. ☎ 232-62-97. Ouvert de juin à mi-septembre. Site superbe, au milieu des arbres et de 7 petits lacs. Deux formules au choix : avec ou sans services (c'est moins cher). Lait, glace et bois de chauffage en vente à l'accueil. Sentiers de randonnées autour du terrain. Location de péda-los sur les lacs et de jumelles pour l'observation des baleines et des oi-seaux. Le vrai camping nature !

▲ Les gîtes touristiques berge-ronnes proposent une liste de *loge-ment chez l'habitant :* se rensei-gner auprès du kiosque d'infor-mation local, 302, de la Rivière. ☎ 232-63-26.

▲ *Mer et Monde :* 53, rue Princi-pale. ☎ et fax : 232-67-79. Il émane de ce gîte une harmonie, une séré-nité que l'on aime à trouver en voyage. Alain Dumais et son amie Andrée vous accueillent chaleureu-sement avec beaucoup de naturel. Ils possèdent 3 chambres simples mais agréables. En plus du gîte, ils organisent des randonnées en kayak double, de façon très sérieuse et à des prix abordables, sur le Saint-Laurent et le Saguenay, à la journée ou sur plusieurs jours, afin

de découvrir les mammifères et les sites. Une excellente adresse pour ceux qui veulent s'adonner à ce sport.

▲ *Gîte La Batture à Théophile :* 220, route 138. ☎ 232-66-82. Mai-son très agréable, meublée avec es-prit. Le soir, feu dans la cheminée. 2 chambres doubles. Beaucoup d'in-fos sur les baleines, abondante litté-rature mise à disposition. En prenant le petit déjeuner, face au Saint-Laurent, avec un peu de chance, vous aurez plaisir à la consulter. Ac-cueil chaleureux.

▲ *Gîte du Passant Le Man-touane :* 131, route 138, à deux pas du centre d'observation du cap Bon Désir. ☎ 232-67-24. Grande et jolie maison tenue par des gens chaleureux, avec un intérieur dé-coré avec beaucoup de charme. Bi-bliothèque riche et variée, infos dé-taillées, petit déjeuner copieux. Chambres calmes. Très bonne adresse, tenue par Gianna (ita-lienne) et Pierre (un Lyonnais qui aime le saucisson !).

▲ *Gîte Bienvenue chez les Petit :* 56, rue Principale, G0T160. ☎ 232-63-38. Fax : 232-11-71. Dans leur chaleureuse maison, les Petit dis-posent de 5 chambres agréables, dont une familiale où peuvent loger 5 personnes. Excellent petit déjeuner (confitures maison...) à volonté. Les Petit donnent beaucoup de tuyaux sur leur région. Proposent des « safaris à l'ours et aux castors ». Leur accueil est vraiment chouette. De plus, les prix sont raisonnables.

Plus chic

≜ *Auberge La Rosepierre :* 66, rue Principale. ☎ 232-65-43. Fax : 232-62-15. Déco pas toujours de très bon goût dans cette auberge, mais 9 chambres très propres et confortables. La plupart possèdent une salle de bains privée. Le petit déjeuner est inclus.

Où manger ?

|●| *Restaurant du Boisé :* 140, route 138. ☎ 232-67-43. Prenez la morue fraîche, un vrai régal, ou une bonne assiette de fruits de mer servie à un prix très très doux. Accueil sympa de la patronne, ancienne Roannaise. Souvent complet.

Festival

– *Festival de la Baleine bleue :* tous les ans en été. Renseignements : ☎ 232-63-26.

À voir

★ *Centre d'Interprétation archéologique :* 498, rue de la Mer. ☎ 232-62-86. À l'embarcadère des compagnies *ESSIPIT*. « Archéo-Topo » offre un excellent panorama préhistorique en Haute Côte Nord. Musée très intéressant avec bornes interactives, projections et surtout un mini-laboratoire où l'on peut s'initier à l'archéologie.

Observation des baleines

■ *Croisière ESSIPIT :* quai des Grandes-Bergeronnes. ☎ 232-67-78. Fax : 233-28-88. De mi-mai à mi-octobre. Propose 2 sortes de balades d'environ 2 h à la rencontre des baleines. Avec le bateau *Cap Bon Désir* et un guide naturaliste, ou en Zodiac pour lesquels ils fournissent les combinaisons isothermes (glagla sur l'eau!), des gants et des bottes. Prévoyez tout de même 2 paires de chaussettes et une écharpe : il fait vraiment très froid sur le fleuve, même en été... Comme avec les autres compagnies, vous aurez peut-être la chance d'apercevoir à la fois des rorquals communs, des bélugas, des phoques, des petits rorquals et, si vous êtes vraiment verni (en août surtout), la fameuse baleine bleue ! Superbe excursion mais un défaut : les bateaux venant de Tadoussac se rendent à peu près aux mêmes points que les Zodiac d'*ESSIPIT*.

■ *Les Croisières Neptune :* 507, rue du Boisé, sur la route vers Les Escoumins. Embarquement au quai des Bergeronnes. ☎ 232-67-16. Fax : 232-67-90. De mi-mai à mi-octobre. Excursions de 2 h à bord de Zodiac. Combinaisons isothermiques, gants, bottes sont fournis. En principe, ils vous garantissent de voir des baleines. Si vous n'en voyez pas, ils proposent parfois une seconde balade gratuite.

À faire encore

■ **Les Ailes du Nord :** 482, rue de la Mer. ☎ 232-67-64. Fax : 232-67-70. Ouvert tous les jours. Petite compagnie aérienne créée par un pilote français, Éric Maillet, installé au Québec depuis qu'il est « tombé en amour » avec une Québécoise... France (!). À partir de l'aéroport de la mer; il propose de superbes balades, notamment le survol du fjord du Saguenay. Autour de 40 $ par personne pour environ 30 mn de vol.

– VERS LE NORD –

VERS LE NORD

LES ESCOUMINS

IND. TÉL. : 418

Port de pêche et réserve des Escoumins où vivent des Indiens montagnais. *Esko* et *mins,* deux mots montagnais qui signifient « il y a encore des graines ». Possibilité de sortie en « mer » avec des pêcheurs locaux pour traquer la morue, le flétan et observer les baleines. Se renseigner au kiosque d'informations sur la route 138. Il existe un camping amérindien, mais assez cher (meilleur marché dans sa partie sauvage).
– **Traversée du fleuve des Escoumins à Trois-Pistoles :** service de traversiers de mi-mai à mi-octobre. 2 ou 3 traversées par jour dans chaque sens, selon les périodes. Durée : 1 h 15. Informations et réservation (très conseillée en juillet et août) à Trois-Pistoles : ☎ 851-46-76. Aux Escoumins : ☎ 233-22-02.

Où dormir ?

🛏 **Motel Chez Gérard :** 520, route 138, au bord de la mer. ☎ 233-27-80. Cadre moyen, mais prix corrects et l'endroit est sauvage (belle vue sur l'estuaire, on aperçoit parfois les baleines).
🛏 **Manoir Bellevue :** 27, rue de l'Église. ☎ 233-33-25. Fax : 233-32-77. Un petit hôtel fort sympathique et surtout vraiment pas cher, pour 2 comme pour 3. Les chambres et la déco ont été refaites récemment. On y apprécie aussi la cuisine, assez raffinée. Ce sont les propriétaires qui s'occupent du club de plongée.
🛏 **Le Gîte Fleuri :** 21, rue de l'Église. ☎ 233-31-55. 4 chambres plus ou moins bien décorées, mais toutes très agréables, se partagent une salle de bains. Deux d'entre elles ont une vue sur le Saint-Laurent; parmi celles-ci, choisissez la bleue. Très bon accueil et prix corrects. Excellent petit déjeuner.

Où manger ?

|●| **Le Petit Régal :** 307, route 138. ☎ 233-26-66. Salle sans charme mais avec une très belle vue sur le Saint-Laurent. Grande variété de plats (salades, pâtes, pizzas, poissons, sandwiches...) à prix raisonnables.

Observation des baleines

Il existe 2 types d'embarcations pour aller observer les baleines aux Escoumins, à des prix sensiblement égaux :

– **Excursions en bateau de pêche :** Gérard Morneau, 539, route 138. ☎ 233-27-71. De début juin à mi-octobre.
– **Balades en Zodiac :** TAN croisières, ☎ 233-34-88 ou 1-888-353-34-88 (appel gratuit). Fax : 233-22-72. Tarifs intéressants, gratuit pour les enfants de 5 à 12 ans. Accueil sur le port de l'Anse-aux-Basques, au bout de la rue des Pilotes. Capitaine Ross : ☎ 233-32-74.

VERS LE NORD

SAULT-AU-MOUTON

À Sault-au-Mouton, il est un endroit où la rivière dévale en chutes de 18 m avant de se jeter dans le fleuve. La perspective alentour est saisissante.

Où dormir ?

■ Grande **base de plein air** offrant le gîte pour la nuit (avec petit déjeuner), mais assez cher.

Où dormir entre Sault-au-Mouton et Forestville ?

■ **Gîte La Nichée, chez Camille et Joachim Tremblay :** 46, Principale, route 138, Sainte-Anne-de-Portneuf. ☎ 238-28-25. À 84 km au nord de Tadoussac, une adresse où l'accueil est particulièrement chaleureux. Joachim vous parlera de la chasse à l'orignal, de la pêche blanche, de la fête du Sucre (!), de ses tomates biologiques, tandis que Camille vous fera goûter ses crêpes délicieuses, ses muffins aux fraises des bois et ses confitures, tout cela fait maison, bien sûr. Très bonne étape pour ceux qui prennent le traversier à Baie-Comeau.

À voir dans les environs

★ **Saint-Paul-du-Nord :** ce petit village, situé à 2 km de Sault-au-Mouton, offre un superbe point de vue sur la baie. Un belvédère a été construit en 1997, juste derrière l'église.

BAIE-COMEAU   IND. TÉL. : 418

Baie-Comeau est le point de départ de la visite des barrages géants Manic. Ouverts seulement de mi-juin à début septembre. Si le barrage Manic 2 est à 20 mn de Baie-Comeau, en revanche il faut suivre une longue route (piste) pour accéder au barrage Manic 5. Informations et réservations : ☎ 294-39-23.

– Traversier pour Matane, en Gaspésie. Renseignements et réservations : ☎ 296-25-93.

À faire

■ *Domaine de l'Ours Noir :* 89, rue Maisonneuve, G4Z-1E1. ☎ 296-56-29. Avec Réjean Chenel, partez, du 15 juin au 31 août, observer des ours noirs ou des loups, totalement libres et sauvages, hors de toute réserve. Vous aurez 98 % de chances d'en voir, en toute sécurité. Émotions garanties. Départ vers 16 h, retour en fin de soirée. Prix raisonnables. Hors saison, réservation indispensable.

– CHAUDIÈRE-APPALACHES –

Vaste région située sur la rive droite du Saint-Laurent, face à Québec, et bordée au sud par le Maine (États-Unis). On ne développe pas ses attraits touristiques (il y en a, comme partout au Québec) car peu de routards s'y rendent, préférant filer directement sur Charlevoix puis la Gaspésie après avoir visité Montréal et Québec. Ceux qui disposent d'un peu de temps peuvent visiter en priorité *Montmagny* (l'une des plus vieilles villes de la côte Sud, connue pour son étonnant festival de l'oie blanche), qui possède de beaux manoirs et devient le *Carrefour mondial de l'Accordéon* fin août-début septembre.

Pour y aller, prendre le traversier entre Québec et Lévis, puis suivre la route 132 vers le nord, le long du Saint-Laurent. Belle balade pour ceux qui ont une voiture.

Au départ de Montmagny, traversier gratuit pour l'Isle-aux-Grues, seule île habitée en permanence de ce beau petit archipel du même nom. 2 à 3 traversées par jour, selon les marées. Renseignements : ☎ 248-35-49 ou 248-29-68.

Au départ de Montmagny ou de Berthier-sur-Mer, croisières et visites guidées pour Grosse-Ile qui servit de station de quarantaine dans les années 30. Quelques millions d'immigrants en route pour l'Amérique y ont transité, et plusieurs milliers y sont morts. Renseignements : ☎ 248-48-32.

Adresses utiles

🛈 *Association touristique Chaudière-Appalaches :* 800, autoroute Jean-Lesage, Bernières, G7A-1C9. ☎ (418) 831-44-11. Fax : 831-84-42. Pour plus d'infos sur la région.

🛈 *Office du tourisme de la côte Sud :* 45, av. Du Quai, CP 71, Montmagny, G5V-3S3. ☎ 248-91-96 ou 1-800-463-56-43. Fax : 248-14-36.

Où dormir à Montmagny ?

🛏 *La Belle Époque :* 100, rue Saint-Jean-Baptiste Est. ☎ 248-33-73. Un hôtel de luxe. Tout est beau et ancien, on a l'impression de remonter le temps. Cher.

🛏 *La Cécilienne :* 340, bd Taché Est, G5V-1E1. ☎ 248-01-65. Doris et Cécile Boudreau, les proprios, sont charmants. Chambres propres et bien tenues. Une bonne adresse.

À voir à Montmagny

★ *Le Manoir de l'Accordéon :* 301, bd Taché Est. ☎ 248-79-27. En saison, ouvert du lundi au vendredi de 9 h à 17 h, et le week-end de 10 h à 16 h ; hors saison, du lundi au vendredi de 9 h à 17 h. Le piano à bretelles a son musée : vaste collection d'accordéons de tous âges et de tous genres ; et un atelier, où vous pourrez voir certaines étapes de la fabrication.

★ *Centre éducatif des Migrations :* 53, rue du Bassin Nord. ☎ 248-45-65. Ouvert de fin avril à la mi-novembre de 9 h 30 à 17 h. Une envolée entre l'histoire de la Grosse-Île et sa nature qui abrite la grande oie blanche lors de ses migrations.

SAINT-JEAN-PORT-JOLI   IND. TÉL. : 418

Joli village en bordure du Saint-Laurent, dont l'activité principale (et commerciale) est la sculpture sur bois. Plusieurs dizaines d'artisans qui produisent surtout des souvenirs pour touristes mais aussi, certains, de véritables petits chefs-d'œuvre. Possibilité de stages.

Adresses utiles

🛈 *Office du tourisme :* 7, av. de Gaspé Est. ☎ 598-94-65. Fax : 598-30-85.

🛈 *Kiosque touristique :* 20, av. de Gaspé Ouest. ☎ 598-37-47.

Où dormir ?

🛏 *Au Boisé Joli :* 41, av. de Gaspé Est, G0R-3G0. ☎ 598-67-74. Cette jolie maison en bois est située en plein centre-ville. 5 chambres très confortables. Chose rare dans la région et que nous avons bien appréciée, tous les planchers des chambres sont en parquet, et même dans la salle de bains s'il vous plaît ! L'ac-cueil est excellent et le petit déjeuner gargantuesque.

🛏 *Hôtel Le Bonnet Rouge :* 76, av. de Gaspé Est. ☎ 598-30-88. Sur la route du front de mer. Chambres gentillettes et propres donnant sur la rue (calme) ou sur l'arrière, avec salle de bains commune, pour un très bon rapport qualité-prix.

Où manger ?

🍴 *La Roche à Veillon :* 547, av. de Gaspé Est. ☎ 598-30-61. Ouvert tous les jours de 8 h à minuit. Une institution dans toute la région. Tellement de monde (surtout en été) qu'ils ne prennent même pas les réservations ! Pourtant, l'accueil reste souriant et la cuisine « comme celle des grand-mères québécoises » est toujours aussi bonne. Grande et belle salle rustique qui accueille un théâtre d'été réputé (tous les soirs en saison). Table d'hôte midi et soir, bon marché.

🍴 *La Coureuse des Grèves :* 300, rue de l'Église. Sur le chemin qui part de la route 20. ☎ 598-91-11. Ouvert toute l'année. Resto-bar plein de charme. Un nom aussi joli, c'est déjà tout un poème. « Paraît qu'elle vient de nulle part, est belle à vouloir se noyer, n'a jamais froid parce que court nue... Jamais marin ne put inventer un nœud assez compliqué pour réussir à garder la Coureuse (pas la serveuse) plus d'une nuit... » Des salades, sandwiches, petits plats tout simples et tout bons : moules en coquille, bagel au saumon fumé. Menu bon marché à midi, table d'hôte plus chère le soir. Exposition d'artistes québécois dans un cadre très frais et agréable, et diverses activités culturelles. Terrasse ouverte l'été.

lol *Les Libellules :* 17, ay. de Gaspé Est. Sur la place de l'Église, à côté des boutiques de souvenirs. Snack-bar très américain où l'on consomme debout sandwiches, bagels, etc., pour pas cher. Accueil nul.

À voir

★ *L'église :* splendide édifice (1779) en pierre rose et au toit rouge surmonté d'élégants clochetons argentés. Bancs et autel en bois sculpté à l'intérieur, bien entendu.

★ Belle balade au *lac des Trois-Saumons* avec une vue extra sur la région de son belvédère.

★ *Le moulin à farine :* de Saint-Roch-des-Aulnaies. Sur la route de la côte. Visite intéressante. Jeter un œil sur le *manoir des Aulnaies*, juste à côté.

★ *La Bigorne :* 711, av. de Gaspé Ouest. ☎ 598-38-87. C'est l'atelier de Clermont Guay, passionnant personnage, à la fois ferronnier d'art et garde forestier, plein d'humour et d'histoires à raconter. Rien que l'atelier vaut déjà le détour.

★ *Théâtre d'été :* à *La Roche à Veillon* de juin à septembre (voir « Où manger ? »).

★ *Les Bateaux Leclerc :* 307, route 132 Ouest. ☎ 598-32-73. De juin à septembre, ouvert tous les jours de 9 h à 21 h (atelier du lundi au vendredi de 9 h à 17 h) ; hors saison, du lundi au vendredi de 8 h à 12 h et de 13 h à 17 h. Une tradition dans la famille Leclerc : les bateaux miniatures, dont vous verrez la fabrication dans l'atelier de ce musée.

★ *Le musée des Anciens Canadiens :* 332, av. de Gaspé Ouest, sur la 132 Ouest, à 3 km environ de l'église Saint-Jean. ☎ 598-33-92. Ouvert tous les jours de 8 h 30 à 21 h en juillet et août, de 9 h à 17 h du 15 mai au 30 juin, de 9 h à 18 h en septembre et octobre. C'est un musée de l'histoire locale et donc de la sculpture sur bois, tenu par un vieux monsieur charmant.

★ *La maison Médard-Bourgault :* 322, av. de Gaspé Ouest. ☎ 598-38-80. Ouverte de fin juin à mi-août, de 11 h à 17 h. Entrée payante. Pendant des années, le sculpteur Médard Bourgault (1897-1967) a sculpté l'intérieur de sa maison : armoires, portes, placards, murs, meubles racontent des histoires belles et simples. Une petite maison en pierre des champs, derrière de gros cèdres. Décidément, la passion de la sculpture du bois n'a pas de limites !

Visiter une érablière

Le sirop d'érable est au Canada ce que la vodka est à la Russie : une passion nationale (mais elle ne fait pas autant d'ivrognes que chez les Russes). D'ailleurs c'est une feuille d'érable qui figure comme emblème sur le drapeau de la Fédération. On visite bien ailleurs dans le monde des distilleries d'alcool ou des plantations d'hévéas (encore un autre arbre au jus recherché), alors pourquoi ne pas mettre votre petit (ou long) nez dans une érablière ? Sachez tout de même que la récolte du jus d'érable et la fabrication du sirop n'ont jamais lieu en été mais entre l'hiver et le printemps (vers mars-avril).

Cela dit, on apprend quand même plein de choses sur l'érable (oh, le bel arbre!), sur la façon de récolter le jus (on fait dans les troncs et on y place des tuyaux reliés à des récipients), et de fabriquer le sirop d'érable (ça se fait sur place, la technique est relativement simple mais les moyens employés coûtent un peu d'argent).

★ *Érablière Bois Joli :* 896, route 204. ☎ 598-66-86. De Saint-Jean-Port-Joli, prendre la route 204, direction Saint-Aubert ; enjamber l'autoroute, continuer tout droit sur la rue de l'Église. L'érablière est située presque à l'angle de la rue de l'Église (Saint-Aubert) et du 2e rang Ouest. Visite guidée, dégustation de sirop d'érable en été. Possibilité d'en acheter des flacons. Excellents brunchs servis dans un cadre superbe.

★ *Érablière M. A. Deschênes :* 483, 2e rang Ouest ; non loin de la précédente. ☎ 598-66-06 Fax : 598-65-17. Empruntez la route 204, direction Saint-Aubert ; tout de suite après avoir enjambé l'autoroute, tournez à droite (il y a un panneau indicatif) et continuez 3 km. On vous conduira alors en 4 x 4 jusqu'à l'exploitation. Après une visite instructive, dégustation des différents produits. Endroit charmant et convivial.

★ *Érablière de Rosaire Castonguay :* 40, route Bédard, Saint-Damase-des-Aulnaies. ☎ 598-67-49. Visite de l'érablière à 14 h les mercredis et vendredi, mais il est impératif de téléphoner avant à Rosaire pour prendre rendez-vous. Notre érablière préférée dans la région Chaudière-Appalaches (appelée aussi pays de l'Érable). Perdue en pleine nature, elle n'est vraiment pas facile à trouver.

De Saint-Jean-Port-Joli, route 204 Ouest jusqu'à Saint-Damase (une douzaine de kilomètres environ). C'est la route qui mène à la frontière des États-Unis. À l'église de Saint-Damase, continuer tout droit. À la sortie du village, prendre à gauche vers Sainte-Louise (route Elgin). Puis tout droit sur un bon kilomètre. Au moment où la route asphaltée devient un chemin de terre, tourner à droite. Faire 5 km jusqu'à l'intersection des Quatre-Coins. La ferme des Castonguay se trouve près de la route, sur la gauche. Demander Pinguet (le nom du lieu-dit), en cas de problème.

Rosaire Castonguay n'est répertorié nulle part, il ne figure dans aucun guide et pourtant son sirop d'érable est l'un des meilleurs que nous connaissions. Pour atteindre sa cabane perdue dans les bois (d'érables évidemment) on traverse des prés, sur le flanc d'une colline dominant la vallée du Saint-Laurent (très beau coin). Là, chaque année, dans le « grand silence de l'hiver », il récolte le précieux jus sucré des arbres et confectionne, de façon artisanale, dans sa chaudière isolée, un succulent sirop. On peut en acheter au gallon, au demi-gallon ou en flacons plus petits.

Fêtes locales

Toujours bon à saisir si on passe par là le jour même.

– *Festival de Saint-Jean-Port-Joli :* s'appelle les *Maisons du Roy en Fête* et se déroule tous les week-ends de septembre.

– *Festival du Poulet :* à Saint-Damase, petit village à quelques kilomètres au sud. À la fin de la 1re semaine de septembre. Allez-y avec votre poulette préférée !

– LE BAS-SAINT-LAURENT –

La région touristique du Bas-Saint-Laurent s'étend sur la rive sud du fleuve qui lui donne son nom, entre Chaudière-Appalaches et la Gaspésie. Évidemment, la côte procure de superbes points de vue sur un fleuve qui se transforme en mer au fur et à mesure qu'on s'avance plus au nord, comme c'est le cas en Gaspésie. On traverse, ce faisant, de paisibles villages entrecoupés de grosses exploitations agricoles. Là où c'est plat, le paysage a du mal à s'affirmer et puis, tout à coup, au détour d'une colline, il révèle un chouette site. Les terrasses et le plateau de l'intérieur proposent de belles balades dans un relief sauvage de forêts et de lacs. Et puis il y a le parc de Bic, grande attraction du coin (bien qu'il soit tout petit) et des villes tranquilles mais animées, comme Rimouski et Rivière-du-Loup, reliées (ainsi que Trois-Pistoles) à la rive opposée par de fréquents traversiers. Enfin, à Dégelis a été construite une piste cyclable sur les anciens rails de chemin de fer, nommée « parc linéaire du Petit-Témis ». Cette piste (130 km) longe une partie du lac « sans fond » Témiscouata. Elle débute à la rivière du Loup et vous emmène jusqu'à Cabano. Alors, à vos vélos !

🄱 *Maison touristique du Bas-Saint-Laurent :* à La Pocatière. ☎ (418) 856-50-40. Sur la route 20 en venant de Saint-Jean-Port-Joli. Sortie 439.

RIVIÈRE-OUELLE

Sur la route 132. Dans l'église, plusieurs œuvres à voir : maître-autel exécuté en France en 1750, toiles de Louis Dulongpré, statues du XVIIIe siècle. Le manoir Casgrain (1834) fut la résidence des derniers seigneurs de Rivière-Ouelle.

KAMOURASKA

En langue indienne, « là où il y a des joncs au bord de l'eau ». Un des premiers endroits à avoir été colonisés sur la rive sud. Ce beau village surplombe le fleuve. Plein de maisons curieuses, dont la forme des toits est unique dans le pays. On peut y voir des maisons de style victorien avec véranda sculptée, des maisons de style Mansart américain (avenue Morel par exemple) basses, tout en longueur, avec des toits sombres faits de bardeaux. Mais aussi des maisons dites de « style cubique » et d'autres encore dites de « tradition vernaculaire états-unienne ». Le vieux moulin à farine Paradis (1860) est toujours en fonction. Kamouraska est la patrie de René Chalout, l'inventeur du drapeau fleurdelisé du Québec (c'était un fieffé conservateur !), d'Eugène-Étienne Taché, auteur de la devise « Je me souviens » inscrite sur les plaques des voitures, et d'un dénommé Routhier qui a écrit l'hymne national. Bref, c'est le Québec « pur sirop d'érable », même si c'est un haut lieu de pêche à l'anguille et un rendez-vous de cormorans. D'ailleurs, ici, le fleuve (la mer) se retire deux fois par jour sur 1 à 2 km, laissant des battures à perte de vue. En bordure du fleuve, des panneaux d'interprétation expliquent la marée, la faune, la flore.

Où dormir ?

■ *Gîte du Passant de Kamouraska :* chez Nicole et Jean Bossé, 81, av. Morel, route 132. ☎ 492-29-21. À 100 m de l'église, à droite en venant de Québec. Jolie maison meublée et décorée avec beaucoup de goût, avec une véranda bleue. Accueil excellent. Chambres donnant sur le jardin ou côté route (mais avec la mer au loin). Très bonnes confitures maison. C'était naguère une petite école.

Où dormir ? Où manger ? entre Kamouraska et Notre-Dame-du-Portage ?

■ |●| *Auberge des Aboiteaux :* 280, route 132 Ouest, à Saint-André-de-Kamouraska. ☎ 493-24-95. Fax : 493-27-79. Ancienne maison bleue et jaune située entre fleuve et montagne. René et Monique ont rénové cette auberge avec goût et confort. On s'y sent presque chez soi. 5 chambres hautes en couleur et très douillettes (4 au nom de chaque saison et la « sous les combes » avec salle de bains privée) à prix doux. Nombreuses activités proposées (escalade, kayak...). Excellente table d'hôte. Accueil sympa et dynamique. Une très bonne adresse.

■ |●| *Auberge La Solaillerie :* 112, rue Principale, Saint-André-de-Kamouraska. ☎ 493-29-14. Magnifique demeure du XIXe siècle, à la belle décoration intérieure d'époque. Chambres (toutes différentes) très confortables. Lit à baldaquin dans certaines... Le soir, excellent dîner. Cuisine raffinée et copieuse. Accueil très chaleureux du jeune couple de patrons, Isabelle (Française) et Yvon.

■ *La Maison au Toit Bleu :* 490, av. Saint-Clovis, à Saint-Alexandre, à 10 km au sud de Notre-Dame-du-Portage et à 26 km de Kamouraska. ☎ 495-27-01. Bonne adresse à prix modiques. Une maison centenaire, calme et bien tenue, avec 4 chambres au 1er étage (douche et w.-c. sur le palier) donnant sur le jardin où se trouve une amusante balancelle. Planchers de bois, couleurs blanche, rose, bleue, beaucoup de bondieuseries mais de belles photos anciennes aux murs montrant la vie quotidienne autrefois (la tante d'Origène était photographe). Excellent accueil de la patronne.

À voir

★ *Le musée de Kamouraska :* 69, av. Morel. ☎ 492-97-83. Ouvert tous les jours de 9 h à 17 h, du 20 juin à la fête du Travail. Petit musée très bien fait ; plein de choses intéressantes racontant l'histoire et la vie quotidienne des habitants de Kamouraska autrefois. Toutes les pièces exposées proviennent de dons effectués par les gens du pays.

★ *La Maison de la Prune :* 129, route 132 Est, Saint-André de Kamouraska. ☎ 493-26-16. Fax : 493-21-41. À 3 km à l'est de Saint-André, sur la 132. Verger-musée avec visites commentées. Au XIXe siècle, ce verger exploitait plus de 1 000 pruniers de Damas, des dizaines de pommiers, cerisiers... Renommé dans toute la région, tombé dans l'oubli dans les années 40, il a été réhabilité depuis. Confitures artisanales extra et variées (airelles, bleuets, baies d'amélanchier), gelées de menthe, de pommes, de gadelles. Vinaigres arômatisés à la ciboulette, vinaigre de prune à l'estragon, à la menthe sauvage et l'inévitable sirop d'érable de Saint-André.

NOTRE-DAME-DU-PORTAGE   IND. TÉL. : 418

Lieu de villégiature paisible et chic, propice pour un tête-à-tête en solitaire avec le fleuve (en contrebas du village) ou mieux : pour une échappée romantique en amoureux. Plein de superbes demeures anciennes déguisées en résidences de luxe, face aux douces collines de Charlevoix. Arrivez avant la nuit, cet endroit a la réputation d'offrir certains des plus beaux couchers de soleil du monde ! Ça a bien changé depuis l'époque lointaine où les Amérindiens plantaient leur tente ici en été pour attraper des poissons, avant de porter leurs canots jusqu'aux lacs, à 40 km dans l'intérieur des terres, pour la chasse hivernale. Porter, « portage »... Vous avez là l'origine du nom du patelin !

Où dormir ?

🛏 *La Sabline :* 343, Fraser. ☎ 867-48-90. Sur la route 132, 5 km avant Notre-Dame-du-Portage en venant de Rivière-du-Loup. Belle et grande maison du début du siècle ayant appartenu à un fourreur puis à un brasseur célèbre, dans un gentil jardin. Intérieur récent, confortable et douillet. 3 chambres soigneusement arrangées. On y dort vraiment bien. L'une des chambres possède sa propre salle de bains. Petit solarium à l'étage. Prix moyens.

🛏 *Maison Le Béluga :* 553, route du Fleuve. ☎ 862-71-65. Depuis peu, les patrons ont transformé leur restaurant en un gîte de 3 chambres. L'accueil, lui n'a pas changé, toujours excellent. Le petit déjeuner est une fête, avec des assiettes aussi copieuses que savoureuses. De plus, cette heureuse maison fait face au Saint-Laurent. Une charmante adresse.

🛏 *Chute Couette et Café :* 408A, route du Fleuve. ☎ et fax : 862-53-67. Maison récente où tout est refait à neuf. 4 chambres et 2 salles de bains (préférez la « Belle Rose » ou le « Pont d'Or »). Très calme, et vue superbe sur le Saint-Laurent avec de magnifiques couchers de soleil (gare aux moustiques l'été vers 18 h !). Excellent accueil et petit déjeuner copieux. Laveuse-sécheuse disponible payante.

RIVIÈRE-DU-LOUP   IND. TÉL. : 418

Petite ville moyennement agréable, près de laquelle une rivière se jette dans le Saint-Laurent en huit cascades successives sur plus de 1 km et 90 m de dénivelée (30 m dans la ville !).

Adresses utiles

🛈 *Bureau d'information touristique du bas Saint-Laurent :* 189, bd de l'Hôtel-de-Ville. ☎ 862-19-81. Fax : 868-16-66. En été, ouvert tous les jours de 8 h 30 à 20 h 30 ; hors saison, en semaine seulement, de 8 h 30 à 17 h. Dans une maison marron, isolée sur de vastes pelouses, assez excentrée, et face au musée du Bas-Saint-Laurent.

🛈 *Office du tourisme de Rivière-du-Loup :* 89 bd de l'Hôtel-de-Ville. ☎ 862-19-81. Fax : 868-16-66. Également un bureau à l'arrivée du traversier, ouvert toute l'année, tous les jours de 8 h 30 à 17 h.

🚌 *Terminal des Autobus Orléans SMT :* 83, bd Cartier. ☎ 862-48-84. Un peu en dehors de la ville, en direction de Rimouski, derrière la station-service *Irving*. Pour la Gaspésie : 2 bus par jour. Pour Québec : 5 bus.

■ *Caisse Populaire :* 299, rue Lafontaine (dans le centre commercial). Pour retirer de l'argent.

Où dormir ?

Camping

▲ *Camping municipal de la Pointe :* rue Hayward, au croisement avec le boulevard Cartier, non loin du débarcadère. ☎ 862-42-81. Ouvert de fin mai à mi-septembre. Bien équipé. Pratique pour ceux qui arrivent tard.

Bon marché

▲ *Auberge internationale de jeunesse :* 46, rue de l'Hôtel-de-Ville, G5R-1L5. ☎ 862-75-66. Fax : 868-16-66. Ouverte *a priori* toute l'année. Les portes ferment à 2 h. Située à 50 mn à pied du traversier. Dans une maison ancienne, qui conserve sa belle entrée ainsi que son parquet. Le reste a été rénové et les sanitaires sont neufs. L'A.J. possède un minibus qui vient chercher les clients sur appel téléphonique à la gare de bus, la gare de train ou au traversier. On loge en chambres de 3, 4 ou... plus, pour filles, garçons ou mixtes. Prix variables en fonction de la taille de la pièce. Plusieurs chambres doubles également et quelques « familiales ». Réservation possible par téléphone (avoir un numéro de carte de crédit). Très bonne tenue générale et équipe charmante... Salle commune avec piano, TV... Draps fournis (payant). Petit déjeuner inclus. Cuisine à disposition. Machine à laver. L'A.J. organise également des sorties d'une journée sur le Saint-Laurent ainsi que des stages de 8 jours sur une superbe goélette du siècle dernier entièrement retapée. Il s'agit de relier en bateau les A.J. situées le long du Saint-Laurent. Par ailleurs, excursions en canoë, randonnées en montagne, tour à vélo, soirées légendes avec un chef indien.

▲ *Résidences du CEGEP de Rivière-du-Loup :* 325, rue Saint-Pierre. ☎ 862-69-03. De fin mai à début août seulement. Chambres simples ou doubles. Tarifs nettement plus intéressants si vous apportez vos draps ou duvet. Triste comme un campus désert. Pour dépanner uniquement.

▲ *Louiselle et Paul Levesque :* 280, Anse-au-Persil. Sur la route 132, à Saint-Patrice, en direction de Cacouna. ☎ 862-94-94. À environ 5 km de la ville, sur le côté gauche. Une maison au toit violet et aux murs bleus en pleine campagne, proposant gîte et petit déjeuner, mais uniquement si vous les appelez à l'avance. Donc, téléphonez avant d'y aller pour ne pas vous casser le nez sur une porte close où une note vous informe que vous auriez dû prévenir... Vue remarquable sur le fleuve et Rivière-du-Loup. Moyennant un petit supplément, le proprio peut venir vous chercher à l'arrivée du traversier. Très calme. Ambiance sympa.

– Également, possibilité de dormir sur les îles du Bas-Saint-Laurent (se reporter à la rubrique « À voir. À faire »).

Prix modérés

▲ *L'Auberge de l'Anse :* 2, Anse-au-Persil, route 132 Est. ☎ 867-34-63. Un motel habillé en auberge, à proximité de la plage de la Pointe de Rivière-du-Loup, à 2 mn de l'embarcadère du traversier pour la rive nord du fleuve. Bon accueil. Chambres un peu défraîchies mais propres et claires, avec balcon donnant sur le Saint-Laurent (vue superbe). La plus grande à l'étage peut accueillir jusqu'à 6 personnes. Prix variables selon la saison, mais toujours raisonnables. Au resto, cuisine sobre et savoureuse : table d'hôte le soir jusqu'à 21 h. Bonne adresse pour ceux qui arrivent tard. Un sentier-escalier en projet permettra de descendre du haut de la falaise jusqu'au bord de l'eau.

Où manger ?

I●I *La Gourmande :* 120, rue Lafontaine. ☎ 862-42-70. Ouvert de 7 h 30 (9 h le week-end) à 23 h. Cadre et décor frais. Salon de thé-resto proposant, outre un petit déjeuner complet, une série de viennoiseries (nombreux pains différents), de délicieux gâteaux, croûtes et petites assiettes variées. Spécial à midi à prix assez doux avec soupe, plat, dessert et café. Plus cher le soir.

Où rencontrer des jeunes ?

C'est avant tout dans la rue Lafontaine que l'on trouve des bars animés... Toute la province sur 200 m le samedi soir, ça bouge.

Y *Le Vol de Nuit :* à l'angle des rues Saint-Laurent et d'Amyot (près de la rue Lafontaine). Ouvert tous les soirs jusqu'à 3 h. Bar branché où les jeunes « Loupérivois » se retrouvent.
– *Le Jet :* 409, rue Lafontaine, près de l'angle de Saint-Laurent. Discothèque au-dessus d'un bar à danseuses. Une boîte-boîte. Boum-Boum, tralala...
– *Le Kojak :* juste à côté. Une autre boîte reboum-boum, retralala. Les jeunes font l'aller-retour entre *Le Jet* et *Le Kojak.*

À voir. À faire

★ *Les chutes de la rivière du Loup :* prendre la rue Lafontaine puis la rue Frontenac ou la rue de la Chute, dans le centre. C'est fléché. Un belvédère permet d'admirer la masse d'eau qui tombe...

★ *Le musée du Bas-Saint-Laurent :* 300, rue Saint-Pierre, à l'angle de la rue de l'Hôtel-de-Ville. ☎ 862-75-47. De la dernière semaine de juin à début septembre, ouvert tous les jours de 10 h à 20 h ; avant et après ces dates, tous les jours de 13 h à 17 h. Ouvert le lundi et le mercredi soir. Entrée payante. Musée d'ethnologie locale dans un ensemble moderne de béton. Expo permanente sur la vie à Rivière-du-Loup dans les années 40. On y trouve également des œuvres d'artistes contemporains d'un peu partout.
– *Circuit patrimonial :* une brochure (payante) disponible à l'office du tourisme permet de suivre un parcours touristique de la ville. En chemin : églises, parc, maisons anciennes (dont quelques belles résidences victoriennes). Beau panorama sur la ville et le fleuve du parc de la Croix lumineuse.

★ *Le Château de Rêve :* 65, rue de l'Ancrage, sur la route du traversier. ☎ 867-28-64. Ouvert de juin à septembre, tous les jours de 9 h à 17 h (21 h en juillet). Parc d'attractions pour les tout-petits (voire les plus grands) : autos et bateaux tamponneurs, mini-golf, jeux aquatiques et château « waltdisneyen » illuminé le soir.

★ Pour les amateurs de *cloches* (on ne sait jamais, il y en a peut-être !), une maison privée expose une collection impressionnante : 393, rue Témiscouata. ☎ 862-33-46. À 3 km du centre. Spécimens de toutes les tailles (la plus grosse pèse 1 t).

★ *Le musée de Bateaux miniatures :* 80, bd Cartier. ☎ 868-08-00. Dans une boutique de souvenirs, à côté du grand resto *Saint-Hubert* (reconnaissable à sa tête d'oiseau à plumet rouge), sur la gauche de la route en allant vers l'embarcadère. Intéressante collection de maquettes de bateaux ayant pour la plupart voyagé sur le Saint-Laurent, fabriquées par des gens ayant eux-mêmes passé une bonne partie de leur vie sur le fleuve.

– *Observation des baleines :* Navimex organise des départs de Rivière-du-Loup. La même balade que de Tadoussac mais plus longue. ☎ 867-33-61. Réduction avec la carte des A.J.

– *Découverte des îles du Bas-Saint-Laurent :* avec la *Société Duvetnor,* 200, rue Hayward. ☎ 867-16-60. Fax : 867-36-39. Cette société, créée en 1979 par Jean-Hugues Bédard, a pour principal objectif la protection de la faune des îles, et finance ce programme notamment grâce à la récolte du duvet d'eider utilisé pour la fabrication d'édredons, de couettes. Plusieurs types de croisières-excursions intéressantes, sur les *îles du Pot-à-l'Eau-de-Vie* (randonnée de 3 h 30), l'*île aux Lièvres* (10 h de promenade avec observation de la faune) ou autour des *îles Pèlerins* (observation des oiseaux), etc. Prix abordables, dégressifs si l'on est plusieurs.

■ En 1989, Jean-Hugues Bédard a rénové le superbe phare rouge et blanc du ***Pot-à-l'Eau-de-Vie,*** bâti en 1861 et abandonné en 1962 après avoir abrité des générations de gardiens. Aujourd'hui, il est possible d'aller « échouer » un moment sur cette petite île-sentinelle au milieu du Saint-Laurent : *Duvetnor* propose un forfait « Nuitée au phare » (à acheter à la capitainerie du port de Rivière-du-Loup) qui comprend la chambre, *deux repas de fine cuisine régionale* (dîner et *brunch*), la croisière-excursion commentée et la traversée à partir de Rivière-du-Loup. Excellent accueil de Gilles Rioux, chaleureux gardien et brillant cuisinier, qui « placote » volontiers, évoquant notamment la vie solitaire de ses prédécesseurs, et de Renée. Tout ce charme, cette tranquillité, et un grand souvenir à partir d'environ 550 F par personne. De juin à octobre.

■ Sur l'île aux Lièvres, possibilité de *louer des chalets* de bois ronds pour environ 600 F pour 4 et par jour, et, pour les purs et durs, de faire du *camping sauvage.*

Traversée du fleuve, de Rivière-du-Loup à Saint-Siméon

Nombreux traversiers toute l'année (sauf en février et mars) pour franchir le Saint-Laurent. Intéressera ceux qui n'auraient pas fait le splendide Charlevoix à l'aller. En été, en principe, 4 ou 5 traversées par jour dans les deux sens. Pas de réservation, donc en été prévoyez d'arriver suffisamment en avance. Passez un coup de fil pour avoir les horaires précis car ils peuvent changer.

– *Renseignements pour les horaires :* Rivière-du-Loup, ☎ 862-50-94 (message enregistré) et 862-95-45 ; Saint-Siméon, ☎ 638-28-56.

L'ÎLE VERTE
IND. TÉL. : 418

Accessible par traversier (de mai à fin novembre, ou aux premières glaces, seulement) du village de L'Isle-Verte, à 27 km au nord de Rivière-du-Loup, sur la route 132. La seule île du Bas-Saint-Laurent habitée toute l'année : on y trouve une quarantaine d'insulaires en hiver, attachés à leur petit bout de terre long de 12 km ! Longtemps coupée du « continent » (le traversier est récent), l'île Verte (on dirait un nom de B.D. créée par Hergé et Jules Verne, vous ne trouvez pas ?) a conservé une authentique vie rurale qui fait tout son charme... Sans doute est-ce pour ça que Gilles Carle, le réalisateur du film *Maria Chapdelaine* (et, pour l'anecdote, « ex » de la chanteuse et actrice Carole Laure), a choisi d'y habiter. C'est aussi le seul endroit du Québec où l'on peut voir (et manger !) des agneaux « prés-salés ». Et surtout si vous êtes dans les parages fin avril, vous pourrez admirer jusqu'à 80 espèces d'oiseaux ainsi que des milliers de grandes oies blanches venues faire une halte sur l'île avant de s'envoler pour le Grand Nord jusqu'à l'est de l'Arctique où elles passeront l'été.

— **Renseignements pour le traversier La Richardière :** ☎ 898-28-43. Réservation possible. 3 à 5 traversées par jour dans les 2 sens en juillet et août.

— On peut aussi y aller avec le **bateau-taxi Jacques Fraser :** ☎ 898-21-99.

Où dormir ? Où manger ?

⬆ Quelques gîtes proposent la nuitée et le petit déjeuner : **Au Chant du Coq** (☎ 898-24-43), **Corporation des Maisons du Phare** (☎ 898-34-51 ; dans la maison du dernier gardien de phare, tenue par la nièce de celui-ci), **Le Bateau-Phare** (☎ 898-34-44).

⬆ l●l Des gîtes-restos offrent en plus la possibilité de se restaurer : **La Bonne Bouffe** (☎ 898-33-25 ; demi-pension et vélos disponibles), **La Maison des Roses** (☎ 898-32-68 ; on peut y louer des vélos, bon accueil), **Entre Deux Marées** (☎ 898-21-99 ; motel-resto-bar ; le prix de la chambre inclut l'utilisation d'un vélo par personne), **La Maison d'Agathe** (☎ 898-29-23 ; pique-niques, repas légers), **Mon Petit Lopin de Terre** (☎ 898-61-66).

⬆ On aime bien aussi le gîte **Aux berges de la Rivière :** 24, rue Villeray, G0L-1L0. ☎ 862-25-01. Fax : 898-25-01. Belle maison ancestrale. Chambres superbes, meubles anciens et parquet. Hôtesse très accueillante.

— On trouve également un bistrot, un salon de thé et un dépanneur servant des sandwiches.

À voir. À faire

★ Visite du plus vieux **phare** du fleuve Saint-Laurent (1809), accessible à pied en prenant le chemin du Phare en partant du quai d'En-Bas (où vous dépose le traversier).

— **Balades** à pied ou à vélo dans un paysage marin préservé... On peut louer les vélos dans les auberges de l'île.

— Avec un peu de chance, des **baleines** montreront le bout de leur gros nez si vous errez sur la pointe nord de l'île.

Fêtes

— Nombreuses festivités typiques entre juin et septembre : « Soirée folichonne », journée des Écrivains « de chez nous », inauguration du « canon à brume », journée du Pêcheur, le « Joyeux Bazar », « l'Épluchette de Jacques », etc.
Calendrier disponible au *Bureau d'information touristique du bas Saint-Laurent* (voir « Adresses utiles » à Rivière-du-Loup, chapitre précédent).

BAS-SAINT-LAURENT

TROIS-PISTOLES

IND. TÉL. : 418

La ville tient son nom d'un voyageur qui, ayant fait tomber un gobelet d'argent dans la mer, se serait écrié « voilà trois pistoles perdues ». Juste en face, l'*île aux Basques* et *les Razades*, sanctuaire d'oiseaux dont les goélands argentés, canards eiders, hérons bleus, bihoreaux à couronne noire. Belle église dans la ville. Festival des îles en juillet.

– *Traversée du Saint-Laurent, Trois-Pistoles–Les Escoumins :* 2 ou 3 passages par jour de mi-mai à mi-octobre. Durée : 1 h 30. Informations et réservation : ☎ 851-46-76.

– Sur le quai, plusieurs *excursions* proposées dont celle vers l'île aux Basques.

Adresse utile

◘ *Bureau d'information touristique :* 55, route 132 Ouest. ☎ 851-36-98. Ouvert tous les jours en été de 9 h à 19 h. Accueil charmant et efficace. Hors saison, s'adresser à la *Corporation touristique des Basques*, 120, rue Notre-Dame Ouest (☎ 851-49-49).

Où dormir ?

Campings

▲ *Camping municipal des Trois-Pistoles :* 100, rue Chanoine-Côte ; indiqué de la route 132 (le camping en est à 1,5 km). ☎ 851-13-77. Ouvert de mi-juin à début septembre. Grand camping près du fleuve. Très bien aménagé, en pleine nature. Plage et piscine chauffée (accès compris dans le prix), dépanneur, location de vélos. Pêche à la truite à proximité.

▲ Il existe deux autres campings : le *camping plage Trois-Pistoles* (au nord de Trois-Pistoles, 130, route 132 Est, ☎ 851-24-03) et le *camping des Flots bleus* à Rivière-Trois-Pistoles, pas mal et pas trop cher (là encore sur la route 132, mais au sud de Trois-Pistoles, ☎ 851-35-83).

Prix moyens

▲ *Gîte La Rose des Vents :* 80, 2e rang Ouest, G0L-4K0. ☎ et fax : 851-49-26 ou ☎ 1-888-593-49-26. Gîte situé sur une colline, dominant toute la baie du Saint-Laurent. Aménagé avec beaucoup de goût. Un peu cher.

▲ *Gîte du Passant Le Terroir des Basques :* 65, 2e rang Ouest. ☎ 851-20-01. Dans une ferme, 3 chambres simples et pas très chères, non loin de Trois-Pistoles. Pour y aller, de la 132, prendre la 293 Sud, faire 1 km et tourner à droite au 2e rang Ouest, la maison est à environ 2 km sur la gauche. Agréable maison de pierre. Les proprios, très sympas, élèvent des bovins et cultivent des pommes de terre. Produits du terroir au petit déjeuner.

Où dormir ? Où manger dans les environs ?

▲ |●| *Auberge Saint-Simon :* 18, rue Principale, à Saint-Simon (à 7 km à l'est de Trois-Pistoles sur la route 132 en allant vers Rimouski). ☎ (418) 738-29-71. Ouverte de mi-mai à fin septembre. Charmante maison en bois, mais située en bord de route, au cœur de Saint-Simon. Intérieur *cosy*. On a l'impression de manger dans une salle à manger familiale. Excellente cuisine : fruits de mer, poisson, petits plats mijotés, pétoncles aux câpres et vin blanc, ragoût d'agneau aux herbes, yaourt maison, etc. Prix très abordables pour une authentique gastronomie régionale à base de produits frais. *Brunch* le dimanche. Chambres pleines de charme, décorées à l'ancienne, avec baignoire à pieds. Une réduction de 10 % est accordée aux cyclistes ! Excellent ac-

cueil. Vraiment une bonne adresse !
🛏 *Chez Choinière :* 71, rue Principale, à Saint-Simon. ☎ 738-22-45. Dans une maison entièrement rénovée à l'ancienne, Alain vous accueille simplement et chaleureusement. Ce gîte comporte 5 chambres avec lit et baignoire d'époque. Salle de bains à l'étage. Alain est très sympa, fait son pain et prépare de copieux petits déjeuners. Tarifs très intéressants et dégressifs selon la durée du séjour.

Où manger ?

🍽 *L'Ensoleillé :* 138, rue Notre-Dame Ouest. ☎ 851-28-89. Restaurant végétarien à l'ambiance chaleureuse et au service impeccable. Excellents plats tels que le *chili sin carne* ou encore le poulet à l'orange,

filet de truite pour les non végétariens. Goûter aussi les brochettes de crevettes. Terrasse extérieure agréable et ensoleillée. Par beau temps ! Table d'hôte offrant un très bon rapport qualité-prix.

BAS-SAINT-LAURENT

À voir. À faire

★ *Le musée Saint-Laurent :* 552, rue Notre-Dame Ouest. ☎ 851-23-45. Ouvert de fin juin à mi-septembre, de 8 h 30 à 18 h. Entrée payante. Dans les années 60, Adrien Coté, qui tenait à l'époque un motel, décida d'acheter une vieille automobile pour attirer les clients. Puis il en acheta une 2e, et une 3e... et 15 ans plus tard, il ouvrait un musée. Outre une belle collection de voitures (toutes en état de marche) datant des années 30 à 70, on y trouve une curieuse *autoneige* de 1919 (adaptable sur plusieurs types de véhicules, cet engin muni de patins à l'avant et de chenilles à l'arrière permettait de progresser sur une épaisse couche de neige) et tout un bric-à-brac d'outils, machines et ustensiles divers (équipement servant à faire des rainures sur pneus d'été pour l'hiver, vélos anciens, harpons, « pilon pour patates à cochons », moulin à laver, vieux paquets de cigarettes...). La visite est libre, mais Adrien est ravi de répondre aux questions éventuelles.

★ *L'église Notre-Dame-des-Neiges :* imposante à l'intérieur comme à l'extérieur, et dont les styles architecturaux, la déco et les légendes entourant sa construction ont fait fonctionner les langues.

★ *Le parc de l'Aventure basque en Amérique :* 66, rue du Parc. ☎ 851-15-56. Ouvert tous les jours de fin juin à début septembre, de 10 h à 17 h (10 h à 20 h de mi-juillet à mi-août). Entrée payante. Une exposition interactive sur l'histoire des Basques arrivés dès le XVIe siècle dans cette région, appelée *comté des Basques*. Le parc est le point de rencontre de la communauté d'origine basque du Québec, et on y trouve, bien sûr, un bar et un fronton pour la pelote !

– *Excursions à l'île aux Basques :* départ de la marina. ☎ 851-12-02. Visites commentées d'environ 3 h.

– ***Balades en kayak de mer,*** guidées ou non, avec *Kayak-O-Tour*. ☎ 851-45-51. Hors saison, ☎ 736-59-68.

LE PARC DU BIC

IND. TÉL. : 418

Situé sur la route 132, entre Trois-Pistolets et Rimouski. 2 entrées différentes, l'une peu après le village de Saint-Fabien, l'autre juste avant le village du Bic.
Dans un site superbe, entre mer et montagne. Parc national, une fois n'est pas coutume, de dimension humaine. La légende raconte que, lors de la création du monde, l'ange chargé de disposer les montagnes sur la terre en eut trop à la fin et s'en débarrassa dans la mer, au-dessus du Bic ! Est-ce pour cela qu'on y trouve tant de rochers dissimulant de petites plages ? Évidemment, on vient ici pour les randonnées, à pied (se munir de bottes) ou à vélo (près de 7 km de pistes aménagées), ainsi que pour l'observation de la faune : mammifères marins, saumons, mollusques, oiseaux aquatiques, etc. Nombreuses petites randonnées à réaliser. Vue admirable. N'oubliez pas votre attirail antimoustiques !

Adresses utiles

🛈 ***Renseignements sur le parc :*** *kiosque d'infos* à la 2e entrée du parc, à côté du camping. ☎ 736-50-35. L'été, ouvert tous les jours de 8 h à 16 h. Carte et explications sur les balades.

🛈 ***Informations touristiques :*** au niveau de Saint-Fabien, sur la route 132. ☎ 869-33-11. Ouvert de 9 h à 19 h, tous les jours de mi-juin à début septembre ; fermé le samedi et le dimanche en dehors de cette période.

Où dormir ? Où manger dans les environs ?

▲ ***Camping :*** dans le parc, à l'entrée Pierre-Baudry (la seconde en venant de Trois-Pistoles). ☎ 736-47-11. Le camping, assez rudimentaire, est au bord de la route et sans ombre. Pas super. Dommage.

▲ |●| ***Auberge du Mange-Grenouille :*** 148, rue Saint-Cécile, au village du Bic. ☎ 736-56-56. Fax : 736-56-57. Ancien magasin transformé en maison bourgeoise à la décoration fin de siècle. Un charme fou. Maison rouge avec pignon de bois sculpté. Patronne adorable. 15 chambres douillettes, dont une superbe suite nuptiale. La chambre n° 5, souvent réservée aux hôtes français, est chouette aussi. Prix raisonnables pour l'endroit. Les locataires se partagent deux grandes salles de bains et disposent même d'un bain tourbillon ! Réserver à l'avance. L'auberge fait aussi restaurant-bar, avec terrasse. Vue sur le parc du Bic. L'été, repas le soir seulement.

▲ ***Gîte Aux Cormorans :*** au Bic, vers la pointe aux Anglais. ☎ 736-81-13. De la route 132, prendre la direction du golf et le longer ; la maison est un peu plus loin, sur la gauche. Idylliquement située au bord de l'eau, face à des îlots sauvages, devant une belle pelouse plantée de beaux sapins, une maison aux volets bleus, à la véranda blanche. On aimerait rester longtemps dans ce cadre serein. Quelques chambres chaleureuses, tout en bois, à prix variables selon qu'elles ont ou non vue sur le fleuve et salle de bains privée. Grande salle à manger avec cheminée, très agréable, où prendre le petit déjeuner. Panorama d'une douce beauté. On aime.

▲ |●| ***Gîte de la Maison du Cordonnier :*** 26, 7e Avenue, à Saint-Fabien. ☎ 869-20-02. En plein centre du village, une adorable maison tout en bois, aux murs jaune paille et au toit d'argent, entourée d'une gentille véranda. À l'étage, 3 chambres coquettes qui respirent l'atmosphère d'antan, au charme *cosy*. Salle de bains commune, pleine de caractère elle aussi. Petit déjeuner compris. Au rez-de-chaussée, un resto qui sert sandwiches, soupe, salade, quiches et un copieux menu table d'hôte. Goûter la *cipaille* (viande et pommes de terre) ou la tourte au saumon, délicieuses. Une bonne petite adresse pas chère, à l'accueil cordial.

À faire

– ***Observation des phoques et des oiseaux du parc :*** avec *Alibi Tours*, une association qui organise des excursions en Zodiac. ☎ 736-52-32. De fin juin à fin septembre seulement. 3 départs par jour ou plus, en fonction des marées. Les balades durent à peu près 2 h. Emporter des vêtements chauds. Jeunes guides compétents. Départs de la marina du Bic, entre le village du Bic et l'entrée du parc, sur la route 132. Prix honnêtes et réduction pour les étudiants et les enfants.
– ***Balades en kayak de mer :*** guidées ou en solo, avec *Kayak Aventure*. ☎ 736-59-93. Pour explorer les étangs, plages et falaises du parc. Super.
– ***Survol en hydravion :*** pour routards fortunés. Magnifiques vues sur lacs et îles.
– ***Balades dans le parc :*** le centre d'interprétation du parc propose des balades agréables et faciles à travers celui-ci.
– Allez absolument à ***l'Anse des Pilotes*** et au ***Cap à l'Orignal*** si vous voulez avoir une chance d'apercevoir les colonies de phoques gris qui se dorent au soleil. Renseignez-vous quand même sur les horaires des marées. Il existe un certain rapport entre les deux, et ce serait dommage que vous vous déplaciez pour rien. Et inutile de nous écrire pour râler : ce n'est pas de notre faute si l'on n'en voit pas à chaque coup !
– Un autre chouette endroit : la ***Baie du Ha ! Ha !*** Comme personne n'est d'accord sur l'origine de ce nom, on a choisi la version selon laquelle la baie serait appelée ainsi à cause de l'exclamation que poussèrent les gens qui la virent pour la première fois.

RIMOUSKI   IND. TÉL. : 418

Son nom d'origine indienne signifie « terre de l'orignal ». Ville animée, qui souffrit du grand incendie de 1950. Plus du tiers de la ville fut détruit. Au large de Rimouski eut lieu le naufrage de l'*Empress of Ireland*, le 9 mai 1914, qui fit plus de 1 000 victimes (c'est la 2e plus grande catastrophe maritime du monde après celle du *Titanic*). N'allez quand même pas visiter la ville en catastrophe ! Si les alentours sont superbes, la ville en elle-même ne mérite pas qu'on y séjourne longtemps.

Adresses utiles

🏠 ***Office du tourisme*** *(plan A1) :* 50, rue Saint-Germain Ouest. ☎ 723-23-22. Appel gratuit : ☎ 1-800-746-68-75. Sur le front de mer. Très documenté sur la région. Ouvert tous les jours de mi-mai à mi-octobre, de 9 h à 20 h ; le reste de l'année, en semaine seulement, de 9 h à 16 h 30. Service d'audioguide pour la visite de la ville. Toilettes publiques. Location de V.T.T. également.

✉ *Poste* (plan B1) : 180, av. de la Cathédrale.

■ *Banque Royale* (plan B1, 1) : 1, rue Saint-Germain Est, à l'angle de la rue Cathédrale. Distributeur pour carte *Visa*. Il y a bien d'autres banques mais c'est la plus proche de l'A.J.

■ *Allôstop* (plan B1, 2) : 106, rue Saint-Germain Est. Dans la sympathique librairie *Le Perroquet* (livres d'occasion, compacts...). ☎ 723-52-48. Fonctionne très bien pour aller vers Québec et Montréal.

🚌 *Terminus de bus Orléans* (hors plan par B1) : 90, av. Léonidas. ☎ 723-49-23. Accès par la 132 Est, après l'*hôtel Rimouski*. Pour la Gaspésie : 2 bus par jour qui passent par la côte et 2 bus par la vallée de la Matapédia.

🚆 *Gare ferroviaire* (plan B1) : 57, rue de l'Évêché Est. ☎ 722-47-37. Appel gratuit : ☎ 1-800-361-53-90. Pour la Gaspésie : 3 trains par semaine.

⚓ *Traversée Rimouski-Forestville :* information : ☎ (418) 725-27-25. Jusqu'à 4 traversées par jour en saison. Seulement 55 mn pour rejoindre l'autre rive du Saint-Laurent.

■ *Laveries :* 260, rue Saint-Germain Est, et 167, rue Saint-Jean-Baptiste Ouest.

■ *Tabagie de la Cité* (plan B1, 3) : 102, rue Saint-Germain Est. Beaucoup de magazines de France mais pas de quotidiens.

Où dormir ?

🛏 *CÉGEP* (plan B2, 11) : 320, rue Potvin. ☎ 723-46-36. Résidence étudiante louant des chambres l'été, de début juin à mi-août. 500 chambres en tout. Pas cher. Petit déjeuner possible. Logement dans des immeubles un peu glauques mais *clean*. Bon, pas vraiment l'image des vacances idéales. En dépannage, donc.

🛏 *Ô Toit Mansart* (plan B1, 12) : 182, rue Ringuet. ☎ 724-24-85. 3 chambres pas très grandes mais impeccables et fleuries, légèrement en sous-sol, dans un pavillon indépendant. Coin cuisine équipé (micro-ondes...) et court de tennis à disposition. Petit déjeuner inclus. Bon accueil. Prix doux.

🛏 *Gîte du Centre-Ville* (plan B1, 13) : 84, rue Saint-Pierre. ☎ 723-52-89. À deux pas du centre, dans une rue calme et agréable. Une gentille famille loue 4 chambres dans sa maison cossue et chaleureuse. Salle de bains commune. Prix modérés.

🛏 *Motel Lyse :* 543, bd Saint-Germain Ouest, sur la route 132, à 3 km du centre, en direction de Rivière-du-Loup. ☎ 723-10-40. Un motel en bord de route, aux chambres banales mais propres, avec TV câblée, douche ou bains. Assez bon marché. Demander une chambre éloignée de la route. Petit déjeuner sauf les week-ends hors saison.

Où dormir dans les environs ?

🛏 *Gîte 100-T* (santé) : 100, 5ᵉ Rang Est, Saint-Marcellin. ☎ 735-52-24. Ouvert toute l'année. De Rimouski, prendre la route 232, sortie 610, direction Sainte-Blandine. À la hauteur de Saint-Narcisse, prendre la piste à gauche (c'est indiqué). En pleine nature. Tenu par le patron d'un excellent resto végétarien que nous recommandions auparavant. En plus de l'hébergement (prix compétitifs) et des différentes activités de plein air, il offre bien sûr le même style de nourriture qu'avant avec également des spécialités de poisson et fruits de mer.

🛏 *Gîte Domaine du Bon Vieux Temps :* 89, chemin de l'Écluse,

RIMOUSKI

■ **Adresses utiles**

🏠 Office du tourisme
✉ Poste
🚂 Gare ferroviaire
1 Banque Royale
2 Allôstop
3 Tabagie de la Cité

⌂ **Où dormir ?**

11 CÉGEP
12 Ô Toit Mansard
13 Gîte du Centre-Ville

🍴 **Où manger ?**

20 Le Mix
21 La Maison du Spaghetti

🍷 **Où boire un verre ?**

30 Café Le Campus
31 L'Étrier Pub
32 Le Sens Unique
33 Bar Country chez Dallas

★ **À voir**

40 Musée régional

Saint-Narcisse-de-Rimouski. ☎ 735-56-46. Internet : www.com/bonvieux-temps. En venant de Québec, par la route 132, dépasser l'intersection de Saint-Narcisse, continuer 1 km puis prendre le 1er chemin à gauche et faire 1 km. Ne pas quitter la route 232 en venant de Rimouski, un panneau indique le gîte après Mont-Lebes. Helen et René sont heureux de vous accueillir dans leur grande maison en rondins, à l'intérieur chaleureux où s'activent une belle cheminée et un gros poêle en fonte. Ce

BAS-SAINT-LAURENT

« refuge » abrite 3 chambres confortables dont une avec cabinet de toilette. Le petit déjeuner est délicieux. Bref, une belle adresse tenue par des gens adorables, dans un lieu superbe, entouré d'une forêt et d'un lac dans lequel on peut se baigner, pêcher et faire du canoë. L'hiver, traîneau à chiens avec René.

🛌 *Gîte Le Villageois :* 496, chemin Duchénier, Saint-Narcisse-de-Rimouski, tout près du canyon des Portes de l'Enfer. À 25 km de Rimouski. Accès par la route 232. ☎ 735-23-35. 3 chambres à la déco moderne pas terrible, mais très claires, confortables et ultra propres. Accueil très sympa. Petit déjeuner servi dans la verrière, avec vue sur la campagne alentour. Très calme et pas cher.

Où manger ?

|●| *Le Mix* (plan B1, **20**) : 50, rue Saint-Germain Est. ☎ 722-50-25. Dans le centre. Cadre design élégant et frais (aquariums, plantes...) et clientèle de jeunes branchés. On y propose des menus et petits plats pas chers, de 7 h à 20 h. On y vend aussi des C.D. d'occase.

|●| *La Maison du Spaghetti* (plan B1, **21**) : 35, Saint-Germain Est. ☎ 723-60-10. Ouverte de 11 h à 23 h. Grande maison en bois rose (impossible de la manquer !) connue sous le nom de *Forge du Père Cimon*. L'intérieur est agréable, vert et blanc avec nappes à carreaux assorties. Assez fréquentée, surtout en fin de semaine. Comme le suggère le nom, vaste choix de pâtes, mais aussi pizzas, viande, fruits de mer... Très copieux et assez bon marché. Service rapide et aimable.

Où boire un verre ?

🍷 *Le Mix :* voir « Où manger ? ». Ferme à 3 h. Bonne musique et bières du monde entier. Ici, on appelle ça un café-causerie. Terrasse.

🍷 *Café Le Campus* (plan A2, **30**) : 149, rue de l'Évêché Ouest. ☎ 722-07-70. Ouvert jusqu'à 3 h. Rendez-vous des étudiants, comme on s'en doute. Sympa et pas cher, comme on l'imagine. Chansonniers québécois les jeudi, vendredi et samedi. Billard. Sympa et décontracté. Terrasse l'été.

🍷 *L'Étrier Pub* (plan A2, **31**) : 155, rue de l'Évêché Ouest. ☎ 724-22-66. Ouvert jusqu'à 3 h. Fermé le dimanche. Bar-boîte-resto à la mode. Moins sympa que *Le Campus*. Plus standard, plus stéréotypé, plus conventionnel. Bonne ambiance tout de même.

🍷 *Le Sens Unique* (plan B1, **32**) : 160, av. de la Cathédrale. ☎ 722-94-00. Ferme à 3 h. Bar dansant. Bonne ambiance. Fait discothèque tous les soirs. Déco moderne, chaleureuse. Murs peints, petite terrasse surplombant la rue. Clientèle mélangée. Pas de musique *live*.

🍷 *Bar Country chez Dallas* (plan B1, **33**) : 134, rue Saint-Germain Est. ☎ 723-30-01. Ouvert tous les soirs. Un bar style américain country où l'on voit danser (surtout les vendredi et samedi) les « danses de lignes ». Typiquement américain. Ringard et amusant.

À voir. À faire

★ *Le Musée régional* (plan A1, **40**) : 35, rue Saint-Germain Ouest. ☎ 724-22-72. Ouvert toute l'année du mercredi au dimanche, de 10 h à 18 h. Expos temporaires de qualité. Œuvres d'art exposées dans une ancienne église de la ville (1824). Assez intéressant.

★ *La maison Lamontagne :* 707, bd du Rivage. ☎ 722-40-38. Ouverte tous les jours de mi-mai à mi-octobre, de 9 h à 18 h. Entrée payante. À 6 km du centre, direction Pointe-au-Père. Construite au XVIIIᵉ siècle, l'une des trois maisons à colombages d'Amérique du Nord. Pas grand-chose à voir à l'intérieur. Dans le jardin, expo gratuite des différentes techniques de construction au Québec depuis 300 ans, avec des exemples de maison. L'été, concerts de musique de chambre. Accueil très moyen.

★ *Le parc Beauséjour :* bd de la Rivière (route 132), dans le centre. ☎ 724-31-67. Entrée gratuite. Pistes cyclables et sentiers pédestres. Location de canoës et pédalos. Pique-nique autorisé. Spectacles, etc.

– *Sentiers d'interprétation du littoral et de la rivière Rimouski :* le long de la rivière, en partie dans le parc Beauséjour. ☎ 723-04-80. Environ 15 km de sentiers aménagés. On apprend à identifier oiseaux et végétaux. Entrée gratuite. Pour les sportifs, 7 km de pistes aménagées pour le vélo de montagne.
– *Excursion à l'île Saint-Barnabé :* ☎ 723-02-02. Départ toutes les demi-heures de 10 h à 15 h. Randonnée sur l'île avec guide-interprète.

Manifestations

– *Festival Week-end Rock :* vers la mi-juin. ☎ 723-00-55.
– *Festi-jazz :* tous les ans, à l'époque de la fête du Travail (fin août-début septembre). Une vingtaine de spectacles dans une dizaine de salles de la ville, organisés par des bénévoles fous de jazz. C'est jumelé avec le festival de Jazz de Vienne (en France, pas en Autriche)... Pour en savoir plus sur la programmation : ☎ 724-78-44.
– *Carrousel International du Film :* tous les ans, pendant la dernière semaine de septembre. Au centre civique. Projections (pas chères) de films réalisés par des jeunes et jugés par un jury francophone. Infos : ☎ 722-01-03.

Dans les environs

★ *SAINTE-LUCE*

Charmante station balnéaire familiale, à 10 km de Rimouski ; probablement la plus belle plage de sable fin de cette côte. Jolie église avec son cimetière face à la mer.

Où dormir ? Où manger ? Où boire un verre ?

⌂ Minuscule *camping* surplombant la mer. Sommaire mais très bon marché.
⌂ *Auberge Le Roupillon du Capitaine :* 147, route du Fleuve Ouest, Sainte-Luce, G0K-1P0. ☎ et fax : 739-51-52. Auberge récente dans une maison centenaire typique. Dortoirs de 12 à 14 personnes. 3 chambres individuelles. Il suffit d'appeler de Rimouski pour qu'un membre de l'équipe de l'auberge vienne vous chercher ; service de navette gratuit. Accueil sympa. Pas cher et confortable. Buanderie. Location de vélos.
⌂ *Maison des Gallant :* 40, route du Fleuve Ouest, Sainte-Luce, G0K-1P0. ☎ 739-35-12. Réservation : ☎ 1-888-739-35-12. E-mail : jean.gallant@cgocable.ca. Accès direct au fleuve par le jardin de cette demeure du début du siècle.

3 chambres confortables et très soignées. Décoration raffinée (antiquités). Petit déjeuner remarquable. Un peu cher.

– *La Boulangère de Sainte-Luce :* 68, rue du Fleuve Ouest. ☎ 739-32-44. Dans cette maisonnette en bois au bord de la route, tout est fait maison : pains, pâtisseries (tartes aux fraises et à la rhubarbe), plats cuisinés, confitures, sauces... À consommer sur place, derrière la boutique, face au Saint-Laurent, ou à emporter. Bon et prix modérés. Excellent accueil.

♀ *L'Anse aux Coques :* café agréable, avec terrasse et vue sur la plage, mais un petit peu cher. À 100 m de l'église en allant vers l'est. Billard.

★ *SAINT-GABRIEL-DE-RIMOUSKI*

De Sainte-Luce, prendre la route 298, puis tourner à droite sur la 234. On peut aussi s'y rendre de Rimouski, en prenant la 232 puis la 234 mais sur la gauche, cette fois, direction Sainte-Angèle.

Où dormir ?

■ *Le Bercail :* 199, rue Principale, chez Josiane Vouillou, Saint-Gabriel-de-Rimouski, G0K-AM0. ☎ 798-44-87. Fax : 798-46-42. Internet : www.sie.qc.ca/gallayann. Accueil très sympa. Très bon petit déjeuner. Simple mais propre. Gilles, le mari de Josiane, vous fera découvrir la région en *chariot* de cow-boy l'été et en traîneau l'hiver, et vous transmettra une vision forte de la nature...

À voir encore dans les environs de Rimouski

★ *Le musée de la Mer :* 1034, rue du Phare, *Pointe-au-Père*. ☎ 724-62-14. À 10 km de Rimouski par la route 132 Est. Au phare du village, expo sur le naufrage de l'*Empress of Ireland* qui, le 29 mai 1914, causa la mort de 1192 personnes. Ouvert de juin à mi-octobre, tous les jours, de 9 h à 17 h (18 h de mi-juin à fin août). Reconstitution du naufrage sur écran informatique et des conditions d'exploration de l'épave (exposition du matériel de plongée, scaphandres de l'époque et d'aujourd'hui).

★ *Le canyon des Portes de l'Enfer :* de Rimouski, prendre la route 232, direction Saint-Narcisse-de-Rimouski. À environ 30 km au sud de Rimouski. ☎ 750-15-86. Ouvert de la mi-mai à la fin octobre. Le canyon évoque les premiers draveurs qui descendaient la rivière Rimouski. Le canyon s'étire sur près de 5 km. Pour accéder au site, différents sentiers ont été aménagés. Entrée payante.

– *LA GASPÉSIE* –

Un pays à la fois mer et continent, plages, grèves et montagne. Géologiquement vieille de millions d'années, c'est pourtant l'une des plus jeunes terres peuplées par l'homme. Un des temps forts de votre voyage au Québec.
Dernier hoquet des monts Appalaches, la Gaspésie tient de la Bretagne pour

LA GASPÉSIE

le climat, la superficie et les côtes rocheuses avec, par moments, un zeste de solitude sauvage très norvégienne. Son versant nord plonge, par endroits, directement dans la mer. *Gaspésie* vient du nom micmac *gespeg*, « là où finit la terre ». Les autobus *Orléans* desservent toutes les municipalités de la péninsule. Utile quand on s'aperçoit que parfois le « pouce » c'est pas le pied ! Malheureusement, très souvent, il n'y en a qu'un par jour.

La population est presque exclusivement francophone et très attachée à ses traditions, conséquence de l'isolement économique dans lequel la péninsule fut longtemps laissée. Moment extra qui vous montrera l'un des visages du vrai Québec. René Lévesque, l'ancien Premier ministre, était originaire de New Carlisle, sur la côte Sud. En avant pour la conquête de ces bourgades aux consonances si poétiques et évocatrices : *Cap-Chat, Ruisseau-à-Rebours, Anse-Pleureuse, Gros-Morne, Manche-d'Épée, Pointe-à-Frégate, Anse-au-Griffon, Petit-Pabos*...

Adresse utile

▯ *Association touristique régionale de Gaspésie :* 357, route de la Mer (route 132), à Sainte-Flavie, premier village de Gaspésie quand on vient du Bas-Saint-Laurent. Située sur la droite de la route, dans une maison isolée, blanche au toit rouge. ☎ (418) 775-22-23. Fax : 775-22-34. Ouvert du lundi au vendredi, de 8 h 30 à 17 h hors saison ; tous les jours de 8 h à 20 h, du 20 juin à début septembre. Ne pas oublier de s'y arrêter pour se procurer le guide régional, des cartes et plein de dépliants sur les campings, gîtes, restos et les sites importants.

GRAND-MÉTIS   IND. TÉL. : 418

À mi-chemin entre Rimouski et Matane, un joli village les pieds dans le golfe du Saint-Laurent, tout de suite après Sainte-Flavie.

Où dormir ? Où manger à Sainte-Flavie ?

⌂ |●| *Centre d'Art Marcel-Gagnon :* 564, route de la Mer. ☎ 775-28-29. Fax : 775-95-48. À la sortie de Sainte-Flavie, sur la gauche, en direction de Matane. Auberge-café tenue par un peintre. Chambres à prix moyens, dans une sorte de grosse maison carrée qui fait aussi resto et galerie d'art. Chambres sans particularité sauf la belle vue pour les plus chères, mais impeccables. Le patron, peintre et sculpteur, a réalisé une série d'œuvres en béton, sortes de madones alignées jusque dans l'eau. Nous, on a trouvé ça beau.

|●| *Capitaine Homard :* 180, route de la Mer, à l'entrée de Sainte-Flavie en venant de Rimouski. ☎ 775-80-46. Ouvert d'avril à début septembre. Grande bâtisse blanche au toit rouge, avec un mini-phare incorporé. Menu bon marché avec bisque et morue. Homards pas chers du tout. Bonne ambiance.

|●| *Le Gaspesiana :* 460, route de la Mer. ☎ 775-72-33. Chic et belle vue sur le fleuve. À midi, les plats sont à bons prix ; le soir, c'est trop cher pour la banalité de la cuisine.

Où dormir? Où manger dans les environs?

🛏 *La Villa du Vieux Clocher :* 179, rue Beaulieu, à Saint-Antoine-de-Padoue, à une quinzaine de kilomètres. ☎ et fax : 775-96-54. Pour y aller, prendre la route qui part perpendiculairement à la 132 presque en face des jardins de Métis, direction Saint-Octave-de-Métis. En arrivant à Saint-Antoine, entrer dans le village par la rue Gagnon, au bout de laquelle commence la rue Beaulieu ; la suivre jusqu'à l'église ; le gîte est installé dans l'ancien presbytère, juste à côté. 7 chambres assez kitsch, comme le reste de la maison, décorée de quelques bondieuseries récupérées dans le grenier et de nombreux meubles et objets plus ou moins anciens (superbe gramophone-radio, juke-box, caisse-enregistreuse, lynx empaillé...). Marjo-

laine, qui a un langage pour le moins imagé, se fait un plaisir de vous faire visiter tout ça avec force commentaires. On aurait presque envie d'y revenir l'hiver rien que pour une de ses fameuses soirées « Meurtres et mystères »... Bref, une adresse qui vaut le détour et qui ne vous mettra pas sur la paille.

🛏 *Auberge du Grand Fleuve, chez Raynald et Marie Pey :* 47, rue Principale, Les Boules. Pas très loin de Grand-Métis en allant vers Matane. ☎ 936-33-32. En face de l'église et à deux pas du rivage, une dizaine de chambres confortables. Accueil très sympa de ce couple franco-canadien qui a récemment quitté la Bretagne pour le pays natal de Marie. Anciens bouquinistes à Quimper, ils ont en partie dédié leur

LA GASPÉSIE

chaleureux refuge à la littérature. Les Bretons seront choyés... les autres aussi! Les repas du soir ne sont pas bon marché.

|●| *La Meunerie :* 202, route 132, à Baie-des-Sables. ☎ 772-68-08. Installé dans un ancien moulin à farine, avec son joli petit cours d'eau der-

rière. Salle à manger aménagée avec goût et qui a su garder le cachet du lieu. À l'étage, un agréable salon tout en bois avec cheminée. Menu bon marché le midi, un peu plus cher le soir. Spécialités de fruits de mer et grillades. Accueil chaleureux. Une halte bien sympathique.

À voir

★ *Les jardins de Métis :* 200, route 132. ☎ 775-22-21. Ouvert tous les jours, de début juin à mi-octobre, de 8 h 30 à 18 h 30. Entrée payante un peu chère. Billet familial. Continuons notre approche empirique de la langue indienne. Métis *(Mitis)* signifierait « petit peuplier ». C'est en tout cas le nom d'une rivière dont les saumons attiraient un riche aristocrate qui fit des lieux son domaine. Son héritière y fit dresser des jardins de style anglais, au milieu d'un bois où se mélangent harmonieusement plusieurs centaines d'espèces, en tout plus de cent mille plants. De petits ponceaux (ponts) franchissent, dans une ombre rafraîchissante, tous les ruisseaux qui courent entre les massifs. Ces jardins sont un enchantement pour les connaisseurs (encore plus lors des concerts de musique classique qui y sont organisés l'été). On n'en finit pas d'admirer les hémérocalles, les pavots bleus (emblèmes des jardins), les capucines, les pivoines qui se mêlent aux rhododendrons et aux sauges rouge vif tranchant sur la blancheur des alysses. Au milieu des jardins, une somptueuse villa du XIXᵉ siècle, dont 15 pièces ont été transformées en musée. Visite guidée (environ 1 h 30) des appartements et d'un certain nombre de lieux présentant divers métiers et occupations domestiques du temps passé.

|●| Restaurant dans 3 luxueuses salles à manger, à des prix étonnamment abordables (ouvert de 9 h 30 à 18 h 30). ☎ 775-31-65.

– Également dans la maison, un magasin d'artisanat présentant des productions locales fort belles. Un peu plus cher qu'ailleurs, mais qualité assurée.

★ *Le Centre d'interprétation du saumon atlantique :* 900, route de la Mer, sur la route 132, après Sainte-Flavie, côté gauche. ☎ 775-29-69. Ouvert tous les jours de mi-juin à fin septembre, de 9 h à 17 h ; horaires variables selon l'affluence en septembre. Entrée payante. Expos, films et aquariums nous disent tout sur ces beaux (et bons !) poissons... Sentiers écologiques également.

★ *Le Grand Rassemblement :* œuvre de Marcel Gagnon. 80 personnages de béton qui émergent des eaux du Saint-Laurent, à Sainte-Flavie.

MATANE
IND. TÉL. : 418

Encore un nom amérindien (plus précisément micmac), qui signifie « vivier de castors »... Mais bon, il y en a moins qu'avant, la ville de Matane étant devenue industrielle ! À la place, beaucoup de traversiers, qui déchargent en Gaspésie les touristes venus de Baie-Comeau ou Godbout... Matane est néanmoins une ville relativement (très relativement) plaisante grâce à ses grandes places et ses couchers de soleil sur la mer. Attention, pas de bus à l'arrivée du traversier. Il faut appeler un taxi. À pied, compter au moins 30 mn jusqu'au centre.

LA GASPÉSIE

Adresses utiles

◾ *Bureau d'information touristique :* installé dans un mignon vieux phare, 968, av. du Phare Ouest (notez le jeu de mot involontaire), à l'entrée de la ville, côté mer (bien sûr). ☎ 562-10-65. Ouvert de 8 h 30 à 20 h 30 de juin à début septembre ; en septembre et octobre, de 8 h à 18 h. Petit musée également.

◼ *Banque Nationale :* 390, Saint-Jérôme.

Où dormir à Matane et dans les environs ?

– Pas d'A.J.

▲ *Camping Rivière-Matane :* bd L.-F.-Dionne. ☎ 562-34-14. Ouvert de mi-juin à début septembre. À environ 3 km du traversier. Pour se rendre au camping, du débarcadère, aller tout droit par la rive du parc industriel ; toujours tout droit puis c'est fléché sur la droite. Dans la verdure, assez grand et agréable. Dépanneur et buanderie.

De bon marché à prix moyens

▲ *Gîte du Passant Le Panorama :* 23, chemin Lebel, à Saint-Luc-de-Matane. ☎ et fax : 562-11-00. De Matane, prendre l'avenue Saint-Rédempteur. À 8 km, avant d'arriver à

Saint-Luc, tourner à gauche (c'est indiqué); le gîte est 700 m plus loin sur la gauche. Maison récente mais agréable et bien située sur les hauteurs, dans la verdure et les bois. Du salon, superbe vue sur Matane et le fleuve. 4 chambres confortables à prix doux, 2 salles de bains (dont une avec bain à remous). Tenu par un adorable couple de retraités aimant bavarder.

🛏 *Le Lové du Pionnier :* 1, rue Noël, Saint-Luc de Matane. ☎ 562-19-35. Au cœur du village, dans une maison centenaire. Chambres bien tenues. Accueil chaleureux de Karine et de Michel, des passionnés de la faune de leur région. Si vous le désirez, ils vous feront observer les castors au travail dans leur réserve privée voisine. Ils donnent aussi de bons conseils pour aller voir les orignaux. En hiver, motoneige. Prix corrects.

🛏 *Le Jardin de Givre :* 3263, route du Peintre, Saint-Léandre, G0J-2VO. ☎ et fax : 737-411. À Saint-Ulric, sur la route 132 entre Rimouski et Matane, prendre la direction sud vers Saint-Léandre. Au village, tourner à droite et tout droit sur 2 km. Tourner ensuite à gauche à la route du Peintre et continuer encore 2 km. Maison aménagée dans un « décor d'époque, tout en boiseries et meubles anciens » au milieu de cent acres aménagés de sentiers de forêt, loin de l'agitation de la route côtière. 5 chambres décorées de façon à illustrer le poème accroché sur la porte. Ginette Couture est une hôtesse charmante, débordante de petites attentions qui font la différence avec un gîte ordinaire : fleurs sur les plats du petit déjeuner, aide pour préparer le pique-nique, etc. Son compagnon, Gérald Tremblay, forestier et écrivain à ses heures,

pourra vous emmener faire une promenade à cheval. Quant au chien de la maison, il vous guidera jusqu'à la cascade voisine où les jours d'été on peut se baigner. Prix raisonnables. Accueil très chaleureux. Petit déjeuner copieux. L'hiver, possibilité de faire de la motoneige.

Plus chic

🛏 *Hôtel-motel Belle Plage :* 1310, av. Matane-sur-Mer. À l'entrée de la ville, sur la route 132. ☎ 562-23-23. Fax : 562-25-62. Hôtel-motel meublé style années 50, plutôt *cosy*. Gros avantage : c'est l'hôtel le plus proche du traversier (à 500 m). Ça peut permettre de laisser sa voiture dans la file d'attente. Pas donné mais grandes chambres pour 4 avec coin salon et belle vue. Préférer celles de l'hôtel à celles du motel (plus chères et sans vue). En revanche, inutile de s'arrêter au restaurant.

🛏 *Gîte La Seigneurie :* 148, rue Druillette ou 621, rue Saint-Jérôme. Deux accès possibles. ☎ 562-00-21. Fax : 562-44-55. Tout près de la route 132 mais dans le centre. Grande demeure victorienne imposante, meublée bourgeoisement, mais un rien vieillotte. Pas mal de charme. Pièces immenses au rez-de-chaussée. Chambres en étages, certaines pouvant accueillir 4 personnes. Lavabo dans les chambres mais sanitaires extérieurs. Excellent accueil. Le maître des lieux vous conseillera sur les visites dans les environs. Une adresse au charme un brin suranné.

🛏 *Motel Marina :* 1032, rue du Phare Ouest, GW4-3M9. ☎ 562-32-34 ou 562-32-35. Chambres spacieuses, propres et confortables donnant sur la plage. Bon accueil. Prix corrects.

LA GASPÉSIE

Où manger ?

🍽 *Café Aux Délices :* 109, rue Saint-Jean. ☎ 562-05-78. Ouvert tous les jours de 7 h à 23 h; du mercredi au dimanche, ouvert 24 h sur 24. Dans le centre, près du port.

Assez bon marché. Grand choix de snacks, pizzas, sandwiches, pâtes, grillades... Du jeudi au dimanche, de 17 h à 20 h, buffet chinois. Cadre nul, lumière blanche.

Rien d'extraordinaire, mais cuisine honnête et pas chère. Service souriant.

📷 *Les Délices de la Mer :* 50, rue d'Amours. ☎ 562-29-39. Dans le centre. Ouvert jusqu'à 22 h (les samedi et dimanche, à partir de 16 h seulement). Salle intime avec vue sur le port. Délicieux poissons et fruits de mer. Table d'hôte correcte.

Accueil chaleureux de la patronne, mais prix un tantinet élevés.

– *Les fumoirs Raoul Roux :* 1259, rue Matane-sur-Mer. ☎ 562-93-72. Loin du centre, le long de la mer, entre le traversier et l'office du tourisme. Être motorisé. Vente de crevettes, truites, flétans fumés. Très bon. Parfait pour se confectionner un bon sandwich.

À voir. À faire

★ *La passe migratoire :* de début juin à fin septembre. En pleine ville, on peut assister à la remontée des saumons grâce à un aquarium par lequel ils sont obligés de passer. On aime cette bête exceptionnelle, grand migrateur devant l'éternel, capable de traverser les pires obstacles pour retrouver son lieu de naissance afin d'y pondre.

– *La promenade du Capitaine :* le long de la rivière Matane, sur la rue Saint-Jérôme, en plein centre. Promenade en bois avec explications de l'histoire maritime de la ville.

Festival

– *Le festival de la Crevette :* 2e et 3e semaines de juin (vérifier). 10 t de crevettes préparées de toutes les manières possibles et imaginables.

Dans les environs

★ *La seigneurie du Chevreuil :* à 5 km du centre, sur la route, le long de la rivière. ☎ 562-15-28. Ouvert tous les jours l'été. Payant. Un parc où vivent 80 chevreuils. Sentiers pédestres où l'on est sûr d'en voir.

★ Matane peut aussi servir de base de départ pour des randonnées dans les *monts Chic-Chocs.* Le caribou, le chevreuil, l'ours, l'orignal en sont les locataires. Plus grosse concentration d'orignaux du Québec à l'*Étang-à-la-Truite.*

Traversier Matane – Baie Comeau ou Matane – Godbout

En été, vous risquez d'en louper un et de devoir faire plusieurs heures de queue, tant il y a du monde, d'autant qu'il n'y a que 2 ou 3 traversées par jour pour Godbout, et 1 ou 2 pour Baie-Comeau... Impératif de réserver par téléphone plusieurs jours avant quand on est sûr de l'heure de son passage. C'est le même prix. Se présenter plus d'une heure avant l'embarquement, sinon la réservation est automatiquement annulée. Sans réservation, arriver la veille vers 18 h, se garer dans la file d'attente des voitures sans réservation, passer la nuit chez l'habitant... Et revenir au moins 45 mn avant le 1er départ.

– *Renseignements pour les horaires*
● *À Matane :* ☎ 562-25-00.
● *À Baie-Comeau :* ☎ 296-25-93.

LA GASPÉSIE

● *À Godbout :* ☎ 568-75-75.
Compter 2 h 30 de traversée environ. Il est fortement recommandé de réserver, on le répète.

LA ROUTE MATANE-MONT-SAINT-PIERRE

★ LES MÉCHINS

Port de pêche dans une belle anse. Les Indiens Micmacs attribuaient leurs malheurs aux écueils dans la mer et surtout au géant Outikou qui arrachait les arbres pour les pourchasser. D'où les *Méchins,* corruption du mot « méchant ».

Où dormir ?

🛏 *Gîte du Ruisseau à Sem :* 808, Belle vue Ouest, G0J-1T0, à 6,5 km des Méchins en venant de Matane, sur la route 132. ☎ et fax : 729-34-84. E-mail : Ruisasem@gîtes classifiés.qc.ca. Un gîte situé exactement entre Grosses-Roches et Les Méchins, dans une belle maison bordant le Saint-Laurent. On est accueilli par Nicole et Richard, Vladimir le perroquet gris du Gabon, et Bébé Coco la perruche. 3 chambres toutes neuves, avec vue sur le fleuve. Prix modérés. Excellent petit déjeuner. Un escalier de 93 marches conduit à la mer. Ce gîte est également le siège social du réseau des « gîtes classifiés », qui en regroupe plus d'une centaine au Québec. À ce titre (vous apercevrez un grand panneau Infogîte au bord de la route), Nicole et Richard donnent des renseignements sur ces possibilités d'hébergement.

🛏 *Gîte La Vieille Maison :* 170, rue Principale, Les Méchins. ☎ 729-33-18. Maison du début du siècle, à l'écart de la 132, près de l'église. 3 chambres proprettes à prix doux. Accueil chaleureux de Marius, dont les ancêtres ont débarqué ici vers 1820.

★ CAP-CHAT

Un rocher suggérant un chat accroupi serait à l'origine du nom du village ! C'est du fleuve qu'on le voit le mieux. On y trouve la plus grosse éolienne à axe vertical du monde (110 m de haut). Une visite guidée (45 mn, du 24 juin à octobre) permet de découvrir ce « monstre » technologique qui ne fonctionne que rarement. Explication : elle est tellement grosse qu'elle pourrait casser, les jours de grand vent... ☎ 786-57-19. À côté, près du phare et du rocher Cap-Chat, *Tryton, Centre d'interprétation du vent et de la mer* (☎ 786-55-07), où un spectacle multimédia raconte l'influence du vent et de la mer sur la nature et la vie, la vie de Cap-Chat, la légende du Rocher, ainsi que le fonctionnement du monstre Éole et de son éolienne géante. Ouvert de juin à octobre, de 8 h 30 au coucher du soleil.

Où dormir ? Où manger ?

🛏 *La Belle Époque :* 4, rue de la Falaise. ☎ 786-54-76. De la rue Notre-Dame, c'est la rue qui monte sur la droite, après l'église. Superbe maison victorienne dominant le village, dans un grand jardin calme et bien entretenu qui se prête à la contemplation et aux douces rêveries. 7 belles chambres, presque toutes avec lavabo. Salon confortable à disposition. Copieux buffet au petit déjeuner. Un peu plus cher que la moyenne des *Gîtes du Passant*, mais largement justifié.

▲ ⦿ *Auberge Au Crépuscule :* 239, rue Notre-Dame Ouest, route 132. ☎ et fax : 786-57-51. 3 chambres neuves et modernes à prix doux dans cette grande maison en pierre. Préférer celle sur l'arrière, plus claire et plus calme. Jean, le patron, est cuistot et peut préparer sur commande un bon dîner (soupe, gratin de poisson, dessert) pas cher. Accueil aimable et impeccable, voire « pro ».

▲ *Gîte Rêve et Réalité :* 216, rue Notre-Dame Est, G0J-1G0, route 132. ☎ et fax : 786-24-65. Dans une maison située face au Saint-Laurent, chambres très confortables. L'accueil de Jeanne et Pierre-Paul est délicieux, tout comme le petit déjeuner, un véritable festin : crêpes aux bleuets, œufs bacon, fromage, jus d'orange, etc. Que demander de plus ? Vraiment une très bonne adresse, d'un bon rapport qualité-prix.

★ *SAINTE-ANNE-DES-MONTS*

Côte rocheuse et découpée. Point de départ des excursions dans le *parc de la Gaspésie,* à 16 km.

Adresses utiles

▯ *Kiosque d'information touristique :* 96, bd Saint-Anne Ouest. ☎ 763-58-32. Ouvert de 7 h 30 à 20 h 30 de mi-juin à mi-août, de 16 h à 20 h début juin, et de 8 h 30 à 20 h de mi-août à mi-septembre.

■ *Épicerie Sobeys :* à l'angle des routes 132 et 299. Bien pour faire ses courses avant d'entrer dans le parc de la Gaspésie.

■ *Quincaillerie Keable :* 170, 1re Avenue. ☎ 763-23-45. Vend des recharges de camping-gaz.

Où dormir ? Où manger ?

▲ *Auberge de Jeunesse :* 295, 1re Avenue Est, G0E 2G0. ☎ 763-15-55. Appel gratuit : ☎ 1-800-461-85-85. Fax : 763-92-29. Auberge toute récente. Bonne base de départ pour visiter le parc de la Gaspésie, été comme hiver. Chambres de 4 ou chambres individuelles avec salle de bains. 80 places. Bon accueil. Forfaits possibles. Navette pour le parc. Nombreuses activités proposées : randonnées, observation, etc.

▲ *Motel Beaurivage :* 245, 1re Avenue Ouest (rue parallèle à la 132, le long du fleuve), à l'angle de la 5e rue Ouest. ☎ 763-22-91. Chambres agréables donnant sur une pelouse. Vue sur le fleuve à partir du n° 300. Calme et propre. Prix moyens d'un motel.

▲ *Sous la Bonne Étoile :* 30, 5e rue Est (accessible de la 132 ou de la 1re Avenue). ☎ 763-34-02. *Gîte du Passant* tenu par Denis Béchard. 4 chambres propres et agréables en entresol. 2 salles de bains. Petit déjeuner copieux (pain et confitures maison, entre autres). Excellent rapport qualité-prix-accueil.

▲ *Gîte des Deux Colombes :* 996, bd Sainte-Anne Ouest. ☎ 763-37-56. Tout près du Cap-Chat. Ancienne petite maison blanche au toit rouge. Accueil très chaleureux. Tenu par deux sœurs, d'où le nom. Excellent et copieux petit déjeuner, produits faits maison.

⦿ *Poissonnerie du Quai :* 3, 1re Avenue Ouest (face à l'église). ☎ 763-74-07. D'un côté la poissonnerie, de l'autre le resto : les produits ne risquent pas de se gâter entre les deux ! Petite salle agréable dans les tons bleus. Essentiellement poisson et fruits de mer, évidemment, mais aussi des desserts. Le tout assez bon marché. Dommage qu'ils soient assez vite débordés et que le service soit souvent très, très lent. Attention, ils n'acceptent pas les cartes bancaires.

Où dormir ? Où manger sur la route de Mont-Saint-Pierre ?

I●I *Chez Pierre :* 96, bd Perron Ouest, Tourelle, G0E-2J0. ☎ 763-74-46. Fax : 763-14-84. Ouvert toute l'année. À 4 km de Sainte-Anne, à l'est sur la route 132. Vue superbe sur le Saint-Laurent. Le patron est belge, il a fait ses classes à l'école hôtelière française et dans divers restaurants de la Côte d'Azur. Sa femme est française. Spécialités de fruits de mer, homards, crabes, pétoncles, poissons fumés, poissons grillés ou en sauce. Table soignée, prix corrects. Très bon rapport qualité-prix.

♠ *Gîte de l'Auberge :* 8, av. Keable, à La Martre (route 132). ☎ 288-55-33. En plein centre, en bord de route. Impossible à rater. Dans ce petit village célèbre pour son gros phare rouge, *B & B* très correct. Possibilité de courtes randonnées pédestres ou à vélo.

I●I *Restaurant La Couquerie :* à Marsoui, au bord de la route 132. ☎ 288-58-59. Ouvert tous les jours jusqu'à 21 h. Maison blanche aux volets rouges ; c'est une sorte de cantine populaire tout à fait originale. Des assiettes de pâtisseries attendent les clients sur de grandes tables. Menu du jour très bon marché avec, par exemple, soupe de pois, poisson ou cipaille, puis dessert. Typiquement canadien.

LE PARC DE LA GASPÉSIE

Prévoir un minimum de temps pour le visiter, ça vaut vraiment le coup ! Mais il est quasiment obligatoire d'avoir une voiture (mieux, un 4 x 4, si vos moyens le permettent), car beaucoup de routes ressemblent à des « pistes » et les distances y sont étendues... Un autre conseil : le dépanneur du parc n'est ouvert que de juin à septembre, et ses rayons sont peu fournis, alors faites vos courses à Sainte-Anne. Pensez aussi à l'essence !

Le parc s'étend sur près de 800 km², comprenant les monts Chic-Chocs (nom qui signifie « Montagnes escarpées » en mic-mac) et les monts Mac-Gerrigle. Paysage très alpin. Forêts denses qui abritent les derniers « caribous des bois ». En été, le Centre d'interprétation organise des excursions payantes de 3 h ou plus avec un guide, ou gratuites de 1 h avec un naturaliste pour aller les voir sur le mont Jacques-Cartier. Attention, fermé jusqu'au 24 juin car c'est l'époque où les caribous mettent bas. Se renseigner également pour le mont Albert, fréquemment enneigé et inaccessible même au mois de juin. Enfin, pensez à emporter une paire de jumelles avec vous. Flore très riche : on voit fréquemment des rhododendrons de Laponie et des azalées naines. La forêt y est étagée, allant de la sapinière à bouleaux jusqu'au paysage boréal.

L'époque idéale pour faire des randonnées dans le parc, c'est l'automne (septembre) car il y a beaucoup moins de mouches et la nourriture se conserve mieux. Prévoir quand même un produit antimoustiques (en été, c'est de la folie de partir sans).

– **Renseignements :** au *Centre d'interprétation,* ☎ 763-78-11 (de juin à mi-octobre ; accueil très sympa et efficace) ; ou auprès du *Bureau du parc,* 10, bd Sainte-Anne, à Sainte-Anne-des-Monts. ☎ 763-33-01.

Où dormir ? Où manger ?

▲ |●| *Auberge-gîte du Mont Albert :* dans le parc. ☎ 763-22-88. Fax : 763-78-03. Réserver. Bien que luxueuse, elle n'est pas si chère que ça. Peut-être d'ailleurs est-ce pour cette raison qu'elle est souvent complète. Chalets équipés, à tous les prix, dispersés dans le parc. Resto chic et cher mais cuisine raffinée. Propose des casse-croûtes spécial randonneur très corrects.

▲ *Refuges en montagne :* pour les randonneurs, se renseigner avant de partir auprès du Centre d'interprétation (à côté du *gîte du Mont Albert*).

▲ *Camping Mont Albert :* route 299.

☎ 763-22-88. Des 4 campings du parc, un des plus confortables : sanitaires bien équipés, téléphone, glace, laverie, piscine (pour 2 $ de plus). Accepte les cartes bancaires (*Visa, MasterCard...*). Demander un emplacement ombragé le long de la rivière, c'est le coin le plus sympa du camping. Également possibilité de dormir dans des refuges prévus pour 8 personnes.

▲ *Camping de la Rivière :* peu après le *gîte du Mont Albert,* sur la gauche, au bord de la rivière, vous l'aurez deviné. ☎ 763-22-88. Plus sauvage que le précédent, mais bien équipé. *Dépanneur* juste à côté.

À faire

– Parmi les activités qu'offre le parc : V.T.T., pêche, canotage, ski (en hiver), observation des caribous sur les monts Albert et Jacques-Cartier en compagnie des naturalistes, etc.

– *Grandes randonnées dans les monts Chic-Chocs :* un petit paradis pour les adeptes de marche en pleine nature. On peut dormir dans des refuges bien aménagés. Se renseigner auprès du Centre d'interprétation. Durée moyenne des grandes randonnées : entre 2 et 7 jours, selon vos souhaits. Prévoir de bonnes chaussures et des vêtements chauds, même en juillet et août. Surtout : ne pas oublier votre produit anti-mouches (Muskol ou Région sauvage), à acheter dans une boutique de sport.

– *Le mont Jacques-Cartier :* la randonnée la plus connue des marcheurs. On préfère celle du mont Albert (voir ci-dessous). Fermé jusqu'à fin juin à cause de la mise bas des caribous. Ouvert de 10 h à 16 h. Un ancien chemin militaire sert de sentier pour l'ascension du mont Jacques-Cartier qui culmine à 1 270 m. Bien pour observer les caribous. Beaucoup de monde au sommet certains jours. Au départ de la promenade, un bus (payant) est proposé toutes les demi-heures, pour effectuer les kilomètres de piste. Attention, la dernière navette (aller) part à midi. Il reste ensuite 4 km de sentier à parcourir sous les feuillus, les épineux et enfin sur la pierre du dôme rasé par les vents froids et secs. Très beau panorama. Dernière navette (retour) à 16 h.

– *Le mont Albert :* dépaysement assuré. Il s'agit d'une réplique façon québécoise d'un plateau du Grand Nord, qui n'est pas sans rappeler non plus la toundra. Il y a des sources d'eau. Se munir d'une bonne carte. Partir très tôt le matin. Le départ se fait du *gîte du Mont Albert.* Compter une bonne journée aller et retour. Le sentier balisé forme une boucle. Au début, on emprunte le sentier de la Montée et on revient ensuite par le sentier du lac du Diable. Superbe randonnée, vraiment, que l'on peut faire en principe à partir de fin juin, *mais se renseigner avant car risque d'enneigement, même en été.*

– *Le lac Paul :* bien pour observer les orignaux. Pour s'y rendre, prendre la route 11 Ouest (celle du lac Cascapédia), pas toujours en très bon état. Il y a un point d'observation (indiqué), mais il vaut mieux venir à l'aube ou au coucher du soleil pour admirer ces grosses bêtes aux bois superbes.

– *Le lac aux Américains :* pour randonneurs pressés. Le seul cirque glaciaire du Québec. Naguère, le seul endroit où les Américains avaient le droit exclusif de pêche (ah ces Yankees !). Aller jusqu'au bout de la route 160, puis suivre le sentier (40 mn). La promenade est franchement magnifique.

MONT-SAINT-PIERRE   IND. TÉL. : 418

Après *Ruisseau-à-Rebours*, coincé entre mer et montagne (la rivière qui traverse le village est tellement sinueuse qu'elle semble couler contre le courant), surgit Mont-Saint-Pierre, blotti au fond d'une large anse et entouré de hautes collines abruptes. Village minuscule dans un site assez exceptionnel. Un sentier grimpe au sommet du mont. On peut aussi y monter en bus (visites guidées par le bureau du tourisme).

🛈 *Bureau du tourisme :* quelques infos.

Où dormir ? Où manger ?

🛏 ॥०। *Auberge de jeunesse Les Vagues :* installée dans un ancien motel, 84, rue Prudent-Cloutier. ☎ 797-28-51. À deux pas de la plage. Chambres privées, très bien (mais on ne peut pas utiliser la cuisine), ou dortoirs de 4, sommaires mais corrects. Ne vous attendez pas à dormir beaucoup ou à vivre dans une propreté irréprochable. En été, c'est vraiment le fun, plein de jeunes de Québec, Chicoutimi ou Montréal qui font la fête et descendent les caisses de bière. Concert le soir en juillet et début août. Resto bon et pas trop cher. Possibilité de demi-pension. Location de V.T.T. Accepte la carte *Visa*.

🛏 *Chalets Bernatchez :* juste en entrant au village sur la droite de la route qui vient de Sainte-Anne-des-Monts. ☎ 797-27-33. Outre les chalets en dur équipés de cuisinette très sommaire (les moins chers du village !), Nicole Beaudin, la proprio, loue 6 chambres calmes, très simples (sans petit déjeuner) dans la petite maison principale à la déco un peu vieillotte. On peut discuter les prix avant.

🛏 ॥०। *Hôtel   Mont-Saint-Pierre :* dans la rue principale. ☎ 797-22-02. Au bord de la route, face à la mer. Chambres propres et confortables. Fait également resto.

🛏 *Camping   Mont-Saint-Pierre :* un peu éloigné de la route principale (direction : parc de la Gaspésie), il est situé à 3,5 km du village. ☎ 797-22-50. Boisé, jouissant de beaucoup d'espace, c'est une bonne adresse (calme) pour les motorisés. Petite piscine chauffée gratuite, buanderie. Accueil très sympa.

🛏 *Camping du Pont :* à la sortie du village en allant vers Gaspé. ☎ 797-29-51. Bien et pas cher, mais au bord de la route.

॥०। *Les Joyeux Naufragés :* 7, rue Pierre-Mercier. ☎ 797-20-17. Ouvert tous les jours midi et soir, jusqu'à 23 h. À la sortie du village, un peu en retrait. Resto d'un côté, bar de l'autre. On y mange de bien bonnes choses à prix moyens : homard, crabe, escargots, crevettes, pizzas et la spécialité : la langue de morue ! Table d'hôte moins intéressante que la carte. Agréable terrasse. Service un peu lent.

Manifestation

– *Championnat de deltaplane et de parapente :* fin juillet-début août.
☎ 797-22-22. Grimper en haut de Mont-Saint-Pierre pour assister au départ
des engins volants. On peut aussi prendre des cours de vol libre ou faire des
baptêmes en tandem. Merveilleux. Hélas, la descente est hyper chère et
dangereuse (un mort en 1992 !).

LA ROUTE DE MONT-SAINT-PIERRE AU PARC FORILLON

Les villages de pêcheurs se succèdent dans des paysages progressivement
plus doux, dans des anses de plus en plus étirées. C'est dans cette région que
vous trouverez les catalognes les plus belles et les moins chères (info seulement pour ceux qui ont une voiture parce qu'elles prennent du volume). Possibilité de visiter les conserveries de poisson, notamment à *Rivière-au-Renard.*

Où dormir ? Où manger en route ?

🛏 *Maison Lebreux :* 2, Longue
Pointe, Petite-Vallée. ☎ 393-26-62.
Fax : 393-24-66. Entre le 10 et le
30 juillet, réservation quasi obligatoire. C'est le village à côté de
Grande-Vallée (logique !). *Gîte du
Passant* idéalement situé, au pied
d'une colline, sur une avancée de
terre entourée d'eau. Des pelouses
vertes, du vent, le calme ! On voit
des phoques bronzer devant la maison de temps en temps... Propriétaire très gentille qui donne plein
d'infos sur la région. Prix tout à fait
honnêtes. On peut y souper le soir.
Chambres au 1er étage avec une vue
superbe sur la mer. Au petit déjeuner : confiture de fruits sauvages,
crêpes au sirop d'érable, céréales,
crêtons et pain fait maison. Loue
aussi des chalets et tient un café-
théâtre en été, le *Café de la Vieille*

Forge. Spectacles tous les soirs sauf
le lundi. Renseignements : ☎ 393-
22-22. Extraordinaire ! Un café-
théâtre dans un endroit comme ce-
lui-là !

|●| *Coukerie :* 15, rue Principale,
Petite-Vallée. ☎ 393-26-28. Ferme
à 21 h en été. Délicieuses pâtisseries : tartes au sucre, aux pommes,
aux raisins, pets-de-sœur (si, ça se
mange !)... Fait aussi resto, moyen
mais à prix très raisonnables, dans
un décor genre cantine.

|●| *Restaurant l'Étoile du Nord :* à
Pointe-à-la-Frégate, village situé
après Petite-Vallée. Motel et resto
tenus par la mère et la fille, charmantes. Petites salles avec vue sur
l'eau. Spécialités : langue de morue
et autres produits de la mer tout
frais. Cuisine excellente à prix
sages. Très bonne adresse.

LE PARC FORILLON

Un autre temps fort de votre voyage gaspésien. Les falaises abruptes et le
littoral ciselé marquent la fin des Appalaches. Le climat est beaucoup plus
doux qu'ailleurs. Assez difficile de s'y déplacer sans véhicule.
Vaste péninsule rocheuse qui s'est formée par couches successives au fond
d'une mer ancienne et atteint parfois des altitudes de près de 600 m. Les
couches inférieures sont formées de roches friables et les hautes terres de
roches plus dures : la mer a sculpté le littoral de façon très variée en une
succession d'escarpements, d'anses et de grottes souterraines. Flore et
faune exceptionnelles. Plus de 200 espèces d'oiseaux. Le randonneur, très,
très patient, pourra peut-être entrevoir l'ours noir, l'orignal, le renard roux, le
castor ou le lynx... Au bord de la mer, on peut observer des phoques et, avec

un peu de chance, des baleines à bosse. Des jumelles s'avèrent utiles pour ceux qui veulent vraiment faire de l'observation. Si proche de la mer, la végétation se caractérise pourtant par un mélange de forêt boréale et de toundra alpine.

Les autorités ont aménagé le parc sur le thème : l'harmonie entre l'homme, la terre et la mer. C'est incontestablement réussi ; entrée payante. *Renseignements :* ☎ 368-55-05.

Adresses utiles

▣ *Poste d'accueil du parc* : situé sur la route 132, entre Rivière-au-Renard et L'Anse-au-Griffon (côte nord de la pointe de Gaspé et du parc). ☎ 892-50-40. Ouvert tous les jours, de 9 h à 19 h de mi-juin à mi-août, de 9 h à 17 h de mi-août à début septembre. Abondamment fourni en littérature et cartes indiquant les sentiers de randonnée.

▣ Autre *centre d'accueil :* à Penouille, au sud de la pointe. ☎ 892-56-61. Mêmes horaires que le précédent. Se renseigner pour connaître les activités organisées dans le parc.

– Pour les randonneurs, mieux vaut faire ses courses dans les villages voisins avant d'entrer dans le parc, car à l'intérieur il n'y a rien. Facile ensuite de faire du stop jusqu'au parc.

Où dormir ?

▤ *Auberge de jeunesse de Cap-aux-Os* : 2095, bd Grande-Grève, G0E-1J0. Près de l'entrée du parc Forillon. ☎ 892-51-53. Fax : 892-52-92. Ouverte toute l'année, 24 h sur 24. À 25 km de Gaspé, à Cap-aux-Os, localité située entre Penouille et Cap-des-Rosiers. C'est l'endroit le plus sympa pour dormir dans la région... Le bus d'*Orléans Express* vous y dépose de juillet à septembre. Équipe très accueillante autour de Gilles, le patron. Dortoirs de 4, 6 ou 8 personnes (27 au sous-sol). 4 chambres privées bon marché pour les familles, dont une avec salle de bains. La carte n'est pas obligatoire, mais la nuit vous coûtera 2 $ de plus sans elle (comme dans toutes les A.J. officielles). Draps disponibles. On peut manger à la cafétéria (de mi-juin à mi-septembre ; spécialité de homard en saison, pas cher) ou faire soi-même sa cuisine (quand la cafétéria est fermée). Trois petits déjeuners sont servis, au choix (canadien, anglais et européen), dont le prix n'est pas inclus dans la nuitée. Plein d'activités sur place : location de vélos, raquettes et skis de fond, kayak de mer. Diaporama sur la faune et la flore du parc Forillon, 3 soirs par semaine. Vers 18 h, on vous emmène en voiture (avec un guide-naturaliste) voir les castors à la tombée de la nuit. Organise aussi des sorties guidées (à vélo ou à pied) avec un naturaliste pour voir les ours, ainsi que des promenades (avec accompagnateur) d'observation (à marée basse) des baleines et des phoques à Cap-Gaspé (2 à 3 fois par semaine). Piscine à 3 km de l'A.J. Bref, de quoi s'occuper un moment. *fermé depuis 2 ans !*

▤ *Gîte Le Chat qui Dort :* 1626, bd Forillon (avant Cap-aux-Os, sur la droite de la route 132 quand on vient de Gaspé). ☎ 892-58-14. Ouvert de mi-juin à fin octobre. Belle maison traditionnelle du début du siècle. 3 chambres douillettes, à un prix correct, incluant le petit déjeuner. Sous le toit, une belle grande chambre avec salle de bains, dans un espace triangulaire, idéale pour couple avec enfant(s), avec superbe vue sur le jardin, les bois (la propriété fait 15 ha), et la baie de Gaspé. De plus, la maîtresse de maison, anglophone et francophone, reçoit vraiment gentiment ses hôtes. Très bonne adresse pour ex-Ajistes en famille ! Se renseigner. Aux dernières nouvelles devrait fermer.

🛏 *Gîte du Cap :* 1184, route 132, à Cap-des-Rosiers. ☎ 892-50-31. Maison de look récent, au bord de la route. 3 chambres modernes et propres à la déco un peu cucul, mais prix doux et accueil sympa.

🛏 *Gîte des Trois Ruisseaux :* 896, bd Griffon, Anse-au-Griffon, G0E-1A0. ☎ 892-55-28. Accueil très chaleureux de Micheline Deschênes, qui vous donnera de bons conseils de visite et vous racontera des anecdotes sur les us et coutumes de l'endroit. Petit déjeuner super avec confitures délicieuses et pain maison.

🛏 *Campings :* bien aménagés, mais souvent complets et bondés en été (il faut réserver par téléphone 5 jours à l'avance : ☎ 368-60-50). Buanderie, cafétéria, piscine et tennis, mais seulement dans le secteur Sud. Celui du *Cap Bon-Ami* bénéficie d'une vue fantastique sur les falaises. Sur les 4 campings, un seul reste ouvert jusqu'à la mi-octobre ; les autres ferment début septembre. Celui de l'*Anse-au-Griffon,* en dehors du parc, a plus souvent de la place, mais il est petit. ☎ 892-51-00. Bien tenu. De certains emplacements, on peut voir des baleines. Solution de rechange si tout est complet : le camping *Baie de Gaspé,* à Cap-aux-Os, bénéficie d'un site agréable, aux portes du parc, pour un prix raisonnable.

🛏 *Les Petites Maisons du Parc :* 910, bd Forillon, face au centre d'accueil de Penouille. ☎ 892-58-73. Location de petits chalets tout équipés dans un bel endroit, au bord de la baie. S'y prendre au moins 3 mois à l'avance.

Où manger ?

|●| *Restaurant Mona :* 1275, route 132 Est, Cap-des-Rosiers. ☎ 892-50-57. Pour son excellente et copieuse bouillabaisse à prix modéré.

À voir. À faire

★ On peut visiter le *phare de Cap-des-Rosiers :* en été, tous les jours de 10 h à 19 h. ☎ 892-56-13. Construit en 1858 c'est, paraît-il, le plus haut du pays, avec ses 34 m et ses 122 marches.

★ *Centre d'interprétation de la nature du secteur Nord du parc :* ouvert de 9 h à 18 h. Remarquablement conçu. On en ressort presque écolo ! Plein d'activités guidées, se renseigner au centre.

– *Balade en bateau :* à bord du *Félix-Leclerc* sur la côte nord de la presqu'île de Forillon, pour voir des colonies extraordinaires d'oiseaux et de phoques. Départ du secteur Nord du parc. En juillet et août, réserver la veille. Un guide fournit les explications. *Les Croisières Découverte :* ☎ 892-56-29. Autre adresse : *Croisières 3 D,* 2172,Grande-Grève, à Cap-aux-Os. ☎ 892-60-88 ou 368-63-74. Croisières d'une durée de 2 h 30.

– Faire la *balade du cap Gaspé.* Géniale. En passant, rendez visite à la jolie maison de pêcheur réaménagée pour les touristes (à Anse-Blanchette) afin de mieux faire comprendre ce qu'était la vie des pêcheurs.

– Se tremper les gambettes à la belle *plage de Pointe-Penouille,* sur la petite presqu'île du même nom.

– *Kayak de mer :* se renseigner à l'A.J. ou au : ☎ 892-50-88. On part de la plage située au bas de l'A.J. de Cap-aux-Os ou de la plage de Petit-Gaspé.

– *Randonnées pédestres :* nombreuses possibilités de balades dans le parc. Voici quelques suggestions : le sentier de la Chute (boucle de 1 km, durée 30 mn), le sentier Les Graves (boucle de 13,2 km, balisé en rouge, durée 3 h 30), ou celui du mont Saint-Alban (boucle de 9 km, balisé en vert), notre préféré. Il y en a d'autres. Infos au Centre d'accueil du parc.

★ *Les falaises du cap Bon-Ami :* paysages splendides. Des dizaines d'étoiles de mer sur la plage. De là, montez au mont Saint-Alban (à partir du cap). Parcours magnifique. Un peu raide au début, mais en haut vous serez récompensé (3 belvédères et de superbes points de vue à 360°, on distingue le rocher de Percé, situé pourtant à 80 km).

GASPÉ

IND. TÉL. : 418

Petite leçon de micmac : *Gaspé* vient de *gespeg* qui signifie « fin des terres ».

Voici l'endroit historique où, en fait, ce livre commence. Sur la montagne, la croix en granit, érigée à l'occasion du quatrième centenaire de la découverte du Canada, remet en mémoire celle que Jacques Cartier planta quand il prit possession du Canada, au nom du roi de France. Bon, cela dit, si la baie est assez pittoresque, la ville elle-même, surtout industrielle et commerciale, ne casse pas des briques.

Pour s'y rendre, il existe un train de nuit de la compagnie *Via* au départ de Montréal avec une halte à Rivière-du-Loup, histoire de gratter le dos des baleines (enfin presque !) de juin à octobre ; arrivée à Gaspé vers 11 h.

Adresses utiles

🛈 *Bureau d'information touristique :* 27, bd York, tout près du pont. ☎ 368-63-35. Ouvert de juin à mi-août de 8 h 30 à 20 h 30 (de 10 h à 19 h seulement jusqu'à la Saint-Jean-Baptiste). Bien documenté.

🚆 *Gare Via Rail :* 3, rue de la Marina. ☎ 368-43-13. Appel gratuit 24 h sur 24 : ☎ 1-800-361-53-90.
🚌 *Autobus :* 2, rue Adams. ☎ 368-18-88.

Où dormir ?

🛏 *Camping municipal de Gaspé :* 1029, Haldimand, route 132, à 10 km en direction de Percé. ☎ 368-38-20. Au bord de la route et de l'eau. Petit et peu ombragé.
🛏 *CÉGEP de la Gaspésie :* 94, rue Jacques-Cartier. ☎ 368-27-49. Ouvert de mi-juin à mi-août. Résidences d'étudiants. Une cinquantaine de chambres avec salles de bains extérieures, ou des petits appartements de 6 ou 8 à tarif intéressant avec salle de bains et cuisine équipée. Draps et serviettes fournis. Déco évidemment pas super.

🛏 *Motel Plante :* 137, rue Jacques-Cartier. ☎ 368-22-54. Fax : 368-58-85. Ouvert toute l'année. Dans le centre. Un motel blanc et bleu avec un grand parc de stationnement devant, sans charme mais pratique. Pendant 9 mois de l'année, des étudiants y habitent. Dans le bâtiment annexe, chambres pour routards, assez bon marché, avec baignoire et w.-c. sur le palier et cuisine commune tout équipée. Sinon, bon motel classique à prix raisonnables. Chambres avec kitchenettes, TV et salle de bains. Pas de petit déjeuner.

≜ **Gîte La Normande de Gaspé :** 19, rue Davis. ☎ 368-54-68. Fax : 368-73-36. Dans un quartier résidentiel, calme et très vert, une grande maison en brique, entourée d'un jardin et d'une petite piscine (peu avenante, hélas). Il y a 5 chambres au 1er étage, disposées autour d'un grand palier où trône un beau divan sculpté. Ambiance de vieux manoir littéraire aux boiseries chaleureuses. Vue sur le jardin. Il est préférable de réserver. Petit déjeuner inclus. Pas très cher. Belle piscine avec toboggan. Accueil moyen. Récemment le gîte était en vente. Renseignez-vous.

≜ **Gîte-auberge Le Fournil Rustique :** 776 et 780, montée Sandy-Beach, à 8 km du centre-ville, sur la route 132. ☎ 368-13-94. À la sortie de Gaspé, en allant vers Percé, prendre la route côtière, l'auberge se trouve sur la droite de la route (c'est mal indiqué). Ce chalet tout en bois, genre « Ma cabane bricolée au Canada », a été construit par son proprio, le jovial Denis Brodeur. Chambres au rez-de-chaussée avec lavabo et w.-c. À l'étage, chambres avec des bardeaux de bois sur les murs. Déco rustique, sommaire et chaleureuse. Vraiment très bon marché. Endroit calme, à l'orée d'un bois. Bonne adresse pour routards motorisés. Mais aux toutes dernières nouvelles, l'endroit serait en vente.

≜ **Gîte du Passant Baie Jolie :** 270, montée Wakeham. ☎ 368-21-49. Maison récente sur une hauteur, bénéficiant d'une belle vue sur la baie. 5 chambres très bien tenues par une gentille mamie. Salle de bains commune. Impeccable et accueillant.

Où manger ?

|●| **Jardin Oriental :** 110, rue de la Reine. ☎ 368-88-88. Buffet oriental à volonté. Les morfals pourront s'empiffrer allégrement pour une somme modique. Y aller quand il y a du monde, les plats sont meilleurs car renouvelés sans cesse, et chauds.

|●| **L'Ancêtre :** 55, bd York, après le bureau d'info touristique. ☎ 368-43-58. Ouvert le soir seulement. Belle maison du XIXe siècle de style anglo-normand, dominant le fleuve. Accueil chaleureux de la patronne qui exerce ses talents aux fourneaux. Excellente cuisine à base de produits frais. Fruits de mer et poisson à l'honneur. Prix assez élevés, mais justifiés. Table d'hôte copieuse et plus abordable.

Où boire un verre ?

🍷 **Brise-Bise :** 2, côte Carter, ruelle qui descend en escalier vers le fleuve en partant de la rue de la Reine, au niveau du resto La Belle Hélène. ☎ 368-14-56. Bistrot-resto accueillant des expos, et surtout des concerts l'été à partir de 21 h. Blues, rock, jazz... québécois bien sûr.

À voir

★ **Le musée de la Gaspésie :** 80, bd Gaspé, à l'entrée de la ville en venant du parc Forillon. ☎ 368-57-10. Ouvert en été tous les jours de 8 h 30 à 20 h 30. Le reste de l'année, en semaine seulement, de 8 h 30 à 17 h (et le week-end, de septembre à mi-octobre, de 13 h à 17 h). Expo permanente sur les premiers Gaspésiens, les Micmacs, Jacques Cartier, la colonisation... Objets usuels liés aux métiers : pêcheurs, bûcherons, artisans, etc. Noter, parmi les objets d'art religieux (!), le calvaire en bois dans une bouteille qui, à notre avis, n'a pas dû contenir que de l'eau bénite. Beau panorama sur la baie.

★ *Le monument* érigé en l'honneur de *Jacques Cartier :* juste devant le musée. 6 stèles de fonte rappelant les menhirs bretons de la patrie de l'explorateur et illustrant les premières rencontres entre Européens et Amérindiens.

★ *La cathédrale :* édifice construit récemment, tout en bois (la seule du genre en Amérique du Nord) et d'architecture très moderne. Ouverte tous les jours de 8 h à 20 h.

★ *Le site d'interprétation des Micmacs :* juste avant Gaspé en venant du parc Forillon, tout de suite après le pont qui traverse le bras de mer, à Gespeg, 783, bd Pointe-Navarre. ☎ 368-74-49 et 368-60-05. E-mail : micmac@quebectel.com. Ouvert de juin à septembre de 9 à 17 h. Assez mal indiqué. Reconstitution d'un village micmac avec des Indiens qui expliquent les traditions de leurs ancêtres. Accueil plutôt sympa. Musée et boutique à l'entrée.

LA ROUTE DE GASPÉ À PERCÉ

La carte postale est résolument différente désormais. La mer pénètre profondément dans les terres et la découpe en petits lacs. Le paysage se fait plus doux, faiblement pentu, parfois très breton avec ses maisons blanches et ses mini-falaises, parfois avec un petit air de Finlande, lorsque les sapinières viennent faire trempette, alternant avec de riches prés vert acide et couverts de fleurs jaunes.

★ Après *Barachois,* petit centre de pêche dont le nom vient de « barre à choir » (mot qui désigne un banc de sable servant à échouer les barques), arrêtez-vous à *Coin-du-Banc*. Quelques maisons au pied du col qui mène à Percé. Paysage grandiose.

Où dormir ? Où manger en route ?

🛏 🍽 *Auberge de la Vieille École* 2233, route 132 Est, à Prével. ☎ 645-28-83. À mi-chemin de Gaspé et Percé, une halte sympa où dîner et dormir Ancienne école joliment rénovée et décorée de façon originale par Doris. 11 chambres sur le thème des signes du Zodiaque (il en manque un, on ne vous dira pas lequel). Salle à manger très agréable où savourer la cuisine de Bobby. Bibliothèque à disposition, salon de lecture. Ambiance calme et reposante. Et le tout à prix très abordables. Une bien bonne adresse.

🛏 *Auberge Le Coin du Banc :* à 7 km de Percé (voir à ce chapitre « Où dormir aux environs ? »).

PERCÉ

IND. TÉL. : 418

Comme pour Étretat, on y venait déjà dans les années 30 et les artistes s'y donnaient rendez-vous. Aujourd'hui, c'est tout juste si on n'y débite pas les millions de tonnes du fameux rocher pour en faire des souvenirs. Cela dit, si les touristes rappliquent, il y a sûrement des raisons à cela. Alors, nous allons conserver les raisons et oublier le reste. Le site est vraiment exceptionnel. Le village se présente sous l'aspect d'un hémicycle bordé par le cap Blanc, le mont Sainte-Anne (375 m), le mont Blanc, les Trois-Sœurs et le cap Barré. De là-haut, superbe point de vue avant de descendre. Au milieu de l'eau, le rocher Percé, qui ne s'attendait pas à tant de gloire. Mais qui a quand même sa légende. Datant du XVIIIe siècle, celle-ci raconte que le rocher abritait une lionne à tête de sorcière qui, la nuit, enlevait les marins ayant osé y débarquer, et les précipitait du haut des falaises.

Adresses utiles

◘ *Kiosque d'information touristique :* 142, route 132. ☎ 782-54-48. Fax : 782-55-65. Dans le centre du village. Ouvert de fin mai à mi-octobre, de 8 h 30 à 17 h (20 h en juillet et août). Personnel efficace et souriant. Plein d'infos.

🚌 *Terminal des autobus :* à la station-service Pétro-Canada, 50, route 132. ☎ 782-21-40.

🚆 *Gare Via Rail :* 44, rue de l'Anse. ☎ 782-27-47. Appel gratuit 24 h sur 24 : ☎ 1-800-361-53-90. Ouverte seulement aux heures de départ et d'arrivée des trains (les

lundi, jeudi et samedi de 9 h à 10 h et de 15 h à 17 h).

■ *La Boîte à T-shirts :* sur la route principale, face aux restos *Les Fous de Bassan* et *Percé Brasse.* L'originalité de cette boutique, c'est son propriétaire qui imprime lui-même les motifs sur les T-shirts de votre choix, ceci à l'aide d'une sorte d'appareil chauffant. On choisit son modèle et son motif, et hop, en 2 temps 3 mouvements votre T-shirt est imprimé. Pas cher, mais les motifs ne sont pas terribles. Comme les gaufres !

Où dormir ?

Plusieurs motels, nombreux gîtes et 6 campings : faites votre choix ! L'avantage c'est que, la concurrence jouant, les prix sont plus abordables que dans le reste du pays, surtout hors saison. En été, il y a beaucoup de monde et il est conseillé de réserver en téléphonant à l'avance.
À la descente du bus, il y aura souvent quelqu'un pour vous louer une chambre.

Campings

⛺ *Camping du Gargantua :* route des Failles, à quelques kilomètres de Percé. ☎ 782-28-52. Site superbe, dominant la baie, vue imprenable sur l'île Bonaventure. Petit, calme et assez sauvage. Emplacements pas tous très ombragés. Sanitaires peu nombreux mais super bien entretenus. De loin le camping le plus agréable du coin. Pour routards motorisés seulement.

⛺ 3 autres *campings* dans Percé même, et 2 au cap Blanc, bénéficiant d'une belle vue. Tarifs et prestations à peu près équivalents, on n'a pas de préférence. À vous de choisir.

Bon marché

⛺ *Maison Avenue House :* 38, rue de l'Église. ☎ 782-29-54. Dans un quartier calme et vert, à 1 mn du

centre et de l'animation. Une jolie maison ancienne, en bois, avec une véranda, des plantes, des souvenirs, des tableaux et des meubles de famille. L'endroit respire une certaine désuétude non dénuée de charme (ancien). On a beaucoup aimé la salle de bains rétro. Tout est propre et bien rangé. Chambres d'hôte parmi les moins chères de Percé.

⛺ *Chez Georges et Rita :* 16, rue Sainte-Anne. ☎ 782-29-90. 3 chambres doubles à des prix très doux. Normalement, pas de petit déjeuner, mais cuisine à disposition et boulangerie juste en face. Tenu par un veuf très sympa.

⛺ *Maison Le Havre (The Haven) :* 114, route 132. ☎ 782-23-74. Dans la rue principale, face à l'hôtel *Rocher Percé.* Une petite maison en bois jaune et au toit vert. La maîtresse des lieux, anglophone, vénérable et charmante, rêve de voir le

« gay Paris » (!). Ne sert pas de petit déjeuner. Chambres simples et un peu vieillottes, mais super *clean,* avec lavabo, à prix doudoudoux. Préférer celles donnant sur le côté ou sur l'arrière, plus calmes. Sinon, petits chalets un peu plus chers.

Prix modérés

▲ *Gîte du Passant La Rêvasse :* 16, rue Saint-Michel. ☎ 782-21-02. À deux pas de *Maison Avenue House,* loin de l'agitation du centre, voici une petite maison en bois, entièrement rénovée, entourée de jardins paisibles et de prés soigneusement entretenus. On est accueilli par un couple charmant. Infos sur la ville et les environs. Chambres à l'étage avec lit double ou 2 lits séparés, vue sur le pourtour verdoyant de la maison. Calme, sauf si vos voisins ne le sont pas. Toilettes sur le palier. Lavabo dans certaines chambres. Bon petit déjeuner servi dans la cuisine.

▲ *Gîte Marie-Josée Tommi :* 31, route 132 Ouest. ☎ 782-51-04. À la sortie de Percé, en direction de Gaspé, sur la droite dans une côte, à la hauteur du panneau vert marqué Percé (après Pétro-Canada). Il s'agit d'une grande maison d'artistes abritant une galerie-atelier. Céramiste peintre, Marie-Josée Tommi a donné un vrai caractère à l'intérieur de sa maison. Chambres très agréables, à l'étage ou au rez-de-chaussée. Salle de bains un peu « limite ». Salle à manger près de l'atelier. On regrette simplement la propreté, un peu négligée parfois.

▲ *Gîte du mont Sainte-Anne :* 44, rue du Cap-Barré. ☎ 782-27-39. Au-dessus du cimetière et de l'église de Percé, à flanc de colline, près du point de départ du sentier du mont Sainte-Anne (vive la Bretagne !). En venant de Gaspé, il faut prendre une des premières rues sur la droite à la hauteur du motel *Les Trois Sœurs. Gîte du Passant* moderne et confortable, dans un quartier résidentiel récent. Chambres au sous-sol avec toilettes dans le couloir et petite vue sur un jardin calme. Bon accueil.

▲ *Gîte L'Extra :* 222, route 132 Ouest. ☎ 782-53-47. Gîte très accueillant, sans vue particulière mais calme, car situé en retrait de la route. Danielle, Denis, Léon et leur chatte Vénus y demeurent à longueur d'année. 2 chambres pour non-fumeurs de préférence (vous irez tirer sur votre vieille bouffarde dehors...). Sympathique resto végétarien, *L'Exotique,* installé au rez-de-chaussée (voir « Où manger ? »).

▲ *La Maison aux Chansons :* 412, route 132 Ouest. À la sortie du village, sur la droite, en allant vers la baie des Chaleurs. ☎ 782-21-71. Un autre gîte qui sort de l'ordinaire puisque Bernard, le proprio, est chansonnier et vous propose le soir (en été) de passer au salon pour vous raconter l'histoire de Percé en chansons. Mais le forfait spectacle-nuitée-petit déjeuner (d'un prix raisonnable) est obligatoire, même si vous ne pouvez y assister. À l'étage, 3 chambres mansardées, claires et agréables, sobrement meublées à l'ancienne. Certains routards se sont plaints de l'aspect trop commercial de l'affaire : vente de cassettes, etc.

▲ *Gîte du Capitaine :* 10, rue du Belvédère, côte Surprise, près du Cap Blanc, G0C-2L0. ☎ 782-55-59. Fax : 782-51-71. Maison bénéficiant, à notre avis, de la plus belle vue sur le rocher Percé. 5 chambres très mignonnes, toutes au même prix, vue ou pas, puisqu'on peut en profiter pleinement du salon. Une salle de bains, à partager. Accueil de Réjeanne et du Capitaine Flynn. Petit déjeuner assez léger. Il est prudent de réserver, succès oblige. On vous recommande de faire la croisière autour du rocher et à l'île Bonaventure avec ce sacré personnage qui en connaît parfaitement toute l'histoire.

Hôtels et motels

▲ *Hôtel et motel Rocher Percé :* 111, route 132 Ouest (rue principale). ☎ 782-23-30. Douche sur le palier, mais w.-c. et lavabo dans la chambre. Gérante accueillante. Plus confortable et un peu plus cher en motel mais ça reste raisonnable.

▲ *Motel Le Macareux :* 262, route 132. ☎ 782-24-14. À la sortie sud du village. Un motel ordinaire mais bon rapport qualité-prix. Chambres très propres, avec TV. Les moins chères ont la salle de bains à l'extérieur, mais sont vraiment très bien pour le prix. Les plus chères disposent même d'une cuisine équipée. Patron prêt à discuter (surtout hors saison). Réductions à partir de 3 jours. Fait aussi boutique d'artisanat (touristique), prix intéressants.

Où manger ?

|●| *Les Fous de Bassan :* dans le centre d'art du village, en retrait de la rue principale. ☎ 782-22-66. Ouvert de 12 h à 22 h. Fermé hors saison. Spécialités de fruits de mer et crêpes. Un peu cher. Concerts en fin de semaine. Ambiance assurée ces soirs-là.

|●| *Resto-café l'Exotique :* 222, route 132 Ouest. ☎ 782-53-47. Ouvert le soir seulement. Cocktails de fruits et légumes, cuisine végétarienne et produits de la mer dans ce petit resto agréable aux couleurs douces et chaleureuses, comme l'accueil. Formule table d'hôte seulement, à prix modérés.

|●| *Restaurant Biard :* 99, route 132 Ouest. ☎ 782-28-73. Grand resto offrant midi et soir une formule buffet (chaud) à volonté à prix intéressant (éviter celui du midi, moins cher mais peu de choix). Table d'hôte également. Spécialités de poisson et fruits de mer. Bon rapport qualité-prix.

|●| *Le Matelot :* 7, rue de l'Église. ☎ 782-25-69. Beau restaurant, spacieux et agréable. Spécialités de poisson et fruits de mer : crabe, pétoncles, morue, excellent homard, coquilles Saint-Jacques, etc. En été, chansonniers le soir. Très bonne ambiance.

|●| *La Morutière :* en face du 242, route 132 ; dans le centre, en bord de mer. ☎ 782-28-02. Ouvert midi et soir jusqu'à 22 h 30. Bonne cuisine assez réputée. Cadre agréable, terrasse et vue panoramique. Un peu de tout : truite arc-en-ciel farcie, spaghetti aux fruits de mer, assiette du pêcheur, pizzas, pâté de poisson, etc. Menus bon marché le midi. Sinon, prix moyens.

Où dormir ? Où manger dans les environs ?

🛏 *L'Orée :* 675, route 132 Ouest, à environ 5 km au sud du village, vers le cap d'Espoir. ☎ 782-61-03. Location de chalets sommaires, avec cuisinette équipée. Belle vue sur l'île de Bonaventure (mais pas sur le rocher Percé).

Plus chic

🛏 |●| *Auberge Le Coin du Banc :* 315, route 132 Est, à 7 km de Percé, sur la route de Gaspé, à Coin-du-Banc. ☎ 645-29-07. Ouverte toute l'année, mais sur réservation l'hiver. Bien située, dans un site agréable et reposant. Autour du vieux poêle gaspésien s'ordonne une superbe salle à manger. Bric-à-brac étrange et chaleureux de cent objets et outils divers. Cuisine remarquable, assez chère quand même, mais de bon rapport qualité-prix. 11 chambres, avec ou sans salle de bains, dotées chacune d'une décoration différente, mais toujours dans le style rustico-bordélique sympa. Également 7 chalets à louer avec cuisine équipée. Une bien bonne adresse !

À voir.

★ *Le rocher Percé :* immense muraille de roc de 433 m de longueur (et on ne compte pas le bout qui manque), composée de calcaire siliceux et pesant un peu plus de 5 millions de tonnes. Là, vous en savez autant que nous. Possibilité de s'y rendre à pied à marée basse, parfois en se mouillant jusqu'aux genoux. Bien se renseigner sur l'heure des marées, on tient à nos lecteurs !

★ *Le Centre d'interprétation du parc de l'Île Bonaventure et du rocher Percé :* 343, rang de l'Irlande, à la sortie sud du village. ☎ 782-22-40. Ouvert tous les jours de fin mai à la mi-octobre, de 9 h à 17 h. Gratuit. Expos très bien faites sur la faune et la flore du coin. Projection d'un document passionnant sur les mœurs des fous de Bassan, pas si fous que ça d'ailleurs (on n'a pas pu s'empêcher de la faire). De toute façon, il est préférable de visiter le centre avant de se rendre sur l'île, histoire de mieux comprendre l'importance de ce patrimoine naturel...

★ *Le Chafaud-Musée :* 145, rue Principale. ☎ 782-51-00. Ouvert tous les jours de juin à fin septembre, de 10 h à 22 h. Ce bâtiment historique, utilisé autrefois pour la transformation du poisson, abrite des expositions différentes chaque année, mais toujours en rapport avec Percé. Peinture, poésie, sculpture, pierres précieuses...

À faire

– *L'observation des baleines :* avec la société *Observation Littoral*. Petit bureau au 249, route 132, près du restaurant *La Morutière* (voir « Où manger ? »). Une jeune équipe sympa vous emmène en Zodiac pendant 3 h de mi-mai à fin octobre ou pendant près de 5 h de mi-septembre à fin octobre. Départ 3 ou 4 fois par jour (en saison). Même prix qu'à Tadoussac mais moins de bateaux, donc plus agréable. Tarifs étudiants, bien qu'ils ne l'affichent pas. Réserver 24 h avant : ☎ 782-21-44 (chez Donald) ou 782-53-59. Plusieurs espèces sont visibles dans le secteur : dauphin à flancs blancs (à partir de fin juillet), baleine à bosse, petit rorqual et rorqual commun, une question de hasard. Avec beaucoup de chance, vous verrez la baleine bleue ! Là, attention, si vous prenez des photos : vous pouvez compter 8 « respirations », avant qu'elle ne plonge. Le guide qui vous accompagne connaît parfaitement tous les animaux que vous verrez, y compris les phoques et les oiseaux, et peut répondre à toutes vos questions. De plus, ils ne prennent que 12 personnes par Zodiac, donc ce n'est pas l'usine...

– Possibilité de passer une journée en mer pour *pêcher la morue.* Pas très cher. Une chouette expérience. Précisez bien, avant d'embarquer, si vous voulez garder le poisson que vous aurez pêché.

– Belles *randonnées* dans les collines environnantes, avec superbes points de vue sur Percé. Sur le sommet aplati du mont Sainte-Anne, les Micmacs adoraient le soleil et lui présentaient les nouveau-nés.

Une excursion intéressante : *la Crevasse*. Un sentier part derrière le restaurant *Gargantua*. On marche 40 mn avant d'atteindre de larges failles naturelles.

– Nombreuses *plages* où l'occasion vous sera donnée de chercher les fameuses agates de Percé.

– Possibilité de louer des *kayaks de mer* et de faire de la *plongée sousmarine :* se renseigner à la piscine de Percé de mi-juin à mi-septembre : ☎ 782-54-03 de 8 h à 17 h ; et de mi-septembre à mi-juin : ☎ 534-38-00. Un conseil : louer un kayak avec jupette, sinon c'est la baignoire assurée pendant 2 h, à l'eau froide de plus !

L'ÎLE BONAVENTURE

Rendue célèbre par plusieurs films et livres (dont le roman *Les Fous de Bassan,* d'Anne Hébert), l'île est un sanctuaire pour plus de 200 000 oiseaux, dont un quart de fous de Bassan, curieux oiseaux aux yeux rieurs. L'observation de leur colonie, sur des falaises dominant la mer, représente un spectacle d'autant plus fascinant que le visiteur ne peut y accéder qu'à pied, au terme d'une longue et belle randonnée à travers bois et le long du littoral, ou en bateau. Ça vaut largement le coup d'emporter son pique-nique et de passer une journée sur cette île.

Bonaventure ! Pourquoi ce nom si sympathique ? Au début du XVIᵉ siècle, des pêcheurs basques et bretons sillonnèrent la région où il y avait abondance de poissons : c'était donc une « bonne aventure » pour eux. Autre hypothèse : c'est le jour de la Saint-Bonaventure, le 15 juillet 1534, que Jacques Cartier (originaire de Rothéneuf, près de Saint-Malo, en Bretagne) mouilla près de l'île. Plus tard, après la conquête anglaise, des baroudeurs irlandais et anglo-normands s'y fixèrent.

En 1831, 35 familles y vivaient, contre vents et marées. Des courageux ! Aujourd'hui, plus personne n'y habite. Les derniers habitants permanents ont quitté l'île en 1963 et 1964, abandonnant derrière eux leurs chalets d'été en bois que l'on peut voir le long du sentier du Roy, demeures fantomatiques envahies par les herbes folles...

— Il n'y a aucun point d'eau potable le long des sentiers, prévoir une gourde d'eau avant de partir.

Adresse utile

▣ *Centre d'interprétation du parc de l'île Bonaventure et du rocher Percé :* à Percé, voir plus haut. Y passer avant de faire la balade sur l'île.

Comment s'y rendre ?

— *En bateau :* environ 6 compagnies privées racolent sur le port pour vendre leurs services. La plupart proposent de faire le tour de l'île (compter 1 h) avant d'y débarquer. Avantage : cela permet d'observer de la mer les falaises où vivent 7 espèces d'oiseaux (sur l'île même, on voit surtout les fous de Bassan). 2 compagnies, dont *Les Bateliers de Percé,* assurent la liaison simple entre Percé et l'île. Elle ne dure que 15 mn mais attention, les départs n'ont lieu qu'à 8 h et 9 h. Après, ce ne sont que des excursions avec tour de l'île. Tous les départs se font du quai principal du port. En été, toutes compagnies confondues, compter à peu près un bateau tous les quarts d'heure. Après le 15 août, les liaisons continent-île sont plus espacées. S'informer la veille auprès de l'office du tourisme.
Pour revenir de l'île vers Percé, le dernier bateau est à 17 h. Notre conseil : y aller le plus tôt possible le matin pour éviter la foule.

Où manger ? Où boire un verre ?

|●| ▼ *Casse-croûte 3 « C » :* juste au-dessus du débarcadère, près du point d'information, c'est la buvette de l'île. Ouvert de début juin à début octobre, tous les jours de 8 h à 17 h. On y trouve des hambourgeois, de méchants chiens chauds (hot dogs) et un accueil sympa.

À voir. À faire

Transformée en parc en 1985, l'île est ouverte au public tous les jours de 8 h 15 à 17 h, de juin à la mi-octobre. Traversée payante mais entrée gratuite.

Au débarcadère de l'anse à Butler (arrivées et départs se font là), des naturalistes vous accueillent et font un bref exposé sur l'île aux visiteurs avant la visite.

– **Les sentiers de randonnée :** du quai où l'on débarque, 4 sentiers différents permettent de se rendre à l'autre bout de l'île, où se trouve le sanctuaire des oiseaux marins. Le plus court, celui des Colonies, fait 3 km et passe à travers de jolis sous-bois. Le plus long (dans ce sens), le *sentier des Mousses* (3,5 km ; 1 h 15 de marche) traverse également de beaux sous-bois et longe la côte nord-est de l'île (zone préservée) avant d'accéder au « royaume » des oiseaux marins. Superbe balade. Pour ceux qui ont un peu plus de temps.

Le *sentier du Chemin du Roy* longe la côte sud de l'île, entre le sanctuaire aux oiseaux et le quai. Ce sentier de 4,9 km, le plus long et le plus beau, se prend au retour, après la visite de la colonie d'oiseaux. Perspectives superbes sur les falaises et la mer. Escale fort sympathique dans la baie des Marigots, et découverte de ces étonnantes carcasses de maisons fantômes, autour du cimetière. Bref, le tour complet de l'île, par le chemin le plus long, fait 8,5 km et demande environ 3 h de marche (facile), dans le sens des aiguilles d'une montre.

★ **La colonie des oiseaux marins :** la zone dite « de préservation extrême » se trouve sur les falaises de la côte est de l'île. Le sentier pédestre, jalonné par de nombreux panneaux explicatifs, permet de voir de très près les milliers d'oiseaux, et particulièrement les fous de Bassan. Spectacle étonnant que ces myriades d'oiseaux serrés les uns aux autres, agglutinés sur un si petit espace, toujours prêts à s'envoler et à partir vers le large...

★ **Les fous de Bassan :** quelques mots sur ce drôle d'individu ailé. En France, il est considéré comme le plus grand oiseau marin existant. Plus important que le goéland, le fou de Bassan peut même mesurer 2 m d'envergure, ailes déployées. Il est de couleur blanche avec un cou jaune et des pointes d'ailes noires. Il a de magnifiques yeux bleus cerclés de noir, et un long bec droit, son signe distinctif. Aux îles Galapagos, les fous de Bassan ont le même profil que leurs cousins du Canada, mais avec des pattes palmées bleues en plus ! Habitant toujours près de la mer, il ne s'en écarte jamais. On le voit rarement à l'intérieur des terres. Ceci s'explique par son régime alimentaire. Il ne se nourrit que de jeunes poissons ou de petites anguilles, qu'il saisit avec son bec en plongeant dans l'eau glacée de façon spectaculaire. Après avoir piqué d'assez haut et pris son élan, il disparaît sous la surface de l'eau et pourchasse sa proie jusqu'à l'attraper. Puis il l'avale avant de redécoller. Ce plongeon un peu fou est sans doute à l'origine de son nom. Quant à « Bassan », ce mot vient d'une importante colonie européenne située à Bass Rock, en Écosse. Autre particularité : cet acrobate est aussi un grand migrateur, qui déteste la vie sédentaire. Un routard des mers, en somme ! Il passe l'été au Canada, et l'hiver aux Caraïbes, le rêve de millions d'êtres humains qui n'ont pas les moyens de vivre de la sorte...

Ce qui frappe le plus, de prime abord, ici, c'est la promiscuité dans laquelle vivent les fous de Bassan, jeunes et vieux, sans distinction apparente. Mais attention : « touche pas à mon territoire vital », semblent-ils dire. Bien que proches les uns des autres, ils conservent des mœurs grégaires, marquant leur espace, défendant les limites de leur territoire, de façon parfois agressive. Il suffit de voir la manière dont ils s'affrontent, bec contre bec, pour le comprendre. Aspect moins romantique de cette immense colonie : elle sent mauvais ! Énorme avantage, on peut rester le temps que l'on veut à la regarder du sentier ou de la tour d'observation, à la photographier (téléobjectif nécessaire), à scruter les oiseaux aux jumelles, quand ils volent, etc. Bref, cette « flèche des mers » reste l'un des oiseaux marins les plus fascinants qui soient. Et si, une fois rentré en France, les fous de Bassan vous manquent, eh bien, prenez le bateau pour la réserve des Sept-Îles (Côtes-d'Armor) où vivent près de 10 000 oiseaux du même acabit !

★ *La baie des Marigots :* très jolie petite crique avec une plage de galets, située au sud de l'île, accessible par le sentier du Chemin du Roy. Du temps des grandes pêches à la morue, quand les morutiers français (bretons et basques pour la plupart) voulaient fainéanter et se dérober à leur boulot, ils allaient se cacher dans ce genre d'anse pour traîner, festoyer, boire, et oublier le quotidien. D'où l'expression argotique « Courir le marigot »...

★ *Le petit cimetière :* sur le sentier du Chemin du Roy, à 500 m environ avant d'arriver au débarcadère. Voici le cimetière le plus modeste, le plus émouvant du Québec. 6 petites pierres tombales grises, une grande croix de bois noir, quelques panneaux explicatifs, le tout éparpillé dans un pré d'herbe rase, entouré par des plantes sauvages, face à la mer. Y sont enterrées les familles de pionniers de Bonaventure, venus pour la plupart de l'île de Jersey.

★ *Les maisons fantômes :* éparpillées dans les prés sauvages, face à la mer, sur la côte Ouest de l'île, ces maisons, toutes couvertes de bardeaux de cèdre, appartenaient naguère aux familles d'émigrés de Jersey et d'Irlande, installés là au XIXe siècle. Aujourd'hui abandonnées, et en état avancé de délabrement, on ne peut pas les manquer sur le chemin du retour. Certaines, très modestes, ne sont que de petites « cabanes au Canada » où s'entassaient des familles de 9 à 12 enfants. D'autres, plus importantes, ont l'allure de chalets d'été, avec sanitaires et vue panoramique. Comme cette *maison Paget,* construite par Michel Pagé en 1858, qui servit même de pension dans les années 50. Pour squatters fauchés désireux de dormir clandestinement sur l'île (mais *attention :* c'est strictement interdit !) De plus, charpentes et planchers sont en voie de pourriture...

LA BAIE DES CHALEURS   IND. TÉL. : 418

Un tout autre aspect de la Gaspésie. La montagne s'éloigne progressivement pour laisser se dérouler une bande de mousse verte, de plus en plus large, entre elle et la mer. Relief moins spectaculaire. L'industrie de la pêche est encore très active et étale ses « vigneaux » (séchoirs à morue) le long du littoral.

– LA ROUTE JUSQU'À MATAPÉDIA –

Deux sites intéressants à visiter avant d'arriver à Port-Daniel.

★ *Le Centre d'interprétation du bourg de Pabos :* 75, chemin de la Plage, à Pabos Mills. ☎ 689-60-43. Ouvert tous les jours de mi-juin à mi-octobre, de 8 h à 18 h. Entrée payante. Visite guidée, ou libre avec livret explicatif. Site historique et archéologique racontant l'arrivée des premiers colons au XVIIIe siècle, le mode de vie des pêcheurs et le fonctionnement d'une seigneurie jusqu'à sa destruction par les Britanniques. Intéressantes explications concernant l'interprétation de la datation des objets découverts lors des fouilles, précieux indices permettant de reconstituer l'histoire.

★ *Le site Mary-Travers, dite « la Bolduc » :* 124, route 132, à Newport. ☎ 777-24-01. Ouvert de juin à octobre, de 10 h à 17 h (de 8 h à 18 h en juillet et août). Visite guidée et payante. Musée consacré à la première et célèbre chansonnière québécoise, née à Newport (en 1894) qu'elle quitta à l'âge de 13 ans pour Montréal où elle épousa un certain Édouard Bolduc, d'où son surnom. Nombreuses photos. Textes de ses chansons, inspirées pour la plupart de thèmes quotidiens, aux titres évocateurs : *La Grocerie du coin, Sans travail, On déménage, Le Nouveau Gouvernement, Si j'pouvais tenir Hitler* (où elle parle de l'étouffer avec de la morue, de lui mettre une queue de vache à la place de la moustache et de le faire boucaner comme un vieux hareng fumé!)... Bref, elle avait de la gouaille. En en prime, vous aurez le plaisir d'entendre la belle Angèle Poirier interpréter quelques chansons de la Bolduc.

★ **PORT-DANIEL**

Du haut d'une colline, on débouche soudain sur Port-Daniel. Le village est bâti au fond d'une baie profonde parée d'une plage sablonneuse. Fait très rare en Gaspésie, la pêche au thon s'y pratique. La réserve faunique de Port-Daniel, pleine de petits lacs, peut être un agréable but de balade. En venant de Percé, prendre à droite au début du village, c'est à 8 km.

Adresse utile

🄗 Petit *bureau d'information touristique :* à l'entrée du village sur la gauche, juste avant le pont, en venant de Percé. ☎ 396-32-15. Ouvert tous les jours de 8 h à 20 h, en saison.

Où dormir à Port Daniel et dans les environs ?

🛏 Hébergement en *chalet* ou *camping,* dans la réserve faunique, pas cher du tout. Renseignements : ☎ 396-27-89 (en saison). Appel gratuit : ☎ 1-800-665-65-27 (on peut y faire uniquement des réservations). Camping très bien à tous points de vue (site, propreté, sanitaires, accueil).

🛏 *La Clé des Champs :* 254, route 132 Est, Hope Town. P.O. BOX 803, Paspébiac, Gaspésie, G0E-2K0. ☎ 752-31-13. Un *Gîte du Passant* très agréable, situé entre Port-Daniel (à 25 km) et Paspébiac. Propre, belle vue sur la baie. Bon accueil et bon petit déjeuner. Les propriétaires ont reçu plusieurs prix pour la qualité de leur gîte.

🛏 *Gîte à la ferme MacDale :* 365, route 132, Hope West, P.O.803, GDC-2K0. ☎ 752-52-70. Internet : www.bbcanada.com/399.html. À 20 miles à l'ouest de Port-Daniel, près de Paspébiac. Vous êtes nombreux à apprécier l'accueil d'Anne et Gordon dans ce *Gîte du Passant* situé en retrait de la route, au milieu d'une grande pelouse où se prélasser au soleil. 3 chambres pas très grandes mais propres, claires et à prix modique. La plus demandée est bien sûr la n°4, plus grande, tout en bois, avec salle de bains privée de laquelle on voit la mer... Un must ! Excellent petit déjeuner maison. On peut aussi y dîner pour pas cher en réservant un peu à l'avance.

★ **PASPÉBIAC**

Le nom de ce havre naturel vient du mot micmac *Tcha kibiac,* signifiant la « batture rompue ». Le seul intérêt de ce village c'est le site historique du Banc de Paspébiac, au bas du bourg, sur une langue de terre bordée par la mer. Sinon, pour les jeunes, un bar animé, le *Don Lynn,* dans la rue principale. Ouvert surtout le soir. Entrée payante en fin de semaine.

★ **Le site historique du Banc de Paspébiac :** route du Banc. ☎ 752-62-29. Ouvert tous les jours de juin à mi-octobre, de 9 h à 18 h (16 h à partir de septembre). Visite guidée ou libre. Surprenante « friche industrielle » consacrée à la pêche à la morue au siècle dernier, abandonnée et aujourd'hui reconvertie en une sorte d'écomusée en plein air. D'autant plus intéressant à visiter (compter une bonne heure environ) que les différents bâtiments (la charpenterie, la forge, le hangar Le Boutillier, etc.) offrent un état de conservation assez remarquable.

L'ensemble a été construit à partir de la fin du XVIIIe siècle par Charles Robin, un commerçant aventureux émigré de Jersey. Deux puissantes compagnies, la *C.R.C.* et la *Le Boutillier Brothers* y furent fondées. Leur activité consistait à importer les denrées nécessaires aux habitants du golfe, mais surtout à pêcher la morue, la sécher, l'entreposer, puis à l'exporter à travers le monde. À l'époque, des centaines d'ouvriers travaillaient à Paspébiac, connu comme le centre névralgique de l'industrie de la pêche dans le golfe du Saint-Laurent. On pouvait y rencontrer des émigrés allemands, anglais, portugais, français, et même basques. D'ailleurs, plusieurs familles du village portent aujourd'hui encore des noms basques.

★ **NEW CARLISLE**

À 7 km de Paspébiac, sur la route de Bonaventure, un village anglophone peuplé en grande partie de descendants des loyalistes (qui quittèrent les États-Unis pendant la guerre d'Indépendance pour rester fidèles à la couronne d'Angleterre).

Où dormir ?

La maison du Juge Thompson : 105, rue Principale. ☎ 752-63-08 et 57-44 ; en été, ☎ 752-63-08. En venant de Paspébiac, elle se trouve sur la droite à l'entrée de la ville, près du palais de justice. Certainement l'un des plus beaux gîtes de Gaspésie, et peut-être du Québec. Extérieurement, entourée d'un jardin et de pelouses bien vertes, elle n'a rien de particulier sauf sa jolie et sympathique véranda avec vue sur la mer. L'intérieur est si charmant, si délicieusement meublé à l'ancienne, que l'on se croirait dans un vrai petit musée (le rez-de-chaussée de la maison se visite d'ailleurs comme tel, si vous n'y dormez pas). La décoration et l'ambiance vous plongent dans le passé. Partout des tableaux, des gravures, des bibelots, des meubles de style victorien, des souvenirs merveilleusement conservés, d'une époque révolue. Cons-

truite en 1844 par le juge John G. Thompson, la maison appartient aujourd'hui à Judy et Normand Desjardins, respectivement Gaspésienne de Miguasha et artiste de Montréal, et tous deux enseignants. 5 chambres spacieuses, arrangées comme des petits nids douillets et romantiques, donnant sur les arbres du jardin. Rien ou presque n'a changé depuis le siècle dernier. On a l'impression que le maître des lieux est encore là, qu'il fait sa sieste et qu'on va le retrouver à 17 h autour d'une bonne tasse de thé. Noter, au rez-de-chaussée, le style et la grandeur des ouvertures : on les appelle des fenêtres françaises, une rareté en Gaspésie. Adresse plus chic, donc un peu plus chère que les précédentes, pour une soirée exceptionnelle. Petit déjeuner copieux à l'anglaise, servi par des hôtes charmants.

★ *BONAVENTURE*

L'un des derniers bastions acadiens de la Gaspésie.

Adresse utile

🅱 *Bureau d'information touristique :* juste à côté du musée. ☎ 534-40-14.
Ouvert de mi-mai à fin août, de 8 h à 20 h.

Où dormir? Où manger?

🍴 *Le Rendez-vous :* 108, rue de Grand-Pré, face à l'église. ☎ 534-34-99. Ouvert jusqu'à minuit. Resto au cadre moderne, sans grand charme, mais outre les habituels hambourgeois, pâtes et pizzas, bon choix de poisson, fruits de mer et viande à prix très doux.

🏠 🍴 *Auberge du Café Acadien :* 168, rue Beaubassin. ☎ 534-42-76. À côté du camping municipal, face à la marina de Bonaventure. Maison fort sympathique et accueillante tenue par des jeunes. Repas assez copieux et pas chers : capelans, hareng, saumon fumé, morue, pâté acadien aux fruits de mer... À l'étage, 5 jolies petites chambres avec lavabo, mais douche et w.-c. sur le palier. 2 donnent sur les prés, le camping et la mer (au sud), les autres regardent le parc de stationnement, calme la nuit. Prix moyens. Grand bar au rez-de-chaussée.

À voir

★ *Le Musée acadien du Québec :* 95, av. Port-Royal. ☎ 534-40-00. Du 24 juin à septembre, ouvert tous les jours de 9 h à 20 h ; le reste de l'année, de 9 h à 12 h (sauf le week-end) et de 13 h à 17 h. Intéressant petit musée sur les mouvances des Acadiens à leur arrivée au Québec et après 1755 (le Grand Dérangement). Et aussi sur leurs origines et façons de vivre. Bonne entrée en matière si vous allez ensuite au Nouveau-Brunswick du côté de Caraquet, « le Pays acadien ».

★ *La grotte de Saint-Elzéar :* la plus vieille grotte du Québec (près d'un demi-million d'années), avec ses deux superbes salles hérissées de stalagmites et stalactites, à une vingtaine de kilomètres au nord de Bonaventure. Visite guidée d'une demi-journée environ, assez chère et sur réservation uniquement : ☎ 534-43-35 et 534-36-55. Prévoir des vêtements chauds et des chaussures de sport. Casque et lampe de poche fournis.

Achats

👜 *Les cuirs fins de la mer :* 76, av. Port-Royal ; juste avant le Musée acadien, au bord de la route (c'est fléché). ☎ 534-38-21. Il s'agit d'une entreprise originale, qui produit des articles en cuir de poisson (morue et saumon) ! Porte-monnaie, étuis à lunettes, trousses à maquillage, cravates, vestes, mobiles, tableaux, bracelets, etc. Non seulement ce n'est pas un gag, mais c'est beau (enfin, faut aimer !), et aussi résistant que le cuir de vache. Mme Garnier a d'ailleurs beaucoup de succès. On vous prévient quand même, c'est cher.

★ **NEW RICHMOND**

Encore une autre petite ville typiquement anglo-saxonne de la Gaspésie. Nombreuses belles maisons cossues dans le centre-ville.

Où dormir ?

▪ *Gîte du Passant Les Bouleaux :* 142, route de la Plage, B.P. 796, G0C-2B0. À 1 km du centre. De la 132, tourner à gauche à la sortie de la ville, en venant de Percé, à l'intersection de la 299. ☎ 392-41-11. Fax : 392-60-48. Agréable maison en bois située dans la verdure... et les bouleaux, *of course!* Salon avec terrasse donnant sur la baie. 4 petites chambres très propres avec lavabo. 2 salles de bains. Petit déjeuner super. Tenu par un gentil couple très accueillant. Prix très doux.

▪ *Gîte de la Maison Lévesque :* 180, av. Leblanc, G0C-2B0. ☎ 392-52-67. Fax : 392-69-48. Excellent rapport qualité-prix. Mme Lévesque est très chaleureuse, disponible et elle cuisine à merveille. Petit déjeuner gargantuesque et délicieux. 3 chambres.

À voir

★ Pour mieux mesurer l'importance des loyalistes dans la région, il faut visiter le *Centre de l'héritage britannique de la Gaspésie :* 351, bd Perron Ouest. ☎ 392-44-87. Ouvert tous les jours de juin à septembre, de 9 h à 18 h. Très belle reconstitution d'un village de pionniers loyalistes avec commentaire en anglais et en français. Les loyalistes, fidèles à la reine d'Angleterre et hostiles à l'indépendance des États-Unis, se réfugièrent au Canada. Beaucoup s'installèrent en Gaspésie et dans les provinces maritimes (Nouveau-Brunswick et Nouvelle-Écosse).

LA GASPÉSIE

– DE NEW RICHMOND AU FLEUVE SAINT-LAURENT –

À New Richmond, possibilité de traverser la Gaspésie par la *vallée de la Cascapédia* pour rejoindre Sainte-Anne-des-Monts (rive sud du Saint-Laurent). Une autre solution consiste à descendre plus au sud et à emprunter la *vallée de la Matapédia* qui débouche sur Mont-Joli ou Matane.
Situation d'ailleurs cornélienne : à ma droite, Casca, dite route 299, massive et superbe ; à ma gauche Mata, dite route 132, surprenante et colorée. Combat en dix reprises... Il n'y aura pas de combat. Les deux parcours ont leur propre attrait. La vallée de la Cascapédia traverse de belles montagnes couvertes de sapins dans des paysages empreints de noble solitude ; cependant, on trouve qu'elle ressemble quand même un peu trop aux Alpes et qu'elle n'offre pas beaucoup de surprises. On a plutôt un faible pour la vallée de la Matapédia qui traverse des paysages plus divers, plus séduisants. À vous de choisir. Les deux parcours font sensiblement le même kilométrage.

★ À *Maria,* 18 km avant d'arriver à Carleton, allez voir l'étonnante église de la réserve micmac. De la 132, tourner à gauche juste avant la grande coopérative d'artisanat micmac, on aperçoit les reflets métalliques presque aveuglants que jette ce wigwam géant au soleil. L'intérieur est étrangement agréable et chaleureux. On y trouve un petit autel dédié à Catherine Tekakwitha, la Vierge iroquoise (cette jeune Mohawk – chantée par Leonard Cohen dans son livre *Les Perdants magnifiques* – qui avait quitté sa tribu pour se convertir au christianisme et suivre les missionnaires, et qui mourut en martyre en 1680, à l'âge de 24 ans, d'avoir trop fait pénitence !).

CARLETON-SUR-MER   IND. TÉL. : 418

Oh! Ce n'est ni Cannes, ni Nice, mais une gentille petite station balnéaire, étalée sur une langue de terre basse, au pied d'une chaîne de collines boisées. Un coin très agréable où il fait bon s'arrêter pour une ou plusieurs nuits, histoire de goûter à ce merveilleux microclimat d'une douceur extrême, de faire trempette et d'observer au passage quelques oiseaux migrateurs. Fondée par des Acadiens après le « Grand Dérangement » (la déportation de 1755), Carleton (on prononce « Carlton », à l'anglaise) est quadrillé par des rues se coupant à angle droit. On s'en échappe très vite. Les champs cultivés cèdent la place à la ligne verte des forêts dès que l'on sort du village, en direction de l'arrière-pays : sensation très agréable de passer facilement de la mer à la montagne (montagnette disons...).

Adresses utiles

▫ *Bureau d'information touristique :* 629, bd Perron (c'est la rue principale). ☎ 364-35-44.
⊠ *Poste :* 716, bd Perron.
▭ *Autobus :* arrêt, infos et vente de billets au resto *Le Héron,* 561, bd Perron. ☎ 364-38-81.

▰ *Gare Via Rail :* au bout de la rue de la Gare (à droite après le motel *Belle Plage,* en allant vers l'ouest). ☎ 364-77-34. Ouverte seulement aux heures de passage des trains. 3 départs par semaine, le soir, vers Montréal.

Où dormir ?

Bon marché à prix modérés

▲ *Camping Carleton :* sur la pointe Tracadigash, sur la gauche en arrivant à Carleton (de Percé). ☎ 364-39-92. Grand et peu ombragé. Pas de dépanneur ni de resto. Plage à deux pas.
▲ *Chambres du Café de la Baie :* 608, bd Perron. ☎ 364-66-44. Les chambres les moins chères de la ville, situées à l'étage, au-dessus du resto. Très propres, pas du tout cafardeuses (peut-être un peu bruyantes certains soirs), elles donnent sur le côté de la maison. Salles de bains sur le palier. À table, de bons petits plats concoctés par Isabelle et Marius. Bon petit déjeuner.

▲ *Le Gîte chez Lulu :* 21, rue de la Montagne, C.P. 686, G0C-1J0. ☎ 364-60-80. Notre adresse préférée pour son accueil et son bon rapport qualité-prix. Il s'agit d'une maison récente dans un quartier calme et résidentiel. Chambres impeccables à 1 ou 2 lits (toilettes et salle de bains extérieures). Petit déjeuner copieux. Gerry, le propriétaire, est un passionné de nature. Il chasse à l'arc dans les forêts du Québec. Sa femme, Lulu, reçoit chaleureusement ses hôtes (elle fait très jeune malgré son âge respectable). Et il y a même une petite piscine et pelouse derrière la maison.
▲ *Gîte de la Mer-La Montagne :* 711, bd Perron. ☎ et fax : 364-64-74. À 300 m après l'église, sur la

gauche de la route, en entrant dans la ville (quand on arrive de Percé). 3 petites chambres, et 1 plus grande donnant sur la mer. Très propre, 2 salles de bains. Accueil sympa. Prix gentils pour la qualité de l'endroit.

▲ *Auberge La Visite Surprise :* 527, bd Perron. ☎ 364-65-53. Appel gratuit : ☎ 1-800-463-77-40. À l'embranchement de la route de l'embarcadère, pratique pour prendre le bateau pour les îles. 7 chambres toutes pimpantes, certaines avec lavabo. 3 salles de bains. Accueil souriant et attentionné.

▲ *Gîte La Rêverie :* 9, rue Gauthier. ☎ 364-75-25. E-mail : bady @globettroter.qc.ca. Maison récente dans une rue résidentielle et calme. Une grande chambre pour 3, une pour 2 et une single, à prix très modérés. Très propre. Accueil vraiment gentil.

Plus chic

▲ *Hôtel-motel de la Baie Bleue :* 482, bd Perron. ☎ 1-800-463-90-99. Fax : 364-61-65. Accueil aimable et chambres confortables à des prix justifiés. Piscine chauffée et court de tennis (on vous prête même l'équipement pour jouer!). Table d'hôte le soir. Le patron, Richard Gingras, adore la motoneige et peut vous en parler avec passion.

Où dormir dans les environs ?

▲ *Motel Leblanc :* 1778, bd Perron (route 132). ☎ 364-73-70. À la sortie du village de Maria, 7 km avant Carleton. Chambres bien équipées, certaines avec cuisine. Prix moyens. Propio accueillant.

▲ *Auberge du Passant Wanta-Qo-Ti :* 77, chemin Pointe-Fleurant, à Escuminac. ☎ et fax : 788-56-86. Une super-adresse pour routards motorisés, tout près du parc de Miguasha, au bord de la plage. À seulement 20 mn de Carleton, plus calme et nettement moins fréquenté. Ouvert toute l'année. Grande bâtisse en bois sans grand charme à l'extérieur, mais chaleureuse et aménagée avec beaucoup de goût. 9 chambres confortables, avec ou sans salle de bains. On a un faible pour la n° 5, avec ses meubles écossais et son rocking-chair. Au petit déjeuner, profusion de muffins, crêpes, pains, confitures... le tout maison et servi par Bruce, un hôte absolument adorable et qui connaît bien le coin puisqu'il y est né. Le trèfle « géant » accroché au garage ne ment pas, Bruce a aussi quelques origines irlandaises. Prix un peu plus élevés que le précédent.

Où manger ?

|●| *Restaurant Le Héron :* 561, bd Perron. ☎ 364-38-81. En plein centre. Genre snack amélioré. Bonne petite cuisine, peut-être un peu chère. Plats de la mer : morue, truite, flétan, et bien d'autres poissons. Au bar, orchestre du mardi au samedi. Musique rock ou folklorique. Agréable terrasse.

|●| *Café l'Indépendant'e :* 215, route du Quai, sur la route de l'embarcadère. ☎ 364-76-02. Ouvert tous les jours de 7 h à 22 h. Atmosphère chaleureuse en salle, ainsi que sous la belle véranda donnant sur des prés marins. Cuisine simple et savoureuse, à base principalement de poisson et fruits de mer. Spécial du jour à midi (sauf le weekend) et table d'hôte tous les soirs. Salades, *sous-marins,* filets de sole, morue, saumon ou flétan.

LA GASPÉSIE

Où manger dans les environs ?

|●| *Café du Vieux Quai :* 192, bd Perron Est, à Saint-Omer. ☎ 364-62-04. À quelques kilomètres à l'ouest de Carleton, sur la route 132, un petit resto sympa avec mini-terrasse, tenu par la joviale et vive Suzanne. Bons petits plats à la carte ou table d'hôte, au choix, le tout à prix modérés.

Où boire un verre ?

❢ *Bateau-bar Le Saint-Barnabé :* juste à côté du *Café l'Indépendant'e*. Cet ancien démineur rouge et blanc, mis à sec, a été transformé en bar branché. Y venir pour siroter une bonne bière en écoutant des petits orchestres pop-rock. Bonne ambiance les soirs de concert, du jeudi au dimanche.

À voir. À faire

– *La plage de Carleton :* elle est située sur le côté sud de la pointe Tracadigash, près du camping. À l'extrémité de la pointe, le phare abrite un point d'information sur l'histoire des phares locaux et de leurs gardiens.

– *Observation des oiseaux :* le barachois (baie intérieure) de Carleton est le rendez-vous de plusieurs espèces d'oiseaux marins tels les grands hérons bleus, les goélands, les cormorans, les canards noirs, les mouettes, et surtout les sternes pierregarins (grands migrateurs qui volent d'un pôle à l'autre sans se soucier des distances !) qui arrivent à la mi-mai pour pondre puis couver leurs œufs en luttant contre les vilains goélands prédateurs. Une balade très chouette à faire à pied par la route du Quai jusqu'au bout de la pointe où se trouve le sanctuaire des oiseaux. Une tour d'observation permet de mieux les voir et présente quelques infos sur la formation du barachois et les oiseaux. Piah ! Piah ! Piah !

– *Excursions en mer :* avec la compagnie *Croisières à Fleur de Côte*. Réservations : ☎ 364-76-63 ou 364-78-87. Organise des sorties de pêche dans la baie des Chaleurs, de mi-juin mi-septembre. Durée : 2 h 30. Billets à la marina de Carleton. On pêche des maquereaux, des soles et même des morues (il en reste !).

– *Le mont Saint-Joseph :* c'est la montagnette boisée qui domine la station balnéaire. De Carleton, prendre la rue de la Montagne et suivre le panneau « Oratoire Saint-Joseph ». En 10 mn de voiture, on atteint le sommet (555 m). La chapelle de 1935 n'a aucun intérêt (beaucoup de bondieuseries) mais la vue y est splendide, surtout au crépuscule. On surplombe Carleton, la baie des Chaleurs, ainsi que tout l'arrière-pays couvert de forêts. On peut aussi y aller à pied. Sentiers de randonnée pédestre qui conduisent au mont Saint-Joseph et au mont Carleton (613 m). Réseau de 15 km débouchant à l'arrière de Marie, ponctué de chutes, belvédères avec des panoramas super.

Festival

– *Maximum Blues :* pendant 5 jours, début août, Carleton vit au rythme du blues, accueillant des musiciens venus d'Europe, des États-Unis et du Québec, pour plus de 70 spectacles sous chapiteau et dans divers bars et restos de la ville. Renseignements : ☎ 364-60-08.

LA GASPÉSIE

Dans les environs

★ *Le parc de Miguasha :* site fossilifère présentant une grande concentration de spécimens extrêmement bien conservés. Entrée gratuite. Renseignements : ☎ 794-24-75. Guides et naturalistes sympas délivrent des explications claires et simples. Le musée, très bien fait, abrite des fossiles d'une qualité remarquable (ouvert tous les jours de 9 h à 18 h, de début juin à fin septembre) et qui témoignent, chez certains poissons, du passage imminent de la vie aquatique à la vie terrestre. L'occasion ou jamais de découvrir que l'homme descend du poisson... eh oui !

– Un traversier relie Miguasha à Dalhousie au Nouveau-Brunswick. Plusieurs départs par jour en été.

POINTE-À-LA-GARDE   IND. TÉL. : 418

Village connu des routards pour son étonnante auberge de jeunesse, dont le responsable a construit un château Renaissance tout en bois.
Festivals à voir dans le coin (voir plus loin).

Où dormir ? Où manger ?

🛏 I●I *A.J. :* 152, bd Perron, au bord de la route 132. ☎ 788-20-48. Ouverte toute l'année. À 100 m de l'arrêt du bus. Plus proche gare ferroviaire : Campbellton, à 18 km. Plusieurs possibilités de logement. Soit dans le bâtiment principal, tenu par une dame charmante, en chambre ou en dortoirs, avec petit déjeuner. Prix officiel. Un peu plus cher sans la carte des A.J. Soit, si on est à deux, dans le « château » Bahia (mais seulement de mai à octobre), situé dans les bois, sur une petite hauteur, à 500 m derrière l'auberge. Un curieux petit château commencé en 1983, dont l'architecture de conte de fées s'apparente à du Walt Disney mâtiné de « style château de la Loire »... Jean y a aménagé des chambres assez jolies, avec ou sans salle de bains, et vient même de construire une nouvelle tour, à côté (mobilier un peu sommaire). Buanderie et téléphone. Réservez si possible. Un peu plus cher que l'A.J. proprement dite, mais ça reste bon marché et le petit déjeuner (délicieuses crêpes aux bleuets) est inclus. Dîner assez quelconque. Parmi les activités : baignades dans les eaux « chaudes » (si, si) de la baie, sports, randonnées... plus une trentaine de fêtes spéciales à l'auberge, toute l'année : les pleines lunes, la fraise, l'éperlan, la Saint-Jean, etc. De mai à octobre, certains soirs, il y a de grandes fêtes « au château », comme le bal annuel en costume d'époque (celle de son choix), donné le dernier samedi de septembre.

À voir

★ *Le musée de la Bataille de La Ristigouche :* à Pointe-à-la-Croix. ☎ 788-56-76. Ouvert de juin à mi-octobre, de 9 h à 17 h. Bien aménagé. On peut y voir les vestiges étonnamment bien conservés du *Machault,* et de sa cargaison (armes, balles, boulets, chaussures, porcelaines, assiettes et cruches en terre...). Un film d'animation raconte comment ce navire fut coulé lors d'une bataille navale en 1760, entre Français et Anglais. Il fut renfloué en 1939. C'est un lieu historique national.

Festivals

– *Festival du saumon :* à Carleton, mi-juin.
– *Festival acadien « le pistoli » :* à Campbellton (Nouveau-Brunswick), le 15 août.

RESTIGOUCHE

Village dont le nom en micmac signifie « rivière divisée comme la main ». On y trouve la plus grande réserve d'Amérindiens de Gaspésie. Les Micmacs ont fait parler d'eux à propos d'un conflit de pêche au saumon et d'exploitation de bois avec les autorités. Cela avait donné l'un des meilleurs titres poétiques et musicaux de la presse de l'époque : « Le grand chef Alphonse Metallic des Micmacs de Restigouche dit non ! »

– L'*église* de Restigouche pose par ailleurs une énigme. Elle n'eut pas moins de onze devancières qui toutes brûlèrent jusqu'à ce que la dernière reçoive un fragment d'os du bras droit de sainte Anne comme relique. Depuis, le feu ne frappe plus ! Qui peut dire pourquoi ?

★ *Fort Listuguj* : C.P. 214, Listuguj, G0C-2R0. ☎ 788-57-52. Fax : 788-21-20. E-mail : fort@nbnet.nb.ca. Ici a été récemment reconstitué un fort de 1760, où cohabitent des « Français » et des autochtones. Le propriétaire est un Indien marié à une « Blanche » qui a su dynamiser la réserve. En plus de la visite, on peut y manger pour un prix corect (caribou et saumon de la rivière voisine fumés dans le fumoir du fort) et y dormir, soit dans un tipi, soit dans une chambre en rondins. Comme on est dans une réserve indienne, les prix sont sans taxes. Le soir, Nugami raconte, sous le grand tipi, des contes indiens et l'on peut discuter avec des Indiens.

LA VALLÉE DE LA MATAPÉDIA

Sur près d'une cinquantaine de kilomètres, la route suit une ancienne piste indienne et s'engage tout d'abord dans la vallée de la rivière Matapédia, surnommée la « rivière aux 132 rapides ». Lit encaissé qui marque bien la frontière entre les derniers balbutiements des monts Chic-Chocs et les hautes terres de l'Ouest. Paysages absolument sublimes en automne : sur des dizaines de kilomètres, les deux côtés de la rivière, les collines boisées sont « en feu » (comme on dit ici) : les feuilles des arbres deviennent de fantastiques palettes de peintre : rouges, dorées, roses, orangées... À Routhierville, pont couvert de 80 m sur la rivière. Tout au long, la pêche au saumon est libre.
La vallée s'évase à partir de *Causapscal,* confluent de la rivière du même nom et de la Matapédia, et présente de beaux points de vue. Jolies fermes laitières sur les vallons et coteaux.
À *Amqui,* nécessité de prendre à droite la route 195 pour rejoindre Matane. Avant de tourner, prenez donc votre leçon quotidienne de micmac : *Amqui,* qui s'écrivait autrefois *Humqui,* signifie « Là où l'eau s'amuse ». La route traverse maintenant une vallée très large. Impression grandiose.

Où dormir? Où manger?

♠ *Gîte du Passant Les Bois d'Avignon :* chez Laura Chouinard, 171, Rustico, à Saint-Alexis-de-Matapédia, village situé à 9 km de Matapédia. ☎ 299-25-37. Superbe maison moderne et lumineuse de l'arrière-pays, où il fait bon s'arrêter avant de rejoindre la vallée de la Matapédia. Grande piscine. Location de vélos. Réserver pour éviter l'annexe que Laura propose quand sa maison est complète.

♠ *Gîte Aux Quatre Saisons :* 115, Rustico Nord, à Saint-Alexis-de-Matapédia. ☎ 299-24-28 ou 299-20-28. Accueil chaleureux et amical de Bérengère et Raymond, qui partageront avec vous la soirée et vous feront visiter la ferme laitière. Prix doux.

♠ *Gîte J.-A Dufour :* 170, rue Principale, à Saint-Alexis de Matapédia, G0J-2E0. ☎ 299-30-40 ou 299-25-00. Fax : 299-25-02. Ouvert toute l'année. 5 chambres superbes, 2 salles de bains bien aménagées (une décorée en cabine de bateau), accueil correct de Luce et Daniel. Petit déjeuner copieux avec beaucoup de choix. Balades d'observation de l'ours ou de l'orignal organisées à la demande en fin de soirée. Un peu trop fréquentée peut-être.

♠ |●| *Auberge La Coulée Douce :* 21, rue Boudreau, à Causapscal (dans le centre-ville). Indiqué de la route 132. ☎ 756-52-70. Fax : 756-52-71. On peut y manger et y dormir. Un peu cher, mais excellent accueil. Propose diverses activités telles que motoneige, randonnées à raquettes ou en calèche, ski, pêche au saumon ou à la truite...

♠ *Domaine du Lac Matapédia :* 780, route 132 Ouest, à Amqui. ☎ 629-50-04. Grande maison à 5 mn à pied du lac. 5 jolies chambres aux tons pastel, très propres. 2 salles de bains. Accueil très sympa. Cuisine immense où prendre un bon petit déjeuner. Prix doux.

♠ *Camping Amqui :* 686, route 132 Ouest, à Amqui. ☎ 629-34-33. Au bord de la rivière Matapédia. Sanitaires et douches très propres. Nombreuses activités.

♠ |●| *Pourvoirie du domaine du lac Malcom :* 123, route du Lac-Malcoln, à Sayabec, entre Amqui et Mont-Joli. ☎ 536-30-04. À l'écart de la route 132, donnant sur un superbe lac. Spectacles le week-end. On peut y dormir, y manger, et même y camper, à des prix modérés. Bon accueil. On risque simplement d'être dérangé par le bruit des machines agricoles, en juillet. Terrasse flottante pour le petit déjeuner. La grande salle de resto dégage une étrange atmosphère de station thermale sur le déclin. Location de canots et pédalos. Étape sympa pour finir votre tour de Gaspésie.

SAINT-VIANNEY

De Saint-Vianney, la route va très rapidement rejoindre le cours de la rivière Matane et paresser à ses côtés jusqu'au port. Petite vallée riante et pleine de charme. Villages agricoles serrés affectueusement autour de leurs blanches églises. Pont couvert à Saint-René.

Aller sur la côte nord

Du port de Matane, pour rejoindre la côte nord, on a le choix entre Godbout ou Baie-Comeau. Les pressés qui descendent la côte choisiront Baie-Comeau bien sûr... mais ils rateront la baie de Franquelin. Les stoppeurs qui n'ont pas beaucoup de temps n'ont pas à regretter de ne pouvoir monter plus haut, le paysage est assez semblable.

– LES ÎLES DE LA MADELEINE –

Aller sur les îles de la Madeleine, ça aussi, c'est un must! Du moins pour ceux qui aiment les immenses plages désertes battues par les vents, les falaises de grès rouge, sauvages (fraises, framboises, bleuets, canneberges; on trouve même des girolles!), les maisons en bois aux couleurs vives, les dîners de homard (pas cher!). Sur les 7 îles habitées, deux sont anglophones. L'*île aux Loups Marins* est envahie par les cormorans, l'*île Brion,* plus loin, est moins féerique : 450 naufrages ont eu lieu dans le coin! Elle abrite aujourd'hui une réserve écologique, tandis que le *rocher aux Oiseaux* offre un refuge à plusieurs colonies d'oiseaux aquatiques.
Bien que fréquenté depuis longtemps par les pêcheurs micmacs, puis euro-

LES ÎLES DE LA MADELEINE

péens, ce n'est qu'en 1762 que l'archipel commence à se peupler de façon permanente. En 1798, il comptait 500 habitants. Aujourd'hui, environ 14 500, la plupart d'origine acadienne, hormis les 750 anglophones, de souche principalement écossaise. Francophones et anglophones restent « chacun chez soi ».

Ici, dans les années 50, on est passé subitement du XIXe au XXe siècle! Chacun prend le temps de vivre, c'est d'ailleurs ce qui avait dû séduire les hippies, premiers « touristes » aux îles dans les années 70. Depuis, ils ont disparu, remplacés par de plus classiques vacanciers. L'infrastructure hôtelière n'étant pas hyper développée (et c'est tant mieux!), il est impératif de réserver un hébergement entre mi-juillet et mi-août. Juin ou septembre (la mer est plus chaude) sont des périodes plus calmes et très sympas pour explorer les îles. On vous recommande d'ailleurs *A la découverte des îles de la Madeleine* (de Georges Fischer), un ouvrage très bien fait qui propose de façon détaillée un certain nombre de balades à pied ou à vélo, de durée et difficultés variables, illustré de plans précis.

Une petite subtilité qui peut être déconcertante : chaque île comprend une localité portant le même nom qu'elle, la différence réside dans la présence ou non de tirets. On arrive par bateau sur l'île du Cap aux Meules dans le port de Cap-aux-Meules. Facile!

Post-scriptum : la plus grande prudence sur la question des bébés phoques, car les gens d'ici sont très susceptibles sur ce point. C'est vrai qu'on ne supprimera pas, par des campagnes d'opinion bonne conscience, une réalité vécue ici historiquement et économiquement. Il faut savoir qu'ici, au contraire de la Norvège, les lois et règlements sont assez restrictifs sur cette chasse cruelle.

Si vous arrivez du Québec, avancez votre montre de 1 h.

Comment s'y rendre ?

Par bateau

– **De Montréal :** un voyage hebdomadaire. Aussi cher que l'avion, mais on est nourri et la croisière de deux jours est sympa. Possibilité d'emmener son vélo (moins cher à louer à Montréal qu'aux îles). Renseignements et réservations à Cap-aux-Meules : ☎ (418) 986-66-00. À Montréal : ☎ (514) 937-76-56.

– **De Souris (île du Prince-Édouard) :** liaison quotidienne en traversier (sauf le lundi ou le mardi). Les horaires varient selon les saisons. Pas de traversier en février et mars. En été, environ 2 départs par jour. Durée moyenne du voyage : 5 h. Arrivée à Cap-aux-Meules. Il arrive que l'attente au traversier soit longue en été. Réservation (pour les voitures) : ☎ (418) 986-32-78. Renseignements à Souris : ☎ (902) 687-21-81. À Cap-aux-Meules : ☎ (418) 986-66-00.

– **De Carleton-sur-Mer :** se reporter à cette localité. En été seulement.

Par avion

Bien sûr, c'est cher. On peut obtenir des réductions en réservant à l'avance. Plusieurs vols quotidiens avec les compagnies suivantes :

– **Air Alliance :** ☎ (418) 969-28-88. Appel gratuit (du Québec) : ☎ 1-800-361-86-20.

– **Inter Canadien :** vol directs de Montréal et Québec, ou via Mont-Joli et Gaspé. ☎ (418) 692-10-31, à Québec; ☎ (514) 636-38-90, à Montréal. Appel gratuit (du Québec) : ☎ 1-800-665-11-77.

– **Air Montréal :** 12 places seulement sur la tournée du courrier qui dessert, en semaine uniquement et au départ de Montréal, Québec, Mont-Joli et Baie-Comeau. Intéressant pour partir de ces localités-là. Sinon, compter 4 h 30 pour faire Montréal-les îles. Réservation : ☎ (514) 631-21-11.

GROSSE-ÎLE ET L'ÎLE DE LA GRANDE ENTRÉE

Ces deux îles, respectivement anglophone et francophone, sont reliées par la pointe de l'Est qui abrite la réserve nationale de faune, et constituent l'extrémité nord-est de la partie habitée de l'archipel. Après la véritable traversée du désert que constitue la longue Dune du Nord, hélas défigurée de part et d'autre de la route par de vilains poteaux électriques, Grosse-Île offre un contraste saisissant, avec ses douces rondeurs verdoyantes. Sur la droite en arrivant, on peut voir les mines Seleine d'où l'on extrait d'énormes quantités de sel destiné à déglacer les routes l'hiver.

Adresse utile

🛈 **Bureau d'information touristique :** sur l'île de la Grande Entrée, au bord de la route principale, à l'embranchement du chemin qui monte au *Club Vacances*. ☎ 985- 23-71. Ouvert tous les jours en juillet et août, de 11 h à 20 h 30. Accueil très sympa et compétent. Petit livret d'info sur les deux îles.

Où dormir ? Où manger ?

Pas beaucoup de choix, toutes les adresses sont sur l'île de la Grande Entrée.

🛏 **Gîte l'Émergence :** 122, chemin des Pealey. ☎ 985-28-05. Tout au bout du chemin, difficile de trouver plus paumé et plus tranquille, et la vue est super. Grande maison centenaire un peu décatie mais à l'intérieur chaleureux. 3 ou 4 chambres mansardées, claires et agréables, bien qu'un peu rudimentaires. Accueil très sympa d'André, poète et musicien à ses heures, qui a quitté Montréal pour venir s'installer ici. Petit déjeuner différent chaque matin. Possibilité d'utiliser la cuisine. Prix modérés.

🛏 🍴 **Club Vacances Les Îles :** 377, route 199. ☎ 985-28-33. Fax : 985-22-26. Ouvert toute l'année. En camping (pas ombragé, dépanneur à côté) ou en chambre, hébergement seul ou forfait incluant les repas et nombreuses activités offertes par le club (voir « À faire »). Ambiance un peu colo, mais sympa. On peut aussi y manger sans y loger, pour pas très cher.

🍴 **Le Délice de la Mer :** 907, route 199, à la pointe de la Grande Entrée, près du port de pêche (le plus important de l'archipel : 110 homardiers). ☎ 985-23-64. Ouvert de 9 h à 21 h. Poisson et fruits de mer nature à prix très doux.

À voir. À faire

★ **Le Centre d'interprétation du phoque :** au *Club Vacances Les Îles*. ☎ 985-28-33. Ouvert tous les jours, en saison, de 10 h à 18 h 30. Visite payante, guidée ou autonome. Pour tout savoir de la vie et des mœurs de ces curieux mammifères marins qui, selon les espèces, se mettent en couple pour la vie, pour une saison, ou ont carrément un harem (ça ne vous rappelle pas d'autres mammifères ?). Une partie de l'expo est, bien sûr, consacrée à la chasse et à ses controverses.

★ *La visite des grottes et falaises de l'île Boudreau :* en combinaison isothermique, ballotté par le ressac dans ces 8 cavernes pendant 1 h 30 environ. Inoubliable ! 2 ou 3 sorties par jour en saison avec le *Club Vacances Les Îles*. Réserver. Le club propose aussi des sorties en kayak, vélo, planche à voile...

★ *La réserve nationale de faune de la pointe de l'Est :* dunes, lande, prés salés, marais, plages, étangs, on y trouve tout ! C'est également une halte migratoire importante et le refuge, en période de nidification, du pluvier siffleur qui fait partie des espèces protégées. Randonnées guidées, à thème ornithologique (avec le *Club Vacances Les îles*, encore lui !) ou autonomes. Mais n'allez pas batifoler hors des sentiers avec vos gros sabots, la végétation est fragile ! De la route panoramique qui longe la réserve, vous pouvez ainsi rejoindre la plage de la Grande Échouerie qui s'étend sur pas moins de 20 km de long. De quoi vous dégourdir les gambettes !

– D'autres chouettes *balades* à faire le long des falaises, au bout du chemin des Pealey, ou jusqu'à l'île Boudreau où vous pourrez sauter dans la boue (argileuse, c'est bon pour la peau !) avant de vous rincer dans la mer. Un conseil : rincez-vous côté bassin aux Huîtres, l'eau y est nettement plus chaude que côté golfe du Saint-Laurent.

★ Le long de la route 199, à *Old Harry*, jolie petite église anglicane toute blanche, avec deux belles portes sculptées à l'intérieur. Le chœur est orné de scènes bibliques peintes sur fond de paysages des îles de la Madeleine. Un peu plus loin, l'ancienne école en bois rouge abrite un *musée* consacré à l'histoire de la petite communauté écossaise des îles. Ouvert tous les jours de 9 h à 16 h. Explications en anglais uniquement. Old Harry (la Grande Échouerie) fut longtemps le centre économique de l'archipel car on y abattait les morses, appelés aussi vaches marines, qui venaient se prélasser au soleil sur les rochers. Aujourd'hui, ce n'est plus qu'un petit village paisible. Noter, dans son minuscule port de pêche, la rampe de bois destinée au halage journalier des bateaux, faute d'un abri sûr où les ancrer.

Achats

⚓ *Au Tour de la Terre :* une boutique d'artisanat originale, à la pointe de la Grande Entrée. ☎ 985-28-05. Bernard Langford, le proprio, travaille la porcelaine selon une technique inhabituelle qui lui donne un aspect mat. Les objets ainsi créés sont ensuite peints : œufs, nids, oiseaux (certains ont même de vraies plumes !), phoques se prélassant sur de vrais rochers... De bien jolis souvenirs à rapporter, bien qu'un peu chers, évidemment.

Entre Grosse-Île et Havre-aux-Maisons, ce ne sont que dunes et plages à perte de vue, où la petite tache verte de Pointe-aux-Loups apparaît comme une véritable oasis. On peut y acheter des coques, à moins d'aller les pêcher soi-même à marée basse dans le sable des lagunes. Juste avant le pont qui relie la Dune du Nord à la Dune du Sud, on aperçoit sur la gauche une grande éolienne à axe vertical, aussi efficace que celle de Cap-Chat en Gaspésie.

HAVRE-AUX-MAISONS

Un pont de fer relie l'île du Havre aux Maisons à Cap-aux-Meules. Avec ses falaises de grès rouge dominant la mer et ses buttes vertes tachetées de maisons aux tons vifs ou pastel, l'île offre de superbes points de vue et de magnifiques contrastes, surtout dans la lumière du couchant.

➤ L'*aéroport* des îles se trouve au nord-ouest, juste avant la Dune du Sud.

Où dormir ? Où manger ?

▲ **Camping des Sillons :** tout près de la route principale (la 199), au bord de la Dune du Sud, donc à côté de la plage. ☎ 969-21-34 ou 969-21-26. Assez bien équipé (buanderie, mini-*dépanneur,* resto, terrain de jeux...) et pas cher, mais pas ombragé ni abrité du vent. Loue également des chalets avec cuisine équipée.

▲ **Gîte chez Antoinette Leblanc :** 507, route 199, juste à côté du grand supermarché Coop. ☎ 969-44-54. 3 chambres ultrapropres et vraiment pas chères. Le petit déjeuner est en plus. Tenu par un gentil couple de retraités.

▲ |●| **Au Vieux Couvent :** 292, route 199. ☎ 969-22-33. Fax : 969-46-93. Cette grande bâtisse en pierre taillée était à l'origine un couvent. À l'étage, les classes ont été aménagées en chambres (avec douches ou bains), simples et toutes blanches, claires et agréables, jouissant d'une belle vue sur la mer ou les collines. Prix modérés. La seule ombre au tableau, c'est que l'ancien réfectoire, au sous-sol, abrite un bar à spectacles qui met de l'animation jusque tard dans la nuit. Dans ce qui était la chapelle et les appartements

de la mère supérieure, on trouve aujourd'hui un resto-bar terrasse sympa. Moules-frites, calmars, bouillabaisse... Pas de la grande cuisine, mais copieux et pas trop cher.

Plus chic

▲ |●| **Auberge la P'tite Baie :** 187, route 199, pas très loin du pont qui relie Havre-aux-Maisons à Cap-aux-Meules. ☎ 969-40-73. 5 chambres avec lavabo, pas très grandes mais confortables et décorées avec goût. Salle de bains commune. Petit déjeuner inclus, à choisir sur le menu du resto. Accueil très sympa, on peut même venir vous chercher au bateau ou à l'aéroport. Petite salle de resto chaleureuse servant une bonne cuisine traditionnelle à prix moyens. Table d'hôte copieuse (entrée, soupe, plat, dessert) à prix intéressant.

▲ |●| **Auberge de l'Islet :** 1123, route 199, entre la Dune du Sud et la route de l'aéroport. ☎ 969-29-55. Fax : 969-47-36. Chambres confortables avec salle de bains, TV, téléphone. Petit déjeuner non compris. Resto chicos et assez cher, avec musique certains soirs.

Où sortir ?

▼ **Chez Gaspard :** l'ancien réfectoire du *Vieux Couvent* accueille des groupes de musiciens et des spectacles tous les soirs en été. Bonne ambiance, enjouée et bruyante. L'endroit où passer de folles soirées, quand vous aurez pris le rythme des îles. Ça commence par le 5 à 7 (modérez vos enthousiasmes, ce n'est

pas ce que vous croyez !) où l'on se retrouve dans un bar autour d'une (ou plusieurs) bière(s). De 7 à 9, on va manger, puis on attaque la tournée des bars jusqu'à 3 h. Là, on va se sustenter quelque peu dans un resto, avant de regagner son lit pour un repos bien mérité. Beau programme, non ?

ÎLES DE LA MADELEINE

À voir. À faire

★ *La Méduse, verrerie d'art :* 35, chemin de la Carrière. Indiqué de la route 199, à peu près au milieu de l'île. ☎ 969-42-45. Ouverte du lundi au samedi de 10 h à 17 h. Intéressant atelier-boutique où l'on peut voir une petite équipe de souffleurs de verre au travail. Malgré la chaleur ambiante, on pourrait passer des heures à regarder cette boule rouge, cueillie dans la grande marmite de verre en fusion, prendre peu à peu forme, vie et couleur sous les mains et le souffle experts de ces artistes-magiciens pour devenir presse-papier, vase, fruit, flacon, abat-jour... Si vous n'avez pas peur de la casse, les prix sont très abordables au regard de la qualité des objets proposés.

★ Histoire de vous parfumer un peu, allez voir la seule *boucanerie* encore en activité de l'archipel. Elle est située chemin du Quai, près du port de pêche de Pointe-Basse, au sud de l'île. Cette entreprise familiale ne produit plus que 350 caisses de hareng fumé contre 20 000 il y a quelques années ! Pour clore la visite, vous aurez même le droit de goûter. En repartant, vous pouvez suivre la jolie route panoramique du chemin des Échoueries, qui offre de beaux points de vue.

– *Les Excursions de la Lagune :* au kiosque en forme de phare à la marina de la Pointe, juste avant le pont qui relie l'île à Cap-aux-Meules. ☎ 969-45-50 et 969-20-88. Pour découvrir la flore et la faune de la lagune en bateau à fond de verre. Démonstration de pêche aux homards, palourdes, coques, et dégustation à bord. 3 départs par jour en saison, pour environ 2 h.

– Plein de *buttes* à escalader pour profiter de la variété et de la beauté des paysages (butte Chez Mounette, butte Ronde, buttes Pelées), et chouettes balades à faire à pied, à vélo ou même à cheval (renseignements auprès du centre équestre *Au Sabot d'Or :* ☎ 969-49-48).

CAP AUX MEULES

L'île la plus peuplée, centre administratif et commercial de l'archipel, regroupe 3 municipalités.

★ *CAP-AUX-MEULES*

C'est l'agglomération la plus importante des îles, mais pas la plus agréable ni la plus intéressante. C'est là qu'arrive le traversier, on y passe donc, mais pas de quoi s'y attarder.

Adresses utiles

ÎLES DE LA MADELEINE

▣ *Office du tourisme :* 128, chemin du Débarcadère, à l'intersection de la route 199. ☎ 986-22-45. Ouvert tous les jours l'été, de 7 h à 21 h (23 h les jours d'arrivée du bateau de Carleton), et du lundi au vendredi le reste de l'année, de 9 h à 17 h. Accueil sympa et efficace.
■ *Location de voitures :* Jean-François Leblanc, 735, chemin Principal. ☎ 986-60-00 ou 937-53-75. Voitures récentes et moins récentes, à tarifs intéressants. Livraison sans frais à l'aéroport ou ailleurs si ce n'est pas trop loin.
■ *Location de scooters :* Cap-aux-Meules Honda, route 199, à La Vernière, à quelques kilomètres au sud-ouest de Cap-aux-Meules. ☎ 986-40-85. Le moyen idéal de dé-

couvrir les îles. Attention au vent, quand même, il est traître. Loue aussi des voitures.

■ *Location de vélos :* Le Pédalier, 365, chemin Principal. Aux feux, à l'angle du chemin Petipas. ☎ 986-29-65.

■ *Aventure Plongée :* sur la route 199, près de l'office du tourisme. ☎ 986-64-75. Pour plonger avec les phoques à l'île Brion, sur une épave à l'île d'Entrée, ou même sous les glaces en hiver ! Personnel compétent et sympa. Location de matériel neuf. Plongées d'initiation pour débutants.

■ *Arrimage :* infos sur toute la programmation culturelle des îles (expos, concerts, spectacles, festivals...) et vente de billets au *Dépanneur du Village,* 325, chemin Principal. ☎ 986-41-77.

Où dormir ? Où manger ?

🏠 *Hébergement du Village :* 385, chemin Petipas. ☎ 986-43-01. Grande maison blanc et marron, sur la gauche en venant de la route 199. Tenu par un couple de gens âgés. Petites chambres très propres et pas chères. Pas de petit déjeuner. Calme.

🏠 *Auberge du Village :* 205, rue Principale. ☎ 986-33-12. Fax : 986-39-28. Central et proche du débarcadère. Chambres sans caractère, propres et très confortables, avec salle de bains et TV. Prix assez élevés.

|●| *Le Bistrot :* 169, chemin Principal, face à la rue de l'embarcadère. ☎ 986-24-35. Grande bâtisse en bois bleu clair. Sous-marins, poutine et autres snacks bon marché. Ferme vers 20 h.

|●| *La Table des Roy :* 1188, route 199, à La Vernière, à quelques kilomètres au sud-ouest de Cap-aux-Meules. ☎ 986-30-04. Le soir seulement dès 18 h. Réservation recommandée. Petit resto agréable et assez chic, servant une cuisine inventive et raffinée où les produits de la mer sont à l'honneur. Évidemment, ce n'est pas donné. Bon accueil.

Où manger une glace ?

– *Bar laitier Au Cornet :* au bord de la 199, à la sortie du village, sur la gauche en allant vers le sud-ouest. Ouvert assez tard le soir. Excellentes glaces, « molles » ou « dures », servies en portions généreuses. Il y a une telle profusion de parfums que c'est difficile de choisir !

★ *FATIMA*

Si vous choisissez de loger à Fatima, mieux vaut être motorisé car il n'y a quasiment aucun endroit sympa où manger. Il vous faudra aller à Cap-aux-Meules.

Où dormir ?

🏠 *Camping Le Barachois :* 87, chemin du Rivage, près de l'Anse des Baleiniers. ☎ 986-60-65 ou 986-45-25. Grand camping planté de petits conifères, donc assez ombragé et abrité du vent. Un seul bloc sanitaire. Buanderie, mini-*dépanneur,* resto et nombreuses activités.

🏠 *Chez Aurélienne Miousse :* 66, chemin J.-Aucoin, rue qui relie le chemin du Grand-Ruisseau au chemin des Caps. ☎ 986-20-71. Très propre, même si la déco n'est pas géniale, mais à ce prix-là, on ne peut pas tout avoir ! Accueil très sympa. Petit déjeuner inclus.

▪ *Oasis Laliberté :* 462, chemin de l'Église, près du chemin du Grand-Ruisseau. ☎ 986-23-30. Très calme. Vous avez le choix entre la nuit avec petit déjeuner santé et le forfait incluant en plus un soin de 2 h avec bain aux algues et massage par les mains expertes de la charmante Suzanne. Chambres agréables, prix modérés.

▪ *La Maison du Cap-Vert :* 202, chemin L.-Aucoin, dans le prolongement du chemin Noël. ☎ 986-53-31. Jolie maison vert d'eau, tout près du cap Vert de la Dune du Nord, jouissant d'une belle vue. Chambres très propres, mais petites et un peu chères pour le confort proposé. Petit déjeuner inclus. Accueil adorable d'Irène et Jean-Marc.

À voir. À faire

★ *L'église :* au toit en forme de coque de palourde. De même, l'architecture et la décoration intérieures rappellent tout ce qui touche à la vie du pêcheur : portes de bateau avec hublot pour les confessionnaux, filet de pêche, fanal de chalutier... Un feuillet explicatif vous en révèle tous les détails plus subtils.

– À l'anse des Baleiniers, on peut louer des *cerfs-volants :* avec la « p'tite brise » qui souffle ici, c'est l'occasion ou jamais d'en profiter. On peut même prendre des cours d'initiation. C'est d'ailleurs là que se tient chaque année, à la fin du mois de juillet, le *Festival Sable Eau Vent.* Démonstrations et compétition de cerf-volant acrobatique, vols de nuit, combats de rokkaku, char à voile, concours de tableaux marins...

– Superbe *balade* à faire en suivant la falaise entre l'anse des Baleiniers et l'anse de l'Étang-du-Nord. Magnifiques formations de grès rouge sculptées par le vent et les vagues, creusées de grottes, d'arches, et qui s'embrasent dans les lueurs du couchant. Superbe. Sachez que la bien nommée Belle Anse n'attirera pas que vous au coucher du soleil, c'est hélas très fréquenté. Attention, la falaise est très friable, comme partout ailleurs dans l'archipel. Ne vous approchez donc pas trop du bord, on tient à nos lecteurs !

– L'autre must, c'est la *butte du Vent,* qui a des petits airs de Suisse, au milieu de toutes ces vertes collines fleuries et ondoyantes sur lesquelles paissent tranquillement des vaches. On y trouve même des fraises sauvages, en saison. Par temps clair, vue imprenable sur tout l'archipel.

★ L'ÉTANG-DU-NORD

Ce petit village abrite un port de pêche important. Près du havre, une imposante sculpture rend hommage au dur labeur des pêcheurs.

Où dormir ?

▪ *Camping La Martinique :* 37, chemin du Radar. Assez loin du village, dans le sud de l'île, près de la route 199 avant qu'elle rejoigne la Dune du Havre aux Basques. ☎ 986-30-76. Assez grand et bien abrité par des conifères par endroits. Petite piscine. Pas cher.

▪ *Bourque Jeannine :* 429, chemin Boisville Ouest, près du chemin Delaney et du cap à Savage. ☎ 986-26-26. Maisonnette blanc et vert proposant 3 petites chambres très propres à prix imbattable. Les moins chères de l'île !

▪ *Auberge Chez Sam :* 1767, chemin de l'Étang-du-Nord. ☎ 986-57-80. Superbe grande maison du siècle dernier, en bois gris et rouge. 5 chambres agréables et impeccables avec lavabo. 2 salles de bains. Prix très modérés. Petit déjeuner en plus.

🛏 *La Mouvée :* 33, chemin Déraspe, entre le chemin du Phare et celui des Buttes. ☎ 986-38-55. Jolie maison vert d'eau. 4 chambres (2 petites et 2 grandes) très agréables, comme l'accueil. 2 salles de bains. Petit déjeuner copieux. Un peu plus cher que les adresses précédentes.

Où manger dans les environs ?

🍴 *La Factrie :* 521, chemin Gros-Cap, à la pointe sud-est de l'île. ☎ 986-27-10. Ouvert tous les jours de 11 h (16 h le dimanche) à 22 h. Au-dessus des *Pêcheries Gros-Cap,* grande salle, genre cantine améliorée, où l'on peut manger pour pas cher homard, poisson et fruits de mer tout frais pêchés. En sortant, empruntez le chemin Gros-Cap qui suit les falaises dont le relief tourmenté abrite de petites plages et qui offre de beaux points de vue.

Où sortir ?

🍸 *Bar des Îles :* ☎ 986-63-98. Grand bar accueillant des groupes (country, blues) le soir en été.

🍸 *La Côte :* ☎ 986-50-85. Sur le port. Le café propose concerts et spectacles payants le soir en été.

À voir. À faire

★ *Le Centre d'interprétation du paysage des îles :* à l'étage du grand bâtiment de bois *La Côte* dont le café propose concerts et spectacles (voir « Où sortir ? »). Ouvert de 9 h à 17 h 30. Visite guidée toutes les 45 mn. Pour tout savoir de la naissance et des transformations géologiques de l'archipel. Vidéos et maquettes.

– *Aventure Plein Air :* 1252, route 199, à La Vernière, face au magasin Coop. ☎ 986-61-61. Location de kayaks de mer, sorties guidées (dans les grottes et les falaises), forfaits aventure kayak-camping (circuits de plusieurs jours).

– *Balades* jusqu'à la butte du Vent, ou le long des falaises jusqu'au cap du Phare et Belle Anse, baignades sur les plages de la Dune de l'Ouest...

ÎLES DE LA MADELEINE

HAVRE AUBERT ET L'ÎLE D'ENTRÉE

L'île du Havre Aubert est reliée à Cap aux Meules par deux longues langues de sable, la Dune de l'Ouest d'un côté, la Dune du Havre aux Basques de l'autre, qui emprisonnent la lagune de la baie du Havre aux Basques, paradis des véliplanchistes (le vent y souffle constamment, mais on ne risque pas de se retrouver en pleine mer !). Quant à l'île d'Entrée, elle se distingue des autres îles habitées de l'archipel car elle n'est accessible qu'en bateau, et peuplée uniquement d'anglophones.

★ *HAVRE-AUBERT*

C'est le village le plus ancien de l'archipel et, bien que très touristique, il possède un charme incontestable. Il s'organise autour de *La Grave*, plage de galets jadis bordée des saloirs, magasins et entrepôts des pêcheries, aujourd'hui transformés en gîtes, cafés, restos et boutiques de souvenirs.

Où dormir ?

▄ *Camping Belle Plage :* 445, chemin du Bassin, au bord de la plage de la Dune du Bassin. ☎ 937-54-08. Terrain herbeux en pente et sans arbres. Pas cher mais pas terrible.

▄ *Club nautique de l'Istorlet :* 100, chemin de l'Istorlet. ☎ 937-52-66. De la 199, sur la droite en allant vers Havre-Aubert, après l'embranchement du chemin du Bassin. Centre de vacances proposant plein d'activités (voir « À voir. À faire »), donc ambiance en conséquence. Hébergement en camping, tente en bois, ou dortoir. Également 3 chambres agréables avec lavabo, donnant sur un balcon face à la mer. Sanitaires communs à toutes les formules. Camping bien abrité et ombragé.

▄ *Armand Leblanc :* 69, chemin Bouchard. ☎ 937-57-93. À la sortie de la Dune aux Basques, prendre la 1re rue à droite, puis encore à droite : la maison est sur la gauche, cachée derrière les pins. 4 chambres spacieuses, propres, claires et agréables. Calme et pas cher. Petit déjeuner sommaire inclus. Accueil sympa.

▄ *Gîte Le Berceau des Îles :* 701, chemin Principal. ☎ 937-56-14. Ouvert toute l'année. Grande maison en bois violet en retrait de la route, légèrement en hauteur. C'est André lui-même qui l'a construite petit à petit, et c'est plutôt réussi. Une chambre au sous-sol, très claire et agréable, avec salle de bains privée, et 3 chambres à l'étage, avec salle de bains commune, à prix modéré. Et notre préférée, la « suite », immense, avec son haut plafond de bois et ses grandes baies. Grande salle sympa où prendre le petit déjeuner. Accueil adorable d'André et Gisèle qui peuvent venir vous chercher au bateau ou à l'aéroport et vous organiser toutes sortes d'activités, y compris l'hiver : visite en kayak des grottes et falaises prises dans les glaces, excursion en hélico pour aller voir les blanchons (bébés phoques) sur la banquise (tarifs très intéressants). Louent aussi des voitures. Une excellente adresse.

▄ *Chez Charles Painchaud :* 930, chemin Principal. ☎ 937-22-27. Au cœur du village, 6 chambres confortables, avec lavabo. 2 salles de bains. Terrasse à l'étage où prendre le petit déjeuner (on se sert tout seul) et se prélasser au soleil. Cuisinette à disposition. Accueil sympa. Prix modérés.

Où manger ?

|●| *Auberge chez Denis à François :* 44, chemin d'En-Haut. ☎ 937-23-71. Ouverte de 7 h à 21 h. Salle agréable, vert pastel. Formule moules-frites à volonté pas chère le midi, table d'hôte le soir, et tout un tas de plats au choix à la carte. Bonne cuisine, à base de produits de la mer essentiellement. Un des rares restos où l'on peut goûter au loup marin (nom que les Madelinots donnent au phoque). On a essayé (que ne ferait-on pour nos lecteurs !). Viande très filandreuse, préparée un peu comme un bœuf bourguignon, avec un petit goût particulier en plus. En dessert, on vous conseille la « Sauterelle », délicieuse crème gla-

cée à la menthe sur gaufre chocolatée. L'auberge propose quelques chambres à l'étage. Correct mais cher.

|●| *La Saline :* 1009, route 199, sur le site de La Grave. ☎ 937-22-30. Ouvert le soir seulement. Grand bâtiment en bois brut aux volets rouges, ancien entrepôt reconverti en resto agréable. Table d'hôte à prix modéré où l'on peut goûter, entre autres, au fameux *pot-en-pot* (tourte chaude aux fruits de mer et pommes de terre). On vous offre même un petit trou normand au brandy (!), avant de passer au dessert. Souvent complet.

Plus chic

|●| *La Marée Haute :* 25, chemin des Fumoirs (au sud de La Grave), à l'écart de la route principale et près de l'eau. ☎ 937-24-92. Ouvert toute l'année, le soir seulement. Petite salle chaleureuse tout en bois. Table d'hôte copieuse, offrant un grand choix d'entrées, plats et desserts. À la carte, pétoncles, crabe des neiges, magret de canard, loup marin (en brochette ou en tournedos, ici)... Le propriétaire, qui est aussi le chef, est originaire de Dijon. À l'étage, 2 chambres mansardées toutes mignonnes, avec jolie vue, à prix modéré. En bas, une grande chambre un peu sombre, plus chère, avec un gros poêle et une salle de bains privée. Possibilité de pension complète.

Où boire un verre ?

? *Le Petit Mondrain :* sur la rue principale, face à l'aquarium. Petit bistrot rustique et sympa où l'on peut même déguster, nature, les fruits de mer les moins chers de l'archipel. Surtout fréquenté par les locaux. Musique certains soirs.

? *Le Café de la Grave :* 969, route 199. ☎ 937-57-65. Situé dans l'ancien magasin général, ce café à l'ambiance chaleureuse expose les photos et peintures de nombreux artistes. Un endroit bien sympa pour le petit déjeuner, comme pour le thé de 4 h, l'apéro ou le pousse-café. Il y a même un piano à la disposition des amateurs. L'endroit incontournable pour rencontrer des gens.

? *Bar-terrasse La Saline :* attenant au resto du même nom. Des groupes s'y produisent souvent le soir. Musique traditionnelle et populaire.

À voir. À faire

★ *Le musée de la Mer :* 1023, route 199, pointe Shea. ☎ 937-57-11. De fin juin à fin août, ouvert tous les jours de 9 h (10 h le week-end) à 18 h ; le reste de l'année, de 9 h à 12 h et de 13 h à 17 h (le week-end, l'après-midi seulement). Photos, maquettes de bateaux et de phares, ustensiles de navigation et de pêche, objets provenant de navires naufragés, oiseaux et phoques empaillés... Également un film récent sur les îles et les quatre saisons, et un sur la pêche, datant de 1956, quand la mer regorgeait encore de poissons.

★ *L'aquarium :* chemin de la Grave. ☎ 937-22-77. Ouvert de mi-juin à mi-septembre, de 10 h à 19 h (21 h de mi-juillet à mi-août). Pourquoi enfermer ces pauvres bêtes dans des cages de verre ? nous direz-vous. Oui, mais là, c'est différent : on les attrape au printemps, et on les relâche à l'automne, avant qu'elles aient perdu l'habitude de chasser pour se nourrir. Et on en attrape de nouvelles au printemps suivant.

– *Les Artisans du Sable :* 907, route 199. ☎ 937-29-17. Le sable comme vous ne l'avez jamais vu. Sculptés, travaillés au tour à bois ou à la fraiseuse de dentiste, châteaux, phoques, assiettes, vases, lampes... autant de souvenirs sympas et originaux à rapporter. Évidemment, ça pèse un peu, mais c'est beau, et de plus c'est du solide !

– *Club nautique de l'Istorlet :* ☎ 937-52-66. Kayak de mer, kayak de surf, planche à voile, vélo, excursions ornithologiques...

– *Croisières* en voilier vers l'île d'Entrée ou ailleurs au départ de la Marina de Havre-Aubert. ☎ 937-22-13.

– *Lèche-vitrine et shopping* dans les nombreuses galeries d'art et boutiques de la Grave.

– *Balades* dans le sable de la Dune du Bout du Banc, où a lieu le *concours des châteaux de sable,* tous les ans à la mi-août.

★ BASSIN

On atteint Bassin par une route panoramique qui se poursuit jusqu'à la Dune de l'Ouest. Le village en lui-même n'a guère d'intérêt, on préfère *L'Anse-à-la-Cabane,* mais la forêt alentour (la plus grande de l'archipel) offre des balades agréables.

Où dormir ? Où manger ?

≜ |●| *Havre-sur-Mer :* 1197, chemin du Bassin, à L'Anse-à-la-Cabane. ☎ 937-56-75. Fax : 937-25-40. Auberge de luxe, idéalement située sur la falaise, au-dessus de la plage. Grande étendue d'herbe épaisse et soyeuse où profiter de la vue. À l'étage, 8 chambres confortables, toutes avec salle de bains. Prix variables selon la taille et la vue, mais assez élevés dans l'ensemble. Au rez-de-chaussée, le resto *La Petite Spaghetta* propose, comme son nom l'indique, essentiellement des pâtes dans une petite salle agréable donnant sur la pelouse et la mer. Prix raisonnables.

|●| *Au Quai de l'Anse :* 20, chemin du Quai, à L'Anse-à-la-Cabane. ☎ 937-53-46. Ouvert tous les jours de 11 h à 23 h. Minuscule resto installé dans un ancien bateau de pêche. Soles, pétoncles, *pot-en-pot* et autres produits de la mer à prix très doux.

À faire

– *La chevauchée des Îles :* chemin des Arpenteurs, près du chemin de l'Étang des Caps. ☎ 937-23-68 ou 937-34-53. Pour les grands galops échevelés sur la plage de la Dune de l'Ouest ou dans les bois. Balades en traîneau l'hiver.

– *Club de tir des Îles :* 150, chemin Massé, près de L'Anse-à-la-Cabane. ☎ 937-25-82. 40 cibles animalières de tir à l'arc pour jouer aux Indiens dans un cadre boisé et montagneux, en pleine nature. On s'y croirait !

– *Balade* sur le chemin de la Dune de l'Ouest au coucher du soleil.

★ L'ÎLE D'ENTRÉE

Les habitants de l'île d'Entrée, petit bastion anglophone isolé, ne quitteraient leur île pour rien au monde. Le gouvernement, trouvant trop onéreux d'équiper et d'alimenter la petite île en électricité et téléphone, a bien essayé de les rapatrier, mais personne n'a voulu déménager. Il faut avouer qu'elle ne manque pas de charme, avec ses hautes falaises escarpées (les plus élevées de l'archipel) et ses collines pelées battues par les vents.

Comment y aller?

De la marina de Cap-aux-Meules.
– *Traversier Bonaventure :* départ tous les jours à 8 h et 15 h, retour à 9 h
et 16 h. ☎ 986-57-05.
– *Excursions en Mer :* en été seulement. Départ à 10 h 30, retour à
14 h 30. ☎ 986-47-45. La traversée prenant 1 h, ça laisse 3 h pour explorer
l'île, à moins d'y passer la nuit. Un poil plus cher que le traversier.

Où dormir? Où manger?

Les amoureux de coins perdus peuvent séjourner sur l'île d'Entrée.

▲ *Chez McLean :* ☎ 986-45-41.
Gîte offrant des chambres assez bon
marché, incluant le petit déjeuner.

|●| Pour se sustenter, une *cantine-resto* et une *épicerie.*

LE NOUVEAU-BRUNSWICK

Avec la Nouvelle-Écosse, l'île du Prince-Édouard et Terre-Neuve, c'est l'une des quatre « Maritimes », les provinces de la côte atlantique du Canada. Environ 700 000 habitants, capitale *Fredericton*. La seule province officiellement bilingue du Canada avec près de 35 % de francophones. Les deux composantes historiques du Nouveau-Brunswick sont en effet les francophones de souche acadienne et les descendants des loyalistes anglais qui refusèrent l'indépendance américaine et se réfugièrent ici (avec un zeste d'émigrations irlandaise et écossaise plus récentes). On y parle d'ailleurs le « chiac », un dialecte mi-français mi-anglais.

De Campbellton, au nord, à Saint John, au sud, les principaux points d'intérêt se situent sur la côte avec, de temps à autre, quelques courtes incursions dans les terres. Régler sa montre, une heure de plus ici. Bien sûr, c'est *l'Acadie,* dont vous avez le plus entendu parler, qui vous attire, mais chez les « loyalistes » il y a aussi bien des choses intéressantes. Bon, allez donc « froliquer » un bon coup maintenant...

L'Acadie

Lorsqu'une quarantaine de familles arrivèrent du Poitou en 1632 pour fonder *l'Acadie,* qui eût cru qu'elles donneraient aussi naissance à l'une des civilisations les plus originales d'Amérique du Nord, à travers pourtant de multiples tribulations et tragédies ? Les Acadiens s'installèrent d'abord dans la baie de Fundy et dans ce qui est aujourd'hui la Nouvelle-Écosse. Bénéficiant de riches terres, les Acadiens ne tardèrent pas à obtenir des rendements supérieurs à ceux de la France et du Québec. Tant mieux pour eux, car ils durent rapidement compter sur eux-mêmes et pratiquer l'autosuffisance (la France étant en proie à de nombreux problèmes internes et s'intéressant plutôt au commerce des fourrures du Québec).

Premier coup dur, au traité d'Utrecht de 1713, l'Acadie fut cédée à l'Angleterre et prit le nom de Nouvelle-Écosse. Faisant preuve d'un grand sens de la diplomatie, les Acadiens réussirent à négocier un statu quo avec les Anglais, obtenant de rester sur leurs terres et de pratiquer leur religion. En échange, ils s'engageaient à demeurer neutres et à ne jamais prendre parti dans les conflits entre Français et Anglais. La cohabitation marcha bien une trentaine d'années. La souplesse des Acadiens, leur nombre et le faible rapport de force militaire des Anglais les mirent longtemps à l'abri des appétits de terres des colons britanniques. Cependant, à partir de 1744, l'Angleterre fit pression sur les Acadiens pour qu'ils prêtent serment d'allégeance à la Couronne. Ces derniers, bien sûr, refusèrent et réussirent à tergiverser une bonne dizaine d'années encore.

Pourtant, en 1755, le gouverneur de la Nouvelle-Écosse prit la décision d'expulser définitivement les Acadiens de leurs terres. Cette tragédie entra dans l'histoire sous le nom de *Grand Dérangement*. Plus de 6 000 d'entre eux furent arrachés à leurs villages (familles et couples brisés, enfants séparés de leurs parents), puis embarqués de force pour l'exil, prisonniers en Angleterre, déportés dans les États de la côte Est (Maine, Massachusetts), rejetés à nouveau par les populations locales. Des Acadiens revinrent en France (et peuplèrent notamment Belle-Île), d'autres errèrent longtemps avant d'échouer dans les marais inhospitaliers de Louisiane. Ils y fondèrent la fameuse communauté des *cajuns* (aujourd'hui, environ 800 000 Louisianais sont officiellement francophones). Enfin, 2 000 à 3 000 Acadiens s'enfuirent et se réfugièrent dans les tribus indiennes, sur les côtes du Nouveau-Brunswick ou en Gaspésie. Après que tout le Canada (à l'exception de Saint-Pierre-et-Miquelon) fut cédé à l'Angleterre en 1763, les Acadiens survivants furent autorisés à rester sur leurs nouvelles terres d'accueil. Essentiellement une mince bande côtière de la baie des Chaleurs à Moncton. Le Nouveau-Brunswick devint alors terre acadienne. En 1847, le poète américain Longfellow contribua énormément à populariser la tragédie acadienne et à renforcer le sentiment national à travers le célèbre récit de *Gabriel et Évangéline* (des amoureux cruellement séparés et qui passèrent leur vie à se chercher). D'autres personnages de romans viennent contribuer à la conservation du passé : notamment, *la Sagouine,* héroïne de l'auteur acadien Antonine Maillet (prix Goncourt en 1979, pour *Pélagie-la-Charette*).

Les Acadiens s'enracinèrent profondément dans leur nouvelle patrie. Grâce à la solidité de leurs structures familiales, au poids de l'Église (qui assura comme au Québec l'enseignement) et, bien sûr, au ciment de la religion, ils réussirent à préserver leurs traditions, la langue française et leur identité. Celle-ci se consolide autour d'une devise : « L'union fait la force. » En 1884, ils adoptèrent le drapeau tricolore bleu-blanc-rouge orné d'une étoile jaune dans le bleu (la *Maris Stella,* étoile de la mer), représentation, pour les uns, de celle qui guida le peuple acadien vers son nouveau destin, pour d'autres, symbole religieux de Marie et de l'Assomption. Aujourd'hui, le drapeau flotte fièrement et abondamment dans les jardins et villages acadiens. À signaler que le Nouveau-Brunswick est la seule province canadienne où la population francophone ne soit pas en recul. Les anglophones le ressentent, et un nouveau parti politique, le COR (Confederation of Regions) est apparu lors des dernières élections dans cette province, qui proposait l'abolition du bilinguisme officiel dans la province. Le COR a pris assez d'importance pour devenir le parti d'opposition officiel à l'Assemblée législative.

Côté économie, l'agriculture joue encore un grand rôle : la « patate » acadienne est célèbre ; l'industrie, elle aussi, est développée : la pêche, le homard particulièrement (« or » ou « marin ») qui était, au XIXe siècle, le plat du pauvre ; au nord-est, exploitation de la tourbe ; enfin, des minerais, notamment le charbon et le zinc (plus important gisement du monde).

– *Fête nationale :* le 15 août. À ne pas rater.

Adresse utile

◗ *Informations touristiques gratuites :* ☎ 1-800-561-01-23. Le bureau d'information pour le Nouveau-Brunswick est situé à Campbellton, juste après le pont métallique sur la droite, près du grand magasin *The Met.* Ouvert tous les jours de 8 h à 1 h.

DE LA GASPÉSIE À CARAQUET

La route côtière ne propose pas de grandes échappées spectaculaires, mais révèle nombre de détails pittoresques : groupes de fermes en bois typiques, hameaux anglophones enclavés dans de grandes régions francophones, vieilles églises, phares rutilants, etc. Par exemple, vous ne manquerez pas de voir, sur le bord de la route, cet agriculteur qui a rassemblé ses antiques machines agricoles et les a peintes tout en rouge.

★ *CAMPBELLTON*

Souvenirs de la fameuse *bataille navale de la Restigouche* (1760). Du *Sugar-loaf* (parc provincial), une haute colline, beau panorama sur la Gaspésie.

– **Festival du Saumon :** fin juin. ☎ 789-27-00.

Où dormir ?

🛏 *Auberge de jeunesse du Phare (Campbellton Lighthouse Hostel) :* 1 Ritchie Street. ☎ (506) 759-70-44. Ouverte de juin à septembre. Réception ouverte de 16 h à minuit. Située non loin de la rivière Restigouche. Prendre la route 134 vers Dalhousie, passer Andrew Street, puis tourner à gauche un peu après cette intersection. L'A.J. est installée dans un phare, ou plutôt dans la maison du gardien. Insolite ! 20 lits pour dormir. C'est propre et plutôt agréable. Cuisine, laverie, et possibilité de planter sa tente.

🛏 *Bed & Breakfast Aylesford Inn :* 8 Mac-Millan Avenue. ☎ 759-76-72. Chambres à prix modérés, petit déjeuner compris. Fait aussi salon de thé les lundi, mercredi et vendredi, de 14 h à 16 h.

★ *DALHOUSIE*

Fondée par les Écossais au XIXe siècle, mais les Acadiens y sont redevenus majoritaires. Pour ceux qui viennent de Gaspésie, un ferry depuis Miguasha fait économiser 80 km.

– **Festival du Bon Ami :** la dernière semaine de juillet. ☎ 684-55-54.

★ *GRANDE-ANSE*

★ **Le musée des Papes :** 184, rue Acadie. ☎ 732-30-03. Fax : 732-54-91. À l'entrée de Grande-Anse, petite ville située entre Bathurst et à 18 km de Caraquet, sur la route 340. On met bien des militaires dans les musées, alors pourquoi pas des papes ? Voici le seul musée nord-américain consacré à la papauté et aux principes de l'Église.

Farouchement attachés à la religion catholique, les Acadiens ont voulu rendre hommage ici à cet héritage spirituel qu'ils ont toujours porté avec eux comme un flambeau, malgré les coups durs de l'histoire. Que l'on soit seul, à deux ou en groupe, un guide vous fait découvrir l'univers des papes, au travers d'une immense maquette de la basilique Saint-Pierre du Vatican, une galerie de 262 portraits (à donner le vertige) de tous les papes de l'histoire (de l'apôtre Pierre jusqu'à Jean-Paul II), une salle des trésors bien fournie (chasubles, ciboires, calices et compagnie). On y apprend que jusque vers l'an 1000 les papes avaient le droit de se marier. Dans une vitrine, ne manquez pas d'admirer un Jean-Paul II grandeur nature tout en caoutchouc, entouré de 2 gardes suisses ! Il y a quelque chose de surréaliste aussi dans ces collections de mannequins couverts de soutanes et d'habits religieux : on se croirait dans un mini-musée Grévin dédié au prosélytisme catho. Un musée vraiment insolite et bien fait. Bref, une visite édifiante qui démontre l'influence énorme, quasi tyrannique, de l'Église et du clergé sur l'histoire des Acadiens. Dommage cependant que l'accent ne soit pas plus mis sur les erreurs historiques de la papauté.

★ *LE VILLAGE HISTORIQUE ACADIEN*

Situé quelques kilomètres avant Caraquet. Le village est ouvert tous les jours, du premier dimanche de juin au 4 septembre, de 10 h à 18 h et en basse saison, de 10 h à 17 h. Ferme le 24 septembre. ☎ (506) 727-34-67. Pour dormir, quelques motels autour et hôtels à Caraquet. Une visite inoubliable!

L'un des endroits les plus beaux du Nouveau-Brunswick. Créé en 1977 dans une région symbole de l'acharnement et de la ténacité des Acadiens. Contraints de s'installer, après le *Grand Dérangement,* sur une contrée peu nourricière, ils créèrent, pour survivre et exploiter de nouvelles fermes, nombre de *levées* et *aboiteaux* (terres gagnées à la culture sur les marais par assèchement grâce à des digues) et y acquièrent leur réputation de « défricheurs d'eau ».

Le village a été édifié dans un grand parc extrêmement agréable. Il est constitué d'une quarantaine de maisons originales et bâtiments civils provenant de toute la province, remontés sur place et disséminés dans le parc. Décoration intérieure reconstituée scrupuleusement. Par de petits chemins pleins de charme, vous visiterez de nombreuses fermes et ateliers typiques des 150 dernières années. Entre autres, la forge, le moulin à farine, la menuiserie, l'épicerie, l'échoppe du cordonnier, l'imprimerie, les granges et entrepôts, la taverne, l'école, l'église, etc.

Tous les animateurs du village continuent comme avant, en costumes d'époque et avec un stupéfiant naturel, à pratiquer leur métier respectif et à produire comme pour de vrai! Chacun d'entre eux vous expliquera avec douceur et conviction ce qu'il fabrique. Ainsi, ce n'est pas du tout un musée, mais un authentique village traversé de réelles vibrations qui apportent un supplément d'émotion à la présentation ethnographique et à la démarche pédagogique. De jeunes lycéens viennent d'ailleurs, tout au long de l'année, se replonger dans ce passé bien vivant, participer aux tâches collectives et s'initier aux différents métiers.

– Grand parking et *Centre d'accueil* où l'on trouve cafétéria, restaurant, un diaporama, une très riche librairie et une boutique d'artisanat.

CARAQUET   IND. TÉL. : 506

Grand port de pêche et l'une des villes les plus acadiennes du Nouveau-Brunswick. Fondé en 1757 par quelques familles qui réussirent à échapper à la déportation. Faute de terres cultivables, les Acadiens se firent pêcheurs. C'est une ville plutôt agréable et une bonne étape pour la nuit. Grande *fête* le 15 août.

Adresse utile

🛈 *Bureau d'informations touristiques :* 51, bd Saint-Pierre Est. ☎ 727-17-05. Suivre les panneaux marqués du point d'interrogation.

Bureau situé dans le complexe Carrefour de la Mer, près du quai d'où partent les bateaux pour l'île de Caraquet.

Où dormir? Où manger?

Campings

🛏 *Camping Colibri :* à Bertrand, à 1 km à l'ouest de Caraquet. ☎ 727-22-22. Le plus grand camping de la

région. Saturé parfois en saison. Sanitaires négligés. Animation en juillet et août. Deux super glissades d'eau accessibles également aux gens de passage, ouvertes tous les jours de

10 h à 19 h. Très chouette pour les mômes.

■ *Camping de l'île Caraquet :* « Le remède à la civilisation ». Aucun habitant, aucune voiture. Pour y aller, prendre le traversier au départ du Carrefour de la Mer (office du tourisme). Théoriquement, 3 traversées par jour (11 h, 14 h et 16 h) à vérifier quand même avant. Camping au bord de l'eau avec des sanitaires très corrects, une plage à proximité, et possibilité de se ravitailler sur place.

Bon marché à prix moyens

■ *Auberge de jeunesse :* 577, bd Saint-Pierre. ☎ 727-23-45. Ouverte du 23 juin au 2 septembre. À l'entrée ouest de Caraquet. Sur la côte. A.J. sympa, dans un grand jardin, et très bon accueil.

■ *Hôtel Dominion :* 145, bd Saint-Pierre Ouest. ☎ 727-28-76. Vieil hôtel en bois. Petites chambres pas chères, rétro et mignonnes, donnant sur le côté de la maison, donc calmes en principe. Déjeuner dans la cuisine.

■ *Maison touristique Dugas :* 683, bd Saint-Pierre Ouest. ☎ 727-31-95. Fax : 727-31-93. Ouverte toute l'année. À 5,6 km du centre du village (église), sur la route de Bertrand et de Bathurst. Superbe demeure adorablement meublée avec de belles chambres à prix doux. Salle de bains sur le palier. Copieux petit déjeuner. Loue aussi des petites cabines avec un lit double (autour de 40 $ la nuit). Possibilité de camper sur un site aménagé. Accepte la carte *Visa* et la *MasterCard*. Très bon accueil. Plage à moins de 10 mn à pied. Bonne adresse pour routards en voiture.

■ *Gîte Chez Rhéa :* 236, bd Saint-Pierre Ouest. ☎ 727-42-75. Sympathique petite maison, non loin de l'église (difficile de déterminer le centre de cette ville qui s'étale sur des kilomètres le long de la route principale). Rhéa est une souriante Acadienne. Elle loue ses chambres à des prix assez bon marché.

■ *Gîte du Passant Le Poirier :* 98, bd Saint-Pierre Ouest, E1W-

1B6. ☎ 727-43-59. Maison construite en 1928 par Maître Poirier qui fut maître d'école, magistrat et juge. Vous pourrez y consulter les registres de lois de l'époque. Chambres confortables, bon accueil et petit déjeuner copieux.

■ *Gîte L'Auberge au Pignon Rouge :* 338, bd Saint-Pierre Est. ☎ 727-59-83. À la sortie du village, à environ 3 km du centre, en direction de Bas-Caraquet. Adresse un peu plus chère que *Chez Rhéa* et les autres (hôtel *Dominion,* Maison touristique *Dugas*) mais d'un excellent rapport qualité-prix. On remarque immédiatement cette grande maison acadienne, en bois rougeâtre, faite de rondins et de troncs assemblés. Elle a été entièrement construite à la main par Raymond Albert, un homme très sympa, francophone, accordeur et musicien, descendant d'un lointain émigré breton (10 générations !). Intérieur en bois, chaleureux, avec une immense cuisine par laquelle on passe pour monter aux étages où se trouvent les chambres coquettes, presque romantiques. Par un petit escalier en colimaçon, on accède plus haut encore à 2 autres chambres, nichées sous la charpente (avec 2 lits mais pas de vue). Salle de bains, jolie et bien équipée, sur le palier. Les mélomanes fervents iront rejoindre Raymond dans son salon-véranda, au 1er étage, pour se laisser bercer par la musique, face à la mer (et à la route qui passe devant la maison, mais très peu bruyante).

Plus chic

■ *Auberge de la Baie (motel Savoie) :* 139, bd Saint-Pierre. ☎ 727-34-85. En plein centre. Agréable motel proposant des chambres tout confort.

■ |●| *Hôtel Paulin :* 143, bd Saint-Pierre Ouest. ☎ 727-31-65 et 727-99-81. Dans le centre. Un petit hôtel de charme, à l'architecture pittoresque et au décor intérieur vieillot. En retrait de la rue. Calme assuré. Les chambres avec salle de bains sont plus chères que celles avec lavabo, aux prix moyens. Maison réputée aussi pour sa bonne table.

À voir. À faire

★ *Le Musée acadien :* entre le quai et l'école des pêches, un peu plus bas que l'hôpital de l'Enfant-Jésus. Ouvert de juin à mi-septembre, de 10 h à 20 h (13 h à 20 h le dimanche). Petit musée en bois, sur pilotis. Collections ethnographiques évoquant la vie des Acadiens. Petit centre d'artisanat.

★ *Le sanctuaire de Sainte-Anne-du-Bocage :* à l'ouest de la ville, dans un très beau site, une blanche église de 1880 sur le modèle de la première chapelle édifiée un siècle plus tôt. Alexis Landry, l'un des fondateurs de la ville, y est enterré.

★ *Écomusée de l'Huître :* 675, bd Saint-Pierre Ouest. ☎ 727-32-26. Ouvert du 1er mai au 22 novembre du lundi au samedi de 10 h à 17 h 30. Fermé le 26 juillet et du 15 au 31 août. Histoire de l'huître de Caraquet, méthode de pêche d'antan, élevage et récolte d'aujourd'hui. Intéressant.

– *Tours de pêche :* d'une durée de 4 h environ. Départ à 7 h et 17 h. On part traquer le maquereau ou la morue. Pas cher : 10 $ par personne. Embarquement à la marina de *Bas-Caraquet* (à l'est de Caraquet). Renseignements : ☎ 727-47-87.

– Caraquet est aussi la capitale culturelle de l'Acadie. Vous y trouverez le *théâtre populaire d'Acadie* (situé derrière le Musée acadien), la troupe la plus importante (217, bd Saint-Pierre Ouest ; ☎ 727-09-20). Excellentes créations. Festival d'été et places bon marché dans sa pittoresque « boîte-théâtre ». Profitez-en !

Festival

★ *Le festival acadien :* pendant la 1re quinzaine d'août, Caraquet prend des couleurs. Musique, rires et animation ne quittent plus la rue. Bals, fêtes populaires, groupes folkloriques, culminant le 15 août avec *le Tintamarre,* défilé où l'on fait le plus de bruit possible. Bénédiction des bateaux également.

Dans les environs

★ *SHIPPAGAN*

Important port de pêche. Belles plages au *Goulet*.
– *Festival provincial des Pêches :* en juillet.

Où manger ?

|●| *Au Marinier :* dans le centre, au sein de la grande station-service Ultramar. ☎ 336-87-75. Sert 24 h sur 24. Populaire dans le coin. Plats simples et fruits de mer à prix corrects.

|●| *Les Routiers :* à l'entrée sud de la ville. Salle agréable. Mets classiques et chinois pas chers.

À voir

★ Visiter le remarquable **Centre marin.** Ouvert pendant la saison tous les jours, de 10 h à 18 h. ☎ 336-47-71. Tout sur la vie des pêcheurs et des marins de la région. Superbe aquarium, avec des espèces marines du golfe du Saint-Laurent et même des petits requins ! Repas des phoques à 11 h et 16 h.

★ L'ÎLE DE LAMÈQUE

Beau port de pêche très actif proposant aussi, dans la 1re quinzaine de juillet, un fameux *festival... de Musique baroque*. Habitants à 95 % francophones. On y accède par une digue. Balade sympa. Oh, rien de très spectaculaire, mais du charme et beaucoup de simplicité ! Bourgs acadiens typiques. Fête locale la 1re semaine de juillet. Adorable *Petite-Rivière-de-l'Île,* avec ses maisons toutes blanches ou pimpantes, son église colorée. Petit jardin zoologique à Pointe-Alexandre.

Grâce au nouveau pont, vous serez vite sur l'*île de Miscou*. Au retour de Miscou, plutôt que la route principale (la 113), empruntez celle de la côte, par *Pigeon Hill, Saint-Raphaël* et *Sainte-Marie-sur-Mer.* Gentils villages aux maisons disséminées.

Où dormir ? Où manger ?

🛏 Deux **campings** dans l'île.

🛏 **Gîte de la ferme Larocque :** 169, rue du Pêcheur. ☎ 344-88-60. À Lamèque, tourner à droite sur la 113, il y a un panneau l'indiquant. C'est plus loin, sur la droite. Une ferme à patates et à vaches où l'on peut dormir dans des chambres à prix moyens. Bon accueil. Rien de particulier à signaler, sauf ces photos en médaillon, sur les murs, de la famille de Bernadette, la proprio.

🛏 **Motel Le Soleil Levant :** sur la droite après le pont (en venant de la terre ferme), à l'entrée de l'île de Lamèque. ☎ 344-22-43. Très bien. Chambres avec vue sur un bras de mer où errent des hérons !

🍽 **Au P'tit Mousse :** avant le pont, sur la droite, en venant de Caraquet. Très populaire. Clientèle familiale. Salle au décor quelconque. Pas cher du tout. Bonne nourriture : coques, pétoncles, sandwiches crevettes, homard sur pain, plateau capitaine, poulet, pizzas, etc.

★ L'ÎLE DE MISCOU

À la rencontre de la baie des Chaleurs et du golfe du Saint-Laurent.. Jacques Cartier fut le premier à en fouler le sol. Près de 1 000 habitants (dont 25 % d'anglophones). Calme, paisible, repos total et détente assurés, mais l'endroit a quand même un côté très ennuyeux. Trois belles plages et une côte bordée de lagunes et de tourbières. On y trouve le seul *phare en bois* de la province (1856).

Possibilité d'aller pêcher en mer.

🛏 🍽 *Deux campings, un gîte* (anglophone), *un resto.*

– Fin juillet ou début août, **festival du Thon.** Grande et sympathique animation.

L'INTÉRIEUR DE LA PÉNINSULE ACADIENNE

L'occasion de visiter de beaux villages essentiellement tournés vers l'agriculture.

★ *Paquetville,* village natal d'Édith Butler, la grande chanteuse acadienne. Imposante église (avec 2 pieds de plus, ce serait une cathédrale). Sous le bureau de l'office du tourisme se cache le temple de la Renommée qui rend hommage à certains habitants de la ville dont un champion mondial de kick-boxing, art martial où l'on n'utilise que les jambes !

★ Douces collines, paysage serein à *Rang-Saint-Georges,* baigné par la belle rivière Pokemouche.

★ À *Saint-Isidore,* petit *musée* sur l'histoire de la région (ouvert tous les jours de juin à septembre).

TRACADIE   IND. TÉL. : 506

La plus bilingue des grandes villes de la péninsule, mais, phénomène remarquable, ici beaucoup d'anglophones se disent résolument acadiens (certains sont même de grands animateurs du mouvement acadien). Importante bourgade commerçante, *Tracadie* fut fondée en 1784 et signifie en indien micmac « Endroit idéal pour camper ».

Adresse utile

🄸 *Office du tourisme :* dans la rue principale, à gauche avant le pont en venant de Caraquet.

À voir

★ *Le Musée historique de Tracadie :* installé dans l'ancien couvent de la *congrégation religieuse des Hospitalières* (Académie de la Sainte-Famille) qui se voua longtemps aux soins des lépreux (d'ailleurs, un peu plus loin, à côté de l'hôpital, s'étend leur cimetière). Ouvert tous les jours en été de 9 h à 17 h, de 12 h à 17 h les samedi et dimanche. Le musée se trouve au 2e étage de l'édifice, à l'architecture caractéristique du XIXe siècle. On peut y voir une section consacrée au traitement des lépreux (photos, pharmacie, etc.), ainsi que de nombreux objets et outils se rapportant aux Indiens micmacs et à la vie agricole et artisanale locales.

Où dormir ? Où boire un vrai café dans les environs ?

🛏 Vers le sud, parc agréable et *camping* à Val-Comeau.
☎ À noter également qu'un sculpteur, Roger Godin, a ouvert un sympathique petit café : *Art Café,* rue Sam-Robichaud, à Val-Comeau.

☎ 395-30-42. On peut y savourer un vrai café (une trentaine de variétés), dans une région où le thé est davantage prisé, tout en admirant les sculptures sur bois ou pierre de l'artiste.

À voir dans les environs

★ *Tabusintac :* route 11, à la hauteur du n° 483, sur la gauche. ☎ 779-92-61. On y découvre, dans une jolie maison blanche entourée d'un jardin, un pittoresque petit *musée* sur la vie des gens qui colonisèrent la région : pionniers, bûcherons, pêcheurs, fermiers, etc.

★ *Néguac :* village sympathique. Beaux vitraux dans l'*église Saint-Bernard* (toute blanche à l'intérieur), en particulier quand le soleil donne à plein dedans. *Festival du Rendez-vous* fin juillet. Belle plage de l'*île aux Foins*.
– À côté, *Burnt Church* est une réserve d'Indiens micmacs.

★ *Chatham et Newcastle :* villes industrielles jumelles à majorité anglophone (communauté irlandaise importante). Lieu de naissance de Samuel Cunard qui créa la célèbre *Cunard,* compagnie maritime qui produisit, entre autres, le *Lusitania* (torpillé en 1915 par un sous-marin allemand), le *Queen Mary* et le *Queen Elizabeth.*

🛏 *Auberge de jeunesse Beaubear Manor :* à Nelson, à une dizaine de kilomètres de Newcastle. ☎ 622-30-36. Non loin de la rivière Miramichi. Très belle A.J., une des meilleures de la province, à 5 km des gares routière et ferroviaire, mais on peut venir vous y chercher. Charmant vieux manoir tenu par Father Mercereau, un prêtre à la retraite. Cuisine, coin-salon, bibliothèque. Canoës à louer. Plage privée.

★ Au nord de Chatham, à *Bartibog* (sur la 11), possibilité de visiter le *MacDonald Farm Historic Park.* Vieille ferme du XIXe siècle restaurée. Tout sur la vie des colons écossais du temps passé.

LE PARC NATIONAL DE KOUCHIBOUGUAC

Ceux qui ont un peu de temps peuvent s'y rendre par l'agréable route côtière qui passe par *Bay-du-Vin* et *Pointe-Sapin*. En chemin, quelques plages peu fréquentées.
C'est le plus grand parc du Nouveau-Brunswick. S'étend sur 26 km de bord de mer, avec forêts, dunes et superbes plages. Entrée principale sur la route 134 au sud du village de *Kouchibouguac* (si l'on vient directement de Chatham). Ceux qui arrivent de Pointe-Sapin par la 117 y pénètrent directement.
Impossible de tout décrire. C'est à l'évidence suivant vos goûts et intuitions que vous choisirez telle plage, tel site, tel resto. Bon, c'est ouvert toute l'année. Nombreux parkings pour abandonner la voiture. Sentiers de randonnée et chemins cyclables pour vivre pleinement le parc à travers tourbières, marais salés, bois, le long des multiples lagunes, étangs, rivières et estuaires. L'hiver, ski de fond.
– Passer absolument au *Centre des visiteurs* pour prendre leur excellent matériel. Ouvert de 8 h à 20 h, du 13 juin au 2 septembre, de 10 h à 18 h, du 19 mai au 13 juin et du 2 septembre au 12 octobre ; le reste de l'année, de 9 h à 17 h.

Où dormir ? Où manger ?

Possibilité de camper de mai à octobre. Toilettes, douches et abris pour la cuisine. Le bois est fourni pour les barbecues. S'inscrire au *Centre des visiteurs*.

≜ Principaux *campings :* **Kouchibouguac Sud,** très bien aménagé et confortable. **Camping de l'Étoile de Mer,** à Pointe-Sapin (au nord du parc). Près de la plage. **Camping Park d'Aigle,** à Saint-Louis-de-Kent (au sud). **Camping du parc municipal Jardine,** à Richibucto, à deux pas de la plage.

≜ **Camping sauvage :** on peut camper « sauvagement » à l'intérieur du parc, en plantant sa guitoune dans l'un des trois sites « rustiques » suivant : *Sipu,* sur la rivière Kouchibouguac, le site de *Petit-Large,* accessible par une piste cyclable, le site de *Pointe-à-Maxime,* notre endroit préféré pour jouer les Robinson solitaires, à l'embouchure de la rivière Kouchibouguac. Situé dans la lagune Saint-Louis, ce dernier est le point de chute idéal, en pleine nature, pour ceux qui veulent observer les phoques en canoë ou les sternes, sur l'île voisine du même nom. Inutile de vous faire un croquis pour vous faire comprendre que c'est là qu'il faut camper quand on veut vraiment sortir des sentiers battus.

|●| Quelques agréables **restos** bien répartis sur le littoral. Prix raisonnables. À l'intérieur du parc, petit resto à Ryans.

– **Ravitaillement :** rien, hélas, à l'intérieur du parc. Le premier point de ravitaillement se trouve à environ 1,2 km de l'entrée du parc. Cela dit, on peut acheter du pain et du lait à Kellys (dans le parc, près de la plage de Kellys Beach). Pour le bois, sachez que la première brassée est gratuite alors que les autres sont payantes.

À voir. À faire

Nombreuses activités : canotage, kayak (location à Ryans, dans le parc), baignade dans les chaudes eaux des lagunes, observation des oiseaux (pluvier siffleur, aigle pêcheur, etc.), terrains de jeux pour les enfants, golf (à l'extérieur du parc), location de matériel de pêche et de vélos (25 km de pistes cyclables dont 6 km pour V.T.T.), etc. La *plage de Callenders* (non surveillée) propose son sable fin et connaît une faible fréquentation. Celle de *Kellys* est idéale pour les mômes. C'est une tranquille lagune. Tables pour pique-niquer et foyers pour les brochettes. Programme d'interprétation intéressant et offert gratuitement aux visiteurs.

– **Observation des castors :** sur la rivière Kouchibouguac. Possibilité de les observer du sentier entre la source et le site de Sipu (camping primitif).

– **Observation des phoques :** la meilleure façon de voir de près ces gentilles bébêtes consiste à se déplacer dans un canoë sur la lagune Saint-Louis. Partir de la pointe à Maxime (camping primitif), traverser le bras de mer pour gagner les petits îlots situés juste en face, près de l'île aux Sternes.

– **Observation des sternes :** aller en canoë jusqu'à l'île aux Sternes (on peut aussi y aller à pied) où s'ébattent près de 19 000 oiseaux (il n'y a pas que des sternes).

ROGERSVILLE

À l'ouest du parc, sur la route 126 Chatham–Moncton. Bourgade à ne pas manquer pour ceux qui souhaitent une connaissance approfondie du peuple acadien. C'est, en effet, la paroisse de Mgr Richard, le grand patriote acadien qui fit adopter le drapeau tricolore à étoile jaune. La ville fut fondée en 1869 par des ouvriers venus construire le chemin de fer « Intercolonial » entre Halifax, Québec et Montréal. On y trouve le **monument national acadien Notre-Dame-de-l'Assomption,** édifié en 1955, pour le 200ᵉ anniversaire du Grand Dérangement, et en reconnaissance à la Vierge Marie pour sa protection accordée à l'Acadie. Évidemment, le catholicisme ayant, comme au Québec, joué un grand rôle dans la préservation de l'identité acadienne, le monument et tout son contexte sont très largement empreints de religiosité (ce qui pourrait éventuellement excéder quelque peu les plus agnostiques et intolérants de nos lecteurs). Style également très kitsch. Visite cependant instructive, pour comprendre un peu cette alliance complexe de la religion et du sentiment national en Acadie. À l'entrée du monument, petit *musée* avec quelques souvenirs et témoignages.

L'église et les bâtiments qui l'entourent composent un bel ensemble.

Renseignements utiles

❚ *Bureau du tourisme :* ☎ 775-60-20.
– *Fête des Choux de Bruxelles :* la dernière semaine de juillet.

BOUCTOUCHE

Patrie d'Antonine Maillet et de *la Sagouine,* le célèbre personnage du patrimoine culturel acadien qu'elle immortalisa. « Ah ! Vous v'la ! Y'a beau temps que j'vous espérions icitte au pays sus les côtes de la baie de Bouctouche. » C'est par ces mots savoureux, issus du parler acadien, que celle-ci vous accueille au musée du Pays de la Sagouine, l'endroit rêvé pour se plonger dans l'univers acadien du début du siècle.

Adresse utile

❚ *Centre d'information touristique :* à la sortie de la ville, sur la gauche, sur le pont qui traverse le bras de mer en allant vers le musée de la Sagouine. Efficace et aimable.

Où dormir ? Où manger ?

🛏 *Gîte chez Mme Langeais :* 170, rue du Couvent, près du musée de Kent. ☎ 743-69-07 ou 743-60-25 (boutique).

🛏 *Gîte du Passant Aux P'tits Oiseaux :* 124, rue du Couvent. ☎ 743-81-96. Gîte très agréable et confortable. Excellent petit déjeuner. Recommandé aux amoureux de la nature car la charmante hôtesse est passionnée par les oiseaux en liberté.

🛏 ▮●▮ *Bouctouche Bay Inn :* à 5 km au sud de Bouctouche, sur la route 134, dans un site plutôt sympa, face à une baie. ☎ 743-27-26. Une belle et grande maison construite en 1850 par le colonel Sherredon, où l'on peut manger et dormir à des prix variables. Au restaurant, cuisine allemande (normal, les proprios sont des émigrés d'Allemagne), canadienne et européenne. 27 chambres avec lits simples ou doubles. Les moins chères avec 2 lits séparés et toilettes sur le palier sont au tarif des gîtes, donc très abordables. Sinon, avec la salle de bains dans la chambre, prix d'un motel classique. Le petit déjeuner est en plus. On peut choisir de dormir soit dans la partie ancienne soit dans l'annexe « motellisée ».

À voir

★ **Le musée Le Pays de la Sagouine :** sur la route 134, au sud de la ville, après l'office du tourisme et le pont de Bouctouche, tourner à droite (c'est indiqué). ☎ 743-14-00. Ouvert de mi-juin à début septembre, de 10 h à 18 h. Il s'agit de la première reconstitution littéraire au Canada. L'univers romanesque de *La Sagouine,* un des livres écrits par l'Acadienne Antonine Maillet, originaire de Bouctouche, y a été fidèlement restitué à travers un petit village de pêcheurs, aux maisons colorées, sur un îlot (l'île aux Puces) relié à la terre ferme par une sorte de longue passerelle en bois, exclusivement réservée aux marcheurs. L'entrée est payante. Au centre d'accueil, infos générales sur l'Acadie et les Acadiens, et sur l'œuvre d'Antonine Maillet. Il faut le signaler : pour une fois un écrivain renommé est consacré de son vivant et quasiment immortalisé à travers ses lieux sortis de son imagination. On devrait s'en inspirer plus souvent en Europe !

Ici, à Bouctouche, c'est une petite communauté de pêcheurs pauvres du début du siècle qui revit dans une sorte d'écomusée en plein air. Chaque petite maison, méticuleusement reconstituée et décorée, abrite un personnage du roman (Gapi, Sullivan, Mariaagélas...). On déambule ainsi au fil des commentaires et des histoires. Elles sont racontées avec talent par des interprètes vêtus en costume d'époque. La jeune femme présentant la maison dite de la Sainte (une bigote confite en dévotions et entourée de bondieuseries) se démène comme une vraie comédienne sur les planches. La balade sur l'île aux Puces se termine par un adorable petit phare blanc et rouge (reconstitué lui aussi). Visite particulièrement intéressante pour ceux qui ont lu le livre avant (il est entièrement écrit en « parler » acadien), et même pour ceux qui ne l'ont pas lu.

★ **Le musée de Kent :** sur la route 475. ☎ 743-50-05. Ouvert tous les jours de 9 h à 17 h. En juillet et août, visite guidée. Installé dans l'ancien *couvent Immaculée Conception* datant de 1880. Intéressante architecture en bois. À l'intérieur, on remarquera les belles boiseries, les grands escaliers, la chapelle de style néogothique, etc. Tout sur l'histoire de la région à travers souvenirs et objets d'art.

SHÉDIAC

IND. TÉL. : 506

Capitale mondiale du homard (les habitants sont fiers d'avoir le plus gros homard du monde, à l'entrée du village), Shédiac est un lieu de villégiature extrêmement populaire du Nouveau-Brunswick. Bien sûr, très touristique et animé en juillet et août. Belles plages se déroulant jusqu'à *Cap-Pelé.* Nombreuses manifestations estivales : *festival de Théâtre de la plage Parlee,* concours de sculptures de sable, mais surtout le **festival du Homard**, qui se tient généralement dans les dix premiers jours de juillet. C'est l'orgie de crustacés (moins chers que le steak). On jette les pinces qui résistent ! Pour se loger à cette époque, s'y prendre le matin de bonne heure. La ville connaît même, comme Saint-Trop', des embouteillages les soirs de week-end. Bref, une étape peu routarde, assez chère même, mais sympa pour sa plage.

Adresse utile

🅱 **Bureau du tourisme :** ouvert de 9 h à 21 h. Fermé le 4 septembre. Sur la rue principale (Main Street), à 200 m avant *Chez Françoise,* en entrant dans la ville quand on vient de Bouctouche.

Où dormir ? Où manger ?

Pas d'auberge de jeunesse, peu de gîtes. Nombreux campings de Shédiac à Cap-Pelé. La région étant une destination de vacances traditionnelle, ils sont bondés en été (surtout en juillet). Pour trouver un peu de calme, il est préférable de s'installer plutôt dans le coin de *Cap-Pelé*.

Campings

▲ *Parlee Beach Provincial Park :* à Shédiac même. ☎ 532-15-00. L'un des plus grands de la région. Ressemble trop à ceux de la Côte d'Azur. Intimité et calme pas vraiment au rendez-vous. Plage accessible seulement de 9 h à 21 h. Immenses parkings.

▲ *Jason Riverside Trailer Park :* beaucoup de monde aussi.

▲ *Gagnon Trailer Park :* à Cap-Pelé. À une douzaine de kilomètres à l'ouest de Shédiac. ☎ 577-25-19. Grand et populaire, mais déjà moins de monde. Voir aussi le *Sandy Beach,* pas loin. Sur la 950, après le pont, à l'entrée du village.

▲ *Silver Strand Trailer Park :* à Petit-Cap. ☎ 854-75-97. C'est le plus éloigné, mais aussi le plus tranquille. Surtout des *trailers* et caravanes, mais on y trouve quelques tentes. Belle plage à deux pas.

Prix moyens

▲ I●I *Chez Françoise :* 93 Main Street. ☎ 532-42-33 ou 532-29-75. Dans le centre-ville. Dans une grande et magnifique demeure de style colonial, édifiée en 1911. Elle appartenait précédemment à une vieille famille écossaise. Vous trouverez ici une dizaine de chambres, avec ou sans bains, à des prix étonnamment modérés eu égard à la qualité de l'établissement. Un charme énorme. Très bon accueil. Bien sûr, nécessité de réserver en saison. Nourriture réputée, servie dans un cadre vieillot élégant, midi et soir jusqu'à 22 h. Goûter à la crêpe de veau Oscar, au filet de flétan aux amandes et mandarines, aux crevettes géantes farcies au crabe et, surtout, aux *délices de la mer* (demi-homard, pétoncles au bacon, filet de sole, crevettes farcies, etc., hmm !). Assez cher pour la partie restaurant. L'une de nos meilleures adresses. Accepte la carte *Visa*.

▲ I●I *Hôtel Shédiac :* parc Pascal-Poirier, en plein centre-ville. ☎ 532-44-05. Cette belle maison victorienne de 1853 a toute une histoire. Une grande fiesta s'y déroula en 1864 suite à la première réunion de la Confédération du Canada. MacDonald, le Premier ministre d'alors, y passa quelques nuits après avoir raté son train. Des hôtes célèbres y ont dormi, tels Clark Gable, Walter Pidgeon, Bob Hope, et même la reine Wilhelmine de Hollande, fuyant les nazis qui occupaient son pays. De ce passé prestigieux subsiste une atmosphère d'auberge d'antan, des chambres décorées à l'ancienne, impeccablement tenues. L'ancien guichet de la diligence a été conservé à la réception. On peut le manquer. Pour le prix d'un motel confortable, on a droit à un petit voyage dans le temps. Alors pourquoi ne pas en profiter ? Fait aussi resto : spécialités acadiennes, avec le homard en vedette bien sûr et des plats comme la chaudrée aux fruits de mer, le saumon de la Miramichi, le homard à la crème servi sur pain grillé. Jardin et piscine à l'arrière. On y parle le français.

▲ Nombreux *motels* entre Shédiac et Cap-Pelé. L'*Edco,* sur la route 15, à 1 km de l'embranchement pour Cap-Pelé : ☎ 577-41-11. Correct, moderne. 36 à 40 $ la double. Un peu plus loin, le *Heritage Motel.* Le *Neptune Motel* est le plus proche de Shédiac, mais c'est un coin de grand passage. À Shédiac même, le *Four Seas,* dans le début de Main Street. Plus chic.

I●I *Restaurant Four Seas :* 762 Main Street. ☎ 532-25-85. Grande salle au décor quelconque, mais bonne nourriture et moins de monde qu'au célèbre *Paturel* et au *Fisherman's Paradise,* à côté. Spécialités de poisson, crustacés, notamment le

Summer lobster special (un homard de 500 g servi avec soupe aux palourdes, épi de maïs et pommes de terre au four, le tout à un prix très intéressant) et bonne viande. Pour un prix somme toute raisonnable, buffet de homards en quantité illimitée, servi de 12 h à 22 h, de mi-mai au 30 octobre. Goûter aussi au *plat du capitaine* (filet de morue pané aux coques) et aux champignons farcis au crabe et gratinés.

|●| Intéressant *souper au homard* à la **Maison du Homard,** à l'édifice Bombardier (sortie 37 Parlee Beach), tous les jours de 16 h à 20 h. ☎ 532-68-16. Repas complet comprenant homard frais, salade, brioche, dessert et café à prix doux.

Plus chic

|●| **Paturel (maison du Rivage) :** à Barachois, à 7 km de Shédiac. ☎ 532-47-74. Ouvre seulement à 16 h. Juste à côté d'une usine de transformation de poissons et de homards (la *Paturel LTD*). Grande maison en bord de plage, avec vue panoramique. Les couchers de soleil y sont somptueux. Très populaire dans la région. Ambiance assez relax. Réservation recommandée. Excellente nourriture à prix raisonnables. Goûter aux huîtres en coquille, à la « chaudrée aux fruits de mer ou aux coques », aux homards farcis, casserole de fruits de mer au gratin, « Paturel Seafood Platter », « combo en grande friture ». Il y a même quelques plats classiques pas chers du tout (genre poulet frit, spaghetti, etc.).

|●| **Fisherman's Paradise :** Main Street. À l'entrée de Shédiac. ☎ 532-68-11. L'un des restos les plus chic. Conseillé de réserver. Décor cossu, atmosphère un peu guindée et formelle. Spécialités de poisson et fruits de mer.

À voir. À faire

Shédiac ne présente pas de charme particulier, ayant été ravagée par des incendies quand c'était encore une ville en bois.

★ **L'église Saint-Martin-in-the-Wood :** construite en 1821.
– **La plage de Shédiac :** à 3 km du centre-ville, à gauche de la route 133. Entrée payante. Accessible en voiture jusqu'à un parc de stationnement au pied des dunes. C'est « Moncton-plage », peuplée par des citadins en maillots de bain. Il s'agit d'une plage de sable fin, plutôt de couleur brune, agréable certes, mais très très civilisée et encadrée. Pour familles pépères !

– À l'entrée de la ville, sur la route de la grande plage de Parlee, un truc super pour les mômes : un **splish-splash,** immense toboggan retombant dans une piscine. Ouvert à 10 h. Pas cher.

Festival

– **Festival du Homard :** 1re quinzaine de juillet. Beaucoup d'animation. Des milliers de homards passent à la casserole. Dans le même temps, petit festival de théâtre et des arts et métiers.

Dans les environs

La région ne croule pas sous les grands monuments. C'est avant tout un ensemble de choses simples et chaleureuses, de petits détails typiques sympathiques à saisir au passage.

★ *Barachois :* à 7 km, sur la route de Cap-Pelé, petite *église historique* en bois (1824). Petit *musée* ouvert tous les jours de 11 h à 17 h. Belle plage de *Pointe-à-Bouleaux,* à Barachois (à 300 m de l'église).

★ *Robichaud : musée de la Chasse et de la Pêche*, 518, route 133, à 12 km à l'est de Shédiac (de Shédiac, suivre la route 15). Ouvert tous les jours de mai à octobre, de 9 h à 20 h. Maison en bois jaune, la 2e à droite en direction de Robichaud. Il fait aussi *Bed & Breakfast* (☎ 532-47-50).

★ *Cap-Pelé et Petit-Cap :* peu après *Dupuis Corner*, emprunter la petite route côtière, bordée de jolies maisons toutes pimpantes avec de petits jardins bien ordonnés. 99 % de la population est francophone. Cap-Pelé fut fondé en 1800. Le drapeau acadien flotte fièrement. On ne dirait pas que le village abrite plusieurs dizaines de fumoirs à harengs. Architecture basse et discrète, s'intégrant parfaitement au paysage. Nombreuses cultures encore. Pelouses impeccables. Le soir, les familles goûtent sous les vérandas la douceur vespérale. Tout est propre et harmonieux. Une intéressante tranche de vie acadienne. À *Petit-Cap*, plage peu fréquentée et reposante.

MONCTON

IND. TÉL. : 506

La « capitale » de la région ne présente pas de caractère ni de charme excessifs, mais elle mérite qu'on y passe quelque temps. C'est une ville universitaire, donc très jeune. La « Main », les soirs d'été, connaît une certaine animation. Quelques monuments, demeures et petits musées intéressants. Université de langue française créée en 1963 (et longuement réclamée) qui vient soutenir le combat des 35 % de francophones de la ville.

Adresse utile

🏢 *Office du tourisme :* à la mairie, 774 Main Street. ☎ 853-33-33. Fax : 856-43-52. Ouvert de 8 h à 16 h 30, tous les jours du lundi au vendredi. Au rez-de-chaussée de l'hôtel de ville. Demander Doris Arsenault, qui parle le français.

Où dormir ?

Prix modérés

🛏 *Bed & Breakfast Downtown :* chez Alice et Paul Boudreau, 101 Alma Street. ☎ 855-71-08. Maison en pierre de 1920, très centrale, où l'on est accueilli par des gens chaleureux parlant le français. Des Acadiens qui louent 3 chambres dont une avec 2 lits séparés. Prix très raisonnables pour un confort vraiment chouette. Endroit tranquille donnant sur une rue sans beaucoup de circulation. Bref, notre adresse préférée dans cette rubrique à Moncton.

🛏 *Park View Bed & Breakfast :* 254 Cameron Street. ☎ 382-45-04. Face à un grand parc (très sûr, même la nuit) au cœur d'un quartier résidentiel, à 10 mn à pied du centre-ville. Cette grosse maison en brique abrite un intérieur petit-bourgeois et très confortable. La patronne, une anglophone méticuleuse et aimable, vous donne plein de recommandations (téléphone, clefs, douche, chaussures...). Chambres avec TV et téléphone, chose rare dans un *B & B*, à des prix particulièrement doux. Il y a même la climatisation dans certaines chambres. Belle salle de bains mais sur le palier.

🛏 *Jones Lake Motel :* 1650 West Main Street. ☎ 389-17-18. Motel avec des chambres donnant sur un parking. Donc, demander les chambres du fond (la 6 et la 12). Accueil anglophone. Prix raisonnables. Pour motorisés pressés.

Plus chic

🛏 *Hôtel Canadiana :* 46 Archibald Street. ☎ 382-10-54. Très central. À deux pas de la « Main ». Dans un quartier sympathique de vieilles maisons. Un hôtel centenaire de 1898 qui fut d'abord une maternité, avant de devenir une auberge pleine de charme. Ce fut à l'époque l'une des plus grandes maisons de la région. À l'intérieur, jolie décoration. Boiseries d'origine, meubles anciens. Chambres agréables avec TV et salle de bains. Une superbe adresse où les prix oscillent entre 50 et 60 $ pour la nuit, petit déjeuner en plus. Accueil chaleureux et francophone de Roland, le propriétaire.

🛏 *Colonial Inns :* 42 Highfield Street. ☎ 382-33-95. Hyper central. À côté de la partie la plus vivante de la « Main ». Moderne et plaisant. Chambres impeccables.

Où manger ?

🍴 *Spanky's :* Main et Botsford Streets. Spécialités de *chicken fingers*. Lieu de rencontre sympa des étudiants. Musique rock. Petite piste pour danser. *Jam session* le lundi soir.

🍴 *La Planche à Fromage :* 581 Main Street. ☎ 859-74-87. Resto ouvert tous les jours. Cuisine savoureuse qui change des fast-foods : poulet à la dijonnaise, pâtes aux fruits de mer, etc. Très bons desserts dont l'excellent gâteau au fromage. Beau choix de fromages également, dont certains arrivent tout droit de « chez nous ». L'accueil de Gilberte Losier est très acadien, c'est-à-dire chaleureux et amical. Prix très raisonnables.

🍴 *Pastalli :* 611 Main Street. Bon resto italien, qui propose des plats excellents à des prix très corrects.

Plus chic

🍴 *Cy's :* 170 East Main Street. ☎ 382-00-32. À droite de la route après Irving, à la hauteur d'une station Shell, à la sortie de Moncton. L'un des restaurants les plus réputés de la région pour son poisson et ses fruits de mer. Atmosphère un peu chicos. Réservation quasi obligatoire. Grande salle avec vue sur le fleuve. Bien sûr, homards à toutes les sauces, *stuffed jumbo shrimps, seafood casserole, fisherman's platter,* etc. Pas encore trop cher.

🍴 *Gaston's :* 644 Main Street. ☎ 858-89-98. Dommage que le service soit aussi lent car le cadre de grande brasserie parisienne et la cuisine ne donnent pas l'envie de décoller. Nombreux plats canadiens, acadiens et exotiques : homard, saumon, flétan, plateau cajun, satay indonésien, requin au riz, crêpes vietnamiennes. Pour une soirée chic avec votre belle routarde (ou beau routard) qui vous fait les yeux doux...

Où sortir ?

– *Ziggy's :* Main Street. Fermé le mardi. Le lundi soir, ouvert seulement aux ados. Adultes après le mercredi. À 20 m de *Crackers*. À notre sens, plus sympa que le *Cosmopolitan*. Décontracté, moins de frime. Bonne musique.

– *Cosmopolitan :* 700 Main Street. Ouvert du mercredi au dimanche, de 20 h à 2 h. À côté de *Crackers*. La boîte « in » de la ville. Décor et lasers assez sophistiqués. Le jeudi, Ladies' night. Le vendredi, *live jazz* de 17 h à 21 h 30.

À voir

★ *Le musée de Moncton :* angle de chemin Mountain et av. Belleview. ☎ 854-10-01. De mi-juin à début septembre, ouvert tous les jours de 10 h à 17 h ; le reste de l'année, du mardi au vendredi et le dimanche de 13 h à 17 h, le samedi de 10 h à 17 h, et fermé le lundi. Entrée gratuite. Une curiosité : le bâtiment moderne a récupéré et intégré l'ancienne façade de la mairie. Petit musée ethnographique fort bien présenté sous la forme de vieilles boutiques et ateliers du temps passé. Objets domestiques, outils divers, etc. On y trouve même un petit bureau de gare de province. Très intéressantes expos temporaires.

★ *Le Musée acadien :* situé dans l'édifice Clément-Cormier de l'université de Moncton (dans le prolongement de la rue Archibald, vers Connaught). En juin, juillet et août, ouvert du lundi au vendredi de 10 h à 17 h, et les samedi et dimanche de 13 h à 17 h ; le reste de l'année, du mardi au vendredi de 12 h 30 à 16 h 30, et les samedi et dimanche de 14 h à 16 h, le mercredi soir de 19 h à 21 h, et fermé le lundi. Expo permanente de souvenirs et objets se rapportant à l'histoire de l'Acadie depuis le XVIIe siècle. Rappelons que l'université abrite également le *Centre d'études acadiennes*, ouvert à tout chercheur ou étudiant intéressé par le sujet. Importante bibliothèque, journaux, cartes, matériel généalogique, folklore, chansons, contes, etc. Renseignements : ☎ 858-40-85.

★ *Free Meeting House :* à l'intersection de Mountain Road et Steadman. Le plus vieil édifice de Moncton. Date de 1821. Possède l'originalité d'avoir abrité toutes les confessions religieuses ne possédant pas, au début, leur propre lieu de culte, et cela dans un total esprit œcuménique. À côté, un émouvant petit cimetière, le plus ancien du Nouveau-Brunswick. La pierre de *John Charters* est datée de 1816.

★ *La résidence Thomas Williams :* 103 Park Street. ☎ 857-05-90. Ouverte de juin à septembre du mardi au samedi de 10 h à 18 h, et le dimanche de 13 h à 18 h. Fermée le lundi. Magnifique demeure de style victorien, construite en 1883. À l'époque, c'était une maison de campagne, assez éloignée de la ville. Intéressante visite qui donne une bonne idée de l'architecture et de la décoration intérieure d'une maison bourgeoise de l'époque. C'est Thomas Williams, comptable à l'*Intercolonial Railroad,* qui la fit donc construire pour sa femme Analena et ses nombreux enfants.
– Salon de thé de 11 h à 16 h (14 h le dimanche).

★ *Magnetic Hill :* sortie 488 B de la transcanadienne, au nord-ouest de la ville. Entrée payante. Cette « colline magnétique » possède la propriété de faire remonter les voitures en marche arrière sans utiliser le moteur. Des piétons prétendent même que, lorsqu'ils la redescendent, ils se sentent tirés en arrière. Gisement d'uranium en dessous ou phénomène optique, nous, après avoir constaté le phénomène comme les autres, on n'a pas trouvé de réponse. 250 000 voitures font l'expérience chaque année !
À côté, grand *parc d'attractions* pour les enfants avec piscine « à vagues », une glissade d'eau « kamikaze » (on a l'impression de tomber dans l'eau à plus de 50 km/h !), toboggans pour les tout-petits, bien sûr. Bateau à aubes, restos, boutiques, etc.

★ *Le mascaret :* possibilité d'observer les plus hautes marées du monde et leur choc avec la rivière *Petitcodiac*. Le meilleur endroit se trouve au *parc Bore,* dans le centre-ville. En un peu plus d'une heure, le niveau de l'eau peut monter d'une dizaine de mètres ! Pour les horaires : ☎ 853-33-33.

Fête

– *Frolic acadien du 15 août :* série de festivités débutant le 14 au soir et se terminant deux jours après. Danse, théâtre, chanson, etc. Le 15 août, en fin d'après-midi, grand *tintamarre* traversant la ville.

Dans les environs

Pour les routards motorisés, très chouette balade au sud-est de la ville, vers la Nouvelle-Écosse. Traversée de paysages très doux, villages acadiens et loyalistes alternant sans cesse, créant un rythme dans l'itinéraire. Nombreux points d'intérêt historique. À faire vraiment.

★ SAINT-JOSEPH

Sur une butte, la « capitale » de la *vallée de Memramcook,* située sur la route 925 à environ 30 km de Moncton. Un lieu important de l'histoire acadienne. En effet, la vallée fut l'une des rares régions du Nouveau-Brunswick à avoir été colonisée avant 1755 et, surtout, à avoir échappé au Grand Dérangement. Village tout pimpant, arborant massivement le drapeau tricolore (parfois peint sur les murs).

★ Visiter le *Lieu historique national de l'odyssée acadienne :* sur le campus de l'*Institut de Memramcook* (collège Saint-Joseph). Ouvert du 1er juin au 15 octobre, tous les jours de 9 h à 17 h. Assez fascinante et émouvante exposition sur l'histoire, les traditions et coutumes, la culture, etc., du peuple acadien. Accueil très chaleureux.

★ DORCHESTER

Situé sur la route 6, entre Moncton et Sackville. Ici, on change de camp. C'est un village *British* typique. Superbes *mansions* et églises noyées dans les arbres. On donne plus dans une certaine élégance teintée d'austérité que dans les couleurs vives acadiennes.

Où manger ?

|●| *Bell Inn Restaurant :* au carrefour principal. ☎ 379-25-80. Ouvert du lundi au jeudi, de 10 h à 18 h (19 h du vendredi au dimanche). Installé dans ce qu'on pense être la plus ancienne maison en pierre du Nouveau-Brunswick (1811). Par endroits, les murs font 65 cm d'épaisseur. Dans cette demeure vraiment agréable, vous trouverez une bonne et saine nourriture à prix modérés : soupes, salades, sandwiches divers, poulet, lasagnes, etc. Excellents gâteaux maison (*carrot cake, sundae,* ah, les *cheese cakes!*). Jennifer, la serveuse, est absolument charmante.

À voir

★ *La maison Keillor :* datant de 1813, elle est ouverte au public du 1er juin à la mi-septembre, de 10 h à 17 h (13 h le dimanche). ☎ 379-66-33. Très intéressant ameublement intérieur. À côté, l'*église presbytérienne*.
Face à la caserne des pompiers, *maison Chandler* de 1831. Belle *église de la Sainte-Trinité* (sur le chemin de Sackville).

★ *SACKVILLE*

Agréable ville universitaire anglophone, reconnue principalement pour ses beaux-arts. C'est ici qu'en 1875 une femme obtint un diplôme pour la première fois dans l'Empire britannique. Campus à l'anglaise, disséminé dans les grands arbres. Nombreuses belles et imposantes demeures anciennes. Visiter la *galerie Owen* pour ses très intéressantes expos. ☎ 364-25-74.

Où dormir ?

▲ *The Different Drummer :* 82 West Main Street. Pas loin du Sackville Memorial Hospital. ☎ 536-12-91. Splendide maison dans la verdure. Chambres agréables.

▲ *Marshlands Inn :* 59 Bridge Street. ☎ 536-01-70. Magnifique demeure au milieu d'une vaste pelouse. Entrée en forme de rotonde avec colonnes ioniennes et tout.

★ *LE PARC HISTORIQUE NATIONAL DU FORT DE BEAUSÉJOUR*

Situé à *Aulac,* pas très loin de Sackville, à 40 km de Moncton. ☎ 536-07-20. Ouvert du 1er juin au 15 octobre, tous les jours de 9 h à 17 h (18 h en juillet et août). Fort construit par les Français en 1751. Capturé par les Anglais en 1755 sous la direction du colonel Monkton. Ce dernier donna son nom à la ville, mais dans l'acte officialisant la création de Moncton, le fonctionnaire fit une faute d'orthographe ! Rebaptisé *fort Cumberland* par la suite. Plusieurs bâtiments ont été restaurés. *Centre d'accueil* avec expo sur l'histoire du fort et de la région.

★ *CAPE TORMENTINE*

Peu d'intérêt de pousser jusque-là. Le pont de la Confédération, long de 12 km, inauguré en juin 1997, remplace l'ancien ferry. Péage au retour sauf si l'on prend le traversier entre Wood Bland et Caribou.

★ *HOPEWELL ROCKS*

À *Hopewell Cape,* à 35 km de Moncton sur la 114. Petit parc provincial proposant ses « pots de fleurs » : rochers complètement usés à la base (phénomène géologique semblable aux « cheminées des fées » de Cappadoce), laminés par les grandes marées de la *baie de Fundy.* C'est d'ailleurs d'ici que l'on peut le mieux les observer. Ce sont les plus hautes du monde. Elles arrivent parfois à monter de 14 m ! À marée basse, c'est un ravissement que de se promener entre les « pots de fleurs », passer sous les arches, visiter les grottes...

– Pour les nostalgeos du chemin de fer de grand-papa, voyage sympa de 1 h, de Hillsborough à Salem avec une *vieille loco à vapeur.* Du 16 mai au 21 juin et du 12 au 27 septembre, départs à 13 h 30 et 15 h le dimanche seulement ; du 26 juin au 6 septembre, tous les jours aux mêmes horaires et à 16 h 30 en plus. Possibilité également d'excursion gastronomique avec le train *Sunset.* Pour ces voyages, renseignements et réservation au numéro gratuit : ☎ 1-800-332-39-89 (au Nouveau-Brunswick seulement) ou ☎ (506) 734-31-95.

★ *LE PARC NATIONAL DE FUNDY*

Un petit parc offrant une belle côte sauvage, des criques mignonnes, forêt, lacs, nombreux ruisseaux, ponts couverts, sentiers de randonnées, etc. Grands campings, ça va de soi.

LE VILLAGE HISTORIQUE DE KINGS LANDING

Situé sur les rives du fleuve Saint-John, sur la route 2, à 37 km à l'ouest de Fredericton (sortie 259 de la transcanadienne). Ouvert du premier week-end de juin à la fête de l'action de Grâce (2e lundi d'octobre), de 10 h à 17 h. C'est le pendant loyaliste du village acadien de Caraquet. Nombreuses maisons anciennes, boutiques, magasins, ateliers disséminés dans un grand parc. Intéressante visite de la scierie, du splendide moulin, de la forge, etc. Une centaine de personnes en costume d'époque assurent l'animation.
– **Renseignements :** ☎ 1-800-561-01-23 (gratuit) ou ☎ (506) 363-50-90 ou 58-05.

Où manger ?

|●| Bons repas au restaurant **Kings Head** (avec menu XIXe siècle).

SAINT JOHN (SAINT-JEAN)

Point de chute inévitable pour tous ceux qui prennent le traversier Saint-John-Digby (Nouvelle-Écosse) ou dans le sens contraire. À l'embouchure d'un fleuve, la ville (75 000 habitants) se découvre facilement à pied, au fil des immeubles victoriens (très bien conservés), qui donnent un style rétro au centre ancien. C'est fou ce que ce coin ressemble aux vieilles cités britanniques. Allez traîner sur Prince William Street ou sur Germain Street, et vous comprendrez, surtout s'il y a de la brume ce soir-là...

Un peu d'histoire

À l'origine, Saint-Jean fut le premier campement des pionniers français en Nouvelle-France, avec celui d'Annapolis Port Royal, en Nouvelle-Écosse, sur la rive sud de la baie de Fundy. Le 24 juin 1604, l'explorateur Samuel de Champlain découvre le lieu pour la première fois et le baptise Saint-Jean, du nom du saint fêté ce jour-là. Ce n'est guère original mais c'était la mode à l'époque. L'hiver approchant, la petite colonie se replie plus au sud, sur l'île Sainte-Croix (aujourd'hui Deer Island). Hiver terrible, une hécatombe : 35 membres du groupe conduit par Champlain périssent, sur un total de 79 ! Malgré cela, la France vient de poser les pieds au Nouveau Monde. L'Acadie est née. 30 ans plus tard Saint-Jean prospère comme poste de traite tandis que la rivalité franco-anglaise s'accentue, pour dégénérer en conflit guerrier. Patatras, boum, boum ! En 1713, par le traité d'Utrecht, la France cède l'Acadie à l'ennemi d'alors, l'Angleterre. Saint-Jean devient ainsi Saint John. Les Acadiens déportés en 1755, la région accueille des flots de loyalistes venus des colonies américaines et restés fidèles à l'Angleterre. Ici, ne pas dire de mal de la reine d'Angleterre, vous vous feriez lyncher ! Une anecdote pour le plaisir : peu de célébrités ont vu le jour ici, hormis l'acteur Donald Sutherland, que l'on a vu dans Casanova, M.A.S.H. et J.F.K.

Adresse utile

◘ **Saint John Visitor and Convention Bureau :** 11th floor, City Hall, King Street (centre-ville). ☎ (506) 658-29-90. Ouvert toute l'année, du lundi au vendredi. Leur demander la brochure *Prince William's Walk* qui propose une visite à pied dans les vieilles rues victoriennes du centre-ville.

Où dormir ?

Bon marché

■ **Bonanza Motel :** 594 Rothesay Avenue. ☎ 633-17-10. À la sortie de la ville, à 4 km environ du centre. Pas facile à trouver. Prendre la sortie n° 117. C'est après un garage Esso, sur la droite. Une baraque en bois, en retrait de la route. Pour fauchés habitués à toutes sortes de terrains et de matelas. Les chambres les moins chères de la ville.

■ **The Ym-YMCA :** 19-25 Hazen Avenue. ☎ 634-77-20. Fax : 634-07-83. Moche mais pratique car central. Chambres très très ordinaires, propres mais tristes. Reste les prix, abordables pour les étudiants de passage, un peu plus chers pour les adultes.

Prix modérés

■ **Bed & Breakfast Earle of Leinster :** 96 Leinster Street. ☎ 652-32-75. Fax : 652-76-66. Un des *B & B* les plus centraux que nous ayons vus en ville. En fait, cette bonne maison, tenue par Stephen Savoie (un nom d'origine française), oscille entre les chambres d'hôte et la petite auberge. Extérieur en brique. Intérieur avec un jardin calme où jouent des enfants. Quelques chambres (calmes aussi) à 2 lits, douche et w.-c. Évidemment, tout ça est un peu plus cher (le double de la *YMCA*) mais il émane un certain charme de ces vieux murs. Au sous-sol, on peut se reposer dans une sorte de salon avec billard, vidéo, patati patata, ainsi que faire le plein d'infos sur la ville. Stephen accepte la carte *Visa*. Bref, bonne adresse, qui mérite une petite dépense, surtout si, comme nous, vous devez reprendre la route à 4 h le lendemain dans une brume humide, à couper au couteau...

■ **Country Wreath « N » Potpourri Bed & Breakfast :** 125 Mount Pleasant Avenue. ☎ 636-99-19. Sorties 111, 112 ou 113. À l'extérieur de la ville, dans un quartier plein d'arbres. Bien pour les motorisés, les pots-pourris parfument la maison, la patronne les collectionne. Chambres spacieuses, propres, à prix raisonnables. Le tout ne manque pas de charme. On y dort au calme.

Où boire un verre ?

🍷 **Le Sherlock Holmes :** au carrefour de Saint Patrick Street et de King Street, à gauche de l'hôtel de ville (City Hall). Extérieurement, la façade rappelle le bon chic néogrec à colonnes des banques d'antan. L'intérieur, lui, est enrobé par les boiseries patinées. Ambiance « quelle bonne pipe, quelle bonne bière » assurée, surtout si la nuit est pluvieuse.

🍷 Plusieurs *cafés avec terrasse*, situés au rez-de-chaussée d'un ancien immeuble industriel en brique, juste en face de la place dite Loyalist Plaza, à l'intersection de Saint Patrick Street et de Water Street (entre l'Irlande et l'eau, mon cœur balance...). Traditionnellement interdites dans les provinces anglophones, les terrasses extérieures de ces troquets méritaient d'être signalées.

Quitter Saint John

– **Pour Québec :** 709 km par la route (bonne et facile) principale n° 7 puis par la route transcanadienne n° 2, que l'on rejoint à Fredericton.

– **Pour Digby :** en Nouvelle-Écosse, de l'autre côté de la baie de Fundy, naguère appelée baie des Français (ah, ces *crazy Frenchies*!). Un traversier (un bac autrement dit) assure la liaison trois fois par jour entre le 24 juin et le 10 octobre. *Grosso modo,* un départ autour de 9 h 30, un autre vers 17 h, un autre encore vers minuit. Durée de la traversée : 2 h 45 en été, 3 h le reste de l'année. On gagne ainsi 582 km et 7 h de route. Compter environ 90 $ canadiens pour une traversée incluant une voiture et deux personnes. Réservations impératives en téléphonant à Saint John, à la compagnie *Marine Atlantic,* ☎ 636-40-48 (renseignements) ou 794-57-00 (réservations).

LA NOUVELLE-ÉCOSSE
(NOVA SCOTIA)

Pour tous ceux qui ne souhaitent pas retrouver leurs voisins de palier pendant leurs vacances : voici la province idéale ! Un vrai bout du monde, fait pour et par la mer. Un signe ? Regardez bien la carte, vous trouverez dans cette forme étrange la silhouette d'un mammifère marin (baleine, requin ?) la gueule vers le bas, et la queue (le cap Breton) hérissée vers le haut (le nord). Mais certains croient y reconnaître une langouste. Peu importe. La Nouvelle-Écosse est belle, très belle même. Une province de la fin des terres – appartenant naguère à l'Acadie –, immense et peu peuplée (hormis les villes, bien sûr) avec de somptueux paysages boisés (le cap Breton encore !), et d'autres, plus humanisés, plus agricoles, comme cette merveilleuse plaine côtière baignée par les eaux de la baie de Fundy, de Windsor à Annapolis Royal. Incroyable de trouver là de tels vergers, des pommiers resplendissants et même deux petits vignobles. Oui, du vin, et pas mauvais du tout, preuve que Samuel de Champlain et les pionniers de la Nouvelle-France débarqués ici (bien avant les Anglais et les Écossais qui ne s'y installèrent qu'aux XVIIIᵉ et XIXᵉ siècles) avaient déniché le morceau de terre maritime le plus sympathique du Canada.

Ces Acadiens – comme ils s'appellent toujours aujourd'hui – avaient signé un contrat d'amour avec cette terre inconnue mais nourricière, qu'ils ont été les premiers à découvrir, à défricher, à cultiver, au prix des pires sacrifices. Car elle n'était pas facile, la vie par ici, à l'époque ! Tout allait plutôt bien pour eux donc, jusqu'au jour où la France perdit l'Acadie (1713, traité d'Utrecht). Un drame historique et humain ! Les Anglais, nouveaux maîtres des lieux, la baptisèrent Nouvelle-Écosse. Puis ils expulsèrent de force, entre 1755 et 1762, une grande partie de ses habitants, confisquant au passage leurs terres et leurs maisons, les chargeant sur des bateaux, les dispersant (au hasard des vents, pourrait-on dire) en France, dans les colonies américaines (hostiles la plupart du temps), aux Antilles et en Louisiane où les Acadiens sont devenus, avec le temps, des Cajuns. Quelle tragique épopée ! Cet exil collectif commença à Grand-Pré (dont on vous parle plus loin), un haut lieu de la mémoire acadienne.

Beaucoup moins francophone que le Nouveau-Brunswick voisin, la Nouvelle-Écosse a gardé malgré tout quelques îlots « acadiens » où nous vous invitons à passer au fil du voyage : Chéticamp, sur la côte ouest du cap Breton, la forteresse de Louisbourg (le « Gibraltar du Nouveau Monde », à voir absolument, coup de foudre total !) et Saint Peters (au sud du cap Breton). Des descendants d'émigrés écossais (venus des Highlands au XVIIIᵉ siècle), on en rencontre partout. L'esprit celtique, gaélique pour être plus juste, enveloppe tout : gens, maisons, culture, etc. D'ailleurs, c'est un Écossais d'Édimbourg, Alexander Graham Bell (devenu américain), l'inventeur du téléphone notamment, qui a dit les plus belles choses sur le joyau de la province : le cap Breton, sorte de Finistère du Nouveau Monde à découvrir par le « Cabot Trail », magnifique route de corniche. Passez à Baddeck où Bell se retira loin du monde... pour mieux connaître le monde et le transformer par son génie et sa générosité. Un grand homme, un vrai. Puis allez faire une cure de beauté naturelle et d'air pur dans les grands espaces du parc des Hautes-Terres du cap Breton, sans oublier bien sûr de vous payer une belle assiette de morue ou de homard au passage...

– Compter 7 jours pour suivre notre itinéraire, à une allure normale (dont

2 jours au cap Breton) en entrant par Amherst (nord) sur la route 104 et Pictou, et retour par Annapolis Royal, puis le bac Digby-Saint John qui traverse la baie de Fundy.

🛈 *Informations touristiques :* se procurer l'excellent guide (gratuit) *The Doer's and Dreamer's*, disponible dans les centres d'information de la province. Sinon, renseignements au : ☎ 1-800-565-00-00 (numéro gratuit).

PICTOU

Après Tatamagouche, voici Pictou, encore un nom qui sonne sympathique et drôle ! Petit port niché dans un site très agréable de la côte nord de la Nouvelle-Écosse, à l'abri du détroit de Northumberland. Pictou (4 500 habitants seulement) peut être une étape sur la route du cap Breton. De belles maisons en bois s'accrochent aux pentes des collines qui descendent en douceur vers l'eau. Les seules maisons de pierre se trouvent dans le centre-ville. Elles ont un petit côté Old Scotland (ou « Old Bretagne ») assez prononcé. Et cela nous a bien plu.

Pictou est surnommé le « berceau de la Nouvelle-Écosse ». Ici a débuté l'une des aventures migratoires qui ont forgé l'histoire du Canada. Le 15 septembre 1773, le premier bateau, l'*Hector*, chargé de 33 familles et de 25 célibataires, tous d'origine écossaise (les Highlands) accosta ici, au terme d'une périlleuse traversée. Aujourd'hui, les habitants de Pictou, en hommage à cet événement fondateur, reconstruisent sur le quai du port un navire en bois, réplique de l'*Hector* de leurs ancêtres. Étonnant pour un si petit village, non ?

Où dormir ? Où manger ?

⌂ *Munro's Bed & Breakfast :* 162 High Street. ☎ 485-83-82. Dans un quartier calme et verdoyant, une bonne maison, très accueillante, et offrant un aimable rapport qualité-prix. Une chambre avec 2 lits séparés (pour les copains). 2 chambres avec lit double.

⌂ *Linden Arms Bed & Breakfast :* 62 Martha Street. ☎ 485-65-65. Toujours dans un chouette quartier, très paisible le soir (et même dans la journée). Une maison en bois, comme d'habitude, de la fin du siècle dernier, où les chambres sont interdites aux fumeurs. Seulement des lits doubles. Jardin et verdure autour.

⌂ *Willow House Inn :* 3 Willow Street. ☎ 485-57-40. Dans le même quartier calme, à deux pas du centre. Grande maison blanche près d'un monument aux morts et à côté du *Consulat Inn* (ancien consulat des États-Unis, drôle de petite maison au bord de la route). Les chambres donnent sur la rue, calme normalement, ou sur le jardin. Un peu plus chic, et plus cher donc, que les adresses précédentes. Ils acceptent la carte *Visa*.

|●| *The Stone House Café :* Mater Street, dans le centre du village. Ouvert du lundi au samedi à partir de 11 h et le dimanche à partir de 12 h. Surprenante maison tout en pierre plus ou moins ocre-jaune, datant de 1815. Pendant longtemps, elle fut la plus vieille demeure du coin. A servi de magasin, de bureau, de resto aujourd'hui. Le 3ᵉ étage n'a pas changé depuis la construction. Terrasse ensoleillée à l'arrière (rare). Bonne petite cuisine familiale et sans prétention : du poisson (aiglefin, flétan), du porc Schnitzel, et aussi des pizzas (bof), des casse-croûtes (on dit sandwiches par ici...).

À voir

★ *Hector Heritage Quay :* sur le quai principal du port, on ne peut le manquer. ☎ 485-80-28. C'est la reconstitution de l'*Hector,* le bateau des premiers pionniers écossais débarqués à Pictou en 1773. Travail de patience et

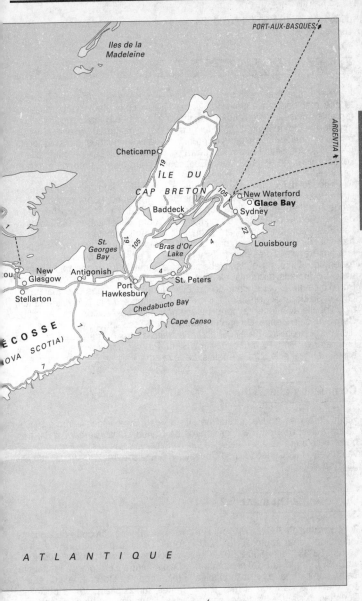

LA NOUVELLE-ÉCOSSE

labeur de fourmi au service de la mémoire collective. Du beau boulot, vraiment. Bravo ! Centre d'interprétation bien fait.

★ *Hector National Exhibit Centre :* Old Haliburton Road. Entrée gratuite. Ouvert du 15 mai au 15 octobre, du lundi au samedi de 9 h 30 à 17 h 30 et le dimanche de 13 h 30 à 17 h 30. Centre d'exposition assez intéressant, selon l'expo évidemment.

SAINT PETERS

Le village, avec ses petites maisons éparpillées, n'a rien de particulier mais le site met déjà en appétit : un canal creusé entre deux flancs de montagnettes boisées relie l'océan Atlantique à une merveilleuse mer intérieure appelée le lac du Bras d'Or. Quel nom ! Une invitation au voyage. Quelque chose de celtique plane dans l'air tonifiant, dans les nuages, dans les forêts. C'est vrai, dès Saint Peters, « Gateway to the Bras d'Or Lake », comme le dit l'excellente carte de la Nouvelle-Écosse, on entre dans ce monde à part du cap Breton.

Curieuse destinée que celle de ce petit patelin, peuplé de 730 bonnes âmes. Regardez : l'endroit fut découvert en 1521 par des pêcheurs portugais à la recherche de la morue. Ils le baptisèrent São Pedro. Puis un proche parent de Richelieu, Nicolas Denys, originaire de Tours, débarque en 1650, débaptise São Pedro en Saint-Pierre, construit le premier poste de traite de fourrure sur l'île Royale (ancien nom de l'île du cap Breton), marquant ainsi pour la première fois la présence française dans cette région excentrée. Mais pas excentrique. Il faut avoir les pieds sur terre, survivre en négociant âprement avec les Indiens micmacs. Ce que Denys fait, et bien. Audacieux, il crée Port-Toulouse à cet endroit de la côte. Non, ce n'est pas une marina du Grand Siècle, mais un comptoir de la Compagnie de la Nouvelle-France, d'où l'habile aventurier rayonne sur ses nouvelles possessions, du détroit de Canso jusqu'à Gaspé. Un énorme territoire. Une soixantaine de familles acadiennes vivaient ici. En 1713, après le traité d'Utrecht qui cède l'Acadie à l'Angleterre, Port-Toulouse devient Saint Peters, son nom actuel. L'établissement est pillé par les Anglais. Le rêve américain de Denys s'achève là.

Comment y aller ?

Saint Peters se trouve au sud de l'île du cap Breton, sur la route 104, à 53 km à l'est de Port Hastings (détroit de Canso). Officiellement, cette très belle route a été baptisée *Fleur de Lis Trail* (bonjour les rois de France !), qui va du détroit de Canso (Canso Causeway) à Louisbourg. 220 km de « splendeur sauvage ».

Où dormir ? Où manger ?

■ *Camping St Peters R.V.* : à l'intersection des routes 4 et 247. ☎ 535-33-33. Fax : 535-22-02. Ouvert du 1er juin au 30 septembre. Beau camping à prix raisonnables dominant le lac du Bras d'Or. Douches payantes, piscine chauffée, pas mal d'espace.

■ *Auberge de jeunesse :* ☎ 535-24-04. Ce n'est pas vraiment une A.J. comme les autres mais simplement un bungalow faisant partie du *Joyce's Motel and Cottages* (voir ci-

dessous). Il se compose de 2 chambres. Dans la première, il y a un lit superposé et un lit double, c'est tout. Dans l'autre, un grand lit double (pour couple). Douche, lavabo et toilettes sur le palier. Vu la petitesse des lieux, mieux vaut téléphoner avant pour réserver. Le prix par personne correspond au prix normal des A.J. On peut laver son linge à la laverie du motel.

■ *Joyce's Motel and Cottages :* sur la route 4, vers Sydney et Louis-

bourg, à 1,5 km environ de Saint Peters, face au lac du Bras d'Or.
☎ 535-24-04. Toute une série de
bungalows en bois, éparpillés sur un
flanc de colline verdoyante, descendant doucement vers les eaux du
lac. Bel endroit, donc. Plusieurs tarifs selon le confort. Les plus avantageux correspondent à des petites
cabines abritant un lit et une salle
d'eau, et disposant (ou non) d'une

cuisine. Au motel, d'autres bungalows mieux arrangés et un peu plus
chers. Piscine agréable quand il fait
chaud (oui, ça arrive parfois!).
|●| Petit *resto* bon et pas cher, dans
le centre du village. Facile à trouver.
À ne pas confondre avec le resto de
l'hôtel *MacDonald,* ni avec celui de
l'auberge *Inn On The Canal,* tous les
deux un peu plus élaborés côté cuisine.

À voir

★ *Le canal Saint Peter's :* facile à trouver, car situé au pied de la butte où
se trouve le musée Nicolas-Denys. C'est de là d'ailleurs que l'on a le meilleur
point de vue. Ouvert au milieu du siècle dernier, le canal permet aux
bateaux, de marchandises autrefois, de plaisance aujourd'hui, de passer de
l'océan Atlantique au lac du Bras d'Or, sorte de mer intérieure très abritée et
bordée de somptueuses forêts.

★ *Le musée Nicolas-Denys :* à l'est de la route 4, au bout de la rue Toulouse. ☎ 535-23-79. Ouvert tous les jours de juin à septembre, de 9 h à
17 h. Petite et modeste baraque abritant une ribambelle d'objets évoquant la
vie de Nicolas Denys, pionnier méconnu de la Nouvelle-France. Son existence commence par l'aventure et se termine par l'écriture. Personnage intéressant, dans ce sens qu'il étudia et respecta les coutumes indiennes
locales. Il est l'auteur de la première histoire de l'Amérique, parue avant
1672, sous le nom très rétro (mais on adore) : « *Description géographique et
historique des costes de l'Amérique septentrionale avec l'histoire du pais* ».

LOUISBOURG

Louisbourg était le joyau américain le plus riche qui ait jamais orné la cou-
ronne française.

Victor Hugo Paltsits (1867-1952).

« Le Gibraltar du Nouveau Monde », c'est ainsi que l'on surnomma au
XVIIIe siècle cette énorme place forte française, au bord de l'océan Atlantique, sur la côte sud de l'île Royale (aujourd'hui île du Cap-Breton). D'autres
observateurs, plus franchement cocardiers, y virent « la Dunkerque de
l'Amérique ». Toujours est-il que Louisbourg ne laissait personne indifférent,
surtout pas les Anglais qui rasèrent la forteresse, symbole éclatant de la
Nouvelle-France. Ce que l'on visite aujourd'hui est une très fidèle reconstitution qui a demandé 20 ans de travaux et coûté l'équivalent de 800 millions
de francs au gouvernement du Canada, le maître d'œuvre. Un projet pharao-
nique, du jamais vu. Autant vous dire que la visite de Louisbourg figure parmi
les incontournables de la Nouvelle-Écosse. En fait, il s'agit de la plus belle
machine à remonter le temps que nous connaissions au Canada.

Un peu d'histoire

La pêche, le commerce, la stratégie, c'est pour ces trois raisons principales

LA NOUVELLE-ÉCOSSE

que la France fit construire, dans cet endroit, loin de tout, une forteresse d'une pareille importance. La pêche d'abord. En 1718, la valeur des exportations de morue de l'Isle Royale était trois fois supérieure à celle des exportations de fourrures du Canada. Cette année-là, suite au traité d'Utrecht (fin de la guerre de Sept Ans), la France cède Terre-Neuve et l'Acadie à l'Angleterre. Mais elle conserve ses ports de mer, du moins ceux de l'île Royale (Cap-Breton) et de l'île Saint-Jean (île du Prince-Édouard). Une petite colonie s'y installe, composée d'officiers, de soldats, de marins, d'artisans, de marchands, des hommes surtout ; puis arrivent des femmes, et donc des enfants. Pour les basses besognes, on fait appel aux esclaves des Antilles ou aux Amérindiens. Construite en 1713, la forteresse abrite environ 2 000 âmes en 1744 ! Tout ça coûte beaucoup d'argent. À l'époque, on disait que Louis XV n'avait qu'un cauchemar : apercevoir de son lit versaillais les toits de Louisbourg !

Après trois décennies de prospérité et de paix relative, la guerre éclate à nouveau entre la France et l'Angleterre. Cette fois, les colons anglais de la Nouvelle-Angleterre voisine prennent Louisbourg afin de s'accaparer le « marché de la morue », et, par la même occasion, d'anéantir la puissance française en Amérique du Nord. En 1745, la ville tombe aux mains des Anglais (supérieurs en nombre) au terme d'un siège de 40 jours où les Français résistèrent vaillamment. Les fortifications sont rasées en 1760. Louisbourg, ville morte, tombe en ruine.

On aurait pu en rester là. On aurait visité aujourd'hui un champ de ruines. Mais le plus étonnant, c'est d'avoir eu l'idée de reconstruire à l'identique une cité rayée de la carte, près de 200 ans après sa destruction totale !

On savait les Canadiens capables de tout pour faire revivre leur histoire ou ressusciter leur passé. Avec le projet Louisbourg, ils ont fait très fort. L'économie locale, gravement atteinte par le déclin de l'industrie du charbon, y a trouvé son ballon d'oxygène.

Adresses utiles

🛈 *Office du tourisme :* en entrant dans Louisbourg, sur la droite, quand on vient par la route n° 22. À côté du *Railway Museum*. Plan de la ville bien fait.

■ *Lieu historique national de la Forteresse de Louisbourg :* C.P. 160, Louisbourg, Nouvelle-Écosse. ☎ (902) 733-31-00 (répondeur seulement) ou 733-22-80 (renseignements). Le centre d'information sur la forteresse est également l'endroit où se vendent les billets et où l'on prend les bus menant sur le site.

Où dormir ? Où manger ?

En été, particulièrement en juillet et août, la plupart des chambres sont prises d'assaut par les visiteurs de la forteresse. Il est plus prudent de réserver en téléphonant quelques jours à l'avance. S'il n'y a plus de place à Louisbourg, dormir à Sydney, à 32 km de là.

🛏 *The Manse, Brooks Bed & Breakfast :* 10 Strathcona Street. ☎ 733-31-35. Dans le centre, suivre Main Street en direction de la forteresse. Après la station Esso, une rue sur la gauche, qui descend vers le port. Jolie maison, couleur vert pastel, avec 3 chambres à lit double coquettement arrangées. Vue sur le bras de mer en face. Adresse centrale et calme. Bon accueil.

🛏 *Wilson's Bed & Breakfast :* 75 Wolfe Street. ☎ 733-26-59. Ouvert du 15 mai à fin septembre. À l'extérieur de la ville, à gauche de la route menant vers « the Royal Battery », juste après l'intersection avec la route conduisant au centre d'information de la forteresse de Louisbourg. Une maison isolée, dotée d'une vue superbe sur la baie et la forteresse, au loin. De gentils retraités, collectionneurs de petites cuillères, y proposent 2 chambres, une avec lit double, l'autre avec un lit simple. Douche et w.-c. à l'intérieur. Salon agréable. Accueil jovial. Prix raisonnables pour la qualité du lieu. Nuits calmes assurées.

🛏 *Levy's Bed & Breakfast :* 7 Marvin Street. ☎ 733-27-93. Dans le centre-ville mais au calme, au bord d'une petite rue à l'écart de la rue principale. En entrant dans Louisbourg par la route n° 22, c'est la 2ᵉ rue à gauche après l'office du tourisme. 3 chambres à lit double jouissant de la vue sur le port et la baie. Bonne adresse à l'ambiance familiale et *cosy*, comme la plupart des *B & B* de la région.

🛏 *Cape Breton Bed & Breakfast :* 81 Pepperell Street. ☎ 733-28-33. En entrant dans la ville, 2ᵉ rue à droite après l'office du tourisme. Petite maison au calme, posée sur un terrain en pente couvert de gazon. 3 chambres dont 2 petites avec vue sur le village et la baie. Douche et w.-c. sur le palier. Tarifs normaux. Accueil ni chaud ni froid : ordinaire.

🍴 *Fortress View Restaurant :* rue Principale, après la *Banque Royale du Canada.* Ouvert de 7 h à 22 h. Bonne cuisine sans chichis, à prix modérés. Une première salle en entrant et, dans le fond, une autre salle, inondée de lumière : l'*Oceanview Dining room.* Bien aussi pour prendre un copieux petit déjeuner appelé le *King Louis special.* Ce n'est certes pas un festin louisquatorzien mais il est quand même copieux.

DANS LA FORTERESSE

Impossible d'y dormir, mais on peut y manger.

🍴 *La Maison Destouches :* sur le quai du port, face à la baie. Bien pour un casse-croûte sur le pouce. Pas cher.

🍴 *L'hôtel de la Marine :* auberge populaire du XVIIIᵉ siècle, fort bien reconstituée, où l'on est servi par des femmes en costumes d'époque, dans une ambiance de taverne (la fumée de cigarette en moins !) assez conviviale. Anglophones et francophones s'y retrouvent au coude à coude sur des bancs en bois bien de chez nous, autour d'une table ronde (en bois elle aussi). Aux murs, des graffiti insolites comme ce Bacchus trônant sur son tonneau. La cuisine obéit aux recettes de l'époque : soupe, saucisses et choux, haricots, poisson, poulet en civet. On mange et on boit dans des bols, des assiettes et des gobelets en étain. Pas de fourchettes car il n'y en avait pas naguère, mais seulement des cuillères. Ce n'est pas toujours très pratique et ça fait sourire les Américains de passage, aussi dépaysés que dans une réserve d'Indiens ! Prix raisonnables et étape agréable à condition de parler avec ses voisins de table.

🍴 *L'Épée Royale :* juste à côté de l'*hôtel de la Marine.* L'auberge chic de Louisbourg, naguère fréquentée par les élégants (gantes) de la colonie. Endroit méticuleusement reconstitué, jusque dans le moindre détail. Pour routards aux bonnes manières. Eh Pierrot, passe-moi la moutarde !

À voir

★ *La forteresse de Louisbourg :* située sur une pointe fermant la baie de Louisbourg, face à la mer, à environ 4 km au sud de la ville. Attention, ici tout a été reconstruit (comme on vous l'explique plus haut dans l'introduction) entre les années 60 et 80. C'est la plus grande reconstitution historique jamais effectuée au Canada (sans doute dans le monde). Un endroit surprenant parce que vraiment vivant : dans cette ville close, symbole de la présence française au Nouveau Monde au XVIIIᵉ siècle, plus de 100 animateurs costumés recréent la vie et l'ambiance de la cité en 1744. On a l'impression de pénétrer clandestinement dans un immense décor de film, de faire irruption sur un plateau de cinéma sans caméras ni réalisateurs, bref, de remonter dans le temps. Et là, pour une fois, ce n'est pas une blague. On s'y croit. Magique !

Tellement magique que tout y est interactif. Aux questions que nous avons posées aux « figurants » de Louisbourg, à chaque fois, on nous a répondu comme si on était des visiteurs de 1744. Ici, des soldats coiffés de tricorne montent la garde et font plus vrai que nature, là des sentinelles vont et viennent dans les rues, jouent du tambour, font des annonces publiques comme au bon vieux temps (« avé l'assent », s'il vous plaît!), arrêtent un prisonnier, rechargent leurs mousquets dans le corps de garde. Plus loin, une élégante joue du clavecin dans une belle maison, un notable à perruque écrit à l'aide d'une plume d'oie, un boulanger fabrique du vrai pain d'époque et le vend aux touristes, des enfants costumés (eux aussi) gambadent dans les jardinets... Incroyable musée vivant en plein air !

Ce qui fut l'un des ports les plus importants de la Nouvelle-France et la capitale (française) de la colonie de l'île Royale (aujourd'hui appelée île du Cap-Breton) parvient à revivre grâce à la volonté, à l'énergie, à l'imagination et à la passion d'une poignée de gens du pays, professionnels du maintien de la mémoire collective. Un routard de Saint-Malo ou de La Rochelle s'y sentira immédiatement chez lui. Et encore, il manque la forêt des mâts de bateaux qui couvrait naguère la baie de Louisbourg. Les vagues viennent lécher les quais en pierre et en bois. À voir ces maisons de style français et ces gros murs à la bretonne, on finit par croire que tout ça est vrai : mais non, c'est une copie, une merveilleuse copie, plus époustouflante sans doute que l'original, même si seulement un cinquième de la forteresse a été reconstruit.

– *Horaires d'ouverture* : tous les jours de juin à septembre, de 9 h 30 à 17 h ; en mai et en octobre, mêmes horaires mais il n'y a plus d'animateurs ; le reste de l'année, il faut réserver et l'accès à la forteresse est interdit en dehors des visites guidées à l'extérieur. Le plus étonnant, c'est le prix peu élevé du billet d'entrée : comptez environ entre 25 et 30 F pour un adulte, et moins de 15 F pour un étudiant.

– Prévoir une journée (sinon deux) pour visiter la forteresse.

– Le billet d'entrée comprend le transport en autobus (obligatoire) du centre d'information (Visitor Reception Centre), où on laisse sa voiture, jusqu'à la forteresse. Il inclut évidemment l'accès à tous les bâtiments et les visites guidées. Un billet acheté 2 h avant la fermeture est également valable pour le lendemain.

– *Centre d'accueil et d'information* : prenez le plan de la forteresse (bien fait). Pour plus de détails, se procurer un petit guide en français intitulé *La Forteresse de Louisbourg* (4 $).

– **Visite à pied de la forteresse** : impossible d'énumérer en quelques lignes les trésors qu'elle abrite. Il y en a trop. On vous indique quelques-uns de nos coups de cœur. À ne pas manquer donc, les lieux qui suivent.

• *La résidence du commissaire-ordonnateur Bigot* : la colonie était dirigée de ses bureaux où se cachait également le Trésor public. François Bigot, commissaire-ordonnateur de l'île Royale de 1739 à 1745, s'y tailla une réputation d'administrateur hors pair. Il fut le dernier intendant de la Nouvelle-France. Au fil des pièces admirablement reconstituées, on croise une femme jouant du clavecin et un comptable écrivant à la plume d'oie sur un épais livre de comptes.

• *La maison De La Plagne* : pour son film sur Louisbourg. Point de départ des visites guidées. Dans le jardin, les animateurs cultivent des légumes.

• *La maison Carrerot* : pour les techniques de construction à l'époque.

● *L'hôtel de la Marine* : auberge du XVIIIᵉ siècle reconstituée, où l'on peut prendre un vrai repas populaire comme à l'époque. Voir plus haut la rubrique « Où dormir ? Où manger ? Dans la forteresse ? ».

● *La maison De Gannes* : bien pour découvrir les secrets de la cuisine dans l'âtre ainsi que la fabrication de la dentelle.

● *La maison d'Étienne Verrier* : l'ingénieur du roi y habitait. On y rencontre son fils, Claude Verrier, qui vous parlera du génie des lieux à travers le plan de la forteresse, le style des fortifications et bien d'autres choses encore...

● *Le bastion du Roi* : le clou de Louisbourg. Sorte de mini-citadelle à l'intérieur même de la forteresse. Ne pas manquer l'admirable chapelle, les casernes et le musée racontant l'histoire (une aventure extraordinaire et unique en son genre) de la reconstitution.

● *La boulangerie du Roi* : ouverte seulement en été. Pour y acheter la ration quotidienne de pain d'un soldat de l'époque. Miam !

● *Le sentier des ruines* : sort de la forteresse et permet de musarder sur les dunes le long de la mer. Balade très tonique dans les ruines non reconstruites de la cité. Se prend derrière la maison De La Plagne, près du musée.

SYDNEY

Grosse ville administrative et industrielle, située au bord d'une large rivière où il n'y a apparemment rien à faire de spécial. Cela dit, on y trouve quelques adresses pour dormir, manger, boire un verre. Bref, un retour dans le monde citadin (très provincial malgré tout) après (ou avant) l'euphorie des grands espaces du cap Breton. Le centre-ville est plutôt agréable. Sydney a été fondée en 1785 par des loyalistes américains, très attachés à la monarchie : il n'est pas rare d'y voir encore aujourd'hui des portraits de la reine d'Angleterre accrochés aux murs des magasins.

Où dormir ?

🛌 *Park Place Bed & Breakfast* : 169 Park Street. ☎ 562-35-18. Au bord d'une longue avenue ombragée d'un quartier résidentiel et central, une gentille maison tenue par une dame quinquagénaire, rondelette et joviale. Bon accueil. Intérieur *cosy* avec de vieux meubles assez beaux. 3 chambres très correctes à prix doux. Endroit calme.

🛌 *The Gathering House Bed & Breakfast* : chez Jean et Ken Philips, 148 Crescent Street. ☎ 539-71-72. Dans un quartier résidentiel mais seulement à 5 mn à pied du centre de Sydney. Crescent se trouve entre Kings Road et Argyle Street, près des trois petits lacs, et non loin de la cour de justice (Court House). Grande et belle maison victorienne arborant une véranda à colonnes, façon Louisiane. Les cyclistes y sont les bienvenus, à plus

forte raison les routards ! Prix peu élevés, contrairement à ce que laisse imaginer le genre de la maison. On est reçu par une dame aimable.

🛌 *Royal Hotel* : 345 Esplanade. ☎ 539-21-48. En plein centre de Sydney, au bord de l'avenue longeant la rivière. Pas difficile à trouver. Enfin quelqu'un qui parle le français dans ce bout du monde anglophone ! Ça fait plaisir. De plus, cette dame est très aimable. On a donc envie de faire un brin de causette avec elle. L'hôtel date de 1898. Dans l'entrée, une tête d'orignal et un tableau du *Titanic*. Les chambres, propres et non dénuées de charme (ancien), donnent sur la rue ou sur l'arrière (plus tranquilles la nuit).

🛌 *Paul's Hotel* : à l'angle de Pitt Street et de l'avenue Esplanade ;

très central. ☎ 562-57-47. L'hôtel possède un certain charme 1900. Chambres avec ou sans douche et w.-c. Prix raisonnables, à peine plus élevés que les *B & B*.

Où manger ? Où boire un verre ?

|●| *Daniel's Bar and Restaurant :* 456 Charlotte Street. Rue parallèle à Esplanade et à la rivière. Ouvert de 11 h à 22 h. Bar-resto à l'ambiance chaleureuse : billard, ventilos au plafond, musique et vidéo, plus un petit coin de jeux discret. Sert des soupes, salades, natchos, steaks, sandwiches, ainsi que des assiettes de homard. Sinon, la spécialité de la maison : l'*awsome blossom*, énorme oignon frit dans de l'huile végétale.

♇ *Smooth Hermans :* immense bar situé sous le resto *Joe's Warehouse*, 424 Charlotte Street. En contrebas du bar, il y a une scène pour les petits groupes pop-rock du coin. Y venir plutôt en fin de semaine pour y faire connaissance avec les jeunes de Sydney.

Dans les environs

★ *Lieu historique national Marconi :* Timmerman Street, Table Head, à *Glace Bay*, bourgade située à 23 km au nord-ouest de Sydney. Ouvert tous les jours du 1er juin au 15 septembre, de 10 h à 18 h. Entrée gratuite. Un petit musée très bien fait, consacré à Marconi, « le génie de la TSF ».
Né à Bologne (Italie du Nord) le 25 avril 1874, il rêvait adolescent de transmettre des messages à distance sans l'aide de fils conducteurs. Cancre à l'école, autodidacte, il commença ses expériences dans la solitude du grenier familial. Comme dans les histoires romanesques du siècle dernier, le visionnaire introverti monta à Londres à 22 ans, où ses premières inventions suscitèrent l'admiration des ingénieurs de la British Post. Suivent plusieurs coups d'essai sur la côte de la Cornouailles. Puis Marconi traverse l'Atlantique et s'installe au sommet de Signal Hill à Saint John (Terre-Neuve). Pourquoi dans ce trou perdu ? Eh bien ! tout simplement parce que c'est le point des côtes d'Amérique du Nord le plus proche des côtes européennes. Eurêka ! Le 12 décembre 1901, Guglielmo (c'était son prénom) parvient à discerner les trois battements à peine audibles de la lettre S en morse, transmis de la station de Poldhu (Cornouailles anglaise). Un exploit : pour la première fois l'Amérique et l'Europe communiquent sans fil, par-dessus l'océan. Guglielmo Marconi quitte Terre-Neuve et plante ses hauts pylônes métalliques ici, à Table Head, où, en octobre 1902, il réussit à transmettre un vrai message compréhensible. À 28 ans, il réalisait son vieux rêve. Il venait d'inventer la télégraphie sans fil (TSF). L'aventure des communications modernes, on peut le dire, a commencé dans ce bout du monde de l'île du Cap-Breton. Curieusement, le personnage n'avait pas l'air très communicatif, montrant sans cesse un air distant, renfermé sur lui-même, presque hautain. Son nom a été immortalisé auprès des jeunes surtout à travers la maison de disques Pathé-Marconi. Pourtant, il n'avait vraiment pas l'air d'un yéyé...

BADDECK

L'un des plus chouettes villages de l'île du Cap-Breton. Endroit vraiment croquignolet, tellement calme et beau qu'Alexandre Graham Bell, l'inventeur du téléphone, s'y installa dans une sorte de gros manoir. Histoire de ne pas être dérangé par la sonnerie du téléphone! Les eaux du lac du Bras d'Or et du Saint Patrick's Channel baignent le petit port, lui donnant un paysage somptueux (des forêts au loin sur les îlots) et une sorte de microclimat vraiment agréable (la mer sans les excès de la mer, pour résumer la situation). Bref, un endroit sympa pour passer une ou deux nuits, au départ ou à la fin du tour de la pointe du cap Breton. Attention : beaucoup de monde en juillet et dans la première quinzaine d'août. Il vaut mieux réserver votre chambre, d'autant qu'il y a peu d'hôtels et de gîtes chez l'habitant.

Où dormir ?

Campings

▤ *Camping Baddeck Cabot Trail KOA :* à 8 km à l'ouest de Baddeck, sur la route 105. ☎ 295-22-88 ou 794-79-52. Ouvert du 15 mai au 15 octobre. Le meilleur camping de la région. Dans un site ombragé au bord d'une rivière. Sanitaires impeccables, douches, laverie, bois et glace en vente. Il y a également une piscine et des jeux pour les enfants.

▤ *Camping Bras d'Or Lakes :* à 5 km à l'ouest de Baddeck, sur la route 105. ☎ 295-23-29. Ouvert du 15 mai au 30 septembre. Bien situé aussi, au bord du lac du Bras d'Or. Un peu moins cher que le précédent.

Prix modérés

▤ *Restawyle Tourist Home :* chez Peter et Patti MacAnlay, Shore Road, à la sortie de Baddeck, à droite de la route qui rejoint la 105. ☎ 295-32-53. Une haute maison en bois, peinte en blanc et en bleu, avec une jolie véranda en plein sud où il fait bon lézarder au soleil ou fumer une bonne pipe le soir (interdit de fumer à l'intérieur, eh oui!). Autour, du gazon bien vert. À l'intérieur, 4 chambres très bien décorées, dont 2 très grandes. Très bon petit déjeuner (excellents *muffins* aux bleuets). Très bon accueil. Vue superbe sur les prés et le lac. Beaucoup d'espace.

▤ *Clan Cameron Bed & Breakfast :* 282 Shore Road. ☎ 295-27-25. Sur la gauche de la route en sortant de Baddeck, petite baraque sans prétention avec 2 chambres donnant sur la route ou, mieux, sur le côté (plus calme). Très belle vue sur le lac du salon. Accueil tout ce qu'il y a de plus banal. À retenir quand même, faute de mieux.

Plus chic

▤ *Duffus House Inn :* Water Street. ☎ 295-21-72. L'auberge de charme de Baddeck, tenue amoureusement par Judy Langley, une gentille personne. La partie la plus mignonne de l'auberge est la vieille maison où il n'y a malheureusement qu'une chambre. Les autres chambres se trouvent juste à côté, dans une annexe récente arrangée avec beaucoup de goût mais moins séduisante que la maison, pleine de bibelots, d'antiquités, de livres... Ambiance romantique à souhait. Déco intime et *cosy*. Cher bien sûr, autour de 77 $ canadiens la chambre. Superbe vue sur le bras de mer et un îlot boisé. Adresse très calme.

À voir

★ *Le lieu historique national Alexander-Graham-Bell :* situé à l'est de Baddeck, sur la route 205. ☎ 295-20-69. Ouvert de 9 h à 21 h, tous les jours de juillet à septembre, et de 9 h à 17 h, tous les jours d'octobre à juin. Très beau musée, bourré de souvenirs, de documents d'époque, de photographies relatant la vie extraordinaire (et méconnue) de l'inventeur du téléphone.

Alexander Graham Bell (1847-1922) était écossais d'origine. Né à Édimbourg, il commença sa carrière comme professeur pour les sourds-muets avant d'émigrer au Canada avec ses parents. Sa mère était partiellement sourde, son père fut professeur de diction et une sommité en matière d'orthophonie, et lui-même épousa une de ses élèves sourdes, Mabel. C'est en s'acharnant à percer le silence des mal-entendants qu'il eut l'idée de génie d'inventer un appareil capable de transmettre la voix à l'aide d'un simple fil : le téléphone, invention qui a bouleversé le monde.

Le musée présente merveilleusement toutes les facettes de ce « monstre sacré », un savant universel comme on en faisait à l'époque de Léonard de Vinci. Il parlait le dialecte des Mohawks, connaissait la médecine et la génétique, fit des recherches en agriculture, et se passionna pour l'aéronautique. Ce bouillant Protée, barbu comme Victor Hugo et les prophètes de la Bible, fut une sorte d'athlète complet de l'esprit et un farouche défenseur de ses brevets d'invention (c'est aussi pour cette raison qu'il a fait fortune !). En 1892, il s'installa à Baddeck dans son manoir de Beinn Bhreag (mot gaélique qui signifie « Belle Montagne ») où il passa les 30 derniers étés de son existence.

Très amusantes photos où on le voit testant près de chez lui des prototypes volants ou flottants dignes de Jules Verne. Voir ainsi, dans une grande salle spéciale, la coque de l'hydroptère le plus rapide du monde, le cerf-volant à cellules triangulaires, les documents sur l'histoire du Silver Dart, le premier avion de l'Empire britannique à voler. Jusqu'à sa mort, Bell ne cessa d'inventer des engins nouveaux, tout en restant fidèle à son humanisme de toujours. Enfin, savez-vous quelle fut la première phrase prononcée dans l'histoire du téléphone ? « Monsieur Watson, veuillez venir dans mon bureau, s'il vous plaît ! »...

LE CAP BRETON

J'ai voyagé dans le monde entier, j'ai vu les Rocheuses canadiennes et américaines, les Andes, les Alpes et les Hautes-Terres d'Écosse, mais la beauté calme et simple du cap Breton les surpasse tous.

Alexander Graham Bell.

Mais que venaient-ils faire par ici, ces fous voguants de Bretons qui ont laissé leur nom à ce cap sauvage plus vrai que nature, sorte d'extrême « Finistère » de l'Amérique du Nord ? Eh bien, pêcher la morue pardi ! Les fonds de l'Atlantique grouillaient alors de ces gentilles bébêtes, très recherchées naguère pour les repas maigres du vendredi. Regardez bien la carte, elle nous fait même un clin d'œil. La Nouvelle-Écosse ressemble *grosso modo* à un gros mammifère marin tête en bas, avec sa queue hérissée vers le nord. Drôle, n'est-ce pas ? Donc, l'île du Cap-Breton ne serait en somme que la « queue » maritime du Nouveau Monde. Et le parc national des Hautes-Terres du cap Breton, sa plus brillante écaille. Oui !

Les paysages ? Un peu de Finlande dans ces forêts profondes parsemées de lacs où viennent s'abreuver des orignaux, des ours et des chevreuils. Une pincée d'Acadie francophone comme à Chéticamp où survit une des tribus perdues de ce vieux peuple migrateur. Beaucoup de celtique et de gaélique dans les falaises et dans les mœurs des habitants (il y a même un collège gaélique près de Baddeck).

Pour découvrir ce monde à part, après des journées de route interminable, il faut suivre le Cabot Trail, cette longue et merveilleuse route de corniche serpentant entre mer et forêts. Certains disent qu'elle serait le plus bel itinéraire maritime d'Amérique du Nord. Au fait, pourquoi « Cabot » ? À cause d'un sale cabot qui gênait les Bretons ? Non, pas du tout. Parce que le premier

explorateur qui découvrit cet appendice inconnu en juin 1497 (4 ans seulement après l'arrivée de Christophe Colomb en Amérique) s'appelait Jean Cabot (1450-1499) : il était vénitien et cherchait le fameux passage du Nord-Ouest menant vers la Chine...
Le cap Breton : notre coup de cœur en Nouvelle-Écosse.

Adresses utiles

■ *Parc national des Hautes-Terres du cap Breton :* à Ingonish Beach. ☎ (902) 285-25-35 ou 224-23-06 (été et automne) et 285-26-91 (printemps et hiver).

◻ *Centres d'accueil et d'information du parc :* il y en a 2. L'un situé sur la route Cabot Trail, quelques kilomètres après *Chéticamp* en allant vers le nord. L'autre centre se trouve à *Ingonish.* Ils sont ouverts de 8 h à 20 h ; du 24 juin au 4 septembre, de 9 h à 17 h, entre le 20 mai et le 23 juin ainsi qu'entre le 5 septembre et le 10 octobre, de 8 h à 17 h, le reste de l'année (en semaine, ren-

seignements au téléphone seulement). Au centre d'information de Chéticamp, on peut se procurer le permis de camping, visiter une expo, voir un diaporama, prendre toute la doc nécessaire sur le parc (carte, guide des sentiers de randonnée, etc.) et traîner dans la plus grande librairie du Canada atlantique consacrée à la nature.

■ *Location de vélos tout-terrain :* on les appelle ici des bicyclettes de montagne. On peut en louer au Centre d'information du parc à Chéticamp.

Comment s'y rendre ?

– ***De Baddeck :*** idéalement situé, ce port adorable marque le début ou la fin du Cabot Trail, cette route qui fait le tour de la pointe du cap Breton. Au total, une boucle de 296 km. Compter une journée au pas de charge, 2 jours à une allure plus décente. Le parc conseille de faire la boucle en 3 ou 4 jours. Nous, on conseille de la faire dans le sens des aiguilles d'une montre en commençant par la côte ouest et en terminant par la côte est. De Baddeck, rejoindre Chéticamp en passant par Upper Middle River et Margaree Forks.
– ***En venant du Québec et du Nouveau-Brunswick :*** suivre la route transcanadienne 104 (Sunrise Trail) jusqu'au détroit de Canso (Canso Causeway), qui marque l'entrée de l'île du cap Breton (il y a un pont, rassurez-vous). Là, de Port Hastings, 2 solutions : rejoindre Baddeck par la route 105, puis faire la boucle au départ de cette bourgade ; ou bien rejoindre directement Chéticamp en suivant la route du Ceilidh Trail (120 km de Canso Causeway à Margaree Harbour) puis le Cabot Trail.

Quand y aller ?

– ***En été :*** juillet et août, les mois les plus chauds et les plus fréquentés, sont très agréables à cause du soleil, de la luminosité et de la possibilité de se baigner (pour les plus courageux). Le thermomètre oscille dans la journée entre 20 et 25 °C et entre 10 et 20 °C la nuit. Prévoir quand même un chandail et un vêtement imperméable (on ne sait jamais).
– ***Fin septembre et début octobre :*** époque merveilleuse pour les couleurs des forêts.

LA NOUVELLE-ÉCOSSE

Où camper ?

Le camping est gratuit de la mi-mai à la mi-octobre, mais pour les campings « primitifs » il faut toutefois se munir d'un permis, disponible aux centres d'accueil et d'information (Chéticamp ou Ingonish). Tarifs par jour. Prix réduits à partir de 4 jours.

📛 *Camping de Chéticamp :* entrée ouest du parc. Juste après le centre d'accueil, le plus grand camping du parc avec celui de Broad Cove. Eau potable, toilettes et douches propres, abris-cuisine avec poêle à bois. 14 emplacements avec électricité, les autres sans.

📛 *Camping Corney Brook :* toujours sur la côte ouest, avant la montée vers le lac French. Situé au bord de la mer, dans une crique de galets. Eau courante, foyers, abris-cuisine avec poêle.

📛 *Camping (« primitif ») de Fis-* *hing Cove :* le camping « du bout du monde ». Accessible uniquement à pied par un sentier long de 8 km que l'on prend de la route principale, entre le lac French et Pleasant Bay. Pour les amateurs de camping sauvage, ou les Robinson solitaires. Site sauvage au bord de la mer. Permis de camper nécessaire, à demander au centre d'accueil du parc.

📛 *Camping de Broad Cove :* près de l'entrée Est du parc. Grand et beau camping bien aménagé, situé près de l'anse de Broad Cove, à Ingonish.

Où dormir ? Où manger ?

À CHÉTICAMP

📛 *Germaine Doucet Bed & Breakfast :* sur la gauche de la route, à l'entrée de Chéticamp, en venant de Point Cross (sud). ☎ 224-34-59. Bonne maison tenue par un couple d'Acadiens très gentils (francophones). 3 chambres simples et propres. Juste à côté de la maison, un panneau indique « Wild herbs, Unusual art », une petite baraque face à la mer exposant des objets d'art brut assez curieux.

📛 *Cheticamp Outfitters Inn :* à Point Cross, à 2 km au sud de Chéticamp. ☎ 224-27-76. En venant de Margaree Harbour, après Point Cross, sur la droite, juste avant le *Club K et C* (mystérieux !), prendre un chemin de terre (400 m) qui conduit à une maison en bois marron, perchée sur une butte. Accueil chaleureux par un couple d'Acadiens francophones. Gilles est charpentier et pourra vous renseigner sur le parc du cap Breton. Endroit très calme avec des chambres au sous-sol, entièrement rénovées, claires et propres. Déco pas triste du tout. Douche et toilettes dans le couloir. Petit déjeuner copieux. Possibilité de participer à des journées de pêche au saumon (assez cher mais bien). Tarifs des chambres raisonnables. Acceptent la carte *Visa*.

📛 *Albert's Motel :* situé en face du *Restaurant Acadien,* à Chéticamp. ☎ 224-20-77. Motel ordinaire et bien tenu, à prix sages. *Muffins* au petit déjeuner.

🍴 *Restaurant Acadien :* dans le centre du bourg. ☎ 224-32-07. Ouvert tous les jours de 9 h à 21 h. Géré par la coop artisanale de Chéticamp. Un îlot de gastronomie acadienne dans un océan anglophone, ainsi peut-on résumer l'esprit de cette bonne petite auberge bien de chez nous. Rideaux et robes (des serveuses) à petits carreaux rouge et blanc, chaises à la française en bois, personnel costumé à l'ancienne. À la carte, les spécialités acadiennes du cap Breton, bien sûr : fricot au poulet, chaudrée de poisson, fèves au lard, chiard à la viande et aux légumes, homard, morue... et le fameux gâteau aux bleuets et la tarte aux raisins. Bien aussi pour un petit déjeuner (copieux) ou casse-croûte.

À DINGWALL

☗ **The Inlet Bed & Breakfast :** à l'écart de la route Cabot Trail, sur la gauche en allant vers le petit (minuscule même) port de Dingwall (au fond de la baie d'Aspy, nord-est de la pointe du cap Breton). ☎ 383-21-12. Petite maison sans frime abritant des chambres toutes simples, presque banales. Mais les prix sont doux. Vue sur une petite anse.

À WHITE POINT

☗ **Two Tittle Bed & Breakfast :** ☎ 383-28-17. Quel bout du monde ! Petite maison en bois, de couleur vert clair, surplombant un adorable petit port où quelques baraques colorées, elles aussi, s'accrochent à la pente de White Point. Au fait, où est-ce ? Au nord-ouest de la pointe du cap Breton et au sud de la baie d'Aspy, après South Harbour et Smelt Brook. Il est impératif de téléphoner avant pour réserver car il n'y a que 2 chambres, dont une seule *(Rose's Room)*, avec 2 lits, jouissant de la vue sur le port et la plage de galets. L'autre chambre avec un lit double se trouve au sous-sol, sans vue. Adresse simple et familiale.

DE CHÉTICAMP À INGONISH PAR LE CABOT TRAIL ✯✯✩

Ce tronçon fait 106 km, autant vous avouer que c'est la partie la plus somptueuse, et certainement la plus fantastique route côtière que nous connaissons au Canada. Le « nec plus ultra » de ce tronçon étant le morceau compris entre Chéticamp et Neils Harbour.

★ Avant Chéticamp, à **Cap-le-Moine,** ne pas rater sur la droite en arrivant une curieuse collection d'épouvantails, tous plantés dans un pré au bord de la route. Des clowns, un golfeur, un mineur, Bush et lady Diana main dans la main, Reagan, Mitterrand, Thatcher, et une foule d'inconnus aux noms de bande dessinée, Kay, Walt, Nicky... Ils portent des masques en caoutchouc ou en plastique, et sont tous étiquetés. Insolite !

★ **Chéticamp :** le principal village francophone du cap Breton, fondé en 1755 par des Acadiens chassés par les Anglais de leurs terres d'origine et réfugiés sur ce bord de mer. On y vit essentiellement de la pêche. Voir le petit *Musée acadien* et la *coopérative artisanale.*

– **Randonnée du Skyline :** à la hauteur du lac French, dans un coin superbe. Une boucle de 7 km (2 à 3 h) qui passe par une falaise abrupte d'où l'on a une vue plongeante sur la mer. Avec un peu de chance, on peut voir des baleines ou des aigles à tête blanche.

★ **Le lac Benjies :** entre le lac French et Pleasant Bay. Un sentier (3,2 km aller et retour, 1 h de marche) traverse les landes humides et les forêts de résineux, avant d'arriver au lac. Un bon coin pour voir des orignaux et des oiseaux nordiques.

– **Lone Shieling :** dans le secteur du ruisseau Mac Intosh, ce sentier en pleine nature (800 m ; 20 mn de marche) mène à une hutte de berger écossais entourée de magnifiques érables vieux de 300 ans.

★ **Dingwall :** au nord-ouest du cap Breton. Rien de particulier à voir, hormis la mer. Une adresse de *B & B*, se reporter à la rubrique « Où dormir ? Où manger ? ».

– **Scenic Loop :** route panoramique à prendre après South Harbour, qui permet de rejoindre New Haven, en passant par des coins perdus mais beaux, comme White Point (possibilité d'y dormir chez l'habitant, voir plus haut). Cette route s'appelle aussi « Alternative Scenic Road ».

★ *New Haven :* une plage de sable aux eaux peu recommandées aux frileux...

★ *Ingonish :* point de sortie (ou d'entrée, si vous circulez dans l'autre sens) du parc. Un coin beaucoup moins sauvage et donc plus urbanisé que la côte Ouest. On a moyennement aimé la route après New Haven. Cela dit, les randonneurs pourront s'en donner à cœur joie sur le sentier du lac Warren, une boucle de 8,5 km (durée : 2 à 3 h) où l'on aperçoit de temps en temps des orignaux et des chevreuils.

HALIFAX

Capitale de la Nouvelle-Écosse (114 555 habitants), ville portuaire et universitaire, c'est « The old and new Canada » réunis (en comptant Dartmouth, son annexe industrielle et commerciale) au bord d'une rivière débouchant très vite dans l'Atlantique. En une journée, on en fait le tour, à moins de tout visiter en détail. Inutile de s'y attarder. C'est ici que furent ramenés les corps des naufragés du *Titanic*. Fondée en 1749 comme bastion anglais destiné à contrecarrer la puissante forteresse française de Louisbourg, Halifax possède encore la plus vieille église protestante du Canada, ainsi que les restes du seul quartier d'esclaves des provinces maritimes, Africville, où est né George Dixon (1870-1909), un des plus fameux boxeurs mondiaux.

Comment s'y rendre ?

– *En bus :* de *Québec* à Halifax, il y a un bus direct, qui part à 1 h et arrive à 18 h. Durée : 16 h! Bus aussi d'*Edmunston, Baddeck* (cap Breton) et *Sydney*. Le terminal de bus de Halifax se trouve au 6040 Almon Street, à l'angle de Robie Street. Pour informations et horaires : ☎ 421-66-00.
– *Par la route :* *Digby-Halifax* (traversier pour Saint John), 235 km, soit 3 h 30 grand maximum. Ceux qui viennent de *Sydney* (cap Breton) auront 423 km à faire (durée : 6 h 30). Sinon, *Moncton* (Nouveau-Brunswick)-*Halifax*, 290 km, 4 h de route, toujours en roulant pépère (70 km/h de moyenne pour les Canadiens, mais les Français roulent toujours plus vite, c'est bien connu...).
– *En avion :* vols directs au départ de *Londres* et d'*Amsterdam*. Vols intérieurs de *Montréal*. L'aéroport est à 40 km de la ville, le long de la route 102.

Adresses utiles

🛈 *Centre d'information Nova Scotia Tourism and Culture :* au port, dans le quartier historique (Historic Properties). ☎ 424-42-47.
✉ *Poste centrale :* 1680 Bedford Row. ☎ 494-47-34.
■ *Banque Royale du Canada :* 5161 George Street. ☎ 421-83-30.

■ *Location de voitures :* Rent-a-Wreck, ☎ 454-64-01.
■ *Alternative Passage :* 1266 Hollis Street. ☎ 429-51-69. Agence du style d'« Allôstop », desservant Sydney, Digby, Moncton, Saint John, Montréal... Inscription : 7 $. Le voyage en auto ici est moins cher que le bus.

Où dormir ?

Très bon marché

🛏 *Auberge de jeunesse Halifax Heritage House Hostel :* 1253 Barrington Street. ☎ 422-38-63. Très bien située, à 5 mn à pied du centre-ville et à 3 km de la gare routière. De celle-ci, prendre le bus n° 7 sur Robie Street (ou Almon Street) ; descendre à l'angle de Barrington et de South Street, près de l'A.J. Ouverte de 7 h à 22 h. Une bonne et sympathique A.J. installée dans une maison de caractère, avec lits en petits dortoirs. Toutes les commodités : cuisine, laverie, infos touristiques et location de vélos tout-terrain juste à côté, chez *Pedal and Sea* (☎ 492-01-16). Accepte la carte *Visa*. Prix normaux pour une A.J.

🛏 *YMCA :* 1565 South Park Street. ☎ 423-96-22. Fax : 425-01-55. Très bon accueil, mais tarifs deux fois plus élevés que l'A.J. et chambres tristes et petites, sans lavabo. Mieux vaut se rabattre dans un *Bed & Breakfast* ; pour le même tarif, vous aurez la chaleur en plus.

Bon marché à prix modérés

🛏 *The Fountain View Guesthouse :* 2138 Robie Street. ☎ 422-41-69. Ouvert toute l'année. En face du grand parc Commons, au bord d'une rue très passante, une maison de couleur bleu turquoise, avec 7 chambres (toilettes sur le palier) dont certaines donnant sur le jardin (en demander une de ce côté-là, beaucoup plus calme que le côté rue). Attention : pas de petit déjeuner, mais en ville ce ne sont pas les adresses qui manquent. Bien pour les motorisés.

🛏 *Gerrard Hotel :* 1234 Barrington Street, à l'angle avec Harvey Street, presque en face de l'A.J. ☎ 423-86-14. Hôtel de charme datant de 1865, patiné mais propre, abritant 9 chambres, vastes et hautes de plafond. Elles donnent sur la rue ou bien sur l'arrière (plus tranquille). Petit parking derrière pour les voitures. Assez bon accueil malgré cette sinistre porte à sonnette. Pas de petit déjeuner. Gros avantage, malgré les apparences : les prix sont bon marché pour un centre-ville. Une chambre à 2 lits avec toilettes sur le palier ne coûte pas plus cher que dans un *Bed & Breakfast*.

Où manger ?

🍽 *Mediterraneo Café :* à côté du 1575 Barrington Street, en plein centre-ville, non loin d'un vieux et romantique cimetière. Bien pour manger sur le pouce. Bon et pas cher. *Falafels*, sandwiches, hambourgeois, etc., ainsi que quelques plats libanais et italiens.

🍽 *The Atrium :* 1740 Argyle Street. Ouvert tous les jours ; le dimanche, de 16 h à 21 h. *Brunch* le samedi de 11 h à 15 h. Adresse simple et correcte : soupes, salades, petits plats maison comme les *lemon pepper chicken*, *deep fried scallop*, *baked haddock*...

Un peu plus chic

🍽 *Nemo's :* 1865 Hollis Street. ☎ 425-67-38. Enfin de l'excellente cuisine pour une addition finale qui reste décente. Ici, on s'amuse à jongler avec les pays, les cultures, les continents. La carte est un pot-pourri de plats canadiens, italiens, indiens et méditerranéens. On y trouve même des influences normande, provençale et milanaise. Tiens, tiens, n'y aurait-il pas un marmiton français aux fourneaux ? On a aimé le *strudel* aux épinards, le poulet *aglio et olio*, le veau au vin blanc (*veal Bosco*), et les *shrimp puttanesca*. Vins blancs et rouges au verre ou à la bouteille. Allez-y si vous en avez marre de bouffer de la fast-cuisine. Ça réveillera vos petites papilles gustatives !

Où boire un verre ?

♟ *Granite Brewery :* 1222 Barrington Street. ☎ 423-56-60. Ambiance assez celte-anglophone, même si ce n'est pas la Côte de Granit rose. 3 sortes de bière maison : Best Bitter, Peculiar et Keefes Irish Stout.

Possibilité d'y manger aussi. *Brunch* le samedi de 11 h 30 à 16 h, le dimanche à partir de midi.

♟ *Midtown Tavern :* en montant vers la citadelle, à l'angle de Grafton et de Prince Streets.

À voir

★ *Le vieux quartier historique :* situé sur le front de mer, au pied de la colline hérissée de tours et d'immeubles modernes, un petit coin sympa mais hyper touristique, où il fait bon flâner pour prendre la température et faire le plein d'infos à l'office du tourisme. En gros, il y a trois pâtés de maisons anciennes aux façades, paraît-il, exceptionnelles car elles mêlent les styles victorien et italien. La plupart datent du XIXe siècle. C'est le noyau dur de Halifax. Les pionniers ont débarqué là. La ville a pu s'étendre à partir de ce quartier aujourd'hui envahi par les boutiques, les pubs, les restos chic. Ne manquez pas la visite du *Bluenose II,* superbe bateau de course de 1921, symbole aussi précieux pour les Canadiens que la feuille d'érable. Il est ancré près de l'office du tourisme, à la hauteur de la maison Privateer's Warehouse.

★ *Le musée maritime de l'Atlantique :* Lower Water Street, dans le port, à la hauteur de Sackville Street. ☎ 424-74-90. Ouvert toute l'année. Entre le 1er juin et le 15 octobre, ouvert du lundi au samedi de 9 h 30 à 17 h 30 et le dimanche de 13 h à 17 h 30.

Intéressant surtout pour les documents relatant le naufrage du *Titanic* au large de Halifax. Les corps retrouvés des victimes de cette catastrophe sans précédent furent enterrés dans deux cimetières de la ville, celui de Mount Olivet à Fairview et le cimetière Baron de Hirsch. Documents aussi sur cette incroyable explosion, en 1917, d'un navire français (le *Mont-Blanc*), bourré de TNT et d'explosifs. L'équivalent d'une bombe A (un mini-Hiroshima). La moitié de la ville fut totalement anéantie. 2 000 personnes périrent, et plus de 9 000 furent blessées. Les vitres des fenêtres furent cassées jusqu'à 80 km autour de la ville. Et le choc de l'explosion fut même ressenti à Sydney, dans l'île du Cap-Breton !

★ *La citadelle de Halifax :* située sur une colline dominant le port, elle fut construite entre 1828 et 1856, en forme d'étoile, pour défendre la ville d'une attaque qui n'eut jamais lieu... En été, des guides en costume d'époque font revivre ce bastion, symbole de la puissance anglaise sur la côte atlantique. Tradition oblige : ils tirent le coup de canon à midi pile. Chouette balade à faire à pied, qui permet, du sommet, d'avoir une belle vue d'ensemble sur la ville. Notez la vieille tour de l'horloge *(Old Town Clock)* qui fut offerte à la cité par le fils du roi George III, le prince Edward (qui donna son nom à une île bien connue du nord de la province).

WINDSOR

Décidément les Windsor aiment bien semer leur nom. Comme ici, dans ce petit bled charmant et verdoyant, à un saut de puce de Halifax par la route 101 (80 km, 1 h de voiture, ce n'est rien !).

Typically British donc, avec partout, partout, l'empreinte des loyalistes américains (fidèles à la couronne d'Angleterre), réfugiés dans l'ancienne Acadie lors de la guerre d'Indépendance américaine. Tel ce Thomas Chandler Haliburton, fervent admirateur de la couronne anglaise et auteur du roman *Sam Slick the Clockmaker,* le bouquin humoristique du XIXe siècle que tout habitant du cru se doit de connaître. On peut visiter sa jolie mais quelque peu froide maison, ouverte du 1er juin au 15 octobre, du lundi au samedi de 9 h 30 à 17 h 30.

Windsor constitue une bonne petite étape sur la route d'Annapolis Royal, quand on ne veut pas dormir à Halifax.

Où dormir ?

🛏 ***Bed & Breakfast Clockmaker's Inn :*** 1399 King Street, à l'intersection avec la route 14 vers Chester. ☎ 798-52-65. Enfin une adresse de caractère et de charme d'un excellent rapport qualité-prix ! Il s'agit d'une très grande maison victorienne, typique et tout en bois, entourée d'arbres séculaires. À l'intérieur, on se retrouve dans un décor pour un film d'Hitchcock, mais à taille humaine. On est reçu par un couple de retraités, lui très naturel et affable, elle plus stricte. Le grand escalier conduit au 1er étage avec son coin-salon (divan, livres, TV, vidéo) où Denis Connelly vous propose ses cassettes de musique classique et une tasse de thé. Superbes chambres à l'ancienne, toutes avec des noms : « Frederick Fraser » et « Joseph Howe » (lit en bois marqueté et cheminée originale) sont les deux plus belles. Les deux autres sont un peu moins épatantes mais elles sont plus calmes, sur l'arrière. Ambiance victorienne rétro-romantique assurée. Denis accepte la carte *Visa.* Tarifs imbattables, moins de 200 F la chambre double, bref le luxe à prix routards. Pour une nuit d'exception qui vous fera remonter dans le temps. Old Canada !

GRAND-PRÉ

Petit village (325 âmes) mais grande réputation ! Tous les Acadiens du monde connaissent Grand-Pré, y sont venus, y viennent ou y viendront en « pèlerinage », en quelque sorte, puisque c'est ici, au fond de la baie Minasbasin, qu'a commencé le Grand Dérangement, autrement dit leur déportation, et donc le début de leurs malheurs.

Rappel des faits et des méfaits : alors que les Acadiens sont implantés là depuis 1672, les Anglais (nouveaux maîtres en Acadie depuis le traité d'Utrecht en 1713) leur demandent en 1755 de prêter serment d'allégeance au roi d'Angleterre, donc de devenir anglais, et par conséquent de changer de religion (c'était tacite à l'époque !). Refus d'obtempérer, évidemment. Résultat : le 5 septembre 1755, le lieutenant-colonel John Winslow ordonne qu'ils soient rassemblés dans l'église Saint-Charles puis déportés (expulsés, dirait-on aujourd'hui), après que leurs terres, leurs habitations eurent été confisquées par la Couronne. Le Grand Dérangement se poursuivra jusqu'en 1762, dispersant près de 8 000 Acadiens à travers le monde, de Belle-Île-en-Mer (Bretagne) à la Louisiane, de la Virginie aux Antilles. Pour la suite de cette épopée douloureuse, on vous renvoie au village acadien de Lafayette (Lousiane) ou à Saint-Martinville (Louisiane aussi), en plein Pays cajun (voir *Le Guide du Routard Floride, Louisiane*), où survit aujourd'hui la cajun plus grande communauté née de cet exil forcé. Ainsi que le souvenir d'Évangéline, l'héroïne du poème de Longfellow, devenue l'emblème de la cause acadienne.

Où dormir ? Où manger ?

▲ |●| *Évangéline Snack-Bar et Motel :* route 1, tout près de l'intersection avec la route conduisant au site national historique de Grand-Pré. ☎ 542-27-03. Sandwiches et petits plats tout simples. Au motel, chambres à prix doux, situées en retrait de la route, donc au calme. Sans charme particulier mais bien pour une nuit.

▲ *Inn the Vineyard Bed & Breakfast :* 264 Old Post Road. ☎ 542-95-54. Ouvert du 1er juin au 30 septembre. Prendre la route du site de Grand-Pré, puis tourner à droite.

C'est plus loin sur la droite de la route. Au milieu des vergers et des pommiers, dans une belle et opulente campagne au climat très doux en été (on entend même les cigales chanter !), voici une charmante demeure du XVIIIe siècle tenue avec soin et beaucoup de goût par un couple de Canadiens francophones habitant Montréal mais qui passent l'été ici. Chambres très authentiques, mais prix légèrement plus élevés que la moyenne, en raison du charme se dégageant de la maison. Petit déjeuner copieux. Très bon accueil.

À voir

★ *Le lieu historique national de Grand-Pré :* sur une route menant à la mer, très bien indiqué. ☎ 542-36-31. Ouvert tous les jours de la mi-mai à la mi-octobre, de 9 h à 18 h. Un des hauts lieux de l'histoire des Acadiens, sorte de mémorial en plein air comprenant une réplique de l'église Saint-Charles (l'originale fut brûlée par les Anglais) qui relate la tragédie acadienne, une plaque portant les 300 noms de familles déportées, une statue en bronze d'Évangéline, dans le jardin, et, plus loin, au bout du sentier, la croix de la Déportation plantée sur le site même où les Acadiens ont été embarqués de force sur des chaloupes, puis chargés dans des navires, destination l'exil...

WOLFVILLE

À 5 km de Grand-Pré, une toute petite ville universitaire aux rues bordées d'ormes géants (mais malades malgré les apparences...) et de somptueuses maisons victoriennes. Pourquoi une telle opulence dans un trou pareil de 3 500 habitants ? On n'a toujours pas bien compris ; sans doute à cause de la matière grise amenée par les étudiants et les profs qui séjournent à l'université. Rien à y faire, mais on peut s'y arrêter pour manger en passant, après la visite de Grand-Pré.

Où dormir ? Où manger ?

▲ *Birchcliff Bed & Breakfast :* 84 Main Street. ☎ 542-33-91. Ouvert du 15 mai au 1er septembre. Maison ordinaire, sans grand charme mais calme, au milieu d'un magnifique terrain offrant une belle vue. Accueil très moyen. 3 chambres au sous-sol, sans vue, pour des prix modérés. Également un studio à louer dans une maisonnette à part (plus cher, mais raisonnable). Leah B. Patterson ferme tôt dans l'année car elle reçoit des étudiants dès septembre. Bien dans l'ensemble, en dépit de ces petits points critiques.

|●| Restaurant Acton's : 268 Main Street. ☎ 542-75-25. Adresse assez chic, plutôt pour un dîner avec une bonne copine que l'on veut séduire que tout seul comme un pauvre hère. Le midi, buffet froid et chaud, sinon carte : moules de Honfleur, salades, *petatou* (gratin de pommes de terre), *manicotti* (crêpes à la mozzarella). Cuisine plus élaborée que la moyenne, accompagnée de bons vins de la maison (chablis, chardonnay, cabernet-sauvignon). Terrasse agréable en été. Pour changer des hamburgers de Tim Horton, si vous n'avez pas dépensé vos économies, une bonne table.

À voir

★ **Thomson's Barber Shop :** dans une petite rue perpendiculaire à la rue principale. Au pied d'un grand arbre, la petite boutique d'un coiffeur qui aime les pendentifs bricolés et les objets rock'n'roll. Vaut le coup d'œil et le coup de ciseaux, si vos lianes de cheveux commencent à peser lourd...

ANNAPOLIS ROYAL

Drôle de nom quand même! On s'attend à trouver une sorte de grande ville de province, en fait, rien de tout ça : c'est à peine un gros village, noyé dans la verdure, au bord d'une rivière dépendant de la baie de Fundy (autrefois appelée baie des Français, avant que la Grande Albion ne s'en empare, ah! La méchante...). Et pourtant, elle fut la capitale de la Nouvelle-Écosse entre 1713 et 1749, avant Halifax!

Ô surprise! Le matin, tout est noyé dans la brume jusqu'à 10 h-11 h, et après vient le soleil. Ô stupeur! Voici les marées les plus rapides du monde, avec des flots écumants qui remontent dans les terres à une vitesse inouïe. D'ailleurs, c'est pour cela que les Canadiens y ont installé une usine marémotrice, la seule et unique centrale en Amérique du Nord fonctionnant avec l'énergie des courants marins (comme celle de la Rance, près de Dinard, en Bretagne, pour ceux qui ont barboté par là-bas).

Endroit très agréable donc, où une ribambelle d'arbres – ormes, chênes, érables, peupliers – noient les superbes maisons victoriennes dans un océan de verdure. Un bon plan, y dormir une nuit, avant la traversée Digby-Saint-John, si vous devez ensuite prendre le chemin du retour (vers Québec, ou ailleurs).

À ne pas manquer, sous aucun prétexte, la visite de l'habitation de Port-Royal, sur la rive opposée : le camp des pionniers français où commença cette superbe aventure de la Nouvelle-France en Amérique du Nord (cf. « À voir »).

Où dormir? Où manger?

🛏 Hebert House : 124 Victoria Street. ☎ 532-79-36. E-mail : areid@ns.sympatico.ca. Site web : www3.ns.sympatico.ca/areid/ De gros arbres dans un jardin entourent cette maison aux murs jaunes. Au choix : chambres rénovées avec formule *Bed & Breakfast* dans la maison ou chambres dans le motel à côté (petit déjeuner non compris dans ce cas). Depuis qu'ils ont rénové, les prix ont augmenté.

▲ *The Turret Bed & Breakfast :* 372 Saint George Street. ☎ 532-57-70. En face d'un vieux cimetière romantique avec d'énormes corneilles noires virevoltant dans les arbres. Cela nous a plu. Tout comme *The Turret,* une belle maison vieille de plus d'un siècle, où l'on dort dans de jolies chambres fort bien tenues. Confort bourgeois et accueil poli et gentil. On y est à l'aise. Les propriétaires, des retraités encore jeunes, servent un exquis petit déjeuner, très complet, avec du *porridge* (flocons d'avoine dans du lait avec du sucre), des œufs, des toasts, du bacon, etc. Adresse plus coquette, plus charmante que la précédente, aux tarifs équivalents.

|●| *Restaurant The Old Post Office :* sur la rue principale, tout près de la rivière et de l'ancien théâtre. ☎ 532-70-78. Ouvert seulement en été. Une grosse bâtisse en brique rouge de 1883, avec une grande salle intérieure très haute de plafond, des sculptures insolites, des panneaux divers, du genre « Si vous n'avez pas faim, vous n'êtes pas à la bonne place ». Au milieu, un vieux comptoir des Postes récupéré, où l'on va soi-même chercher sa soupe. Les autres plats sont servis par des jeunes souriants. Plusieurs menus à prix doux : saumon, menu végétarien, *roast turkey, baked ham*... Accepte la carte *Visa.* Bref, bonne adresse pas chère et sympa.

À voir

★ *Les Jardins historiques :* 441, rue Saint-George. ☎ 532-70-18. Ouverts de 8 h à la tombée du jour, tous les jours de début juin à fin octobre. Superbe promenade à faire en fin d'après-midi. Merveilleux jardins d'époque victorienne où l'on découvre, outre de très beaux arbres (et des fleurs, bien sûr), un potager acadien comme au XVIIᵉ siècle et une cabane acadienne reconstituée (preuve que la vie était très dure jadis par ici !). En contrebas des jardins, un sentier mène à une sorte de marais où l'on peut voir des hérons.

★ *Le Fort-Anne :* rue Saint-George. ☎ 532-23-97. Musée ouvert tous les jours du 15 mai au 15 octobre, de 9 h à 18 h. Tenu par les Français depuis ses origines (1635) jusqu'à sa prise par les Anglais en 1713, le fort consiste en une caserne (qui n'a rien d'une caserne, c'est une jolie maison en fait) baptisée ainsi en l'honneur de la reine Anne Stuart. Curieusement, cette maison disparaît derrière une série de monticules couverts de gazon, assez drôles à voir. Ils sont disposés en étoile et portent des canons. Ne pas rater le buste (monument) du sieur de Monts, avec sa moustache de mousquetaire et son grand chapeau à la Cyrano ! Pierre du Gua, sieur de Monts, arriva en Acadie en 1604 avec Champlain et Poutrincourt et 80 hommes. Il fut l'un des fondateurs de l'Habitation (camp fortifié en bois) de Port-Royal.

Dans les environs

★ *L'Habitation de Port-Royal :* à 10 km à l'ouest d'Annapolis Royal, sur la rive nord de la rivière Annapolis. ☎ 532-28-98. Ouvert tous les jours de la mi-mai à la mi-octobre, de 9 h à 18 h. Connue ici sous son nom officiel de « Lieu historique national ». Étonnante et émouvante reconstitution du premier campement fortifié (on disait « habitation » au XVIIᵉ siècle) français en Amérique du Nord. Autrement dit, voici la réplique (admirable, il faut le dire) de la première colonie (1605) implantée par la France au Nouveau Monde. Ça mérite quand même un petit détour !

Ce n'est donc ni à Québec, ni à Gaspé (où débarqua Jacques Cartier) que l'aventure de la Nouvelle-France a commencé, mais bel et bien ici, dans ce site abrité mais perdu, hostile, loin de tout. Port-Royal avait son symétrique à Saint-Jean (Saint John, aujourd'hui) au Nouveau-Brunswick. Mais à Saint John, devenu une grande ville, on ne voit plus rien, alors qu'ici, c'est tellement bien fait, si bien préservé, si merveilleusement raconté, que la magie opère. Résultat : dépaysement total, grâce aux animateurs acadiens en costumes d'époque. C'est tout petit. Les maisons en gros rondins de bois sont disposées autour d'une cour intérieure (avec un puits) dans laquelle on pénètre par une simple porte. Voir la forge, la cuisine, la boulangerie, la chapelle (dépouillée, monacale), les dortoirs sous les toits avec les matelas rembourrés de paille (pour les soldats) où l'on passerait bien la nuit, et la demeure, austère et sombre, des gentilshommes. C'est Champlain lui-même qui fonda Port-Royal. On peut même voir le plan de l'habitation qu'il dessina. Malgré les conditions de vie difficiles, la petite colonie trouva le temps de produire et d'écrire ici la première pièce de théâtre de l'histoire du Canada... Le fantôme de Champlain semble être revenu dans les palissades de Port-Royal ! Un endroit coup de cœur, que nous avons beaucoup aimé.

LA NOUVELLE-ÉCOSSE

Le routard aime le monde,
Le routard aime la musique,
Le routard aime les musiques du monde…

Retrouvez les coups de cœur du Routard
dans une collection de CD

LES
MUSIQUES
DU
ROUTARD

Best Of The World : une sélection des plus
grands noms des musiques du monde :
Cesaria Evora, Geoffrey Oryema, Natacha Atlas,
Compay Segundo, Cheb Mami, Madredeus,
Nusrat Fateh Ali Khan, ONB etc…
Et le rap du sous-commandant Marcos !

**MAGHREB
MOYEN-ORIENT**
Natacha Atlas, Khaled,
ONB, Cheb Mami, Idir,
Radio Tarifa, etc…

AMERIQUE LATINE
Compay Segundo,
Toto La Momposina,
Mercedes Sosa,
Soledad Bravo, etc…

ASIE
Nusrat Fateh Ali Khan,
Lama Gyourme,
U Srinivas, Clash Of
The Gong, etc…

AFRIQUE
Geoffrey Oryema,
Cesaria Evora, Papa
Wemba, Youssou
N'Dour, Baaba Maal,
Oumou Sangare, etc…

EUROPE
Vera Bila, Madredeus,
Peter Gabriel, Songhaï,
Thierry "Titi"Robin,
etc…

Le plein de campagne.

*Plus de 1 600 adresses dont 130 inédites de fermes-auberges,
chambres d'hôtes et gîtes sélectionnés dans toute la France.
Un certain art de vivre qui renaît.*

Le Guide du Routard.
La liberté pour seul guide.

Hachette Tourisme